German Fiction and Poetry

German Fiction and Poetry

EDITED BY

Peter Heller and Edith Ehrlich

University of Massachusetts

THE MACMILLAN COMPANY, NEW YORK

ACKNOWLEDGMENTS

GOTTFRIED BENN: "Nur zwei Dinge" from *Gesammelte Werke* by Gottfried Benn (Wiesbaden: Limes Verlag, 1958), reprinted by permission of the publisher.

WOLFGANG BORCHERT: "Nachts schlafen die Ratten doch" from *An diesem Dienstag* in *Wolfgang Borcherts Gesamtwerk* by Wolfgang Borchert (Reinbek bei Hamburg: Rowohlt Verlag, 1949), reprinted by permission of the publisher.

BERTOLT BRECHT: "Legende von der Entstehung des Buches Taoteking" from *Hundert Gedichte* by Bertolt Brecht (Frankfurt am Main: Suhrkamp Verlag, 1955), reprinted by permission of the publisher.

RICHARD DEHMEL: "Der Arbeitsmann" by Richard Dehmel (Frankfurt am Main: S. Fischer Verlag, 1911), reprinted by permission of Vera Tügel-Dehmel.

PAUL ERNST: "Der Hecht" from *Komödianten- und Spitzbubengeschichten* by Paul Ernst (Gütersloh: Sigbert Mohn Verlag), reprinted by permission of the publisher.

STEFAN GEORGE: "Du schlank und rein wie eine flamme..." from *Werke* by Stefan George (Düsseldorf: Verlag Helmut Küpper, 1958), reprinted by permission of the publisher.

HERMANN HESSE: "Märchen" ("Flötentraum") and "Im Nebel" from *Gesammelte Schriften in 7 Bänden*, Vol. 5, by Hermann Hesse (Frankfurt am Main: Suhrkamp Verlag, 1958), reprinted by permission of the publisher.

HUGO VON HOFMANNSTHAL: "Die Beiden" from *Gedichte*. Insel-Bücherei (Frankfurt am Main: Insel-Verlag, 1946), reprinted by permission of the publisher. "Das Erlebnis des Marschalls von Bassompierre" by *Hofmannsthal* from Hugo von Hofmannsthal *Die Erzählungen.*—Copyright 1945 by Bermann-Fischer Verlag A.G., Stockholm.

FRANZ KAFKA: "Poseidon." Reprinted by permission of Schocken Books Inc. from *Beschreibung eines Kampfes* by Franz Kafka, Copyright © 1936, 1937 by Heinr. Mercy Sohn, Prague. Copyright © 1946 by Schocken Books Inc., New York.

REINHARD LETTAU: "Herr Strich schreitet zum Äußersten" from *Schwierigkeiten beim Häuserbauen* by Reinhard Lettau (München: Carl Hanser Verlag, 1962), reprinted by permission of the author.

THOMAS MANN: *Tonio Kröger* by Thomas Mann, published in Volume *Erzählungen* of *Stockholmer Gesamtausgabe*, published by S. Fischer Verlag, Frankfurt/Main. © 1958 by Katharina Mann. Reprinted by permission of Joan Daves and S. Fischer Verlag.

RAINER MARIA RILKE: "Herbsttag," "Der Panther," and "Das Karussel" from *Sämtliche Werke* by Rainer Maria Rilke (Frankfurt am Main: Insel-Verlag, 1955), reprinted by permission of the publisher.

ARTHUR SCHNITZLER: "Das Tagebuch der Redegonda" by Arthur Schnitzler from Arthur Schnitzler *Ausgewählte Erzählungen*—Copyright 1950 by S. Fischer Verlag, Frankfurt am Main.

KURT TUCHOLSKY: "Der Mann, der zu spät kam" by Kurt Tucholsky (Reinbek bei Hamburg: Rowohlt Verlag), reprinted by permission of the publisher.

For Christiane Heller and Leonard Ehrlich

Preface

GERMAN FICTION AND POETRY is a reader for the intermediate levels of study of German. The book should also serve as a first introduction to the range of German literature from the eighteenth century to the present.

The texts in each of the parts are arranged in chronological sequence. At the same time, the first three parts are "graded" in the sense that the selections in Part I ("Fabeln und Märchen") presuppose less knowledge of German and offer more explanatory comments than the more complex "Erzählungen und Episoden" of Part II, which are, in turn, less exacting than Mann's *Tonio Kröger* (Part III). The anthology of poetry (Part IV) forms a self-contained unit. The poems that are easier in terms of linguistic structure (e.g., Goethe's "Heidenröslein," "Gefunden," "Wandrers Nachtlied," "Erlkönig"; Brentano's "Wiegenlied"; Heine's "Der alte König," "Die Lorelei"; Hesse's "Im Nebel") might well be read in conjunction with the readings in the first two parts.

Lists of vocabulary intended for active command, and questions to be answered orally or in writing, accompany the first three parts in keeping with what the editors found to be assignments of suitable length.

The short introductory passages to each writer and his work are meant to orient students unacquainted with German literature and to stimulate discussion by suggesting an interpretive approach or critical bias pertinent to a given text.

The "Notes and References" make no pretension to scholarly thoroughness, but they should serve the instructor who may want a convenient guide to standard editions and who may want to direct his students to further interpretations of the texts and authors included in the reader.

The vocabulary items and explanations given in footnotes on pages of the text should serve only to facilitate reading comprehension. (Items to be assigned as active vocabulary occur in the vocabulary building lists.) The end vocabulary includes all German words that occur in the text except for articles, pronouns, and numbers. The meanings listed are restricted to those required in context.

P. H.
E. E.

Contents

Part IV. *Gedichte*

Part I *Fabeln und Märchen*

Gotthold Ephraim Lessing: Ölgemälde von Johann Heinrich Tischbein d. A. (courtesy Berlin Nationalgalerie).

Gotthold Ephraim Lessing (1729–1781)

In criticism and drama, thought and style, Lessing was the founder of modern German literature. His best-known works are the comedy Minna von Barnhelm (1767), the tragedy Emilia Galotti (1772), and the philosophical drama of rational enlightenment and religious tolerance entitled Nathan der Weise (1779). His work as a critic includes Laokoon (1766) and Hamburgische Dramaturgie (1767–1769). In manner and in content, the following fable suggests one aspect of Lessing's achievement. The symbol of the crossbow and the economy of diction aiming at the essential point illustrate his ideal of unadorned concision and vigor.

Der Besitzer des Bogens

EIN MANN hatte einen trefflichen[1] Bogen[2] von Ebenholz,[3] mit dem er sehr weit und sehr sicher schoß, und den er ungemein wert hielt.[4] Einst aber, als er ihn aufmerksam betrachtete, sprach er: „Ein wenig plump[5] bist du doch! Alle deine Zierde[6] ist Glätte. Schade! — Doch dem ist abzuhelfen![7]" fiel ihm ein. „Ich will hingehen und den besten   5 Künstler Bilder in den Bogen schnitzen[8] lassen." — Er ging hin, und der Künstler schnitzte eine ganze Jagd[9] auf den Bogen; und was hätte sich besser auf einen Bogen geschickt[10] als eine Jagd?

Der Mann war voller Freuden. „Du verdienst diese Zierraten,[11] mein lieber Bogen!" — Indem will er ihn versuchen; er spannt,[12] und   10 der Bogen — zerbricht.

---

[1] **trefflich** excellent
[2] **der Bogen** crossbow
[3] **das Ebenholz** ebony
[4] **den ... hielt** which he valued very highly
[5] **plump** clumsy, crude
[6] **die Zierde** ornament
[7] **dem ist abzuhelfen** this can be helped
[8] **schnitzen** carve
[9] **die Jagd** the hunt, hunting scene
[10] **sich schicken** to be suitable
[11] **die Zierrat** ornament
[12] **spannen** draw (*a bow*)

3

Johann Peter Hebel
(1760–1826)

*The popular anecdotes and poems, the humorous fables and the un-
assuming tales of this master of the literary miniature (Alemannische
Gedichte (1803), Schatzkästlein des rheinischen Hausfreundes (1811))
have endured by virtue of their simplicity and depth of feeling, their apparent
ease, their good sense, and their stylistic perfection.*

Seltsamer[1] Spazierritt[2]

EIN MANN reitet auf seinem Esel nach Haus und läßt seinen Buben zu
Fuß nebenherlaufen.[3] Kommt ein Wanderer und sagt: „Das ist nicht
recht, Vater, daß Ihr[4] reitet und laßt Euern[5] Sohn laufen; Ihr habt
stärkere Glieder."[6] Da stieg der Vater vom Esel herab und ließ den
Sohn reiten. Kommt wieder ein Wandersmann und sagt: „Das ist   5
nicht recht, Bursche,[7] daß du reitest und lässest[8] deinen Vater zu Fuß
gehen. Du hast jüngere Beine." Da saßen beide auf[9] und ritten eine
Strecke.[10] Kommt ein dritter Wandersmann und sagt: „Was ist das
für ein Unverstand,[11] zwei Kerle[12] auf einem schwachen Tiere? Sollte
man nicht einen Stock nehmen und euch beide hinabjagen?"[13] Da   10
stiegen beide ab und gingen selbstdritt[14] zu Fuß, rechts und links der
Vater und Sohn, und in der Mitte der Esel. Kommt ein vierter Wandersmann und sagt: „Ihr seid drei kuriose Gesellen.[15] Ist's nicht genug,
wenn zwei zu Fuß gehen? Geht's nicht leichter, wenn einer von euch
reitet?" Da band der Vater dem Esel die vorderen Beine zusammen,   15
und der Sohn band ihm die hinteren Beine zusammen, zogen einen
starken Baumpfahl durch,[16] der an der Straße stand, und trugen den
Esel auf der Achsel[17] heim.

So weit kann's kommen,[18] wenn man es allen Leuten will recht
machen.[19]
                                                                      20

[1] **seltsam** odd
[2] **der Spazierritt** ride
[3] **nebenherlaufen** run alongside
[4] **Ihr** you
[5] **Euern** your
[6] **das Glied** limb
[7] **der Bursche** (*young*) fellow
[8] **lässest** läßt
[9] **aufsitzen** mount
[10] **eine Strecke** some distance
[11] **der Unverstand** nonsense
[12] **der Kerl** fellow

[13] **hinabjagen** chase down *or* off
[14] **selbstdritt** the three of them
[15] **der Geselle** fellow, companion
[16] **zogen . . . durch** *meaning:* they suspended the donkey from a pole
[17] **die Achsel** shoulder
[18] **So . . . kommen** *meaning:* This is
how far things can go
[19] **wenn . . . machen** (*read: wenn man
es allen Leuten recht machen will*)
if you try to please everybody

Jakob Grimm
(1785–1863)
Wilhelm Grimm
(1786–1859)

In search of the mythical past and of the true spirit of their people, these learned Romanticists and founders of Germanic philology collected the fairy-tales of rural Germany as they had been passed down by word of mouth from generation to generation. Their work, a masterpiece of German prose, became a favorite of the nursery and a classic of world literature (Kinder- und Hausmärchen, 1812–1822).

The following stories project the fulfillment of wishful thinking into the never-never land of "Once upon a time." In the lyrical tale of the poor and kind-hearted girl, even the distant stars are moved to compassion so that they will clothe the child in finery and come down as silver dollars. In the farce of "Doctor Know-It-All," an illiterate peasant gains the reputation of omni-science and the advantages of wealth. And in the weird and humorous saga of a strong and fearless simpleton, the hero, undaunted by evil spirits, will earn the favors of a king and marry a princess. Naive and straightforward in language, Grimm's fairy tales reveal an inexhaustible wealth of imagination; at the same time, they are designed to comfort the simple folk. For them all stories turn out well and they will live happily ever after.

Die Sterntaler[1]

Es WAR einmal[2] ein kleines Mädchen, dem waren Vater und Mutter gestorben,[3] und es war so arm, daß es kein Kämmerchen[4] mehr hatte, darin zu wohnen, kein Bettchen mehr, darin zu schlafen, und endlich gar nichts mehr als die Kleider auf dem Leib und ein Stückchen Brot[5] in der Hand, das ihm ein mitleidiges Herz geschenkt hatte. Es war aber   5
gut und fromm. Und weil es so von aller Welt verlassen[6] war, ging es

[1] **der Taler**   old German coin: *"silver dollar"*
[2] **Es war einmal**   Once upon a time there was
[3] **dem ... gestorben**   whose father and mother had died
[4] **das Kämmerchen**   little room
[5] **ein Stückchen Brot**   a little piece of bread
[6] **von ... verlassen**   forsaken by everyone

Brüder Grimm: Gemälde von Elisabeth Jerichau, 1855 (courtesy Alfred Kröner Verlag, Stuttgart).

im Vertrauen auf[7] den lieben Gott[8] hinaus ins Feld. Da begegnete ihm
ein armer Mann, der sprach: „Ach, gib mir etwas zu essen, ich bin so
hungrig." Es reichte ihm das ganze Stückchen Brot und sagte: „Gott
segne dir's!"[9] und ging weiter. Da kam ein Kind, das jammerte[10] und   10
sprach: „Es friert mich so an meinem Kopfe,[11] schenk mir etwas, womit
ich ihn bedecken kann." Da tat es seine Mütze ab[12] und gab sie ihm.
Und als es noch eine Weile gegangen war, kam wieder ein Kind und
hatte kein Leibchen[13] und fror: da gab es ihm seins; und noch weiter,
da bat eins um ein Röcklein, das gab es auch von sich hin.[14] Endlich   15
gelangte es in einen Wald, und es war schon dunkel geworden, da kam
noch eins und bat um ein Hemdlein, und das fromme Mädchen dachte:
„Es ist dunkle Nacht, da sieht[15] dich niemand, du kannst wohl dein
Hemd weggeben", und zog das Hemd ab und gab es auch noch hin.
Und wie es so stand und gar nichts mehr hatte, fielen auf einmal[16] die   20
Sterne vom Himmel und waren lauter harte, blanke[17] Taler; und ob es
gleich[18] sein Hemdlein weggegeben, so hatte es ein neues an, und das
war vom allerfeinsten[19] Linnen. Da sammelte es sich die Taler hinein
und war reich sein Lebtag.[20]

[7] **im Vertrauen auf** trusting in	[14] **das . . . hin** this she also gave away
[8] **der liebe Gott** the Good Lord	[15] **abziehen** take off
[9] **Gott segne dir's!** *lit.:* May God	[16] **auf einmal** all of a sudden
bless it for you	[17] **blank** shiny
[10] **jammern** cry, lament	[18] **ob es gleich** although she
[11] **Es . . . Kopfe** my head is freezing so	[19] **vom allerfeinsten** of the very finest
[12] **abtun** take off	[20] **sein Lebtag** for the rest of her life
[13] **das Leibchen** vest	

Doktor Allwissend

Es WAR einmal ein armer Bauer namens Krebs,[1] der[2] fuhr mit zwei
Ochsen ein Fuder Holz[3] in die Stadt und verkaufte es für zwei Taler an
einen Doktor. Wie ihm nun das Geld ausbezahlt wurde, saß der
Doktor gerade zu Tisch;[4] da sah der Bauer, wie er schön[5] aß und
trank, und das Herz ging ihm danach auf, und er wäre auch gern ein   5
Doktor gewesen. Also blieb er noch ein Weilchen stehen und fragte
endlich, ob er nicht auch könnte ein Doktor werden. „O ja", sagte der
Doktor, „das ist bald geschehen."[6] „Was muß ich tun?" fragte der
Bauer. „Erstlich kauf dir ein Abc-Buch, so eins, wo vorn ein Göckelhahn drin ist;[7] zweitens mache deinen Wagen und deine zwei Ochsen   10

[1] **der Krebs** crawfish, crab	[6] **das . . . geschehen** that is easily done
[2] **der** *demonstrative pronoun* that one,	[7] **(ein Abc-Buch) . . . Göckelhahn drin**
that man, he	**ist** Note: *Since the peasant cannot read,*
[3] **ein Fuder Holz** a wagon load of	*the doctor identifies the kind of primer (das*
wood	*Abc-Buch) used in elementary school, by*
[4] **(saß) zu Tisch** was having a meal	*referring to the rooster (der Göckelhahn)*
[5] **schön** *here:* well	*imprinted on the front page.*

7

zu Geld[8] und schaff dir damit Kleider an[9] und was sonst zur Doktorei[10] gehört; drittens laß dir ein Schild[11] malen mit den Worten: «Ich bin der Doktor Allwissend», und laß das oben über deine Haustür nageln." Der Bauer tat alles, wie's ihm geheißen war.[12] Als er nun ein wenig gedoktert[13] hatte, aber noch nicht viel, ward einem reichen, großen 15 Herrn Geld gestohlen. Da ward[14] ihm von dem Doktor Allwissend gesagt, der in dem und dem Dorfe wohnte und auch wissen müßte, wo das Geld hingekommen wäre. Also ließ der Herr seinen Wagen anspannen,[15] fuhr hinaus ins Dorf und fragte bei ihm an,[16] ob er der Doktor Allwissend wäre. Ja, der wär' er. So sollte er mitgehn und das 20 gestohlene Geld wiederschaffen.[17] O ja, aber die Grete, seine Frau, müßte auch mit, und sie fuhren zusammen fort. Als sie auf den adligen Hof[18] kamen, war der Tisch gedeckt,[19] da sollte er erst mitessen. Ja, aber seine Frau, die Grete auch, sagte er und setzte sich mit ihr hinter den Tisch. 25

Wie nun der erste Bediente[20] mit einer Schüssel schönem Essen kam, stieß der Bauer seine Frau an[21] und sagte: „Grete, das war der erste," und meinte, es wäre derjenige, welcher das erste Essen brächte. Der Bediente aber meinte, er hätte damit sagen wollen: „Das ist der erste Dieb", und weil er's nun wirklich war, ward ihm angst,[22] und er sagte 30 draußen zu seinen Kameraden: „Der Doktor weiß alles, wir kommen übel an,[23] er hat gesagt, ich wäre der erste." Der zweite wollte gar nicht hinein, er mußte aber doch. Wie er nun mit seiner Schüssel hereinkam, stieß der Bauer seine Frau an: „Grete, das ist der zweite." Dem Bedienten ward ebenfalls angst, und er machte, daß er hinauskam.[24] 35 Dem dritten ging's nicht besser,[25] der Bauer sagte wieder: „Grete, das ist der dritte." Der vierte mußte eine verdeckte[26] Schüssel hineintragen, und der Herr sprach zum Doktor, er sollte seine Kunst zeigen und raten, was darunter läge; es waren aber Krebse. Der Bauer sah die Schüssel an, wußte nicht, wie er sich helfen sollte,[27] und sprach: „Ach, 40 ich armer Krebs!" Wie der Herr das hörte, rief er: „Da, er weiß es, nun weiß er auch, wer das Geld hat."

[8] **(mache) zu Geld** convert into cash, sell
[9] **(schaff dir) an** buy yourself
[10] **die Doktorei** doctoring; *here: doing anything only an educated man can do, including a bit of magic*
[11] **das Schild** sign
[12] **wie's ... war** just as he had been told to do it
[13] **doktern** to doctor; (*see **Doktorei** above*)
[14] **ward** wurde
[15] **(ließ) seinen Wagen anspannen** had the horses hitched to his carriage
[16] **fragte ... an** inquired of him

[17] **wiederschaffen** get back, find
[18] **auf ... Hof** to the nobleman's estate
[19] **war ... gedeckt** the table was set
[20] **der Bediente** servant
[21] **(stieß) an** poked
[22] **ward ihm angst** he became scared
[23] **wir ... an** we are in trouble
[24] **er machte ... hinauskam** he got out of the room as fast as he could
[25] **ging's nicht besser** did not fare any better
[26] **verdeckt** covered
[27] **wie ... sollte** what he should do

Dem Bedienten aber ward gewaltig angst; und er blinzelte[28] den
Doktor an, er möchte einmal herauskommen.[29] Wie er nun hinauskam,
gestanden sie ihm alle viere,[30] sie hätten das Geld gestohlen, sie wollten's 45
ja gerne herausgeben[31] und ihm eine schwere Summe dazu,[32] wenn er
sie nicht verraten wollte; es ginge ihnen sonst an den Hals.[33] Sie
führten ihn auch hin, wo das Geld versteckt lag. Damit war der
Doktor zufrieden, ging wieder hinein, setzte sich an den Tisch und
sprach: „Herr, nun will ich in meinem Buch suchen, wo das Geld 50
steckt."[34] Der fünfte Bediente aber kroch[35] in den Ofen und wollte
hören, ob der Doktor noch mehr wüßte. Der saß aber und schlug sein
Abc-Buch auf, blätterte hin und her[36] und suchte den Göckelhahn.
Weil er ihn nicht gleich[37] finden konnte, sprach er: „Du bist doch
darin und mußt auch heraus."[38] Da glaubte der im Ofen, er wäre 55
gemeint, sprang voller Schrecken heraus und rief: „Der Mann weiß
alles." Nun zeigte der Doktor Allwissend dem Herrn, wo das Geld lag,
sagte aber nicht, wer's gestohlen hatte, bekam von beiden Seiten viel
Geld zur Belohnung[39] und ward ein berühmter Mann.

[28] **blinzelte (an)**   winked at
[29] **er möchte einmal herauskommen**
  (*to indicate*) that he should come out
[30] **alle viere**   all four of them
[31] **herausgeben**   hand over
[32] **eine . . . dazu**   a great deal of money
  on top of it
[33] **es . . . Hals**   for otherwise this would
  cost them their necks
[34] **wo . . . steckt**   where the money is
  hidden
[35] **kriechen**   crawl
[36] **blätterte . . . her**   turned the pages
  back and forth
[37] **gleich**   right away
[38] **(du) mußt heraus**   Note *the double
  meaning:* "you must come out" *and*
  "you must turn up"
[39] **zur Belohnung**   as a reward

Märchen von einem, der auszog,[1] das Fürchten zu lernen

I

EIN VATER hatte zwei Söhne, davon[2] war der älteste klug und gescheit
und wußte sich in alles wohl zu schicken,[3] der jüngste aber war dumm,
konnte nichts begreifen und lernen. Und wenn ihn die Leute sahen,
sprachen sie: „Mit dem wird der Vater noch seine Last[4] haben!"
Wenn nun etwas zu tun war, so mußte es der älteste allzeit ausrichten;[5] 5
hieß ihn aber der Vater noch spät oder gar in der Nacht[6] etwas holen,

[1] **ausziehen**   set out
[2] **davon   von denen**
[3] **(er) wußte . . . schicken**   (he) knew
  how to adjust himself to all situations
[4] **seine Last**   *here:* a load of troubles
[5] **ausrichten**   take care of
[6] **noch . . . Nacht**   in the evening, let
  alone at night

9

und der Weg ging dabei über den Kirchhof oder sonst einen schaurigen Ort, so antwortete er wohl: „Ach nein, Vater, ich gehe nicht dahin, es gruselt mir!"[7] denn er fürchtete sich. Oder wenn abends beim Feuer Geschichten erzählt wurden, wobei einem die Haut schaudert,[8] 10
so sprachen die Zuhörer[9] manchmal: „Ach, es gruselt mir!" Der jüngste saß in einer Ecke und hörte das mit an[10] und konnte nicht begreifen, was es heißen sollte. „Immer sagen sie, es gruselt mir! Mir gruselt's nicht, das wird wohl[11] eine Kunst sein, von der ich auch nichts verstehe."[12] 15

Nun geschah es, daß der Vater einmal zu ihm sprach: „Hör du, in der Ecke dort, du wirst groß und stark, du mußt auch etwas lernen, womit du dein Brot verdienst.[13] Siehst du, wie dein Bruder sich Mühe gibt, aber an dir ist Hopfen und Malz verloren."[14] — „Ei, Vater", antwortete er, „ich will gerne was lernen; ja, wenn's anginge,[15] so 20 möchte ich lernen, daß mir's gruselte." Der älteste lachte, als er das hörte, und dachte bei sich:[16] ‚Du lieber Gott,[17] was ist mein Bruder ein Dummbart,[18] aus dem wird sein Lebtag nichts,[19] was ein Häkchen werden will, muß sich beizeiten krümmen.'[20] Der Vater seufzte und antwortete ihm: „Das Gruseln, das sollst du schon lernen,[21] aber dein 25 Brot wirst du damit nicht verdienen."

Bald danach kam der Küster[22] zu Besuch ins Haus, da klagte ihm der Vater seine Not[23] und erzählte, wie sein jüngster Sohn in allen Dingen so schlecht beschlagen[24] wäre, er wüßte nichts und lernte nichts. „Denkt Euch,[25] als ich ihn fragte, womit er sein Brot verdienen 30 wollte, hat er gar verlangt, das Gruseln zu lernen." — „Wenn's weiter nichts ist", antwortete der Küster, „das kann er bei mir lernen; tut ihn nur zu mir,[26] ich will ihn schon abholen."[27] Der Vater war es zufrieden,[28] weil er dachte: ‚Der Junge wird doch ein wenig zugestutzt.'[29] Der Küster nahm ihn also ins Haus, und er mußte die Glocke 35 läuten. Nach ein paar Tagen weckte er ihn um Mitternacht, hieß ihn aufstehen, in den Kirchturm steigen und läuten. ‚Du sollst schon lernen,

---

[7] **es gruselt mir!** I am scared! It makes me shudder! It gives me the creeps (the shivers)
[8] **wobei einem die Haut schaudert** *meaning:* which give one goose pimples
[9] **der Zuhörer** listener
[10] **hörte das mit an** listened to this
[11] **wohl** *here:* probably
[12] **eine Kunst ... verstehe** another skill of which I know nothing
[13] **sein Brot verdienen** earn one's living
[14] **an ... verloren** (*Prov.*) all effort is wasted on you; you are a hopeless case
[15] **wenn's anginge** if possible
[16] **dachte bei sich** thought to himself
[17] **Du lieber Gott!** Good Lord!
[18] **der Dummbart** silly ass, dolt

[19] **aus ... nichts** he'll never amount to anything
[20] **was ... krümmen.** (*Prov.*) as the twig is bent, the tree will grow.
[21] **das Gruseln lernen** learn how to get the shivers *or* creeps
[22] **der Küster** sexton
[23] **jemandem seine Not klagen** tell one's troubles to someone
[24] **schlecht beschlagen** ignorant
[25] **Denkt Euch** Just think
[26] **tut ... mir** just send him to me
[27] **ich ... abholen** *here:* I'll take care of him
[28] **war es zufrieden** war damit zufrieden
[29] **(wird) zugestutzt** will be cut down to size

was Gruseln ist', dachte er, ging heimlich voraus, und als der Junge
oben war und sich umdrehte und das Glockenseil[30] fassen wollte, so
sah er auf der Treppe, dem Schalloch[31] gegenüber eine weiße Gestalt 40
stehen. „Wer da?" rief er, aber die Gestalt gab keine Antwort, regte
und bewegte sich nicht. „Gib Antwort", rief der Junge, „oder mache,
daß du fortkommst,[32] du hast hier in der Nacht nichts zu schaffen."[33]
Der Küster aber blieb unbeweglich stehen, damit der Junge glauben
sollte, es wäre ein Gespenst. Der Junge rief zum zweitenmal: „Was 45
willst du hier? Sprich, wenn du ein ehrlicher Kerl bist, oder ich werfe
dich die Treppe hinab!" Der Küster dachte: ‚Das wird so schlimm
nicht gemeint sein',[34] gab keinen Laut von sich und stand, als wenn er
von Stein wäre. Da rief ihn der Junge zum dritten Male an, und als das
auch vergeblich war, nahm er einen Anlauf[35] und stieß das Gespenst[36] 50
die Treppe hinab, daß es in einer Ecke liegenblieb. Darauf läutete er die
Glocke, ging heim, legte sich ins Bett und schlief fort. Die Küsterfrau
wartete lange Zeit auf ihren Mann, aber er wollte nicht wieder-
kommen.[37] Da ward ihr endlich angst, sie weckte den Jungen und
fragte: „Weißt du nicht, wo mein Mann geblieben ist? Er ist vor Dir 55
auf den Turm gestiegen." — „Nein", antwortete der Junge, „aber da
hat einer dem Schalloch gegenüber auf der Treppe gestanden, und weil
er keine Antwort geben und auch nicht weggehen wollte, so habe ich
ihn für einen Spitzbuben gehalten[38] und hinuntergestoßen. Geht nur
hin, so werdet Ihr sehen, ob er's gewesen ist, es sollte mir leid tun."[39] 60
Die Frau sprang fort und fand ihren Mann, der in einer Ecke lag und
ein Bein gebrochen hatte.

Sie trug ihn herab und eilte dann mit lautem Geschrei zu dem Vater
des Jungen. „Euer Junge", rief sie, „hat großes Unglück angerichtet,[40]
meinen Mann hat er die Treppe hinabgeworfen, daß er ein Bein 65
gebrochen hat, schafft den Taugenichts[41] aus unserem Hause."[42] Der
Vater erschrak, kam herbeigelaufen und schalt den Jungen aus. „Was
sind das für gottlose Streiche,[43] die muß dir der Böse[44] eingegeben[45]
haben." — „Vater", antwortete er, „hört nur an, ich bin ganz unschuldig; er stand da in der Nacht wie einer, der Böses im Sinne hat.[46] 70
Ich wußte nicht, wer's war, und habe ihn dreimal ermahnt zu reden

---

[30] **das Glockenseil** bell rope
[31] **das Schalloch** louvre window (*in the belfry*)
[32] **mache, daß du fortkommst!** get lost!
[33] **(du hast hier) nichts zu schaffen** you have no business here
[34] **Das . . . gemeint sein** He probably does not mean it
[35] **einen Anlauf nehmen** take a running start
[36] **das Gespenst** ghost
[37] **er wollte nicht wiederkommen** he did not come back

[38] **so . . . gehalten** I therefore thought he was a scoundrel
[39] **es . . . tun** I would be sorry
[40] **Unglück anrichten** cause trouble *or* misfortune
[41] **der Taugenichts** ne'er-do-well
[42] **aus dem Hause schaffen** get (something *or* someone) out of the house
[43] **Was . . . Streiche** What sort of wicked pranks are these
[44] **der Böse** the Evil One, devil
[45] **eingeben** prompt, inspire
[46] **Böses im Sinne haben** have evil intentions

oder wegzugehen." — „Ach", sprach der Vater, „mit dir erleb' ich nur Unglück, geh mir aus den Augen,[47] ich will dich nicht mehr ansehen." — „Ja, Vater, recht gerne, wartet nur, bis Tag ist, da will ich ausgehen und das Gruseln lernen, so versteh' ich doch eine Kunst, die mich 75 ernähren kann." — „Lerne, was du willst", sprach der Vater, „mir ist alles einerlei.[48] Da hast du fünfzig Taler, damit geh in die weite Welt und sage keinem Menschen, wo du her bist[49] und wer dein Vater ist; denn ich muß mich deiner schämen." — „Ja, Vater, wie Ihr's haben wollt, wenn Ihr nicht mehr verlangt, das kann ich leicht in acht 80 behalten."[50]

Als nun der Tag anbrach,[51] steckte der Junge seine fünfzig Taler in die Tasche, ging hinaus auf die große Landstraße[52] und sprach immer vor sich hin:[53] „Wenn mir's nur gruselte! Wenn mir's nur gruselte!" Da kam ein Mann heran, der hörte, was der Junge sprach, und als sie 85 ein Stück weiter waren, daß man den Galgen sehen konnte, sagte der Mann zu ihm: „Siehst du, dort ist der Baum, wo sieben mit des Seilers Tochter Hochzeit gehalten[54] haben und jetzt das Fliegen lernen. Setz dich darunter und warte, bis die Nacht kommt, so wirst du schon das Gruseln lernen." — „Wenn weiter nichts dazugehört",[55] antwortete 90 der Junge, „das ist leicht getan; lerne ich aber so geschwind das Gruseln, so sollst du meine fünfzig Taler haben, komm nur morgen früh wieder zu mir." Da ging der Junge zu dem Galgen, setzte sich darunter und wartete, bis der Abend kam. Und weil ihm fror,[56] machte er sich ein Feuer an, aber um Mitternacht ging der Wind so kalt, daß er trotz des 95 Feuers nicht warm werden wollte. Und als der Wind die Gehenkten[57] gegeneinander stieß, daß sie sich hin und her bewegten, so dachte er: ‚Du frierst unten beim Feuer, was mögen die da oben erst frieren und zappeln!'[58] Und weil er mitleidig war, legte er die Leiter an,[59] stieg hinauf, knüpfte einen nach dem andern los[60] und holte sie alle sieben 100 herab. Darauf schürte er das Feuer,[61] blies es an[62] und setzte sie ringsherum, daß sie sich wärmen sollten. Aber sie saßen da und regten sich nicht, und das Feuer ergriff ihre Kleider. Da sprach er: „Nehmt euch in acht, sonst häng' ich euch wieder hinauf." Die Toten aber hörten nicht,

[47] **geh mir aus den Augen** get out of my sight
[48] **mir ist alles einerlei** it's all the same to me
[49] **wo du her bist** where you come from
[50] **in acht behalten** keep in mind
[51] **Als . . . anbrach** When the day dawned
[52] **die große Landstraße** the main highway
[53] **(er) sprach vor sich hin** he kept saying to himself
[54] **mit . . . gehalten** *lit.* married the

rope-maker's daughter; *therefore:* were hanged
[55] **Wenn . . . dazugehört** If that's all there is to it
[56] **weil ihm fror** **weil es ihn fror**
[57] **die Gehenkten** the corpses on the gallows
[58] **was . . . zappeln!** How much more must those up there freeze and fidget!
[59] **die Leiter anlegen** put up the ladder (*against the gallows*)
[60] **losknüpfen** untie
[61] **das Feuer schüren** rake the fire
[62] **anblasen** blow upon, revive (a fire)

schwiegen und ließen ihre Lumpen[63] fort brennen.[64] Da ward er bös 105
und sprach: „Wenn ihr nicht achtgeben wollt, so kann ich euch nicht
helfen, ich will nicht mit euch verbrennen", und hing sie nach der
Reihe[65] wieder hinauf. Nun setzte er sich zu seinem Feuer und schlief
ein, und am andern Morgen, da kam der Mann zu ihm, wollte die
fünfzig Taler haben und sprach: „Nun weißt du, was Gruseln ist?" 110
— „Nein", antwortete er, „woher sollte ich's wissen? Die da
droben[66] haben das Maul[67] nicht aufgetan und waren so dumm, daß
sie die paar alten Lappen,[68] die sie am Leibe haben, brennen ließen." Da
sah der Mann, daß er die fünfzig Taler heute nicht davontragen würde,
ging fort und sprach: „So einer ist mir noch nicht vorgekommen."[69] 115
Der Junge ging auch seines Weges[70] und fing wieder an, vor sich
hin zu reden: „Ach, wenn mir's nur gruselte! Ach, wenn mir's nur
gruselte!" Das hörte ein Fuhrmann, der hinter ihm herschritt, und
fragte: „Wer bist du?" — „Ich weiß nicht", antwortete der Junge. Der
Fuhrmann fragte weiter: „Wo bist du her?" — „Ich weiß nicht." — 120
„Wer ist dein Vater?" — „Das darf ich nicht sagen." — „Was brummst
du beständig[71] in den Bart hinein?"[72] — „Ei", antwortete der Junge,
„ich wollte, daß mir's gruselte, aber niemand kann mich's lehren." —
„Laß dein dummes Geschwätz",[73] sprach der Fuhrmann, „komm, geh
mit mir, ich will sehen,[74] daß ich dich unterbringe."[75] Der Junge ging 125
mit dem Fuhrmann, und abends gelangten sie zu einem Wirtshaus, wo
sie übernachten wollten. Da sprach er beim Eintritt in die Stube wieder
ganz laut: „Wenn mir's nur gruselte! Wenn mir's nur gruselte!" Der
Wirt, der das hörte, lachte und sprach: „Wenn dich danach lüstet,[76]
dazu sollte hier wohl Gelegenheit sein." — „Ach, schweig stille",[77] 130
sprach die Wirtsfrau, „so mancher Vorwitzige[78] hat schon sein Leben
eingebüßt,[79] schade um[80] die schönen Augen, wenn die das Tageslicht
nicht wieder sehen sollten." Der Junge aber sagte: „Wenn's noch so
schwer[81] wäre, ich will's einmal[82] lernen." Er ließ dem Wirt auch
keine Ruhe, bis dieser erzählte, nicht weit davon[83] stünde ein ver- 135
wünschtes[84] Schloß, wo einer wohl lernen könnte, was Gruseln wäre,

[63] **die Lumpen** rags
[64] **fort brennen** keep on burning
[65] **nach der Reihe** in turn
[66] **die da droben** those up there
[67] **das Maul** mouth (*of an animal, also vulgarly of a person*)
[68] **die Lappen** rags
[69] **So ... vorgekommen** I never met anyone like him
[70] **seines Weges gehen** proceed on one's way
[71] **beständig** constantly
[72] **Was ... hinein?** What do you keep mumbling to yourself?
[73] **Laß ... Geschwätz** Stop your silly babbling
[74] **ich will sehen** I'll see to it
[75] **unterbringen** find accommodations for; take care of
[76] **Wenn ... lüstet** If you desire that
[77] **schweig stille** be quiet
[78] **vorwitzig** inquisitive, prying
[79] **einbüßen** lose, forfeit
[80] **schade um** too bad about
[81] **noch so schwer** no matter how difficult
[82] **einmal** here: just
[83] **davon** here: away
[84] **verwünscht** enchanted (*under an evil spell*)

13

wenn er nur drei Nächte darin wachen wollte. Der König hätte dem,
der's wagen wollte, seine Tochter zur Frau versprochen, und die wäre
die schönste Jungfrau, welche die Sonne beschien.[85] In dem Schlosse
steckten auch große Schätze, von bösen Geistern bewacht, die würden 140
dann frei und könnten einen Armen reich genug machen! Da ging der
Junge am andern Morgen vor den König und sprach: „Wenn's erlaubt
wäre, so wollte ich wohl drei Nächte in dem verwünschten Schlosse
wachen." Der König sah ihn an, und weil er ihm gefiel, sprach er: „Du
darfst dir noch dreierlei[86] ausbitten,[87] aber es müssen leblose Dinge 145
sein, und die darfst du mit ins Schloß nehmen." Da antwortete er:
„So bitt' ich um ein Feuer, eine Drehbank[88] und eine Schnitzbank[89]
mit dem Messer."

II

Der König ließ ihm das alles bei Tage in das Schloß tragen. Als es
Nacht werden wollte,[90] ging der Junge hinauf, machte sich in einer
Kammer ein helles Feuer an, stellte die Schnitzbank mit dem Messer
daneben und setzte sich auf die Drehbank. „Ach, wenn mir's nur
gruselte!" sprach er, „aber hier werde ich's auch nicht lernen." Gegen 5
Mitternacht wollte er sich sein Feuer einmal aufschüren,[91] wie er so
hineinblies, da schrie's plötzlich aus einer Ecke: „Au, miau![92] Was uns
friert!"[93] — „Ihr Narren", rief er, „was schreit ihr? Wenn euch friert,
kommt, setzt euch ans Feuer und wärmt euch." Und wie er das gesagt
hatte, kamen zwei große schwarze Katzen in einem gewaltigen 10
Sprunge[94] herbei, setzten sich ihm zu beiden Seiten und sahen ihn mit
ihren feurigen Augen ganz wild an. Über ein Weilchen,[95] als sie sich
gewärmt hatten, sprachen sie: „Kamerad, wollen wir eins in der Karte
spielen?"[96] — „Warum nicht?" antwortete er, „aber zeigt einmal eure
Pfoten her!" Da streckten sie die Krallen aus. „Ei", sagte er, „was habt 15
ihr lange Nägel! Wartet, die muß ich euch erst abschneiden." Damit
packte er sie beim Kragen,[97] hob sie auf die Schnitzbank und schraubte
ihnen die Pfoten fest. „Euch habe ich auf die Finger gesehen",[98] sprach
er, „da vergeht mir die Lust zum Kartenspiel", schlug sie tot und warf

---

[85] **welche . . . beschien** *lit.:* on whom
the sun shone, *i.e.,* under the sun
[86] **dreierlei** three things
[87] **ausbitten** ask for, request
[88] **die Drehbank** turning lathe
[89] **die Schnitzbank** carving bench
[90] **Als . . . wollte** When night began to
fall
[91] **aufschüren** schüren
[92] **Au miau!** Ouch meeow!
[93] **Was uns friert!** How cold we are!

[94] **der Sprung** leap
[95] **Über ein Weilchen** After a little
while
[96] **Wollen . . . spielen?** Shall we have a
game of cards?
[97] **beim Kragen packen** grab by the
neck
[98] **Euch . . . gesehen** (*pun*) *meaning:* I
have watched you closely, you're up to
no good

sie hinaus ins Wasser. Als er aber die zwei zur Ruhe gebracht hatte, da 20
kamen aus allen Ecken und Enden[99] schwarze Katzen und schwarze
Hunde an glühenden Ketten, immer mehr und mehr, daß er sich nicht
mehr bergen[1] konnte. Die schrien greulich, traten ihm auf sein Feuer,
zerrten es auseinander[2] und wollten es ausmachen. Das sah er ein
Weilchen ruhig mit an,[3] als es ihm aber zu arg ward, faßte er sein 25
Schnitzmesser und rief: „Fort mit dir, du Gesindel!"[4] und haute auf
sie los.[5] Ein Teil sprang weg, die andern schlug er tot und warf sie
hinaus in den Teich. Als er wiedergekommen war, blies er aus den
Funken[6] sein Feuer frisch an und wärmte sich. Und als er so saß, wollten
ihm die Augen nicht länger offen bleiben, und er bekam Lust zu 30
schlafen. Da blickte er um sich und sah in der Ecke ein großes Bett.
„Das ist mir eben recht",[7] sprach er und legte sich hinein. Als er aber
die Augen zutun[8] wollte, so fing das Bett von selbst[9] an zu fahren und
fuhr im ganzen Schloß herum. „Recht so", sprach er, „nur besser zu."[10]
Da rollte das Bett fort, als wären sechs Pferde vorgespannt,[11] über 35
Schwellen[12] und Treppen auf und ab. Auf einmal, hopp hopp, fiel es
um, das Unterste zu oberst, daß es wie ein Berg auf ihm lag. Aber er
schleuderte[13] Decken und Kissen in die Höhe, stieg heraus und sagte:
„Nun mag fahren, wer Lust hat", legte sich an sein Feuer und schlief,
bis es Tag war. Am Morgen kam der König, und als er ihn da auf der 40
Erde liegen sah, meinte er, er wäre tot. Da sprach er: „Es ist doch
schade um den schönen Menschen." Das hörte der Junge, richtete sich
auf[14] und sprach: „So weit ist's noch nicht!"[15] Da wunderte sich der
König, freute sich aber und fragte, wie es ihm gegangen wäre. „Recht
gut", antwortete er, „eine Nacht wäre herum, die zwei anderen 45
werden auch herumgehen."[16] Als er zum Wirt kam, da machte der
große Augen.[17] „Ich dachte nicht", sprach er, „daß ich dich wieder
lebendig sehen würde; hast du nun gelernt, was Gruseln ist?" —
„Nein", sagte er, „es ist alles vergeblich, wenn mir's nur einer sagen
könnte!" 50

Die zweite Nacht ging er abermals hinauf ins alte Schloß, setzte sich
zum Feuer und fing sein altes Lied wieder an: „Wenn mir's nur
gruselte!" Wie Mitternacht herankam, ließ sich ein Lärm und
Gepolter[18] hören, erst sachte,[19] dann immer stärker, dann war's ein
bißchen still, endlich kam mit lautem Geschrei ein halber Mensch den 55

---

[99] **aus . . . Enden** from everywhere	[10] **nur besser zu** let's go faster
[1] **sich bergen** hide *or* protect himself	[11] **vorspannen** harness to
[2] **auseinanderzerren** pull apart	[12] **die Schwelle** threshold
[3] **mit ansehen** watch	[13] **schleudern** toss
[4] **Gesindel** riff-raff	[14] **sich aufrichten** sit up
[5] **(er) haute . . . los** (he) went at them with blows	[15] **So . . . nicht!** Things haven't got that far yet!
[6] **die Funken** embers	[16] **herum sein, herumgehen** *here:* pass
[7] **Das . . . recht** That's just right for me	[17] **große Augen machen** be astonished
[8] **zutun** close	[18] **das Gepolter** noise, racket
[9] **von selbst** by itself	[19] **sachte** softly

Schornstein[20] herab und fiel vor ihn hin. „Heda!"[21] rief er, „noch ein
halber gehört dazu, das ist zu wenig." Da ging der Lärm von frischem
an, es tobte und heulte,[22] und da fiel die andere Hälfte auch herab.
„Wart", sprach er, „ich will dir erst das Feuer ein wenig anblasen."
Wie er das getan hatte und sich wieder umsah,[23] da waren die beiden   60
Stücke zusammengefahren,[24] und da saß ein greulicher[25] Mann auf
seinem Platz. „So haben wir nicht gewettet",[26] sprach der Junge, „die
Bank ist mein." Der Mann wollte ihn wegdrängen,[27] aber der Junge
ließ sich's nicht gefallen,[28] schob ihn mit Gewalt weg und setzte sich
wieder auf seinen Platz. Da fielen noch mehr Männer herab, einer   65
nach dem andern, die holten neun Totenbeine und zwei Totenköpfe,
setzten auf[29] und spielten Kegel.[30] Der Junge bekam auch Lust und
fragte: „Hört ihr, kann ich mittun?"[31]

„Ja, wenn du Geld hast." — „Geld genug", antwortete er, „aber
eure Kugeln sind nicht recht rund." Da nahm er die Totenköpfe, setzte   70
sie in die Drehbank und drehte sie rund.[32] „So, jetzt werden sie besser
schüppeln",[33] sprach er, „heida,[34] nun geht's lustig!"[35] Er spielte mit
und verlor etwas von seinem Geld, als es aber zwölf Uhr schlug, war
alles vor seinen Augen verschwunden. Er legte sich nieder und schlief
ruhig ein. Am andern Morgen kam der König und wollte sich erkun-   75
digen. „Wie ist dir's diesmal gegangen?" fragte er. — „Ich habe
gekegelt", antwortete er, „und ein paar Heller[36] verloren." — „Hat
dir denn nicht gegruselt?" — „Ei was",[37] sprach er, „lustig hab' ich
mich gemacht.[38] Wenn ich nur wüßte, was Gruseln wäre!"

In der dritten Nacht setzte er sich wieder auf seine Bank und sprach   80
ganz verdrießlich:[39] „Wenn es mir nur gruselte!" Als es spät ward,
kamen sechs große Männer und brachten[40] eine Totenlade[41] hereingetragen. Da sprach er: „Ha, ha, das ist gewiß mein Vetterchen, das
erst vor ein paar Tagen gestorben ist", winkte mit dem Finger[42] und
rief: „Komm, Vetterchen, komm!" Sie stellten den Sarg auf die Erde,   85
er aber ging hinzu und nahm den Deckel ab, da lag ein toter Mann

---

[20] **der Schornstein** chimney
[21] **Heda!** Hey!
[22] **es . . . heulte** there was howling and raging
[23] **sich umsehen** look around
[24] **zusammenfahren** *here:* join together (by themselves)
[25] **greulich** gruesome
[26] **So . . . gewettet** That's not what we agreed upon; I'm not going to stand for this
[27] **wegdrängen** push away
[28] **(er) ließ . . . gefallen** (he) wouldn't put up with it
[29] **setzten auf** *here:* put up the pins
[30] **Kegel spielen** bowl
[31] **kann ich mittun?** can I play with you?

[32] **drehte sie rund** turned them until they were round
[33] **schüppeln** (*dial.*) shove, roll
[34] **heida!** hey! hurrah!
[35] **nun geht's lustig** now we'll have some fun
[36] **ein paar Heller** a few cents
[37] **ei was!** oh nonsense!
[38] **lustig hab' ich mich gemacht** I've had fun; it was a joke
[39] **verdrießlich** vexed
[40] **brachten . . . hereingetragen** carried in
[41] **die Totenlade** coffin
[42] **mit dem Finger winken** wag one's finger, beckon

darin. Er fühlte ihm ans Gesicht, aber es war kalt wie Eis. „Wart", sprach er, „ich will dich ein bißchen wärmen", ging ans Feuer, wärmte seine Hand und legte sie ihm auf's Gesicht, aber der Tote blieb kalt. Nun nahm er ihn heraus, setzte ihn ans Feuer und rieb ihm die Arme, 90 damit das Blut wieder in Bewegung kommen sollte. Als auch das nichts helfen wollte, fiel ihm ein: ‚Wenn zwei zusammen im Bett liegen, so wärmen sie sich‘, brachte ihn ins Bett, deckte ihn zu und legte sich neben ihn. Über ein Weilchen ward auch der Tote warm und fing an, sich zu regen. Da sprach der Junge: „Siehst du, Vetterchen, hätt' ich 95 dich nicht gewärmt!"[43] Der Tote hub an[44] zu sprechen: „Jetzt will ich dich erwürgen."[45] — „Was", sagte er, „ist das der Dank? Gleich sollst du wieder in deinen Sarg", hob ihn auf, warf ihn hinein und machte den Deckel zu; da kamen die sechs Männer und trugen ihn wieder fort. „Es will mir nicht gruseln",[46] sagte er, „hier lerne ich's 100 mein Lebtag nicht."

Da trat ein Mann herein, der war größer als alle anderen und sah fürchterlich aus; er war aber alt und hatte einen langen weißen Bart. „O du Wicht",[47] rief er, „nun sollst du bald lernen, was Gruseln ist; denn du sollst sterben." — „Nicht so schnell", antwortete der Junge, 105 „soll ich sterben, so muß ich auch dabeisein."[48] — „Dich will ich schon packen",[49] sprach der Unhold.[50] — „Sachte, sachte, mach dich nicht so breit;[51] so stark wie du bin ich auch." — „Das wollen wir sehn", sprach der Alte, „bist du stärker als ich, so will ich dich gehen lassen; komm, wir wollen's versuchen." Da führte er ihn durch dunkle 110 Gänge[52] zu einem Schmiedefeuer,[53] nahm eine Axt und schlug den einen Amboß mit einem Schlag in die Erde. „Das kann ich noch besser", sprach der Junge und ging zu dem andern Amboß. Der Alte stellte sich nebenhin[54] und wollte zusehen, und sein weißer Bart hing herab. Da faßte der Junge die Axt, spaltete[55] den Amboß auf einen 115 Hieb und klemmte den Bart des Alten mit hinein.[56] „Nun hab' ich dich", sprach der Junge, „jetzt ist das Sterben an dir."[57] Dann faßte er eine Eisenstange[58] und schlug auf den Alten los, bis er wimmerte, und bat, er möchte aufhören, er wollte ihm große Reichtümer geben. Der Junge zog die Axt 'raus[59] und ließ ihn los. Der Alte führte ihn wieder 120 ins Schloß zurück und zeigte ihm in einem Keller drei Kasten voll Gold.

[43] **hätt' ... gewärmt!** if I hadn't warmed you!
[44] **anheben** begin
[45] **erwürgen** strangle
[46] **Es ... gruseln** I simply can't get scared
[47] **der Wicht** wretch
[48] **dabeisein** *here:* agree
[49] **Dich ... packen** I'll get you
[50] **der Unhold** monster
[51] **mach ... breit** don't brag

[52] **der Gang** corridor
[53] **das Schmiedefeuer** forge fire
[54] **nebenhin** next to (*him*)
[55] **spalten** split
[56] **mit hineinklemmen** clamp (something) fast
[57] **Jetzt ... an dir.** Now it's your turn to die.
[58] **die Eisenstange** iron rod
[59] **'raus** heraus

„Davon", sprach er, „ist ein Teil den Armen,[60] der andere dem König, der dritte dein." Indem schlug es zwölfe, und der Geist verschwand. Am andern Morgen kam der König und sagte: „Nun wirst du gelernt haben, was Gruseln ist!" — „Nein", antwortete er, „was ist's nur?[61] 125 Mein toter Vetter war da, und ein bärtiger Mann ist gekommen, der hat mir da unten viel Geld gezeigt, aber was Gruseln ist, hat mir keiner gesagt." Da sprach der König: „Du hast das Schloß erlöst[62] und sollst meine Tochter heiraten".

Da ward das Gold heraufgebracht und die Hochzeit gefeiert, aber 130 der junge König, so lieb er seine Gemahlin hatte[63] und so vergnügt er war,[64] sagte doch immer: „Wenn mir nur gruselte, wenn mir nur gruselte!" Das verdroß sie endlich. Ihr Kammermädchen[65] sprach: „Ich will Hilfe schaffen,[66] das Gruseln soll er schon lernen." Sie ging hinaus zum Bach, der durch den Garten floß, und ließ sich einen 135 ganzen Eimer[67] voll Gründlinge[68] holen. Nachts, als der junge König schlief, mußte seine Gemahlin ihm die Decke wegziehen und den Eimer voll kaltem Wasser mit den Gründlingen über ihn herschütten,[69] daß die kleinen Fische um ihn herum zappelten.[70] Da wachte er auf und rief: „Ach, was gruselt mir, was gruselt mir,[71] liebe Frau! Ja, nun weiß 140 ich, was Gruseln ist."

---

[60] **ein Teil den Armen** **ein Teil für die Armen**
[61] **was ist's nur?** what might it be?
[62] **erlösen** redeem
[63] **so ... hatte** much as he loved his wife
[64] **so ... war** merry as he was
[65] **das Kammermädchen** chamber maid
[66] **Ich ... schaffen** I'll fix this
[67] **der Eimer** pail
[68] **der Gründling** gudgeon (*small fish*)
[69] **über ihn herschütten** pour out over him
[70] **zappeln** writhe
[71] **was gruselt mir!** how scared I am! how I shudder!

Wilhelm Hauff
(1802–1827)

*Unlike the anonymous authors of the genuine folktales, Hauff, a some-
what Philistine Romanticist, stylized his fairytales deliberately in order to
give them a veneer of naive folklore. The amusing "Story of Caliph Stork"
paraphrases Oriental motifs and concludes a tale of metamorphoses with the
humorous return to the comforts and respectable conventions characteristic of
the nineteenth-century middle class rather than of Eastern potentates.*

Die Geschichte von Kalif Storch

I

DER KALIF Chasid zu Bagdad saß einmal an einem schönen Nachmittag
behaglich auf seinem Sofa; er hatte ein wenig geschlafen, denn es war
ein heißer Tag, und er sah nun nach seinem Schläfchen[1] recht heiter
aus. Er rauchte aus einer langen Pfeife von Rosenholz,[2] trank hie und
da ein wenig Kaffee, den ihm ein Sklave einschenkte,[3] und strich sich   5
allemal[4] vergnügt den Bart,[5] wenn es ihm geschmeckt hatte.[6] Kurz,[7]
man sah dem Kalifen an,[8] daß es ihm recht wohl war.[9] Um diese
Stunde konnte man gar gut mit ihm reden, weil er da immer recht
mild und leutselig[10] war; deswegen besuchte ihn auch sein Großwesir[11]
Mansor alle Tage um diese Zeit. An diesem Nachmittag nun kam er   10
auch, sah aber sehr nachdenklich[12] aus, ganz gegen seine Gewohnheit.
Der Kalif nahm die Pfeife ein wenig aus dem Mund und sprach:
„Warum machst du ein so nachdenkliches Gesicht, Großwesir?"
    Der Großwesir schlug die Arme kreuzweis über die Brust,[13] verneigte
sich vor seinem Herrn und antwortete: „Herr, ob ich ein nachdenkliches   15
Gesicht mache, weiß ich nicht; aber da unten am Schloß steht ein
Krämer,[14] der hat so schöne Sachen, daß es mich ärgert, nicht viel
überflüssiges Geld zu haben."

[1] **das Schläfchen** little nap
[2] **das Rosenholz** rosewood
[3] **einschenken** pour *or* serve a drink
[4] **allemal** every time
[5] **sich den Bart streichen** stroke one's beard
[6] **wenn . . . hatte** *lit.:* whenever he had enjoyed the taste; whenever he was satisfied
[7] **kurz** *here:* in short
[8] **jemandem etwas ansehen** be able to tell by looking at someone
[9] **daß . . . war** that he felt quite comfortable
[10] **leutselig** affable, pleasant
[11] **der Großwesir** Grand Vizier, prime minister
[12] **nachdenklich** thoughtful
[13] **die Arme kreuzweis über die Brust schlagen** cross one's arms over his chest
[14] **der Krämer** peddler

Wilhelm Hauff, Kalif Storch: Nach einem Aquarell von Ruth Koser-Michäels (courtesy of Droemersche Verlagsanstalt, München).

Der Kalif, der seinem Großwesir schon lange[15] gern eine Freude
gemacht hätte,[16] schickte seinen schwarzen Sklaven hinunter, um den   20
Krämer heraufzuholen. Bald kam der Sklave mit ihm zurück. Es war
ein kleiner, dicker Mann, schwarzbraun im Gesicht und in zerlump-
tem[17] Anzug. Er trug einen Kasten, in dem er allerhand[18] Waren
hatte, Perlen und Ringe, reichbeschlagene[19] Pistolen, Becher[20] und
Kämme. Der Kalif und sein Großwesir musterten alles durch,[21] und   25
der Kalif kaufte endlich für sich und Mansor schöne Pistolen, für die
Frau des Wesirs aber einen Kamm. Als der Krämer seinen Kasten schon
wieder zumachen wollte, sah der Kalif eine kleine Schublade und
fragte, ob darin auch noch Waren seien. Der Krämer zog die Schublade
heraus und zeigte eine Dose mit schwärzlichem Pulver[22] und ein Papier   30
mit sonderbarer Schrift, die weder der Kalif noch Mansor lesen konnten.
„Ich bekam einmal diese zwei Stücke von einem Kaufmann, der sie in
Mekka auf der Straße fand", sagte der Krämer, „ich weiß nicht, was
sie enthalten; Euch stehen sie um geringen Preis zu Dienst,[23] ich kann
doch nichts damit anfangen."[24] Der Kalif, der in seiner Bibliothek   35
gerne alte Manuskripte hatte, wenn er sie auch[25] nicht lesen konnte,
kaufte Schrift und Dose[26] und entließ[27] den Krämer. Der Kalif aber
dachte, er möchte gerne wissen, was die Schrift enthalte, und fragte den
Wesir, ob er jemanden kenne, der sie entziffern[28] könnte. „Gnädigster
Herr und Gebieter",[29] antwortete der, „an der großen Moschee[30]   40
wohnt ein Mann, er heißt Selim der Gelehrte; der versteht alle
Sprachen; laß ihn kommen, vielleicht kennt er diese geheimnisvollen
Schriftzüge."[31]

Der Gelehrte war bald herbeigeholt. „Selim", sprach der Kalif zu
ihm, „Selim, man sagt, du seiest sehr klug; guck einmal[32] ein wenig in   45
diese Schrift, ob du sie lesen kannst. Kannst du sie lesen, so bekommst
du ein neues Festkleid[33] von mir, kannst du es nicht, so bekommst du
zwölf Backenstreiche[34] und fünfundzwanzig auf die Fußsohlen,[35] weil
man dich dann ohne Grund Selim den Gelehrten nennt." Selim
verneigte sich und sprach: „Dein Wille geschehe,[36] o Herr!" Lange   50

[15] **schon lange**   for a long time
[16] **jemandem eine Freude machen**
   give pleasure to someone, please someone
[17] **zerlumpt**   ragged
[18] **allerhand**   all kinds of
[19] **reichbeschlagen**   richly decorated
[20] **der Becher**   goblet, beaker
[21] **durchmustern**   scrutinize carefully
[22] **schwärzliches Pulver**   blackish
   powder
[23] **zu Dienst stehen**   be at the disposal
   (*of*)
[24] **ich ... anfangen**   I have no use for it
[25] **wenn ... auch**   even if, even though

[26] **die Dose**   box
[27] **entlassen**   dismiss
[28] **entziffern**   decipher
[29] **Gnädigster ... Gebieter!**   Gracious
   Lord and Master!
[30] **die Moschee**   mosque
[31] **geheimnisvollen Schriftzüge**
   mysterious writing
[32] **guck einmal**   why don't you look
[33] **das Festkleid**   holiday clothes
[34] **der Backenstreich**   box on the ear,
   slap in the face
[35] **die Fußsohle**   sole of the foot
[36] **Dein Wille geschehe**   Your will be
   done!

betrachtete er die Schrift, plötzlich aber rief er aus: „Das ist lateinisch, o Herr, oder ich lasse mich hängen." „Sag, was drin steht", befahl der Kalif, „wenn es lateinisch ist!"

Selim fing an zu übersetzen: „Mensch, der du dieses findest, preise Allah für seine Gnade! Wer von dem Pulver in dieser Dose schnupft[37] und dazu spricht: ‚Mutabor',[38] der kann sich in jedes Tier verwandeln[39] und versteht auch die Sprache der Tiere. Will er wieder in seine menschliche Gestalt zurückkehren, so neige er sich dreimal gen[40] Osten und spreche wieder jenes Wort. Aber hüte dich,[41] wenn du verwandelt bist, daß du nicht lachest, sonst verschwindet das Zauberwort sogleich gänzlich[42] aus deinem Gedächtnis, und du bleibst für immer ein Tier." 55 60

Als Selim der Gelehrte also gelesen hatte, war der Kalif über die Maßen[43] vergnügt. Er ließ den Gelehrten schwören, niemandem etwas von dem Geheimnis zu sagen, schenkte ihm ein schönes Kleid und entließ ihn. Zu seinem Großwesir aber sagte er: „Das heiß' ich gut einkaufen,[44] Mansor! Wie freue ich mich darauf,[45] ein Tier zu sein! Morgen früh kommst du zu mir. Wir gehen dann miteinander aufs Feld, schnupfen eine Kleinigkeit aus meiner Dose und belauschen[46] dann, was in der Luft und im Wasser, im Wald und auf dem Feld gesprochen wird." 65 70

Kaum hatte am andern Morgen der Kalif Chasid gefrühstückt und sich angekleidet, als schon der Großwesir erschien, um ihn auf dem Spaziergang[47] zu begleiten. Der Kalif steckte die Dose mit dem Zauberpulver in den Gürtel, und nachdem er seinem Gefolge[48] befohlen, zurückzubleiben,[49] machte er sich mit dem Großwesir ganz allein auf den Weg.[50] Sie gingen zuerst durch die weiten Gärten des Kalifen, spähten[51] aber vergebens[52] nach etwas Lebendigem, um ihr Kunststück[53] zu versuchen. Der Wesir schlug endlich vor, weiter hinaus an einen Teich zu gehen, wo er schon oft viele Tiere, namentlich[54] Störche, gesehen habe, die durch ihr gravitätisches Wesen[55] und ihr Geklapper[56] immer seine Aufmerksamkeit erregt[57] hätten. 75 80

Der Kalif billigte den Vorschlag[58] seines Wesirs und ging mit ihm dem Teich zu. Als sie dort angekommen waren, sahen sie einen Storch

[37] **schnupfen** sniff
[38] *Mutabor* *Lat.:* I shall be changed
[39] **sich verwandeln in** change into
[40] **gen** gegen
[41] **hüte dich!** beware!
[42] **gänzlich** completely
[43] **über die Maßen** extremely
[44] **Das . . . einkaufen!** That's what I call a good buy!
[45] **Wie freue ich mich darauf** How I look forward to
[46] **belauschen** eavesdrop, spy on
[47] **der Spaziergang** walk, promenade
[48] **das Gefolge** retinue, attendants

[49] **zurückbleiben** remain behind
[50] **sich auf den Weg machen** start out
[51] **spähen** watch for, look out for
[52] **vergebens** in vain
[53] **das Kunststück** trick
[54] **namentlich** particularly, especially
[55] **gravitätisches Wesen** dignified behavior
[56] **das Geklapper** clattering (*of storks*)
[57] **Aufmerksamkeit erregen** attract attention
[58] **den Vorschlag billigen** approve the suggestion

ernsthaft auf und ab gehen, Frösche suchend und hie und da etwas vor sich hin klappernd.[59] Zugleich sahen sie auch weit oben in der Luft 85 einen andern Storch dieser Gegend zuschweben.

„Ich wette meinen Bart, gnädigster Herr", sagte der Großwesir, „diese zwei Langbeine[60] werden jetzt ein schönes Gespräch miteinander führen. Wie wäre es, wenn wir Störche würden?"

„Wohl gesprochen!" antwortete der Kalif. „Aber vorher wollen 90 wir noch einmal nachsehen, wie man wieder Mensch wird. — Richtig! Dreimal gen Osten geneigt und ‚Mutabor' gesagt, so bin ich wieder Kalif und du Wesir. Aber nur um's Himmels willen[61] nicht gelacht,[62] sonst sind wir verloren!"

Während der Kalif also sprach, sah er den andern Storch über ihrem 95 Haupte[63] schweben und langsam sich zur Erde[64] niederlassen. Schnell zog er die Dose aus dem Gürtel, nahm eine gute Prise,[65] bot sie dem Großwesir dar,[66] der gleichfalls[67] schnupfte, und beide riefen: „Mutabor!"

Da schrumpften[68] ihre Beine ein und wurden dünn und rot, die 100 schönen gelben und roten Pantoffeln[69] des Kalifen und seines Begleiters wurden unförmliche[70] Storchfüße, die Arme wurden zu Flügeln, der Hals fuhr aus den Achseln[71] und ward eine Elle[72] lang, der Bart war verschwunden, und den Körper bedeckten weiche Federn.

„Ihr habt einen hübschen Schnabel, Herr Großwesir", sprach nach 105 langem Erstaunen der Kalif. „Beim Barte des Propheten, so etwas habe ich in meinem Leben noch nicht gesehen."

„Danke untertänigst",[73] erwiderte der Großwesir, indem er sich bückte;[74] „aber wenn ich es wagen darf, möchte ich behaupten, Eure Hoheit[75] sehen als Storch beinahe noch hübscher aus denn als Kalif.[76] 110 Aber kommt, wenn es Euch gefällig ist,[77] daß wir unsere Kameraden dort belauschen und erfahren, ob wir wirklich Storchisch können!"[78]

Indem[79] war der andere Storch auf der Erde angekommen. Er putzte sich mit dem Schnabel die Füße, legte seine Federn zurecht[80] und ging auf den ersten Storch zu.[81] Die beiden neuen Störche aber beeilten sich, 115

---

[59] **vor sich hinklappern** chatter to himself
[60] **die Langbeine** longlegs
[61] **um's Himmels willen** for heaven's sake
[62] **nicht gelacht** no laughing
[63] **das Haupt** head
[64] **sich . . . niederlassen** alight on the ground
[65] **die Prise** pinch
[66] **darbieten** offer
[67] **gleichfalls** likewise
[68] **einschrumpfen** shrink, shrivel
[69] **der Pantoffel** slipper
[70] **unförmlich** misshapen
[71] **der . . . Achseln** the necks shot out of their shoulders
[72] **eine Elle** an ell (*old measure of length, about seven-tenths of a yard*)
[73] **Danke untertänigst** Thank you most humbly
[74] **sich bücken** bow
[75] **Eure Hoheit** Your Highness
[76] **denn als Kalif** than as Caliph
[77] **wenn . . . ist** if it please you
[78] **Storchisch können** understand stork language
[79] **indem** *here:* meanwhile
[80] **zurechtlegen** arrange
[81] **auf jemanden *oder* etwas zugehen** walk towards, approach

in ihre Nähe zu kommen, und vernahmen zu ihrem Erstaunen folgendes Gespräch: „Guten Morgen, Frau Langbein, so früh schon auf der Wiese?"

„Schönen Dank, liebe Klapperschnabel![82] Ich habe mir ein kleines Frühstück geholt. Ist Euch vielleicht ein Viertelchen[83] Eidechs[84] gefällig[85] oder ein Froschschenkelein?"[86] 120

„Danke gehorsamst;[87] habe heute gar keinen Appetit. Ich komme auch wegen etwas ganz anderem auf die Wiese. Ich soll heute vor den Gästen meines Vaters tanzen, und da will ich mich im stillen[88] ein wenig üben."[89] 125

Zugleich schritt die junge Störchin mit wunderlichen Bewegungen durch das Feld. Der Kalif und Mansor sahen ihr verwundert nach. Als sie aber in malerischer Stellung auf einem Fuß stand und mit den Flügeln anmutig dazu wedelte,[90] da konnten sich die beiden nicht mehr halten;[91] ein unaufhaltsames[92] Gelächter brach aus ihren Schnäbeln 130 hervor,[93] von dem sie sich erst nach langer Zeit erholten. Der Kalif faßte sich[94] zuerst wieder. „Das war einmal ein Spaß", rief er, „der nicht mit Gold zu bezahlen ist. Schade, daß die dummen Tiere durch unser Gelächter sich haben verscheuchen[95] lassen, sonst hätten sie gewiß auch noch gesungen!" 135

Aber jetzt fiel es dem Großwesir ein, daß das Lachen während der Verwandlung verboten war. Er teilte seine Angst deswegen dem Kalifen mit. „Potz Mekka und Medina![96] Das wäre ein schlechter Spaß, wenn ich ein Storch bleiben müßte! Besinne dich doch auf[97] das dumme Wort, ich bringe es nicht heraus!"[98] 140

„Dreimal gen Osten müssen wir uns bücken und dazu sprechen: Mu-Mu-Mu."

Sie stellten sich gen Osten und bückten sich in einem fort,[99] daß ihre Schnäbel beinahe die Erde berührten. Aber o Jammer,[1] das Zauberwort war ihnen entfallen,[2] und sooft sich auch der Kalif bückte, so sehnlich[3] 145 auch sein Wesir ‚Mu — Mu —' dazu rief, jede Erinnerung daran war verschwunden, und der arme Chasid und sein Wesir waren und blieben Störche.

---

[82] **liebe Klapperschnabel** dear (*Mrs.*) Chatter-Beak
[83] **ein Viertelchen** *lit.:* a little quarter; a small piece
[84] **die Eidechs** (e) lizard
[85] **(Ist Euch) gefällig?** would you like?
[86] **das Froschschenkelein** little frog leg
[87] **Danke gehorsamst** Thank you most humbly
[88] **im stillen** quietly, in secret
[89] **(sich) üben** practice
[90] **mit den Flügeln anmutig dazu wedelte** in addition gracefully moved her wings
[91] **sich halten können** be able to restrain oneself

[92] **unaufhaltsam** irresistible
[93] **hervorbrechen** burst forth
[94] **sich fassen** regain control over oneself
[95] **verscheuchen** shoo away, scare away
[96] **Potz ... Medina!** (*Lit.:* By Mecca and Medina) For heaven's sake!
[97] **sich besinnen auf** remember, recall
[98] **herausbringen** get something out, utter
[99] **in einem fort** constantly, continually
[1] **o Jammer!** oh misery!
[2] **war ihnen entfallen** had slipped their mind
[3] **sehnlich** longingly

II

Traurig wanderten die Verzauberten[4] durch die Felder, sie wußten gar nicht, was sie in ihrem Elend[5] anfangen sollten.[6] Aus ihrer Storchen- 150 haut[7] konnten sie nicht heraus, in die Stadt zurück konnten sie auch nicht, um sich zu erkennen zu geben,[8] denn wer hätte einem Storch geglaubt, daß er ein Kalif sei, und wenn man es auch geglaubt hätte, würden die Einwohner von Bagdad einen Storch zum Kalifen gewollt haben?   155

So schlichen sie mehrere Tage umher[9] und ernährten sich kümmer- lich[10] von Feldfrüchten, die sie aber wegen ihrer langen Schnäbel nicht gut verspeisen konnten. Auf Eidechsen und Frösche hatten sie keinen Appetit, denn sie befürchteten, mit solchen Leckerbissen[11] sich den Magen zu verderben.[12] Ihr einziges Vergnügen in dieser traurigen Lage 160 war, daß sie fliegen konnten, und so flogen sie oft auf die Dächer von Bagdad, um zu sehen, was in der Stadt vorging.[13]

In den ersten Tagen bemerkten sie große Unruhe[14] und Trauer[15] in den Straßen. Als sie aber ungefähr am vierten Tage nach ihrer Verzauberung auf dem Palaste des Kalifen saßen, da sahen sie unten 165 in den Straßen einen prächtigen Aufzug.[16] Trommeln und Pfeifen ertönten, ein Mann in einem goldgestickten Scharlachmantel[17] ritt auf einem geschmückten[18] Pferd, umgeben von glänzenden[19] Dienern. Halb Bagdad sprang ihm nach,[20] und alle schrien: „Heil Mizra, dem Herrscher von Bagdad!" Da sahen die beiden Störche auf dem Dache 170 des Palastes einander an, und der Kalif Chasid sprach: „Ahnst[21] du jetzt, warum ich verzaubert bin, Großwesir? Dieser Mizra ist der Sohn meines Todfeindes,[22] des mächtigen Zauberers Kaschnur, der mir in einer bösen Stunde Rache schwur. Kein anderer als er verkaufte uns das Verwandlungspulver. Aber noch gebe ich die Hoffnung nicht auf. 175 Komm mit mir, du treuer Gefährte[23] meines Elends, wir wollen zum Grab des Propheten wandern,[24] vielleicht, daß an heiliger Stätte[25] der Zauber gelöst wird!"[26]

Sie erhoben sich vom Dach des Palastes und flogen der Gegend von Medina zu.   180

---

[4] **die Verzauberten** the enchanted, the victims of sorcery
[5] **das Elend** misery
[6] **(was sie) anfangen sollten** what they should do
[7] **die Storchenhaut** stork's skin
[8] **sich zu erkennen geben** make one-self known
[9] **umherschleichen** wander about
[10] **kümmerlich** miserably, wretchedly
[11] **der Leckerbissen** tidbit
[12] **sich den Magen verderben** upset one's stomach
[13] **was darin vorging** what was going on there
[14] **die Unruhe** unrest
[15] **die Trauer** mourning, sorrowing

[16] **ein prächtiger Aufzug** a magnificent parade
[17] **in ... Scharlachmantel** in a scarlet cloak embroidered with gold
[18] **geschmückt** adorned
[19] **glänzend** splendid
[20] **sprang ihm nach** ran after him
[21] **ahnen** guess, suspect
[22] **der Todfeind** deadly enemy
[23] **der Gefährte** companion
[24] **zum ... wandern** make a pilgrimage to the grave of the prophet (*Mohammed*)
[25] **an heiliger Stätte** on hallowed ground
[26] **(daß) der Zauber gelöst wird** (that) the magic spell will be lifted

25

Mit dem Fliegen wollte es aber gar nicht gut gehen,[27] denn die beiden Störche hatten noch wenig Übung.[28] „O Herr", ächzte[29] nach ein paar Stunden der Großwesir, „ich halte es mit Eurer Erlaubnis[30] nicht mehr lange aus,[31] Ihr fliegt gar zu schnell![32] Auch ist es schon Abend, und wir täten wohl,[33] ein Unterkommen[34] für die Nacht zu 185 suchen."

Chasid gab der Bitte seines Dieners Gehör,[35] und da er unten im Tal eine Ruine erblickte, die ein Obdach zu gewähren[36] schien, so flogen sie dahin. Der Ort, wo sie sich diese Nacht niedergelassen[37] hatten, schien ehemals[38] ein Schloß gewesen zu sein. Schöne Säulen[39] ragten 190 unter den Trümmern[40] hervor;[41] mehrere Gemächer, die noch ziemlich[42] erhalten waren, zeugten[43] von der ehemaligen[44] Pracht des Hauses. Chasid und sein Begleiter gingen in den Gängen umher, um sich ein trockenes Plätzchen zu suchen. Plötzlich blieb Storch Mansor stehen. „Herr und Gebieter", flüsterte er leise, „wenn es nur nicht 195 töricht[45] für einen Großwesir, noch mehr aber für einen Storch wäre, sich vor Gespenstern zu fürchten! Mir ist ganz unheimlich[46] zumut, denn hierneben[47] hat es ganz vernehmlich[48] geseufzt und gestöhnt." Der Kalif blieb nun auch stehen und hörte ganz deutlich ein leises Weinen, das eher einem Menschen als einem Tiere anzugehören 200 schien.[49] Voll Erwartung wollte er der Gegend zugehen, woher die Klagetöne[50] kamen; der Wesir aber packte ihn mit dem Schnabel am Flügel und bat ihn flehentlich,[51] sich nicht in neue unbekannte Gefahren zu stürzen.[52] Doch vergebens![53] Der Kalif, dem auch unter dem Storchenflügel ein tapferes Herz schlug,[54] riß sich mit Verlust[55] einiger 205 Federn los[56] und eilte in einen finstern Gang. Bald war er an einer Tür angelangt,[57] die nur angelehnt schien[58] und woraus er deutliche Seufzer und ein leises Geheul[59] vernahm.[60] Er stieß mit dem Schnabel

[27] **Mit ... gehen** They had, however, great trouble flying
[28] **die Übung** practice
[29] **ächzen** groan
[30] **die Erlaubnis** permission
[31] **(ich halte es) nicht ... aus** I can't stand it much longer
[32] **gar zu schnell** much too fast
[33] **wir täten wohl** we would do well
[34] **das Unterkommen** shelter
[35] **Gehör geben** give a hearing to; grant
[36] **Obdach gewähren** provide shelter
[37] **sich niederlassen** settle down
[38] **ehemals** once, formerly
[39] **die Säule** column
[40] **die Trümmer** ruins
[41] **hervorragen** rise above
[42] **ziemlich** tolerably well
[43] **zeugen** testify, bear witness to
[44] **ehemalig** bygone
[45] **töricht** foolish
[46] **unheimlich** uncanny **mir ...**

zumut *meaning:* I feel that there is something uncanny about this place
[47] **hierneben** right near here
[48] **vernehmlich** clearly, audibly
[49] **ein leises Weinen, das ... anzugehören schien** *meaning:* soft weeping suggesting a human being rather than an animal
[50] **die Klagetöne** lamentations
[51] **flehentlich bitten** implore
[52] **sich stürzen** hurl, plunge oneself
[53] **Doch vergebens!** But in vain!
[54] **(dem) ein ... schlug** whose heart beat bravely ...
[55] **der Verlust** loss
[56] **sich losreißen** tear oneself away
[57] **anlangen** arrive at, reach
[58] **die ... schien** which seemed slightly ajar
[59] **das Geheul** *here:* crying, moaning
[60] **vernehmen** hear

die Tür auf, blieb aber überrascht [61] auf der Schwelle [62] stehen. In dem verfallenen [63] Gemach, das nur durch ein kleines Gitterfenster [64] spärlich 210 erleuchtet [65] war, sah er eine große Nachteule am Boden sitzen. Dicke Tränen rollten ihr aus den großen runden Augen, und mit heiserer Stimme stieß sie ihre Klagen aus [66] dem krummen Schnabel hervor. Als sie aber den Kalifen und seinen Wesir, der indessen [67] auch herbeige-schlichen war, erblickte, erhob sie ein lautes Freudengeschrei.[68] 215 Zierlich [69] wischte [70] sie mit dem braungefleckten [71] Flügel die Träne aus dem Auge, und zu dem großen Erstaunen der beiden rief sie in gutem menschlichem Arabisch: „Willkommen, ihr Störche, ihr seid mir ein gutes Zeichen meiner Errettung,[72] denn durch Störche werde mir ein großes Glück kommen, ist mir einst vorausgesagt [73] worden!" 220

Als sich der Kalif von seinem Erstaunen erholt hatte, bückte er sich mit seinem langen Hals, brachte seine dünnen Füße in zierliche Stellung und sprach: „Nachteule! Deinen Worten nach darf ich glauben, eine Leidensgefährtin [74] an dir zu sehen. Aber ach, deine Hoffnung, daß durch uns deine Rettung kommen werde, ist vergeblich. Du wirst 225 unsere Hilflosigkeit [75] selbst erkennen, wenn du unsere Geschichte hörst." Die Nachteule bat ihn, zu sprechen; der Kalif hub an [76] und erzählte, was wir bereits wissen.

Als der Kalif der Eule seine Geschichte vorgetragen [77] hatte, dankte sie ihm und sagte: „Vernimm [78] auch meine Geschichte und höre, wie 230 ich nicht weniger unglücklich bin als du! Mein Vater ist der König von Indien, ich, seine einzige unglückliche Tochter, heiße Lusa. Jener Zauberer Kaschnur, der euch verzauberte, hat auch mich in Unglück gestürzt.[79] Er kam eines Tages zu meinem Vater und begehrte mich zur Frau für [80] seinen Sohn Mizra. Mein Vater aber, der ein hitziger [81] 235 Mann ist, ließ ihn die Treppe hinunterwerfen. Der Elende [82] wußte sich unter einer anderen Gestalt wieder in meine Nähe zu schleichen,[83] und als ich einst in meinem Garten Erfrischungen zu mir nehmen [84] wollte, brachte er mir, als Sklave verkleidet,[85] einen Trank bei,[86] der

[61] **überrascht** surprised, astonished
[62] **die Schwelle** threshold
[63] **verfallen** dilapidated, decayed
[64] **das Gitterfenster** barred window
[65] **spärlich erleuchtet** faintly illumi-
nated
[66] **Klagen herausstoßen** utter lamentations
[67] **indessen** meanwhile
[68] **ein Freudengeschrei erheben** utter
cries of joy
[69] **zierlich** gracefully
[70] **wischen** wipe
[71] **braungefleckt** brown-spotted
[72] **die Errettung** salvation, redemption
[73] **voraussagen** foretell, prophesy
[74] **die Leidensgefährtin** fellow sufferer
[75] **die Hilflosigkeit** helplessness
[76] **hub an** began (*his story*)
[77] **vortragen** relate
[78] **vernehmen** hear, listen to
[79] **ins Unglück stürzen** plunge into
misfortune; ruin
[80] **begehrte mich zur Frau** desired my
hand in marriage
[81] **hitzig** hot-tempered
[82] **der Elende** wretch
[83] **(wußte sich) zu schleichen** contrived
to sneak
[84] **zu sich nehmen** eat *or* drink; partake of food *or* drink
[85] **verkleidet** disguised
[86] **einen Trank beibringen** administer
a potion

mich in diese abscheuliche[87] Gestalt verwandelte. Als ich vor Schrecken 240
ohnmächtig wurde, brachte er mich hierher und rief mir mit schreck-
licher Stimme in die Ohren: ‚Da sollst du bleiben, von den Tieren
gehaßt, bis an dein Ende oder bis einer aus freiem Willen dich, selbst[88]
in dieser Gestalt, zur Gattin begehrt. So räche[89] ich mich an dir und
deinem stolzen Vater.' 245

Seitdem[90] sind viele Monate verflossen.[91] Einsam und traurig lebe
ich als Einsiedlerin[92] in diesem Gemäuer,[93] fern von der Welt, selbst
den Tieren ein Greuel.[94] Die schöne Natur ist vor mir verschlossen,
denn ich bin blind am Tage, und nur wenn der Mond sein bleiches
Licht über diese Ruine ausgießt,[95] fällt der verhüllende Schleier von 250
meinem Blick."[96]

Die Eule hatte geendet und wischte sich mit dem Flügel wieder die
Augen aus, denn die Erzählung ihrer Leiden[97] hatte ihr Tränen
entlockt.[98]

Der Kalif war bei der Erzählung der Prinzessin in tiefes Nachdenken 255
versunken.[99] „Wenn mich nicht alles täuscht",[1] bemerkte er, „so
besteht[2] zwischen meinem und deinem Unglück ein geheimer Zusammenhang; aber wo finde ich den Schlüssel[3] zu diesem Rätsel?"[4] Die
Eule antwortete ihm: „O Herr, auch mir ahnet dies;[5] denn es ist mir
einst in meiner frühesten Jugend von einer weisen Frau vorhergesagt 260
worden, daß ein Storch mir ein großes Glück bringen werde. Ich
wüßte vielleicht, wie wir uns retten könnten." Der Kalif war sehr
erstaunt und fragte, auf welchem Wege sie meine. „Der Zauberer, der
uns beide unglücklich gemacht hat", sagte sie, „kommt alle Monate
einmal in diese Ruinen. Nicht weit von diesem Gemach ist ein Saal. 265
Dort pflegt er dann mit vielen Genossen zu schmausen.[6] Schon oft
habe ich sie dort belauscht. Sie erzählen einander dann ihre schändlichen[7]
Werke, vielleicht, daß er dabei das Zauberwort, das ihr vergessen habt,
ausspricht."[8]

„O teuerste[9] Prinzessin", rief der Kalif, „sag an,[10] wann kommt er, 270
und wo ist der Saal?"

Die Eule schwieg einen Augenblick[11] und sprach dann: „Nehmet

---

[87] **abscheulich** abominable, detestable
[88] **selbst** even
[89] **sich rächen** take revenge
[90] **seitdem** since then
[91] **sind verflossen** have passed
[92] **die Einsiedlerin** hermit (*fem.*)
[93] **das Gemäuer** walls
[94] **ein Greuel** abomination
[95] **ausgießen** shed
[96] **fällt ... Blick** *meaning:* the veil that
envelops my eyes is lifted
[97] **ihrer Leiden** of her sufferings
[98] **Tränen entlocken** bring to tears
[99] **in Nachdenken versinken** to become absorbed in thought

[1] **Wenn ... täuscht** If I am not deceived
[2] **so besteht** there exists
[3] **der Schlüssel** key
[4] **das Rätsel** riddle, mystery
[5] **mir ahnet dies** I suspect this
[6] **schmausen** feast
[7] **schändlich** shameful
[8] **vielleicht, daß er (ausspricht)** perhaps he will utter
[9] **teuerste** dearest
[10] **sag an!** tell me!
[11] **der Augenblick** instant

es nicht ungütig,[12] aber versteht mich bitte recht, meine Herren, nur
unter einer Bedingung[13] kann ich Euren Wunsch erfüllen."

„Sprich aus![14] Sprich aus!" schrie Chasid. „Befiehl, es ist mir jede 275
recht!"[15]

„Ich möchte nämlich gerne zugleich auch frei sein; dies kann aber
nur geschehen, wenn einer von euch mir seine Hand reicht."[16]

Die Störche schienen über den Antrag[17] etwas betroffen[18] zu sein,
und der Kalif winkte seinem Diener, mit ihm ein wenig hinauszugehen. 280

„Großwesir", sprach vor der Tür der Kalif, „das ist ein dummer
Handel,[19] aber Ihr könntet sie schon nehmen."

„So?"[20] antwortete dieser.[21] „Daß mir meine Frau, wenn ich nach
Haus komme, die Augen auskratzt?[22] Auch bin ich ein alter Mann,
und Ihr seid noch jung und unverheiratet und könntet eher[23] einer 285
jungen schönen Prinzessin die Hand geben."

„Das ist es eben",[24] seufzte der Kalif, indem er traurig die Flügel
hängen ließ,[25] „wer sagt dir denn, daß sie jung und schön ist? Das
heißt die Katze im Sack kaufen!"[26]

Sie redeten einander gegenseitig noch lange zu,[27] endlich aber, als 290
der Kalif sah, daß sein Wesir lieber Storch bleiben als die Eule heiraten
wollte, entschloß er sich, die Bedingung selbst zu erfüllen. Die Eule
war hocherfreut.[28] Sie gestand[29] ihnen, daß sie zu keiner bessern Zeit
hätten kommen können, weil wahrscheinlich in dieser Nacht die
Zauberer sich versammeln[30] würden. 295

Sie verließ mit den Störchen das Gemach, um sie in jenen Saal zu
führen. Lange gingen sie in einem finstern Gang hin; endlich strahlte
ihnen aus einer halbverfallenen[31] Mauer ein heller Schein[32] entgegen.[33]
Als sie dort angelangt[34] waren, riet ihnen[35] die Eule, sich ganz ruhig
zu verhalten.[36] Sie konnten von der Lücke,[37] an der sie standen, einen 300
großen Saal übersehen.[38] Er war ringsum[39] mit Säulen geschmückt
und prachtvoll verziert. Viele farbige Lampen ersetzten[40] das Licht des

[12] **Nehmet es nicht ungütig.** Do not take it unkindly; do not hold it against me
[13] **die Bedingung** condition
[14] **Sprich aus!** Say it!
[15] **es ... recht** I'll agree to any condition
[16] **seine Hand reichen** marry
[17] **der Antrag** proposition, proposal
[18] **betroffen** taken aback
[19] **der Handel** *here:* affair, bargain
[20] **So?** Is that so?
[21] **dieser** *here:* the latter
[22] **auskratzen** scratch out
[23] **eher** *here:* much rather
[24] **Das ist es eben** That's just it
[25] **die Flügel hängen lassen** let his wings droop
[26] **Eine Katze im Sack kaufen** (*Prov.*) To buy a pig in a poke
[27] **zureden** (*try to*) persuade
[28] **hocherfreut** overjoyed
[29] **gestehen** confess, assure
[30] **sich versammeln** gather, get together
[31] **halbverfallen** half decayed
[32] **der Schein** light
[33] **entgegenstrahlen** shine towards
[34] **anlangen** arrive
[35] **riet ihnen** advised *or* told them
[36] **sich ruhig verhalten** be quiet
[37] **die Lücke** crevice (*in the wall*)
[38] **übersehen** overlook, survey
[39] **ringsum** all around
[40] **ersetzen** substitute for

Tages. In der Mitte des Saales stand ein runder Tisch, mit vielen und ausgesuchten Speisen beladen. Rings um den Tisch zog sich[41] ein Sofa, auf dem acht Männer saßen. In einem dieser Männer erkannten die 305 Störche jenen Krämer wieder, der ihnen das Zauberpulver verkauft hatte. Sein Nachbar[42] forderte ihn auf,[43] ihnen seine neuesten Taten zu berichten. Er erzählte unter andern[44] auch die Geschichte des Kalifen und seines Wesirs.

„Was für ein Wort hast du ihnen denn aufgegeben?" fragte ihn 310 ein anderer Zauberer. „Ein recht schweres lateinisches, es heißt Mutabor."

Als die Störche an ihrer Mauerlücke dieses hörten, waren sie vor Freude beinahe außer sich.[45] Sie liefen auf ihren großen Füßen so schnell dem Tor der Ruine zu, daß die Eule kaum folgen konnte. Dort 315 sprach der Kalif gerührt[46] zu der Eule: „Retterin meines Lebens und des Lebens meines Freundes, nimm zum ewigen[47] Dank für das, was du an uns getan, mich zum Gemahl an!" Dann aber wandte er sich nach Osten. Dreimal bückten die Störche ihre langen Hälse der Sonne entgegen, die soeben hinter dem Gebirge heraufstieg. „Mutabor!" 320 riefen sie, und im Nu[48] waren sie verwandelt, und in der hohen Freude des neugeschenkten Lebens[49] lagen Herr und Diener lachend und weinend einander in den Armen.[50] Wer beschreibt aber ihr Erstaunen, als sie sich umsahen? Eine schöne Dame, herrlich geschmückt, stand vor ihnen. Lächelnd gab sie dem Kalifen die Hand. „Erkennt Ihr Eure 325 Nachteule nicht mehr?" sagte sie. Sie war es; der Kalif war von ihrer Schönheit und Anmut so entzückt, daß er ausrief, es sei sein größtes Glück, daß er Storch geworden sei.

Die drei zogen nun miteinander auf Bagdad zu. Der Kalif fand in seinen Kleidern nicht nur die Dose mit Zauberpulver, sondern auch 330 seinen Geldbeutel. Er kaufte daher im nächsten Dorfe, was zu ihrer Reise nötig war, und so kamen sie bald an die Tore von Bagdad. Dort aber erregte die Ankunft des Kalifen großes Erstaunen. Man hatte ihn für tot erklärt,[51] und das Volk war daher hocherfreut, seinen geliebten Herrscher wiederzuhaben.   335

Um so mehr aber entbrannte[52] der Haß gegen den Betrüger Mizra. Das Volk zog in den Palast und nahm den alten Zauberer und seinen Sohn gefangen. Den Alten schickte der Kalif in dasselbe Gemach der Ruine, das die Prinzessin als Eule bewohnt hatte, und ließ ihn dort aufhängen. Dem Sohn aber, der nichts von den Künsten des Vaters 340

[41] **zog sich** extended
[42] **der Nachbar** neighbor
[43] **auffordern** call upon
[44] **unter andern** among others
[45] **vor Freude außer sich sein** not be able to contain oneself for joy
[46] **gerührt** with emotion
[47] **ewig** eternal
[48] **im Nu** instantly
[49] **in . . . Lebens** in the great joy of their newly granted life
[50] **einander in den Armen liegen** embrace each other
[51] **(jemanden) für tot erklären** claim (someone's) death
[52] **entbrennen** break out, flare up

verstand, ließ der Kalif die Wahl,[53] ob er sterben oder schnupfen wolle. Als er das letztere wählte, bot ihm der Großwesir die Dose. Eine tüchtige Prise,[54] und das Zauberwort des Kalifen verwandelte ihn in einen Storch. Der Kalif ließ ihn in einen eisernen Käfig[55] sperren, den man in seinem Garten aufstellte.[56]   345

Lange und vergnügt lebte Kalif Chasid mit seiner Frau, der Prinzessin; seine vergnügtesten Stunden waren immer die, wenn ihn der Großwesir nachmittags besuchte; da sprachen sie dann oft von ihrem Storchenabenteuer, und wenn der Kalif recht heiter war, ließ er sich herab,[57] den Großwesir nachzuahmen, wie er als Storch ausgesehen 350 hatte. Er stieg dann ernsthaft mit steifen Füßen im Zimmer auf und ab, klapperte, wedelte mit den Armen wie mit Flügeln und zeigte, wie jener sich vergeblich nach Osten geneigt und Mu — Mu — dazu gerufen habe. Für die Frau Kalifin und ihre Kinder war diese Vorstellung[58] allemal eine große Freude; wenn aber der Kalif gar zu lange 355 klapperte und nickte und Mu — Mu — schrie, dann drohte ihm lächelnd der Wesir: Er wollte das, was vor der Türe der Prinzessin Nachteule verhandelt worden sei,[59] der Frau Kalifin mitteilen.

---

[53] (jemandem) die Wahl lassen let (someone) choose
[54] eine tüchtige Prise a good-sized pinch
[55] der Käfig cage
[56] aufstellen put up

[57] sich herablassen condescend, deign
[58] die Vorstellung performance
[59] ...(was) verhandelt worden sei what had been discussed; their discussion

Hermann Hesse (photo: Fritz Eschen, German Information Center).

Hermann Hesse
(1877–1962)

Torn between opposites, oscillating between negation and affirmation, equally prone to faith and to despair, Hesse, whose major works include the novels Siddharta *(1922),* Der Steppenwolf *(1927) and* Das Glasperlenspiel *(1943), has ever sought to reconcile the irreconcilables by expressing the "eternal antithesis" which underlies all experience. He conceived of poetry and creative expression as revelation of the human condition. He conceived of the human condition in terms of his own awareness of vital beauty and of a transitory world destined to perish, of death in life and of life in death. The following selection, a brief and highly subjective "fairytale," illustrates Hesse's art. It is a transparent allegory of man's deathbound passage through life.*

Märchen

„HIER", sagte mein Vater, und übergab mir eine kleine, beinerne Flöte, „nimm das und vergiß deinen alten Vater nicht, wenn du in fernen Ländern die Leute mit deinem Spiel erfreust.[1] Es ist jetzt hohe Zeit, daß du die Welt siehst und etwas lernst. Ich habe dir diese Flöte machen lassen, weil du doch keine andre Arbeit tun und immer nur   5 singen magst. Nur denke auch daran, daß du immer hübsche und liebenswürdige Lieder vorträgst,[2] sonst wäre es schade um die Gabe, die Gott dir verliehen hat."

Mein lieber Vater verstand wenig von der Musik, er war ein Gelehrter; er dachte, ich brauchte nur in das hübsche Flötchen zu   10 blasen, so werde es schon gut sein. Ich wollte ihm seinen Glauben nicht nehmen,[3] darum bedankte ich mich, steckte die Flöte ein und nahm Abschied.

Unser Tal war mir bis zur großen Hofmühle[4] bekannt; dahinter fing denn also die Welt an, und sie gefiel mir sehr wohl. Eine müdge-   15 flogene Biene[5] hatte sich auf meinen Ärmel[6] gesetzt, die trug ich mit mir fort, damit ich später bei meiner ersten Rast gleich einen Boten[7] hätte, um Grüße in die Heimat zurückzusenden.

---

[1] **erfreuen** delight
[2] **Lieder vortragen** perform songs
[3] **jemandem seinen Glauben nehmen** destroy someone's faith
[4] **die Hofmühle** *here:* gristmill
[5] **eine müdgeflogene Biene** a bee tired from flying
[6] **der Ärmel** sleeve
[7] **der Bote** messenger

33

Wälder und Wiesen begleiteten meinen Weg, und der Fluß lief
rüstig mit; ich sah, die Welt war von der Heimat wenig verschieden. 20
Die Bäume und Blumen, die Kornähren und Haselbüsche sprachen
mich an,[8] ich sang ihre Lieder mit,[9] und sie verstanden mich, gerade
wie[10] daheim; darüber wachte auch meine Biene wieder auf, sie kroch
langsam bis auf meine Schulter, flog ab und umkreiste mich zweimal
mit ihrem tiefen süßen Gebrumme, dann steuerte sie geradeaus 25
rückwärts[11] der Heimat zu.

Da kam aus dem Walde hervor ein junges Mädchen gegangen,[12] das
trug einen Korb[13] am Arm und einen breiten, schattigen[14] Strohhut
auf dem blonden Kopf.

„Grüß Gott",[15] sagte ich zu ihr, „wo willst denn du hin?"[16] 30
„Ich muß den Schnittern das Essen bringen", sagte sie und ging
neben mir. „Und wo willst du heut noch hinaus?"[17]

„Ich gehe in die Welt, mein Vater hat mich geschickt. Er meint, ich
solle den Leuten auf der Flöte vorblasen,[18] aber das kann ich noch nicht
richtig, ich muß es erst lernen." 35

„So, so. Ja, und was kannst du denn eigentlich? Etwas muß man
doch können."

„Nichts Besonderes. Ich kann Lieder singen."

„Was für Lieder denn?"

„Allerhand Lieder, weißt du, für den Morgen und für den Abend 40
und für alle Bäume und Tiere und Blumen. Jetzt könnte ich zum
Beispiel ein hübsches Lied singen von einem jungen Mädchen, das
kommt aus dem Wald heraus und bringt den Schnittern ihr Essen."

„Kannst du das? Dann sing's einmal!"[19]

„Ja, aber wie heißt du eigentlich?" 45

„Brigitte."

Da sang ich das Lied von der hübschen Brigitte mit dem Strohhut,
und was sie im Korbe hat, und wie die Blumen ihr nachschauen, und
die blaue Winde[20] vom Gartenzaun[21] langt nach[22] ihr, und alles was
dazu gehörte.[23] Sie paßte ernsthaft auf und sagte, es wäre gut. Und als 50
ich ihr erzählte, daß ich hungrig sei, da tat sie den Deckel von ihrem
Korb und holte mir ein Stück Brot heraus. Als ich da hineinbiß und

[8] **sprachen mich an** *here:* called out to
me
[9] **ich . . . mit** I joined in their songs
[10] **gerade wie** just as
[11] **steuerte geradeaus rückwärts**
headed straight back
[12] **(kam) gegangen** came walking
[13] **der Korb** basket
[14] **schattig** *here:* giving shade
[15] **Grüß Gott!** *South German greeting:*
Good day! Hello!
[16] **wo . . . hin?** well, where are you
going

[17] **wo . . . hinaus?** how far do you
want to go today?
[18] **auf . . . vorblasen** play (*to them*) on
the flute
[19] **Dann sing's einmal!** Then why
don't you sing it!
[20] **die blaue Winde** blue bindweed
[21] **der Gartenzaun** garden fence
[22] **langen nach** reach out for
[23] **alles was dazu gehörte** all that went
with it

tüchtig dazu weitermarschierte, sagte sie aber: „Man muß nicht im Laufen[24] essen. Eins nach dem andern."

„Willst du mir noch etwas singen?"[25] fragte sie dann, als ich fertig 55
war.

„Ich will schon.[26] Was soll es sein?"

„Von einem Mädchen, dem ist sein Schatz[27] davongelaufen, und es ist traurig."

„Nein, das kann ich nicht. Ich weiß ja nicht, wie das ist, und man 60
soll auch nicht so traurig sein. Ich soll immer nur artige und liebenswürdige Lieder vortragen, hat mein Vater gesagt. Ich singe dir vom Kuckucksvogel[28] oder vom Schmetterling."[29]

„Und von der Liebe weißt du gar nichts?" fragte sie dann.

„Von der Liebe? Oh doch, das ist ja das allerschönste." 65

Alsbald fing ich an und sang von dem Sonnenstrahl, der die roten Mohnblumen[30] lieb hat, und wie er mit ihnen spielt und voller Freude ist. Und vom Finkenweibchen,[31] wenn es auf den Finken[32] wartet, und wenn er kommt, dann fliegt es weg und tut erschrocken.[33] Und sang weiter von dem Mädchen mit den braunen Augen und vom dem 70
Jüngling, der daherkommt und singt und ein Brot dafür geschenkt bekommt;[34] aber nun will er kein Brot mehr haben, er will einen Kuß von der Jungfer[35] und will in ihre braunen Augen sehen, und er singt so lange fort[36] und hört nicht auf, bis sie anfängt zu lächeln und bis sie ihm den Mund mit ihren Lippen schließt. 75

Da neigte Brigitte sich herüber und schloß mir den Mund mit ihren Lippen und tat die Augen zu und tat sie wieder auf, und ich sah in die nahen braungoldenen Sterne, darin war ich selber gespiegelt und ein paar weiße Wiesenblumen.

„Die Welt ist sehr schön", sagte ich, „mein Vater hat recht 80
gehabt. Jetzt will ich dir aber tragen helfen, daß wir zu deinen Leuten kommen."

Ich nahm ihren Korb, und wir gingen weiter, ihr Schritt klang mit meinem Schritt und ihre Fröhlichkeit mit meiner gut zusammen, und der Wald sprach fein und kühl vom Berg herunter;[37] ich war noch 85
nie so vergnügt gewandert. Eine ganze Weile sang ich munter zu,[38] bis ich aufhören mußte vor lauter Fülle;[39] es war allzu vieles, was vom

[24] **im Laufen** while walking (*fast*)
[25] **Willst ... singen** Willst du noch etwas für mich singen
[26] **ich will schon** I'm willing
[27] **der Schatz** sweetheart
[28] **der Kuckucksvogel** cuckoo bird (*symbol of faithlessness*)
[29] **der Schmetterling** butterfly (*symbol of fickleness*)
[30] **die Mohnblume** poppy
[31] **das Finkenweibchen** female finch
[32] **der Fink** finch

[33] **tut erschrocken** acts frightened
[34] **etwas geschenkt bekommen** receive something as a gift
[35] **die Jungfer** girl
[36] **er ... fort** he continues singing
[37] **der Wald ... herunter** *meaning:* the refreshing woods spoke to me distantly and gently from the mountainside
[38] **... sang ich munter zu** I sang along cheerfully
[39] **vor lauter Fülle** because of all this wealth and splendor

Tal und vom Berg und aus Gras und Laub und Fluß und Gebüschen
zusammenrauschte und erzählte.[40]

Da mußte ich denken: wenn ich alle diese tausend Lieder der Welt 90
zugleich verstehen und singen könnte, von Gräsern und Blumen und
Menschen und Wolken und allem, vom Laubwald[41] und vom
Föhrenwald[42] und auch von allen Tieren, und dazu noch alle Lieder der
fernen Meere und Gebirge, und die der Sterne und Monde, und wenn
das alles zugleich in mir innen tönen und singen könnte, dann wäre ich 95
der liebe Gott,[43] und jedes neue Lied müßte als ein Stern am Himmel
stehen.

Aber wie ich eben so dachte[44] und davon ganz still und wunderlich[45]
wurde, weil mir das früher noch nie in den Sinn gekommen[46] war, da
blieb Brigitte stehen und hielt mich an dem Korbhenkel[47] fest. 100

„Jetzt muß ich da hinauf", sagte sie, „da droben sind unsere Leute im
Feld. Und du, wo gehst du hin? Kommst du mit?"

„Nein, mitkommen kann ich nicht. Ich muß in die Welt. Schönen
Dank für das Brot, Brigitte, und für den Kuß; ich will an dich denken."

Sie nahm ihren Eßkorb, und über dem Korb neigten sich ihre Augen 105
im braunen Schatten noch einmal zu mir, und ihre Lippen hingen an
meinen, und ihr Kuß war so gut und lieb, daß mir vor lauter Wohlsein[48]
beinah traurig werden wollte.[49] Da rief ich schnell Lebewohl und
marschierte eilig die Straße hinunter.

Das Mädchen stieg langsam den Berg hinan, und unter dem herab- 110
hängenden Buchenlaub[50] am Waldrand blieb sie stehen und sah herab
und mir nach, und als ich ihr winkte und den Hut überm Kopfe
schwang,[51] da nickte sie noch einmal und verschwand still wie ein
Bild in den Buchenschatten[52] hinein.

II

Ich aber ging ruhig meine Straße und war in Gedanken,[53] bis der
Weg um eine Ecke bog.

[40] **es war ... erzählte** *meaning:* Too
many voices joined in the murmur
and the rustling to tell of valley and
mountain, grass, leaves, river, and
underbrush
[41] **der Laubwald** deciduous forest
[42] **der Föhrenwald** forest of firs
[43] **der liebe Gott** the good Lord
[44] **Aber ... dachte** But just when these
thoughts came to me
[45] **wunderlich** dizzy
[46] **in den Sinn kommen** cross one's
mind
[47] **der Korbhenkel** the handle of the
basket
[48] **vor lauter Wohlsein** because of all
this pleasure and happiness
[49] **(daß mir) beinah ... wollte** that I
almost became sad
[50] **das Buchenlaub** beech-leaves
[51] **den Hut überm Kopfe schwingen**
wave one's hat above one's head
[52] **der Buchenschatten** shadow of the
beech trees
[53] **in Gedanken sein** to be lost in thought

Da stand eine Mühle, und bei der Mühle lag ein Schiff auf dem
Wasser, darin saß ein Mann allein und schien nur auf mich zu warten,
denn als ich den Hut zog und zu ihm in das Schiff hinüberstieg, da fing   5
das Schiff sogleich zu fahren an und lief den Fluß hinunter.[54] Ich saß
in der Mitte des Schiffs, und der Mann saß hinten am Steuer, und als ich
ihn fragte, wohin wir führen, da blickte er auf und sah mich aus
verschleierten grauen Augen an.

„Wohin du magst", sagte er mit einer gedämpften Stimme.[55] „Den   10
Fluß hinunter und ins Meer, oder zu den großen Städten, du hast die
Wahl. Es gehört alles mir."

„Es gehört alles dir? Dann bist du der König?"

„Vielleicht", sagte er. „Und du bist ein Dichter, wie mir scheint?[56]
Dann singe mir ein Lied zum Fahren!"   15

Ich nahm mich zusammen,[57] es war mir bange vor[58] dem ernsten
grauen Mann, und unser Schiff schwamm so schnell und lautlos den
Fluß hinab. Ich sang vom Fluß, der die Schiffe trägt und die Sonne
spiegelt und am Felsenufer stärker aufrauscht[59] und freudig seine
Wanderung vollendet.   20

Des Mannes Gesicht blieb unbeweglich, und als ich aufhörte, nickte
er still wie ein Träumender. Und alsdann begann er zu meinem
Erstaunen selber zu singen, und auch er sang vom Fluß und von des
Flusses Reise durch die Täler, und sein Lied war schöner und mächtiger
als meines, aber es klang alles ganz anders.   25

Der Fluß, wie er ihn sang,[60] kam als ein taumelnder Zerstörer[61]
von den Bergen herab, finster und wild; knirschend[62] fühlte er sich
von den Mühlen gebändigt, von den Brücken überspannt, er haßte
jedes Schiff, das er tragen mußte, und in seinen Wellen und langen
grünen Wasserpflanzen wiegte[63] er lächelnd die weißen Leiber der   30
Ertrunkenen.[64]

Das alles gefiel mir nicht und war doch so schön und geheimnisvoll
von Klang,[65] daß ich ganz irre wurde und beklommen schwieg.[66]
Wenn das richtig war, was dieser alte, feine und kluge Sänger mit
seiner gedämpften Stimme sang, dann waren alle meine Lieder nur   35
Torheit und schlechte[67] Knabenspiele gewesen. Dann war die Welt
auf ihrem Grund[68] nicht gut und licht wie Gottes Herz, sondern

[54] (das Schiff) lief den Fluß hinunter
the ship traveled down the river
[55] mit ... Stimme in a muted
voice
[56] wie mir scheint it seems to me
[57] Ich ... zusammen I pulled myself
together
[58] es ... vor I was afraid of
[59] aufrauschen rise up and swirl
[60] wie er ihn sang as he sang of it
[61] ein taumelnder Zerstörer a tumb-
ling and reeling destroyer

[62] knirschend lit.: with gnashing teeth;
resentfully
[63] wiegen rock, cradle
[64] die Ertrunkenen the drowned
[65] geheimnisvoll von Klang sounded
mysterious
[66] beklommen schweigen meaning:
maintain an uneasy silence
[67] schlechte here: silly, simple-minded,
naive
[68] die Welt auf ihrem Grund the
world in its essence

37

dunkel und leidend, böse und finster, und wenn die Wälder rauschten, so war es nicht aus Lust, sondern aus Qual.

Wir fuhren dahin,[69] und die Schatten wurden lang, und jedesmal, 40 wenn ich zu singen anfing, tönte es weniger hell, und meine Stimme wurde leiser, und jedesmal erwiderte der fremde Sänger mir ein Lied, das die Welt noch rätselhafter und schmerzlicher machte und mich noch befangener[70] und trauriger.

Mir tat die Seele weh, und ich bedauerte, daß ich nicht am Lande 45 und bei den Blumen geblieben war oder bei der schönen Brigitte, und um mich in der wachsenden Dämmerung[71] zu trösten, fing ich mit lauter Stimme wieder an und sang durch den roten Abendschein das Lied von Brigitte und ihren Küssen.

Da begann die Dämmerung, und ich verstummte, und der Mann am 50 Steuer sang, und auch er sang von der Liebe und Liebeslust, von braunen und von blauen Augen, von roten feuchten Lippen, und es war schön und ergreifend,[72] was er leidvoll über dem dunkelnden Fluß sang, aber in seinem Lied war auch die Liebe finster und bang und ein tödliches Geheimnis geworden, an dem die Menschen irr und wund 55 in ihrer Not und Sehnsucht tasteten,[73] und mit dem sie einander quälten und töteten.

Ich hörte zu und wurde so müde und betrübt, als sei ich schon Jahre unterwegs und sei durch lauter Jammer und Elend gereist. Von dem Fremden her fühlte ich immerzu einen leisen, kühlen Strom von 60 Trauer und Seelenangst[74] zu mir herüber und in mein Herz schleichen.

„Also ist denn nicht das Leben das Höchste und Schönste", rief ich endlich bitter, „sondern der Tod. Dann bitte ich dich, du trauriger König, singe mir ein Lied vom Tode!"

Der Mann am Steuer sang nun vom Tode, und er sang schöner, als 65 ich je hatte singen hören. Aber auch der Tod war nicht das Schönste und Höchste, es war auch bei ihm kein Trost. Der Tod war Leben, und das Leben war Tod, und sie waren ineinander verschlungen[75] in einem ewigen rasenden Liebeskampf,[76] und dies war das Letzte und der Sinn der Welt,[77] und von dorther kam ein Schein, der alles Elend noch zu 70 preisen vermochte, und von dorther kam ein Schatten, der alle Lust und alle Schönheit trübte und mit Finsternis umgab. Aber aus der Finsternis brannte die Lust inniger[78] und schöner, und die Liebe glühte tiefer in dieser Nacht.

Ich hörte zu und war ganz still geworden, ich hatte keinen Willen 75

---

[69] **dahinfahren** travel along
[70] **befangen** ill at ease
[71] **in ... Dämmerung** as it grew darker
[72] **ergreifend** moving
[73] **an dem die Menschen irr und wund in ihrer Not und Sehnsucht tasteten** *meaning:* for which men groped confusedly in their need and painful longing

[74] **die Seelenangst** anxiety of the soul
[75] **ineinander verschlungen** intertwined
[76] **in ... Liebeskampf** in an eternally raging battle of love
[77] **das Letzte ... Welt** the ultimate answer and the meaning of the world
[78] **innig** deeply

mehr in mir als den des fremden Mannes. Sein Blick ruhte auf mir, still und mit einer gewissen traurigen Güte, und seine grauen Augen waren voll vom Weh und von der Schönheit der Welt. Er lächelte mich an, und da faßte[79] ich mir ein Herz und bat in meiner Not: „Ach, laß uns umkehren, du! Mir ist angst hier in der Nacht, und ich möchte zurück und dahin gehen, wo ich Brigitte finden kann, oder heim zu meinem Vater." 80

Der Mann stand auf und deutete in die Nacht,[80] und seine Laterne schien hell auf sein mageres und festes Gesicht. „Zurück geht kein Weg", sagte er ernst und freundlich, „man muß immer vorwärtsgehen, wenn man die Welt ergründen[81] will. Und von dem Mädchen mit 85 den braunen Augen hast du das Beste und Schönste schon gehabt, und je weiter du von ihr bist, desto besser und schöner wird es werden. Aber fahre du immerhin,[82] wohin du magst, ich will dir meinen Platz am Steuer geben!"

Ich war zum Tod betrübt[83] und sah doch, daß er recht hatte. Voll 90 Heimweh dachte ich an Brigitte und an die Heimat und an alles, was eben noch nahe und licht und mein gewesen war, und was ich nun verloren hatte. Aber jetzt wollte ich den Platz des Fremden nehmen und das Steuer führen. So mußte es sein.

Darum stand ich schweigend auf und ging durch das Schiff zum 95 Steuersitz,[84] und der Mann kam mir schweigend entgegen, und als wir beieinander[85] waren, sah er mir fest ins Gesicht und gab mir seine Laterne.

Aber als ich am Steuer saß und die Laterne neben mir stehen hatte, da war ich allein im Schiff, ich erkannte es mit einem tiefen Schauder, 100 der Mann war verschwunden, und doch war ich nicht erschrocken, ich hatte es geahnt. Mir schien, es sei der schöne Wandertag und Brigitte und mein Vater und die Heimat nur ein Traum gewesen, und ich sei alt und betrübt und sei schon immer und immer[86] auf diesem nächtlichen[87] Fluß gefahren. 105

Ich begriff, daß ich den Mann nicht rufen dürfe, und die Erkenntnis der Wahrheit überlief[88] mich wie ein Frost.

Um zu wissen, was ich schon ahnte, beugte ich mich über das Wasser hinaus und hob die Laterne, und aus dem schwarzen Wasserspiegel[89] sah mir ein scharfes und ernstes Gesicht mit grauen Augen 110 entgegen, ein altes, wissendes Gesicht, und das war ich.

Und da kein Weg zurückführte, fuhr ich auf dem dunkeln Wasser weiter durch die Nacht.

[79] **sich ein Herz fassen** take courage
[80] **deutete in die Nacht** pointed into the night
[81] **ergründen** understand in its essence, fathom
[82] **Aber . . . immerhin** But you travel on
[83] **zum Tod betrübt** grieved unto death
[84] **der Steuersitz** the helmsman's seat
[85] **beieinander** next to each other
[86] **immer und immer** forever
[87] **nächtlich** nocturnal
[88] **überlief mich wie ein Frost** overcame me like a chill
[89] **der Wasserspiegel** (mirror-like) surface of the water

Franz Kafka
(1883–1924)

The majority of Kafka's enigmatic parables, reflections, fables, short stories and novels were published posthumously in the thirties (for recent editions see Erzählungen *(Frankfurt, 1961), the meditations in* Hochzeitsvorbereitungen auf dem Lande *(Frankfurt, 1953) and the fragmentary novels entitled* Der Prozeß *(Frankfurt, 1946) and* Das Schloß *(Frankfurt, 1955)). They describe in quiet and lucid prose the absurd and desperate experience of man's failure to achieve a meaningful existence. Since, like Poseidon, his mind is constantly preoccupied with unfinished business, and since man ever lags behind the job of accounting for his existence, he will never survey, or gain a perspective on, the ocean of his own life unless it be on "doomsday," that is, in the moment of disengagement when his world will come to a stop and when he may willingly surrender to a "quiet instant." For only in the final release through impending death may he be exempt from the ceaseless process of living and striving, from the unending and, possibly, self-imposed effort to arrive at a rationale for a constantly shifting multitude of concerns. And only when it is, perhaps, too late to matter, he may hope to catch a glimpse of the meaning, the unity, the totality of his own life, and thus of the law of all being.*

Poseidon

POSEIDON saß an seinem Arbeitstisch und rechnete. Die Verwaltung aller Gewässer gab ihm unendliche Arbeit. Er hätte Hilfskräfte[1] haben können, wie viel er wollte, und er hatte auch sehr viele, aber da er sein Amt sehr ernst nahm, rechnete er alles noch einmal durch und so halfen ihm die Hilfskräfte wenig. Man kann nicht sagen, daß ihn die Arbeit 5 freute,[2] er führte sie eigentlich nur aus, weil sie ihm auferlegt war,[3] ja er hatte sich schon oft um fröhlichere Arbeit, wie er sich ausdrückte, beworben,[4] aber immer, wenn man ihm dann verschiedene Vorschläge machte, zeigte es sich, daß ihm doch nichts so zusagte,[5] wie sein bisheriges Amt.[6] Es war auch sehr schwer, etwas anderes für ihn zu 10

[1] **Hilfskräfte** assistants
[2] **daß . . . freute** that he enjoyed the work
[3] **jemandem etwas auferlegen** impose something on someone
[4] **sich um Arbeit bewerben** apply for work
[5] **es sagte ihm zu** it appealed to him
[6] **sein bisheriges Amt** *here:* his present position

40

finden. Man konnte ihm doch unmöglich etwa ein bestimmtes Meer zuweisen;[7] abgesehen davon, daß[8] auch hier die rechnerische Arbeit[9] nicht kleiner, sondern nur kleinlicher[10] war, konnte der große Poseidon doch immer nur eine beherrschende[11] Stellung bekommen. Und bot man ihm eine Stellung außerhalb des Wassers an, wurde ihm schon von der Vorstellung übel,[12] sein göttlicher Atem geriet in Unordnung,[13] sein eherner Brustkorb[14] schwankte. Übrigens nahm man seine Beschwerde nicht eigentlich ernst; wenn ein Mächtiger quält, muß man ihm auch in der aussichtslosesten[15] Angelegenheit scheinbar[16] nachzugeben versuchen; an eine wirkliche Enthebung[17] Poseidons von seinem Amt dachte niemand, seit Urbeginn[18] war er zum Gott der Meere bestimmt worden und dabei mußte es bleiben.[19]

Am meisten ärgerte er sich — und dies verursachte hauptsächlich seine Unzufriedenheit mit dem Amt — wenn er von den Vorstellungen hörte, die man sich von ihm machte,[20] wie er etwa[21] immerfort mit dem Dreizack[22] durch die Fluten kutschiere.[23] Unterdessen saß er hier in der Tiefe des Weltmeeres[24] und rechnete ununterbrochen, hie und da eine Reise zu Jupiter war die einzige Unterbrechung der Eintönigkeit,[25] eine Reise übrigens, von der er meistens wütend zurückkehrte. So hatte er die Meere kaum gesehn, nur flüchtig beim eiligen Aufstieg[26] zum Olymp, und niemals wirklich durchfahren.[27] Er pflegte zu sagen,[28] er warte damit bis zum Weltuntergang,[29] dann werde sich wohl noch ein stiller Augenblick ergeben,[30] wo er knapp vor[31] dem Ende nach Durchsicht[32] der letzten Rechnung noch schnell eine kleine Rundfahrt werde machen können.

---

[7] **zuweisen** assign
[8] **abgesehen davon, daß** quite apart from the fact that
[9] **die rechnerische Arbeit** the amount of calculation
[10] **kleinlich** petty
[11] **beherrschend** ruling, sovereign
[12] **es wurde ihm übel** he became sick (to his stomach)
[13] **(sein) Atem geriet in Unordnung** he began to breathe irregularly
[14] **sein eherner Brustkorb** *here:* his iron chest
[15] **aussichtslos** hopeless
[16] **scheinbar** ostensibly
[17] **die Enthebung** removal
[18] **seit Urbeginn** since the beginning (*of the world*)
[19] **dabei ... bleiben** it had to remain that way

[20] **sich Vorstellungen machen** imagine, have notions (*about*)
[21] **etwa** *here:* for example
[22] **der Dreizack** trident
[23] **durch ... kutschieren** drive through the waves in a chariot
[24] **das Weltmeer** great ocean
[25] **Unterbrechung der Eintönigkeit** break in monotony
[26] **beim eiligen Aufstieg** on his hasty ascent
[27] **durchfahren** traverse
[28] **er pflegte zu sagen** he used to say
[29] **der Weltuntergang** end of the world
[30] **dann ... ergeben** then there might still be a quiet moment
[31] **knapp vor** shortly before
[32] **nach Durchsicht** after having checked

Assignments

Lessing: *Der Besitzer des Bogens*

der Besitzer, -s, -	owner
weit	far
schießen, schoß, geschossen	to shoot
einst	once, once upon a time
aufmerksam	attentive(ly)
betrachten	to look at, regard, observe
schade!	what a pity!
einfallen, (fällt ein), fiel ein, ist eingefallen (*with dative object*)	to occur to
es fällt ihm ein	it occurs to him
der Künstler, -s, -	artist
das Bild, -(e)s, -er	picture
die Freude, -, -n	joy, pleasure
versuchen	to try
zerbrechen, (zerbricht), zerbrach, ist zerbrochen	to break; also transitive (auxiliary: *haben*) to break (something)

QUESTIONS

I. The following items of additional vocabulary will help you to answer the questions:

schätzen   esteem
  Er schätzte ihn (*i.e.*, seinen Bogen), weil... He esteemed it because...
mißfallen, (mißfällt), mißfiel, mißfallen (*with dative object*) to displease
  Es mißfiel ihm, daß... It displeased him that...
jemanden (*acc.*) etwas (*acc.*) tun lassen   to have someone do something
geschehen, (geschieht), geschah, ist geschehen   to happen

II. Answer each of the following questions with a complete German sentence:

1. Warum schätzte der Mann seinen Bogen?
2. Was mißfiel ihm an seinem Bogen?
3. Was ließ er den Künstler tun?
4. Was geschah, als er nun den Bogen wieder spannte?

Hebel: *Seltsamer Spazierritt*

reiten, (reitet), ritt, ist geritten	to ride (*on horseback*)
der Esel, -s, -	donkey, jackass

zu Fuß	on foot
das Bein, -(e)s, -e	leg
was für ein	what kind of
das Tier, -(e)s, -e	animal
der Stock, -(e)s, ⸚e	stick
rechts, links	right, left
die Mitte, -, -n	middle
es geht leicht	it is easy
zusammenbinden, (bindet zusammen), band zusammen, zusammengebunden	to tie together
vorder-	anterior
die vorderen Beine	front legs
hinter-	posterior
die hinteren Beine	hind legs

QUESTIONS

I. The following items of additional vocabulary will help you to answer the questions.

gefallen, (gefällt), gefiel, gefallen	please
es gefällt ihm nicht	he does not like it
es gefällt ihm nicht, daß . . .	he does not like the fact that . . .
die Moral, -	moral

II. Answer each of the following questions with a complete German sentence.
1. Was gefällt dem ersten Wanderer nicht?
2. Was gefällt dem zweiten Wanderer nicht?
3. Was gefällt dem dritten Wanderer nicht?
4. Was taten Vater und Sohn, um es allen recht zu machen?
5. Was ist die Moral von der Geschichte?

Grimm: *Die Sterntaler*

VOCABULARY BUILDING

der Stern, -(e)s, -e	star
das Mädchen, -s, -	girl
der Leib, -(e)s, -er	body
schenken	to give as a gift
fromm	pious, devout
begegnen	to meet, encounter
geben, (gibt), gab, gegeben	to give
hungrig	hungry
das Kind, -(e)s, -er	child
die Mütze, -, -n	cap
der Wald, -(e)s, ⸚er	forest, wood
dunkel	dark
mitleidig	compassionate, sympathetic
einmal	once

43

es war einmal	once upon a time
auf einmal	all of a sudden, suddenly
gar nichts	nothing at all

QUESTIONS

Answer each of the following questions with a complete German sentence.

1. Was wollte der arme Mann von dem kleinen Mädchen?
2. Was gab das Mädchen den vier Kindern, denen es begegnete? (Use the appropriate forms of *"sein,"* e.g., *"seine Mütze," "sein Leibchen,"* etc.)
3. Was geschah, als das Mädchen gar nichts mehr hatte?

Grimm: *Doktor Allwissend*

VOCABULARY BUILDING

der Bauer, -s, -n	peasant, farmer
das Holz, -es, ⸚er	wood
die Weile, -	while (space of time)
endlich	final(ly)
sonst	otherwise, else
gehören	to belong
das gehört mir	that belongs to me
das Dorf, -(e)s, ⸚er	village
das Essen, -s, -	food, meal
der Dieb, -(e)s, -e	thief
wirklich	real(ly)
die Angst, -, ⸚e	fear, anxiety
die Kunst, -, ⸚e	art
zeigen	to show, demonstrate
raten, (rät), riet, geraten	to guess, advise
gestehen, gestand, gestanden	to confess
verraten, (verrät), verriet,	
verraten	to betray; disclose, reveal
der Hals, -es, ⸚er	neck, throat
führen	to lead
verstecken	to hide
zufrieden	satisfied
der Ofen, -s, ⸚	oven, stove
hin und her	back and forth, to and fro
berühmt	famous

QUESTIONS

I. The following phrases and items of vocabulary will help you to answer the questions.

sich (*dat.*) **etwas** (*acc.*)
  kaufen   to buy something for oneself
  anschaffen   to get (procure, buy) something for oneself
  machen lassen   to have something made for oneself

etwas (*acc.*)
   zu Geld machen   to sell something
   verkaufen   to sell something
   erfahren   to find out, learn something
   bekommen   to get, receive, obtain something

vor jemandem (*dat.*) **Angst bekommen**   to get to be *or* to become
   afraid of someone
an etwas (*acc.*) **glauben**   to believe in something
an jemanden (*acc.*) **glauben**   to believe in someone
   er glaubt daran   he believes in it
   er glaubt daran, daß . . .   he believes (in the fact) that . . .

II. Answer the following questions in one or more complete German
sentences.

1. Was tat der arme Bauer, um ein reicher Bauer zu werden?
2. Was wollte der adlige Herr von dem Doktor Allwissend erfahren?
3. Wie kam es (*how did it come about*), daß die ersten drei Bedienten vor
dem Doktor Angst bekamen?
4. Warum ließ der Herr den Doktor raten, was in der verdeckten
Schüssel sei?
5. Wie kam es, daß der Herr und der vierte Bediente an den Doktor
glaubten?
6. Warum blätterte der Bauer eigentlich in seinem Abc-Buch hin und
her, bevor er sagte, wo das Geld steckte?
7. Wie kam es, daß der fünfte Bediente daran glaubte, daß der Doktor
Allwissend alles wisse?
8. Warum bekam der Bauer von beiden Seiten viel Geld zur Belohnung?

Grimm: *Märchen von einem, der auszog, das Fürchten zu*
       lernen

Part I, pp. 9–14

VOCABULARY BUILDING

fürchten	to fear
sich (*acc.*) **vor etwas fürchten**	to be afraid of something
klug	clever, smart
gescheit	clever, sensible
dumm	silly, stupid, dumb
begreifen, begriff, begriffen	to grasp, understand, comprehend
die Kirche, -, -n	church
die Treppe, -, -n	stairway, flight of stairs; step
die Gestalt, -, -en	form, figure, shape
stehen bleiben, blieb stehen, ist	
stehengeblieben	stop, stand still

45

werfen, (wirft), warf, geworfen	to throw
holen	to fetch, get, bring
hinab, herab; hinunter, herunter	down(ward) (**hin-** direction away from speaker; **her-** direction toward the speaker)
hinab-werfen, herab-werfen; hinunter-werfen, herunter-werfen; }	to throw down
herab-holen, herunter-holen	to fetch, get, take down
erschrecken, (erschrickt), erschrak, (ist)erschrocken	to be alarmed, be frightened; also transitive (*auxiliary:* haben) frighten, terrify (someone)
das Feuer, -s, -	fire
ein Feuer anmachen	to make a fire
die Leiter, -n	ladder
der Tote, -n, -n	dead man, corpse, deceased
übernachten	to spend the night
das Schloß, -sses, ˸sser	castle
der König, -s, -e	king
wagen	to dare, venture, risk

QUESTIONS

I. The following phrases and vocabulary will help you to answer the questions.

Worüber lachte er?	*What* did he laugh *about*?
Er lachte *darüber, daß* . . .	He laughed *about the fact that* . . .
jemanden (*acc.*) etwas lehren	to teach something to someone
damit (*subordinating conjunction*)	in order that
. . . damit er glauben sollte . . .	in order that he should believe
um . . . zu (*with infinitive*)	in order to
um ihn zu erschrecken	in order to frighten him
Warum wollte sie das nicht?	*Why* didn't she want that?
Sie wollte das nicht, *weil* er . . . (*verb last*)	She didn't want that *because* he . . .
gewinnen, gewann, gewonnen	to win

II. Answer in one or more complete German sentences.

1. Beschreiben Sie die zwei Söhne!
2. Worüber lachte der älteste Sohn?
3. Was wollte der Küster den Jungen lehren?
4. Warum blieb der Küster auf der Treppe stehen?
5. Warum wollte seine Frau den Jungen nicht mehr in ihrem Haus haben?
6. Was tat der Junge mit den sieben Gehenkten?
7. Was mußte der Junge wagen, um die Tochter des Königs zur Frau zu gewinnen?

46

Grimm: *Märchen von einem, der auszog*

Part II, pp. 14–18

VOCABULARY BUILDING

der Schatz, -es, ¨e	treasure
die Katze, -, -n	cat
das Spiel, -(e)s, -e	game, play
das Kartenspiel	card game
das Kegelspiel	game of skittles, ninepins
— spielen	to play
Karten spielen	to play cards
Kegel spielen	bowl
— mit-spielen	to participate in, join (in) a game
die Hälfte, -, -n	half
die eine Hälfte	the one half
die andere Hälfte	the other half
— halb (*adj.*)	half
das Drittel, -s, -	third
ein Drittel	a third
der Sarg, -(e)s, ¨e	coffin
lebendig	alive

VERB STUDY

schlagen, (schlägt), schlug, ge-schlagen	to beat, hit, strike
es schlägt zwölf (Uhr)	the clock strikes twelve
— tot-schlagen, (schlägt tot), schlug tot, totgeschlagen	to kill, beat to death
ab-schneiden, (schneidet ab), schnitt ab, abgeschnitten	to cut off
an-fangen, (fängt an), fing an, angefangen	to begin
— fing zu rollen an	began to roll
herab-kommen, kam herab, ist herabgekommen	to come down
— kommt den Schornstein herab	comes down the chimney
heraus-steigen, stieg heraus, ist herausgestiegen	to climb out
hinaus-gehen, ging hinaus, ist hinausgegangen	to go out(side)
um-fallen, (fällt um), fiel um, ist umgefallen	to fall over, topple over
verlieren, verlor, verloren	to lose
verschwinden, (verschwindet), verschwand, ist verschwun-den	to disappear

QUESTIONS

I. In order to answer questions (1), (2), and (3) below, you will have to prepare brief summaries.

   A. The following exercise in word order will suggest an answer to the first question.

   (1) Read the following statements:
   (a) Die zwei Katzen wollten mit ihm Karten spielen.
   (b) Der Junge schlug die zwei Katzen tot.
   Now rearrange the word order to fit the following arrangement:
   (c) Zuerst (at first) schlug _____ tot, die (*relative pronoun*) _____ wollten.

   (2) Same procedure as in (1) above.
   (a) Hunde und Katzen kamen aus allen Ecken und Enden.
   (b) Der Junge wurde sie alle los.
       (jemanden oder etwas los-werden (wird los), wurde los, ist los-geworden, *to get rid of someone or something*)
   (c) Dann kamen _____ Ecken und Enden, aber _____ _____ los.

   (3) Same procedure as in (1) above.
   (a) Er ging zu Bett.
   (b) Das Bett fing zu rollen an.
   (c) Das Bett fuhr mit ihm durch das Schloß.
   (d) Das Bett fiel um.
   (e) Das Bett lag auf ihm wie ein Berg.
   (f) Als er _____ ging, fing _____ an und fuhr _____ Schloß, bis es umfiel und _____ lag.

   (4) Same procedure as in (1) above.
   (a) Er stieg heraus.
   (b) Er legte sich an sein Feuer.
   (c) Er schlief, bis es Tag war.
   (d) Er aber _____ heraus, legte sich _____ Feuer, und schlief, _____ war.

   B. Use the following words and phrases in conjunction with your answer to the second question which should consist of five (or six) sentences.

   (1) ein Mann in zwei Hälften
   (2) noch mehr Männer
   (3) mit Totenköpfen kegeln
       mitspielen
   (4) als es zwölf schlug
       verschwinden
   (5) ein-schlafen

   C. For questions (3) and (4), you are on your own. Prepare them in writing. Your answer to question (3) should not exceed six sentences;

your answer to question (4) should be restricted to one or two sentences.

II. Prepare the following questions as indicated above.

1. Was geschah in der ersten Nacht?
2. Was geschah in der zweiten Nacht?
3. Was geschah in der dritten Nacht?
4. Wie lernte der Junge endlich das Gruseln?

Hauff: *Die Geschichte von Kalif Storch*

Part I, pp. 19–24

VOCABULARY BUILDING

Note: The following vocabulary will also help you in answering the questions.

1. **schicken**	to send
die Ware, -, -n	merchandise
das macht mir Freude	that gives me pleasure
er wollte ihm eine Freude machen	he wanted to give pleasure to him, he wanted to give him a present
2. **wer**	he who, whoever
das Pulver, -s, -	powder
verwandeln	to change, transform
sich (*acc.*) **verwandeln in**	to change (*oneself*) into, be transformed into
die menschliche Gestalt	human shape or figure
sich neigen	to bend, bow down
das Gedächtnis, -ses	memory
3. **schrumpfen, ein-schrumpfen**	to shrink
der Pantoffel, -s, -	slipper
der Storch, -(e)s, ⁁e	stork
der Storch(en)fuß, -es, ⁁e	foot of a stork
der Flügel, -s, -	wing
4. **üben**	to practice
die Bewegung, -, -en	movement
die Stellung, -, -en	position, attitude

QUESTIONS

1. Warum ließ der Kalif den Krämer holen?
2. Was stand auf dem Papier, das der Kalif zusammen mit der Dose von dem Krämer kaufte?
3. Was geschah, als der Kalif und sein Begleiter zum ersten Mal „Mutabor!" riefen?
4. Was brachte den Kalifen und den Großwesier zum Lachen?

49

Hauff: *Die Geschichte von Kalif Storch*

Part II, pp. 25–31

VOCABULARY BUILDING

Note: The following vocabulary will also help you to answer the questions.

1. **der Zauberer, -s, -**   magician
   der Aufzug, -(e)s, ⸚e   parade, procession
   der Herrscher, -s, -   ruler

2. **begehren**   to desire
   nah   near
     die Nähe   proximity
     in der Nähe   nearby
     in meiner Nähe   near me
   kleiden   to clothe
     sich (*acc.*) verkleiden   to disguise oneself
     als Sklave verkleidet   disguised as a slave
   archaic: **der Trank, der Trunk**   drink
   modern: **das Getränk, -(e)s, -e**   drink
   wandeln   to change; walk
   die Eule, -, -n   owl
   der Gatte, -n, -n   husband
     die Gattin, -, -nen   wife

3. **heiraten**   to marry
   verheiratet   married
   unverheiratet   unmarried, single
   lieber . . . als   rather . . . than

   > *Example:* Er wollte lieber Storch bleiben als heiraten. *He preferred to stay a stork rather than marry.*

   eine Bedingung erfüllen   to fulfill *or* meet a condition

4. **die Lücke, -, -n**   gap
     die Mauerlücke   gap *or* crevice in the wall
   belauschen   to listen in, spy on
   in der Mitte des Saales   in the middle of the hall
   jemandem etwas (*acc.*) berichten   to report or relate something to someone

   > *Example:* Der Zauberer berichtete seinem Nachbarn seine neuesten Taten. *The magician related his latest activities to his neighbor.*

5. **auf-hängen, (hängt auf), hing auf, aufgehängt**   to hang, hang up
   wählen   to choose, elect
     die Wahl, -, -en   choice
   der Käfig, -s, -e   cage

QUESTIONS

1. Was ging in Bagdad vor, nachdem der Kalif verschwunden war?
(vor-gehen *take place*)
2. Erzählen Sie die Geschichte der Prinzessin Nachteule!
(*to be done in writing*)
3. Was wurde vor der Türe der Prinzessin Nachteule zwischen den beiden
Störchen verhandelt?
4. Wie gelang es den Störchen, sich wieder in Menschen zu verwandeln?
5. Wie erging es dem alten Zauberer und seinem Sohn?
(Wie erging es . . . *What happened to . . .*)

Hesse: *Märchen*

Part I, pp. 33–36

VOCABULARY BUILDING

1. **die Flöte, -, -n**	flute
fern	distant, far away
die Leute (*plural only*)	people
2. **hübsch**	pretty
der Korb, -(e)s, ̈e	basket
das Stroh, -s	straw
der Strohhut	straw hat
jemandem (das) Essen	
bringen	to bring food *or* a meal to someone
3. **der Strahl, -(e)s, -en**	ray
der Sonnenstrahl	sun ray
der Kuß, -es, ̈e	kiss
die Liebe	love
4. **das Laub, -(e)s**	foliage
der Laubwald, -(e)s, ̈er	deciduous forest
das Gebirge, -s, -e	mountain range
der Mond, -(e)s, -e	moon
5. **liebenswürdig**	amiable, gracious, polite
vor-tragen, (trägt vor), trug	
vor, vorgetragen	to recite, present
die Gabe, -, -n	gift, talent

QUESTIONS

1. Was gab der Vater dem Sohn? Warum schickte er ihn fort?
Wie stellte er sich das Leben vor, das sein Sohn in fernen Ländern führen
sollte?
2. Beschreiben Sie das Mädchen! Wohin geht sie? Was wissen wir von ihr?
3. Was für Lieder sang der junge Mann für Brigitte? Wann hörte er zu
singen auf?
4. Was sind die „tausend Lieder", die er „zugleich verstehen und singen"
will?
5. Warum wollte er keine traurigen Lieder singen?

Hesse: *Märchen*

Part II, pp. 36–39

VOCABULARY BUILDING

1. **in Gedanken** — lost *or* absorbed in thought
   der Fluß, -sses, -̈sse — river
   auf jemanden warten — to wait for someone
   er schien auf mich zu warten — he seemed to be waiting for me

2. **der Klang, -(e)s, -̈e** — (*musical*) sound
   leiden (leidet), litt gelitten — suffer
   das Rätsel, -s, - — riddle, mystery
   rätselhaft — mysterious

3. **bedauern** — to regret
   am Lande — on the shore
   bei jemandem bleiben — stay with *or* near someone

4. **der Trost, -es** — consolation, solace
   der Tod, -(e)s — death
   der Kampf, -es, -̈e — struggle
   ineinander verschlungen — intertwined
   ewig — eternal

5. **vorwärts** — forward, ahead
   zurück — back(ward)
   zurück geht kein Weg — no way leads backward, there is no going back

6. **ernst** — serious
   das Gesicht, -(e)s, -er — face

QUESTIONS

1. Was geschah, nachdem der junge Mann das Mädchen verlassen hatte?
2. Wie unterscheiden sich die Lieder des alten Sängers von den Liedern des jungen Mannes?
3. Was bedauerte der Junge, als es Abend wurde?
4. Was sang der Alte von Leben und Tod?
5. Warum ließ er den jungen Mann nicht umkehren?
6. Was sah der junge Mann, als er sich über das Wasser beugte?
7. Was mögen wohl das Schiff, der Strom, der Alte bedeuten?

Kafka: *Poseidon*

VOCABULARY BUILDING

1. **rechnen** — to calculate, reckon
   die Rechnung, -, -en — calculation, bill
   die Verwaltung, -, -en — administration

2. **das Amt, -(e)s, ːer**   office, post, sphere of duty
   die Stellung, -, -en   position
   es wird ihm übel   he is getting sick

3. **sich** (*acc.*) **ärgern**   to get angry *or* annoyed
   die Vorstellung, -, -en   notion, idea
   sich (*dat.*) **eine Vorstellung**
      von etwas (*dat.*) **oder von**   to have a notion concerning some-
      jemandem machen   thing or someone
   man macht sich eine falsche   people have mistaken notions about
      Vorstellung von ihm   him

4. **die Unterbrechung, -, -en**   interruption
   der Besuch, -(e)s, -e   visit
      der Besuch bei (*plus dative*)   visit at or with

5. **der Untergang, -(e)s, ːe**   decline, end
      der Weltuntergang   end of the world
   der Augenblick, -s, -e   moment
   die Fahrt, -, -en   trip, ride
      die Rundfahrt   roundtrip

QUESTIONS

1. Warum mußte Poseidon so schwer arbeiten?
2. Warum gab es für ihn kein anderes Amt?
3. Worüber ärgerte er sich am meisten?
4. Was unterbrach hie und da die Eintönigkeit seines Lebens?
5. Wann wollte er endlich die Meere durchfahren?

Part II *Erzählungen und Episoden*

Johann Peter Hebel

Hebel's simple tale culminates in the confrontation between an old woman and the corpse of her former lover miraculously preserved in enduring youth and beauty. It conveys both the terror of time and the power of love to transcend the inexorable law of change and decay.

Unverhofftes Wiedersehen

IN FALUN in Schweden[1] küßte vor guten fünfzig Jahren und mehr[2] ein junger Bergmann seine junge hübsche Braut und sagte zu ihr: „Auf Sankt Luciä[3] wird unsere Liebe von des Priesters Hand gesegnet.[4] Dann sind wir Mann und Weib, und bauen uns ein eigenes Nestlein." „— und Friede und Liebe soll darin wohnen", sagte die schöne Braut   5 mit holdem Lächeln, „denn du bist mein einziges und alles, und ohne dich möchte ich lieber im Grab sein, als an einem andern Ort." Als sie aber von St. Luciä der Pfarrer zum zweitenmal in der Kirche ausgerufen hatte: „So[5] nun jemand Hindernis wüßte anzuzeigen,[6] warum diese Personen nicht möchten ehelich[7] zusammenkommen", da meldete   10 sich der Tod.[8] Denn als der Jüngling den andern Morgen in seiner schwarzen Bergmannskleidung an ihrem Haus vorbeiging, der Bergmann[9] hat sein Totenkleid immer an, da klopfte er zwar noch einmal an ihrem Fenster, und sagte ihr guten Morgen, aber keinen guten Abend mehr. Er kam nimmer aus dem Bergwerk[10] zurück, und sie   15 säumte[11] vergeblich selbigen Morgen ein schwarzes Halstuch mit rotem Rand für ihn zum Hochzeittag, sondern als[12] er nimmer kam, legte sie es weg, und weinte um ihn und vergaß ihn nie. Unterdessen wurde die Stadt Lissabon[13] in Portugal durch ein Erdbeben zerstört,

---

1 **Schweden**   Sweden
2 **vor . . . mehr**   easily more than fifty years ago
3 **auf Sankt Luciä**   in St. Lucia's Church
4 **(wird) gesegnet**   will be blessed
5 **so**   *here:* whether, if
6 **So . . . anzuzeigen**   *lit.:* If anyone could name an obstacle; would know of a reason why
7 **ehelich**   in marriage
8 **da . . . Tod**   death raised his hand
9 **der Bergmann**   miner
10 **das Bergwerk**   mine
11 **säumen**   hem
12 **sondern als**   *here:* and when
13 **Lissabon**   Lisbon. *Note: The following section refers to a series of major events in the history of the age, e.g., the earthquake*

at Lisbon (1755), The Seven Years' War (1756–1763), the death of the German Emperor Francis I (1765), the suspension of the Jesuit Order (1773), the divisions of Poland (1772–1773; 1793; 1795), the death of the Empress Maria Theresia of Austria (1780), the execution of the Swedish minister and reformer Struensee (1772), the American War of Independence (1775–1783), the siege of Gibraltar (1779–1782), the beginning of the French Revolution (1789) and of the wars which followed in its wake (from 1792 onward), Austria's troubles with the Hungarians, the death of Emperor Leopold II (1792), Napoleon's conquest of Prussia (1806), the bombardment of Copenhagen (1807).

und der siebenjährige Krieg ging vorüber, und Kaiser Franz der erste   20
starb, und der Jesuiten-Orden wurde aufgehoben und Polen geteilt,
und die Kaiserin Maria Theresia starb, und der Struensee wurde
hingerichtet,[14] Amerika wurde frei, und die vereinigte französische
und spanische Macht konnte Gibraltar nicht erobern. Die Türken
schlossen den General Stein in der Veteraner Höhle in Ungarn ein, und   25
der Kaiser Joseph starb auch. Der König Gustav von Schweden eroberte
russisch Finnland, und die französische Revolution und der lange
Krieg fing an, und der Kaiser Leopold der zweite ging auch ins Grab.
Napoleon eroberte Preußen, und die Engländer bombardierten Kopenhagen, und die Ackerleute säten und schnitten. Der Müller mahlte und   30
die Schmiede hämmerten, und die Bergleuten gruben nach[15] den
Metalladern in ihrer unterirdischen Werkstatt. Als aber die Bergleute
in Falun im Jahr 1809 etwas vor oder nach Johannis zwischen zwei
Schachten[16] eine Öffnung durchgraben wollten, gute dreihundert
Ellen tief unter dem Boden, gruben sie aus dem Schutt und Vitriol-   35
wasser[17] den Leichnam eines Jünglings heraus, der ganz mit Eisenvitriol
durchdrungen,[18] sonst aber unverwest[19] und unverändert war; also
daß[20] man seine Gesichtszüge[21] und sein Alter noch völlig erkennen
konnte, als wenn er erst vor einer Stunde gestorben, oder ein wenig
eingeschlafen wäre, an der Arbeit. Als man ihn aber zu Tag ausgeför-   40
dert[22] hatte, Vater und Mutter, Gefreundte[23] und Bekannte waren
schon lange tot, kein Mensch wollte den schlafenden Jüngling kennen
oder etwas von seinem Unglück wissen, bis die ehemalige Verlobte[24]
des Bergmanns kam, der eines Tages auf die Schicht gegangen war[25]
und nimmer zurückkehrte. Grau und zusammengeschrumpft kam sie   45
an einer Krücke[26] an den Platz und erkannte ihren Bräutigam; und
mehr mit freudigem Entzücken als mit Schreck sank sie auf die geliebte
Leiche nieder, und erst als sie sich von einer langen heftigen Bewegung
des Gemüts[27] erholt hatte. „Es ist mein Verlobter", sagte sie endlich,
„um den ich fünfzig Jahre lang getrauert hatte, und den mich Gott   50
noch einmal sehen läßt vor meinem Ende. Acht Tage vor der Hochzeit
ist er auf die Grube gegangen[28] und nimmer gekommen." Da wurden
die Gemüter[29] aller Umstehenden[30] von Wehmut und Tränen
ergriffen, als sie sahen die ehemalige Braut jetzt in der Gestalt des

[14] **hingerichtet** executed
[15] **graben nach** dig for
[16] **zwischen zwei Schachten** between two shafts
[17] **das Vitriolwasser** vitriol water
[18] **durchdrungen (mit)** soaked (in)
[19] **unverwest** without a trace of decay
[20] **also daß** so daß
[21] **die Gesichtszüge** features
[22] **zu Tag ausgefördert** brought up into daylight

[23] **die Gefreundte** Freunde
[24] **ehemalige Verlobte** former betrothed
[25] **auf die Schicht gehen** go down for one's shift
[26] **die Krücke** crutch
[27] **Bewegung des Gemüts** emotion
[28] **auf die Grube gehen** go down into the mine
[29] **die Gemüter** *here:* hearts
[30] **die Umstehenden** bystanders

hingewelkten[31] kraftlosen Alters und den Bräutigam noch in seiner 55
jugendlichen Schöne, und wie in ihrer Brust nach 50 Jahren die Flamme
der jugendlichen Liebe noch einmal erwachte; aber er öffnete den Mund
nimmer zum Lächeln oder die Augen zum Wiedererkennen; und wie
sie ihn endlich von den Bergleuten in ihr Stüblein[32] tragen ließ, als die
einzige, die ihm angehöre,[33] und ein Recht an ihn habe, bis ein Grab 60
gerüstet sei auf dem Kirchhof. Den andern Tag, als das Grab gerüstet[34]
war auf dem Kirchhof und ihn die Bergleute holten, legte sie ihm das
schwarzseidene Halstuch mit roten Streifen um, und begleitete ihn in
ihrem Sonntagsgewand, als wenn es ihr Hochzeittag und nicht der Tag
seiner Beerdigung[35] wäre. Denn als man ihn auf dem Kirchhof ins 65
Grab legte, sagte sie: „Schlafe nun wohl, noch einen Tag oder zehen im
kühlen Hochzeitbett, und laß dir die Zeit nicht lang werden. Ich habe
nur noch wenig zu tun, und komme bald, und bald wirds wieder
Tag.[36] — Was die Erde einmal wiedergegeben[37] hat, wird sie zum
zweitenmal auch nicht behalten", sagte sie, als sie fortging, und noch 70
einmal umschaute.

---

[31] **hingewelkt** withered
[32] **das Stüblein** little chamber
[33] **die ihm angehöre** who belonged to him
[34] **gerüstet** prepared
[35] **die Beerdigung** interment
[36] **bald . . . Tag** day will soon break again
[37] **wiedergegeben** given back

Heinrich von Kleist (photo: Inter Nationes, Historisches Bildarchiv, Lolo Handke).

Heinrich von Kleist
(1777–1811)

The dramatic genius of Kleist remains unsurpassed among German play-wrights. His works range from high tragedy (Penthesilea (1807), Prinz Friedrich von Homburg (1810)) to comedy (Der zerbrochene Krug (1806)) and to narrative prose of relentless dramatic energy. The following anecdote, written in support of the author's unsuccessful attempts to lead his countrymen in the opposition against Napoleon, reveals his capacity to turn a slight episode into a vivid, tightly knit scene and into a symbol of reckless courage.

Anekdote aus dem letzten preußischen Kriege

IN EINEM bei Jena liegenden Dorf erzählte mir auf einer Reise nach Frankfurt der Gastwirt, daß sich mehrere Stunden nach der Schlacht, um die Zeit,[1] da das Dorf schon ganz von der Armee des Prinzen von Hohenlohe verlassen[2] und von Franzosen, die es für besetzt gehalten, umringt[3] gewesen wäre, ein einzelner preußischer Reiter darin gezeigt hätte; und versicherte mir, daß wenn alle Soldaten, die an diesem Tag mitgefochten,[4] so tapfer gewesen wären wie dieser, die Franzosen hätten geschlagen werden müssen, wären sie auch noch dreimal stärker gewesen, als sie in der Tat[5] waren.

Dieser Kerl, sprach der Wirt, sprengte,[6] ganz von Staub bedeckt, vor meinen Gasthof und rief:

„Herr Wirt!"

Und da ich frage: „Was gibt's?"

„Ein Glas Branntwein!"[7] antwortet er, indem er sein Schwert in die Scheide wirft, „mich dürstet."[8]

---

[1] **um die Zeit . . .** *October 14, 1806, the battle at Jena and Auerstedt where Napoleon's army inflicted a decisive defeat on the Prussians who were under the command of Prince Hohenlohe (at Jena) and the Duke of Brunswick (at Auerstedt).*

[2] **verlassen (war)** had been deserted *Note the frequent omission of the auxiliary*

in compound tenses throughout the anecdote.

[3] **umringt** surrounded

[4] **mitgefochten (hatten)** had taken part in the fighting

[5] **in der Tat** actually

[6] **sprengte** galloped

[7] **der Branntwein** brandy

[8] **mich dürstet** I am thirsty

„Gott im Himmel!" sag' ich, „will Er[9] machen, Freund, daß[10] Er wegkommt! Die Franzosen sind ja dicht vor dem Dorf!"

„Ei was!"[11] spricht er, indem er dem Pferde den Zügel über den Hals legt. „Ich habe den ganzen Tag nichts genossen!"[12]

„Nun Er ist, glaub' ich, vom Satan besessen[13] — ! He! Lise!" rief ich, „schaff' ihm eine Flasche Danziger[14] herbei!"[15] und sage: „Da!" und will ihm die Flasche in die Hand drücken, damit er nur reite.[16]

„Ach was!"[17] spricht er, indem er die Flasche wegstößt und sich den Hut abnimmt: „wo soll ich mit dem Quark[18] hin?"[19] Und: „Schenk' Er ein!"[20] spricht er, indem er sich den Schweiß von der Stirn abtrocknet, „denn ich habe keine Zeit!"

„Nun, Er ist ein Kind des Todes",[21] sag' ich. „Da!" sag' ich und schenk' ihm ein, „da trink' Er und reit' Er! Wohl mag's Ihm bekommen!"[22]

„Noch eins!" spricht der Kerl, während die Schüsse schon von allen Seiten ins Dorf prasseln.[23]

Ich sage: „Noch eins? Plagt Ihn — !"[24]

„Noch eins!" spricht er, indem er sich den Bart wischt und sich vom Pferde herab schneuzt,[25] „denn es wird bar[26] bezahlt!"

„Ei, mein' Seel', so wollt' ich doch, daß Ihn — !"[27] Da!" sag' ich und schenk' ihm noch, wie er verlangt, ein zweites und schenk' ihm, da er getrunken, noch ein drittes ein und frage, „ist Er nun zufrieden?"

„Ach!" — schüttelt sich der Kerl. „Der Schnaps[28] ist gut!" — „Na!" spricht er und setzt sich den Hut auf, „was bin ich schuldig?"[29]

„Nichts! Nichts!" versetz' ich.[30] „Pack' Er sich,[31] ins Teufels Namen, die Franzosen ziehen augenblicklich ins Dorf!"

„Na!" sagt er, indem er in seinen Stiefel greift, „so soll's Ihm Gott lohnen."[32] Und holt aus dem Stiefel einen Pfeifenstummel[33] hervor und spricht, nachdem er den Kopf ausgeblasen:[34] „Schaff' Er mir Feuer!"

---

[9] **Er (Ihm, Ihn)** you *Note: The third person singular was at one time used to address persons of the lower and middle classes.*

[10] **will Er machen (daß)** will he see to it (that)

[11] **Ei was!** What of it!

[12] **(ich habe) nichts genossen** I've had nothing to eat or drink

[13] **besessen** possessed

[14] **Danziger (Goldwasser)** liqueur (made in the city of Danzig)

[15] **(schaff' ihm) herbei** get him

[16] **damit er nur reite** just so he leave

[17] **Ach was!** Nonsense!

[18] **der Quark** rubbish, junk

[19] **wo soll ich mit . . . hin?** what shall I do with . . . ?

[20] **schenk' Er ein!** *meaning:* pour me a drink!

[21] **Nun, . . . Todes** Well, you're done for

[22] **Wohl . . . bekommen!** To your health!

[23] **prasseln** rattle

[24] **Plagt Ihn (der Teufel)?** Does (the devil) plague you?

[25] **sich schneuzen** blow one's nose

[26] **bar** in cash

[27] **daß Ihn** daß Ihn der Teufel hole

[28] **der Schnaps** brandy, liquor

[29] **was bin ich schuldig?** What do I owe you?

[30] **versetz ich** I reply

[31] **Pack' Er sich** Get out

[32] **so . . . lohnen** may God reward you for it

[33] **Pfeifenstummel** short pipe

[34] **nachdem er den Kopf (der Pfeife) ausgeblasen (hat)** after having cleaned (*emptied by blowing*) the bowl of the pipe

„Feuer?" sag' ich, „plagt Ihn — ?" 45
„Feuer, ja!" spricht er, „denn ich will mir eine Pfeife Tabak anmachen!"[35]
„Ei, den Kerl reiten Legionen — ![36] He, Lise", ruf' ich das Mädchen, und während der Kerl sich die Pfeife stopft, schafft das Mädchen ihm Feuer. 50
„Na!" sagt der Kerl, die Pfeife, die er angeschmaucht,[37] im Maul, „nun sollen die Franzosen die Schwerenot kriegen!"[38]
Und damit, indem er sich den Hut in die Augen drückt[39] und zum Zügel greift, wendet er das Pferd und zieht vom Leder.[40]
„Ein Mordskerl!"[41] sag' ich, „ein verfluchter, verwetterter Galgen- 55 strick![42] Will Er sich in Henkers Namen scheren,[43] wo Er hingehört? Drei Chasseurs[44] — sieht Er nicht? halten ja schon vor dem Tor!"[45]
„Ei was!" spricht er, indem er ausspuckt, und faßt die drei Kerls blitzend[46] ins Auge,[47] „wenn ihrer zehn wären, ich fürcht' mich nicht."
Und in dem Augenblick reiten auch die drei Franzosen schon ins 60 Dorf.
„Bassa Manelka!"[48] ruft der Kerl und gibt seinem Pferde die Sporen und sprengt[49] auf sie ein und greift sie, als ob er das ganze Hohen- lohische Corps hinter sich hätte, an; dergestalt,[50] daß, da die Chasseurs ungewiß, ob nicht noch mehr Deutsche im Dorf sein mögen, einen 65 Augenblick wider ihre Gewohnheit stutzen.[51] Er, mein' Seel', ehe man noch eine Hand umkehrt, alle drei vom Sattel haut, die Pferde, die auf dem Platz herumlaufen, aufgreift,[52] damit bei mir vorbeisprengt und: „Bassa Teremtetem!"[53] ruft und, „sieht er wohl Herr Wirt?" und „Adies!" und „Auf Wiedersehen!" und „hoho! hoho! hoho!" — 70
So einen Kerl, sprach der Wirt, habe ich Zeit meines Lebens nicht gesehen.

[35] **anmachen = anzünden** light
[36] **den Kerl reiten Legionen (von Teufeln)** this fellow is possessed by legions (of devils)
[37] **angeschmaucht (hat)** has begun to smoke
[38] **die Schwerenot kriegen** get hell
[39] **indem . . . drückt** as he pulls his hat way down over his forehead
[40] **vom Leder ziehen** to draw one's sword
[41] **ein Mordskerl** a devil of a fellow
[42] **verwetterter Galgenstrick** hard-boiled rogue
[43] **sich scheren** be off
[44] **die Chasseurs** French cavalrymen
[45] **das Tor** gate, gateway to the village
[46] **blitzend** with flashing eyes
[47] **ins Auge fassen** glare at
[48] ***Bassa Manelka*** *a Turkish swear word*
[49] **auf sie einsprengen** gallop toward them
[50] **dergestalt, daß** in such a manner that
[51] **stutzen** hesitate
[52] **aufgreift** seizes
[53] **Teremtetem** *onomatopoetic, suggesting the sound of a trumpet*

Heinrich von Kleist

With a stubbornness characteristic of Kleist and of his heroes, the main character in this ghost story insists upon confronting the unfathomable until it destroys him. The irrational horror refuses to yield to the claim that the world should make sense. And, consequently, the catastrophe is inevitable, much as in the story of Michael Kohlhaas (1810) *in which the absolute claim to justice leads its protagonist to crime and capital punishment. Even the tortured sentences convey the desperate attempt to impose order upon a reality that remains essentially alien and inscrutable to the mind of man.*

Das Bettelweib von Locarno

AM Fuße der Alpen, bei Locarno im oberen Italien, befand sich ein altes, einem Marchese gehöriges Schloß, das man jetzt, wenn man vom St. Gotthard[1] kommt, in Schutt und Trümmern[2] liegen sieht: ein Schloß mit hohen und weitläufigen[3] Zimmern, in deren einem einst, auf Stroh, das man ihr unterschüttete,[4] eine alte kranke Frau, die sich 5 bettelnd vor der Tür eingefunden[5] hatte, von der Hausfrau, aus Mitleiden, gebettet[6] worden war. Der Marchese, der, bei der Rückkehr von der Jagd, zufällig in das Zimmer trat, wo er seine Büchse abzusetzen pflegte,[7] befahl der Frau unwillig, aus dem Winkel, in welchem sie lag, aufzustehn und sich hinter den Ofen zu verfügen.[8] Die Frau, da sie sich 10 erhob, glitschte mit der Krücke auf dem glatten Boden aus[9] und beschädigte sich, auf eine gefährliche Weise, das Kreuz;[10] dergestalt, daß[11] sie zwar noch mit unsäglicher Mühe aufstand und quer wie es ihr vorgeschrieben war, über das Zimmer[12] ging, hinter dem Ofen aber, unter Stöhnen und Ächzen,[13] niedersank und verschied.[14] 15

Mehrere Jahre nachher, da der Marchese, durch Krieg und Miß-wachs,[15] in bedenkliche Vermögensumstände[16] geraten war, fand sich

[1] **St. Gotthard** Alpine pass leading from Switzerland to Italy
[2] **in Schutt und Trümmern** in ruins
[3] **weitläufig** spacious
[4] **unterschütten** spread under
[5] **sich eingefunden hatte** had come (to)
[6] **gebettet** bedded down
[7] **pflegte** used to
[8] **sich verfügen** *here:* get behind
[9] **ausglitschen** slip
[10] **beschädigte sich das Kreuz** hurt her

back (*spine*)
[11] **dergestalt, daß** so that, in such a manner that
[12] **quer über das Zimmer** (diagonally) across the room
[13] **unter . . . Ächzen** with groans and heavy sighs
[14] **verscheiden** pass away
[15] **der Mißwachs** crop failure
[16] **bedenkliche Vermögensumstände** financial difficulties

ein florentinischer [17] Ritter bei ihm ein, der das Schloß, seiner schönen Lage [18] wegen, von ihm kaufen wollte. Der Marchese, dem viel an dem Handel gelegen war,[19] gab seiner Frau auf,[20] den Fremden in dem 20 obenerwähnten,[21] leerstehenden Zimmer, das sehr schön und prächtig eingerichtet war, unterzubringen. Aber wie betreten [22] war das Ehepaar, als der Ritter mitten in der Nacht, verstört und bleich, zu ihnen herunterkam, hoch und teuer versichernd,[23] daß es in dem Zimmer spuke, indem [24] etwas, das dem Blick unsichtbar [25] gewesen, mit 25 einem Geräusch, als ob es auf Stroh gelegen, im Zimmerwinkel aufgestanden, mit vernehmlichen Schritten, langsam und gebrechlich,[26] quer über das Zimmer gegangen und hinter dem Ofen, unter Stöhnen und Ächzen, niedergesunken sei.

Der Marchese, erschrocken, er wußte selbst nicht recht warum, 30 lachte den Ritter mit erkünstelter Heiterkeit [27] aus [28] und sagte, er wolle sogleich aufstehn und die Nacht, zu seiner Beruhigung,[29] mit ihm in dem Zimmer zubringen. Doch der Ritter bat um die Gefälligkeit,[30] ihm zu erlauben, daß er, auf einem Lehnstuhl, in seinem Schlafzimmer übernachte, und als der Morgen kam ließ er anspannen, empfahl sich [31] 35 und reiste ab. Dieser Vorfall, der außerordentliches Aufsehen machte, schreckte, auf eine dem Marchese höchst unangenehme Weise, mehrere Käufer ab;[32] dergestalt, daß, da sich unter seinem eignen Hausgesinde,[33] befremdend und unbegreiflich,[34] das Gerücht erhob, daß es in dem Zimmer, zur Mitternachtsstunde, umgehe,[35] er, um es mit einem 40 entscheidenden Verfahren niederzuschlagen,[36] beschloß, die Sache in der nächsten Nacht selbst zu untersuchen. Demnach [37] ließ er, beim Einbruch der Dämmerung,[38] sein Bett in dem besagten Zimmer aufschlagen [39] und erharrte,[40] ohne zu schlafen, die Mitternacht. Aber wie

[17] **florentinisch** Florentine, coming from Florence
[18] **die Lage** location
[19] **dem . . . war** who was eager to conclude the deal
[20] **gab auf** told, asked
[21] **obenerwähnten** above-mentioned
[22] **betreten** embarrassed, upset
[23] **hoch und teuer versichernd** swearing solemnly
[24] **indem** *here:* since
[25] **dem Blick unsichtbar** invisible to the eye
[26] **gebrechlich** frail, *here:* with frail steps
[27] **mit erkünstelter Heiterkeit** with forced gaiety
[28] **auslachen** laugh at
[29] **zu seiner Beruhigung** in order to reassure him
[30] **die Gefälligkeit** favor
[31] **sich empfehlen** take leave

[32] **abschrecken** scare away, frighten off
Translate in this manner: **Da sich unter seinem eignem Hausgesinde ... das Gerücht erhob, daß es ... umgehe, beschloß er, die Sache in der nächsten Nacht selbst zu untersuchen, um es (das Gerücht) mit einem entscheidenden Verfahren niederzuschlagen.**
[33] **das Hausgesinde** servants
[34] **befremdend und unbegreiflich** strangely and incomprehensibly
[35] **(daß es) in dem Zimmer umgehe** that the room was haunted
[36] **um . . . niederzuschlagen** in order to squash it (*the rumor*) by a decisive act
[37] **Demnach** Accordingly
[38] **beim . . . Dämmerung** as dusk set in
[39] **sein Bett aufschlagen lassen** had his bed made
[40] **erharrte** waited for

erschüttert war er, als er in der Tat, mit dem Schlage der Geisterstunde,[41]   45
das unbegreifliche Geräusch wahrnahm;[42] es war, als ob ein Mensch
sich von Stroh, das unter ihm knisterte,[43] erhob, quer über das Zimmer
ging und hinter dem Ofen, unter Geseufz und Geröchel,[44] niedersank.
Die Marquise, am andern Morgen, da er herunterkam, fragte ihn, wie
die Untersuchung abgelaufen;[45] und da er sich, mit scheuen und   50
ungewissen Blicken, umsah und, nachdem er die Tür verriegelt,[46]
versicherte,[47] daß es mit dem Spuk seine Richtigkeit habe,[48] so erschrak
sie, wie sie in ihrem Leben nicht getan, und bat ihn, bevor er die Sache
verlauten ließe,[49] sie noch einmal, in ihrer Gesellschaft, einer kalt-
blütigen Prüfung zu unterwerfen.[50] Sie hörten aber, samt einem treuen   55
Bedienten, den sie mitgenommen hatten, in der Tat, in der nächsten
Nacht, dasselbe unbegreifliche, gespensterartige[51] Geräusch; und nur
der dringende Wunsch, das Schloß, es koste was es wolle,[52] los zu
werden,[53] vermochte sie, das Entsetzen, das sie ergriff, in Gegenwart
ihres Dieners zu unterdrücken[54] und dem Vorfall irgendeine gleich-   60
gültige und zufällige Ursache, die sich entdecken lassen müsse, unterzuschieben.[55] Am Abend des dritten Tages, da beide, um der Sache auf
den Grund zu kommen, mit Herzklopfen wieder die Treppe zu dem
Fremdenzimmer bestiegen, fand sich[56] zufällig der Haushund, den
man von der Kette losgelassen hatte, vor der Tür desselben ein;   65
dergestalt, daß beide, ohne sich bestimmt zu erklären,[57] vielleicht in der
unwillkürlichen Absicht,[58] außer sich selbst noch etwas Drittes,
Lebendiges, bei sich zu haben, den Hund mit sich in das Zimmer
nahmen. Das Ehepaar, zwei Lichter auf dem Tisch, die Marquise
unausgezogen, der Marchese Degen und Pistolen, die er aus dem   70
Schrank genommen, neben sich, setzten sich, gegen elf Uhr, jeder auf
sein Bett; und während sie sich mit Gesprächen, so gut sie vermögen,
zu unterhalten suchen,[59] legt sich der Hund, Kopf und Beine zusammengekauert,[60] in der Mitte des Zimmers nieder und schläft ein.

[41] **mit ...Geisterstunde** at the stroke
of midnight, *lit.:* of the witching hour
[42] **wahrnehmen** perceive
[43] **knistern** rustle
[44] **unter ... Geröchel** amid sighing and
gasping
[45] **wie ... abgelaufen (war)** how the
investigation had gone
[46] **verriegeln** bolt
[47] **versicherte** *here:* confirmed
[48] **daß ... habe** that the room was
actually haunted
[49] **bevor ... ließ** before he would let
the matter be known
[50] **einer Prüfung unterwerfen** to subject to a test
[51] **gespensterartig** ghostlike
[52] **es ... wolle** at any cost; no matter
how

[53] **loswerden** get rid of
[54] **(vermochte sie) das Entsetzen, das
sie ergriff (zu unterdrücken)** enabled her to suppress the horror which
seized her
[55] **(dem Vorfall irgendeine) (Ursache)
unterzuschieben** to assign some
cause to the incident
[56] **sich vorfinden** to be present
[57] **ohne ... erklären** without giving
any definite reason for it
[58] **unwillkürliche Absicht** unconscious
intention
[59] **(und während sie sich) zu unterhalten suchen** while they try to entertain each other
[60] **Kopf ... zusammengekauert**
curled up

Drauf, in dem Augenblick der Mitternacht, läßt sich das entsetzliche 75
Geräusch wieder hören; jemand, den kein Mensch mit Augen sehen
kann, hebt sich, auf Krücken, im Zimmerwinkel empor; man hört das
Stroh, das unter ihm rauscht; und mit dem ersten Schritt: tapp! tapp!
erwacht der Hund, hebt sich plötzlich, die Ohren spitzend,[61] vom
Boden empor, und knurrend[62] und bellend, grad als ob[63] ein Mensch 80
auf ihn eingeschritten käme,[64] rückwärts gegen den Ofen weicht er
aus.[65] Bei diesem Anblick stürzt die Marquise, mit sträubenden
Haaren,[66] aus dem Zimmer; und während der Marchese, der den
Degen ergriffen: „Wer da?" ruft und, da ihm niemand antwortet,
gleich einem Rasenden,[67] nach allen Richtungen die Luft durchhaut,[68] 85
läßt sie anspannen,[69] entschlossen, augenblicklich nach der Stadt
abzufahren. Aber ehe sie noch nach Zusammenraffung einiger Sachen [70]
aus dem Tore herausgerasselt,[71] sieht sie schon das Schloß ringsum in
Flammen aufgehen. Der Marchese, von Entsetzen überreizt,[72] hatte
eine Kerze genommen und dasselbe, überall mit Holz getäfelt[73] wie es 90
war, an allen vier Ecken, müde seines Lebens, angesteckt.[74] Vergebens
schickte sie Leute hinein, den Unglücklichen zu retten; er war auf die
elendiglichste Weise[75] bereits umgekommen,[76] und noch jetzt liegen,
von den Landleuten[77] zusammengetragen, seine weißen Gebeine in
dem Winkel des Zimmers, von welchem er das Bettelweib von Locarno 95
hatte aufstehen heißen.[78]

---

[61] **die Ohren spitzend** pricking up its ears
[62] **knurrend** growling
[63] **grad als ob** just as if
[64] **. . . auf ihn eingeschritten käme** . . . came walking toward him
[65] **ausweichen** *here:* withdraw
[66] **mit sträubenden Haaren** with hair on end
[67] **gleich einem Rasenden** like a madman
[68] **die Luft durchhauen** slash through the air
[69] **(sie) läßt anspannen** she orders the carriage to be got ready
[70] **nach . . . Sachen** having quickly gathered up a few things
[71] **herausrasseln** rattle out
[72] **von Entsetzen überreizt** unnerved by horror
[73] **getäfelt** panelled
[74] **anstecken** set fire to
[75] **auf die elendiglichste Weise** in the most miserable manner
[76] **umkommen** die
[77] **die Landleute** farmers
[78] **(er) hatte aufstehen heißen** (he) had ordered (*her*) to get up

Heinrich Heine
(1797–1856)

*Ever since the nineteenth century when his prose (Harzreise (1826))
and his poetry (Buch der Lieder (1827), Romanzero (1851)) were much
beloved in Germany, Heine's reputation has flourished abroad rather than in
his native country. This is only partially due to the fact that the character and
the works of this voluntary exile who spent the better part of his life in Paris,
were destined to become a target of Anti-Semitic propaganda. Heine's poetry is
marred by tedious affectations and stereotypes. His sparkling wit is impaired
by indiscriminate witticisms, and his lucid prose is frequently quite superficial.
Heine knew himself to be both "the last of the Romantics" and the gravedigger
of Romanticism. The constant interplay between the Romantic and the Realist
within him is productive of a genuine and compelling irony. Yet while
Heine's "sardonic smile" may animate brilliant insights, it is quite as likely to
be wasted upon a welter of vulgar gossip. At his best, he is nonetheless a
master of lively, imaginative and irreverent satire. His ease and excellence in
this—allegedly un-German—genre is illustrated by the following episode
(from the* Harzreise*) which pokes fun at the rationalistic ideal of the
Enlightenment.*

Doktor Saul Ascher

IN JENER NACHT, die ich in Goslar[1] zubrachte, ist mir etwas höchst
Seltsames begegnet. Noch immer kann ich nicht ohne Angst daran
zurückdenken. Ich bin von Natur nicht ängstlich, aber vor Geistern
fürchte ich mich fast so sehr wie der *Östreichische Beobachter.*[2] Was
ist Furcht? Kommt sie aus dem Verstande oder aus dem Gemüt? Über 5
diese Frage disputierte ich so oft mit dem Doktor Saul Ascher,[3] wenn
wir zu Berlin im Café Royal, wo ich lange Zeit meinen Mittagstisch[4]

[1] **Goslar** *city on the northern side of the
Harz Mountains*
[2] **der Östreichische Beobachter**
*Austrian newspaper, mouthpiece of the
reaction led by Prince Metternich. The
"Geister" feared by this paper are those of
the opposition, i.e., of liberalism.*
[3] **Dr. Saul Ascher** *a devoted disciple of
Kantian philosophy whom Heine uses here
to embody what he believed to be the*

*essence of Kant's thought, namely the
absolute supremacy of dry, bloodless
rationality (***Vernunft***) over the intuitive,
non-rational immediacy of feeling (***Gemüt***).
This Heine does most cleverly in this
episode, although the validity of his interpretation of Kant is debatable.*
[4] **(wo ich) meinen Mittagstisch hatte**
where I ate dinner regularly

68

hatte, zufällig zusammentrafen. Er behauptete immer, wir fürchten
etwas, weil wir es durch Vernunftschlüsse[5] für furchtbar erkennen.
Nur die Vernunft sei eine Kraft, nicht das Gemüt. Während ich gut aß   10
und gut trank, demonstrierte er mir fortwährend die Vorzüge der
Vernunft. Gegen das Ende seiner Demonstration pflegte er nach seiner
Uhr zu sehen,[6] und immer schloß er damit: „Die Vernunft ist das
höchste Prinzip!" — Vernunft. Wenn ich jetzt dieses Wort höre, so
sehe ich noch immer den Doktor Saul Ascher mit seinen abstrakten   15
Beinen, mit seinem engen, transcendentalgrauen[7] Leibrock[8] und mit
seinem schroffen, frierend kalten Gesichte, das einem Lehrbuche der
Geometrie als Kupfertafel[9] dienen konnte. Dieser Mann, tief in den
Fünfzigern,[10] war eine personifizierte gerade Linie. In seinem Streben
nach dem Positiven[11] hatte der arme Mann sich alles Herrliche aus dem   20
Leben herausphilosophiert, alle Sonnenstrahlen, allen Glauben und alle
Blumen, und es blieb ihm nichts übrig als das kalte, positive Grab. Auf
den Apoll von Belvedere[12] und auf das Christentum hatte er eine
spezielle Malice. Gegen letzteres schrieb er sogar eine Broschüre,[13]
worin er dessen Unvernünftigkeit und Unhaltbarkeit[14] bewies. Er hat   25
überhaupt eine ganze Menge Bücher geschrieben, worin immer die
Vernunft von ihrer eigenen Vortrefflichkeit renommiert,[15] und wobei
es der arme Doktor gewiß ernsthaft genug meinte und also in dieser
Hinsicht[16] alle Achtung verdiente.[17] Darin aber bestand ja eben der
Hauptspaß,[18] daß er ein so ernsthaft närrisches Gesicht schnitt,[19] wenn   30
er dasjenige nicht begreifen konnte, was jedes Kind begreift, eben weil
es ein Kind ist. Einigemal besuchte ich auch den Vernunftdoktor in
seinem eigenen Hause, wo ich schöne Mädchen bei ihm fand; denn die
Vernunft verbietet nicht die Sinnlichkeit.[20] Als ich ihn einst ebenfalls
besuchen wollte, sagte mir sein Bedienter: „Der Herr Doktor ist eben   35
gestorben." Ich fühlte nicht viel mehr dabei, als wenn er gesagt hätte:
„Der Herr Doktor ist ausgezogen."[21]

Doch zurück nach Goslar. „Das höchste Prinzip ist die Vernunft!"
sagte ich beschwichtigend[22] zu mir selbst, als ich ins Bett stieg.

---

[5] **die Vernunftschlüsse** *lit.:* conclusions arrived at by means of logical reasoning
[6] **(er) pflegte . . . sehen** (he) used to look at his watch
[7] **abstrakt, transcendental** *two terms used frequently by* **Kant** *and employed here by* **Heine** *to parody him*
[8] **der Leibrock** dress coat
[9] **die Kupfertafel** *lit.:* copper engraving, *here:* diagram
[10] **tief in den Fünfzigern** way into his fifties
[11] **nach dem Positiven** for the objectively real, for objective experience
[12] **Apoll von Belvedere** classical Greek statue, *here:* an embodiment of beauty
[13] **die Broschüre** pamphlet
[14] **die Unhaltbarkeit** untenability, indefensibility
[15] **von . . . renommiert** boasts of its own excellence
[16] **in dieser Hinsicht** in this respect
[17] **alle Achtung verdienen** deserve to be greatly esteemed
[18] **der Hauptspaß** capital joke
[19] **ein so . . . schnitt** made such an earnestly foolish face
[20] **die Sinnlichkeit** sensuality
[21] **ausgezogen** *here:* moved away
[22] **beschwichtigend** reassuringly

Indessen,[23] es half nicht. Ich hatte eben in Varnhagen von Enses   40
„Deutsche Erzählungen", die ich von Klaustal[24] mitgenommen hatte,
jene entsetzliche Geschichte gelesen, wie der Sohn, den sein eigener
Vater ermorden wollte, in der Nacht von dem Geiste seiner
toten Mutter gewarnt wird. Die wunderbare Darstellung dieser
Geschichte bewirkte,[25] daß mich während des Lesens ein inneres   45
Grauen durchfröstelte.[26] Auch erregen Gespenstererzählungen ein noch
schauerlicheres Gefühl, wenn man sie auf der Reise liest, und zumal des
Nachts,[27] in einer Stadt, in einem Hause, in einem Zimmer, wo man
noch nie gewesen. „Wie viel Gräßliches mag sich schon zugetragen
haben auf diesem Flecke, wo du eben liegst?" so denkt man unwill-   50
kürlich.[28] Überdies schien jetzt der Mond so zweideutig[29] ins Zimmer
herein, an der Wand bewegten sich allerlei unberufene[30] Schatten, und
als ich mich im Bett aufrichtete, um hinzusehen, erblickte ich —
   Es gibt nichts Unheimlicheres, als wenn man bei Mondschein das
eigene Gesicht zufällig im Spiegel sieht. In demselben Augenblicke   55
schlug eine schwerfällige, gähnende Glocke, und zwar so lang und
langsam, daß ich nach dem zwölften Glockenschlage sicher glaubte, es
seien unterdessen volle zwölf Stunden verflossen, und es müßte wieder
von vorn anfangen, zwölf zu schlagen. Zwischen dem vorletzten und
letzten Glockenschlage schlug noch eine andere Uhr, sehr rasch, fast   60
keifend gell,[31] und vielleicht ärgerlich über die Langsamkeit ihrer Frau
Gevatterin.[32] Als beide eiserne Zungen schwiegen, und tiefe Totenstille
im ganzen Hause herrschte, war es mir plötzlich, als[33] hörte ich auf
dem Korridor vor meinem Zimmer etwas schlottern und schlappen,[34]
wie der unsichere Gang eines alten Mannes. Endlich öffnete sich meine   65
Tür, und langsam trat herein der verstorbene Doktor Saul Ascher.
Ein kaltes Fieber rieselte[35] mir durch Mark und Bein,[36] ich zitterte wie
Espenlaub,[37] und kaum wagte ich das Gespenst anzusehen. Er sah aus
wie sonst, derselbe transcendentalgraue Leibrock, dieselben abstrakten
Beine und dasselbe mathematische Gesicht; nur war dieses etwas   70
gelblicher als sonst, auch der Mund, der sonst zwei Winkel von $22\frac{1}{2}$
Grad bildete, war zusammengekniffen,[38] und die Augenkreise hatten
einen größeren Radius. Schwankend und wie sonst sich auf sein

[23] **Indessen** However
[24] **Klaustal** *town in the Harz Mountains*
[25] **bewirkte** had the effect
[26] **(daß mich) ein inneres Grauen durchfröstelte** that I shuddered with dread
[27] **zumal des Nachts** especially during the night
[28] **unwillkürlich** instinctively
[29] **zweideutig** ambiguous
[30] **unberufen** unbidden
[31] **fast keifend gell** shrilly scolding

[32] **Frau Gevatterin** *here:* neighbor
[33] **(es) war mir (als)** I felt as if
[34] **schlottern und schlappen** slouching and shuffling along
[35] **rieseln** ripple, run
[36] **durch Mark und Bein** *lit.:* through marrow and bone; right through my body
[37] **Ich zitterte wie Espenlaub** *meaning:* I shook like a leaf
[38] **zusammengekniffen** tightly closed, pinched

spanisches Röhrchen[39] stützend, näherte er sich mir, und in seinem gewöhnlichen mundfaulen[40] Dialekte sprach er freundlich: „Fürchten 75 Sie sich nicht, und glauben Sie nicht, daß ich ein Gespenst sei. Es ist Täuschung Ihrer Phantasie, wenn Sie mich als Gespenst zu sehen glauben. Was ist ein Gespenst? Geben Sie mir eine Definition. Deduzieren Sie mir die Bedingungen der Möglichkeit eines Gespenstes.[41] In welchem vernünftigen Zusammenhange stände eine solche Erschei- 80 nung mit der Vernunft? Die Vernunft, ich sage die Vernunft—" Und nun schritt das Gespenst zu[42] einer Analyse der Vernunft, zitierte Kants „Kritik der reinen Vernunft",[43] 2. Teil, 1. Abschnitt, 2. Buch, 3. Hauptstück, die Unterscheidung von Phänomena und Noumena,[44] konstruierte alsdann den problematischen[45] Gespensterglauben, setzte 85 einen Syllogismus[46] auf den anderen, und schloß mit dem logischen Beweise, daß es durchaus keine Geister gibt. Mir unterdessen lief der kalte Schweiß über den Rücken, meine Zähne klapperten wie Kastagnetten, aus Seelenangst[47] nickte ich unbedingte Zustimmung bei jedem Satz, womit der spukende[48] Doktor die Absurdität aller 90 Gespensterfurcht bewies, und derselbe[49] demonstrierte so eifrig, daß er einmal in der Zerstreuung,[50] statt seiner goldenen Uhr, eine Handvoll Würmer aus der Uhrtasche zog und, seinen Irrtum bemerkend, mit possierlich ängstlicher Hastigkeit[51] wieder einsteckte. „Die Vernunft ist das höchste—" da schlug die Glocke eins, und das Gespenst 95 verschwand.

[39] **spanisches Röhrchen** thin cane
[40] **mundfaul** drawling, dragging
[41] **Deduzieren ... Gespenstes** Deduce for me the conditions for the possibility of a ghost.
[42] **schritt zu** proceeded to
[43] **Kritik der reinen Vernunft—** *Critique of Pure Reason*
[44] **Phänomena und Noumena** phenomena: *things as we perceive them*; noumena: *things as they are in themselves*
[45] **problematisch** *here:* theoretical
[46] **der Syllogismus** syllogism (*Classic form of logical argument, in which a necessary conclusion is deduced from two premises*)
[47] **aus Seelenangst** in my anxiety (of soul)
[48] **spukend** ghostly, spectral
[49] **derselbe** er
[50] **in der Zerstreuung** absentmindedly
[51] **mit ... Hastigkeit** *lit.:* with quaintly scrupulous haste

Im Park: Schloß Schönbrunn, Wien (courtesy of Velhagen and Klasing, Berlin).

Arthur Schnitzler
(1862–1931)

Schnitzler's plays, Anatol *(1893),* Liebelei *(1894), and fiction, for example,* Lieutenant Gustl *(1899), are representative of literary Impressionism and of Vienna at the turn of the century. Realistically—and with meticulous craftsmanship—Schnitzler treats of human relationships, notably of erotic entanglements which involve both the heart and the senses. His psychological acumen serves him to uncover the fictions which preoccupy a society self-conscious of its refinement and of its decadence. And yet he suggests that all of life is a mirage; that there is no vital experience beyond the momentary sensations and self-deceptions which sustain and delude us. For what we cherish as reality is only a web of transient, endearing and bitter-sweet illusions.*

The following story suggests this melancholy and frivolous perspective on life. The episode related to the narrator seems to conform to the "realistic" conventions of his age and setting. Nonetheless it is revealed as a maze of fiction within fiction. Its ingenuity will challenge the reader to unravel it—but only in order to dismiss him with a final question mark.

Das Tagebuch der Redegonda

[Assignment I]

GESTERN NACHTS, als ich mich auf dem Heimweg für eine Weile im Stadtpark[1] auf einer Bank niedergelassen hatte, sah ich plötzlich in der anderen Ecke einen Herrn lehnen, von dessen Gegenwart ich vorher nicht das geringste bemerkt hatte. Da zu dieser späten Stunde an leeren Bänken im Park durchaus kein Mangel[2] war, kam mir das Erscheinen 5 dieses nächtlichen Nachbars etwas verdächtig vor; und eben machte[3] ich Anstalten, mich zu entfernen, als der fremde Herr, der einen langen grauen Überzieher[4] und gelbe Handschuhe trug, den Hut lüftete, mich beim Namen nannte und mir einen guten Abend wünschte. Nun erkannte ich ihn, recht angenehm überrascht. Es war Dr. Gottfried 10 Wehwald, ein junger Mann von guten Manieren, ja sogar von einer gewissen Vornehmheit des Auftretens, die zumindest ihm selbst eine immerwährende stille Befriedigung zu gewähren schien.[5] Vor etwa

[1] **der Stadtpark** *a park in the center of Vienna*
[2] **Mangel an** lack of
[3] **Anstalten machen** be about to
[4] **der Überzieher** overcoat

[5] **ja sogar . . . schien** and even of some distinction in his appearance which seemed to be a source of continuous and quiet satisfaction at least to the young man himself

73

vier Jahren war er als Konzeptspraktikant[6] aus der Wiener Statthalterei[7] nach einer kleinen niederösterreichischen Landstadt[8] versetzt[9]   15
worden, tauchte aber von Zeit zu Zeit wieder unter seinen Freunden
im Caféhause[10] auf,[11] wo er stets mit jener gemäßigten Herzlichkeit[12]
begrüßt wurde, die seiner eleganten Zurückhaltung gegenüber geboten
war.[13] Daher fand ich es auch angezeigt,[14] obzwar ich ihn seit Weihnachten nicht gesehen hatte, keinerlei Befremden über Stunde und Ort   20
unserer Begegnung zu äußern;[15] liebenswürdig, aber anscheinend
gleichgültig[16] erwiderte ich seinen Gruß und schickte mich eben an,
mit ihm ein Gespräch zu eröffnen, wie es sich für Männer von Welt
geziemt,[17] die am Ende auch ein zufälliges Wiedersehen in Australien
nicht aus der Fassung bringen[18] dürfte, als er mit einer abwehrenden   25
Handbewegung[19] kurz bemerkte: „Verzeihen Sie, werter Freund, aber
meine Zeit ist gemessen und ich habe mich nur zu dem Zwecke hier
eingefunden, um Ihnen eine etwas sonderbare Geschichte zu erzählen,
vorausgesetzt natürlich,[20] daß Sie geneigt[21] sein sollten, sie anzuhören."

Nicht ohne Verwunderung über diese Anrede erklärte ich mich   30
trotzdem sofort dazu bereit, konnte aber nicht umhin, meinem
Befremden Ausdruck zu verleihen,[22] daß Dr. Wehwald mich nicht im
Caféhause aufgesucht habe, ferner wieso es ihm gelungen war, mich
nächtlicherweise hier im Stadtpark aufzufinden und endlich, warum
gerade ich zu der Ehre ausersehen sei,[23] seine Geschichte anzuhören.   35

„Die Beantwortung der beiden ersten Fragen", erwiderte er mit
ungewohnter Herbheit,[24] „wird sich im Laufe meines Berichtes von
selbst ergeben.[25] Daß aber meine Wahl gerade auf Sie fiel, werter
Freund (er nannte mich nun einmal nicht anders),[26] hat seinen Grund
darin, daß Sie sich meines Wissens[27] auch schriftstellerisch betätigen[28]   40

---

[6] **der Konzeptspraktikant** *Austrian title for a student of law engaged in practical training in a state office prior to the completion of the degree required for government service.*

[7] **Wiener Statthalterei** *government office in Vienna*

[8] **niederösterreichische Landstadt** provincial town in Lower Austria

[9] **versetzt** transferred

[10] **das Caféhaus** *Note: The coffee houses of Vienna served in those days as regular meeting places for social intercourse.*

[11] **tauchte ... auf** turned up

[12] **gemäßigte Herzlichkeit** restrained cordiality

[13] **die ... geboten war** which was in keeping with his attitude of elegant reserve.

[14] **Daher ... angezeigt** Therefore I thought it appropriate

[15] **Befremden äußern** express astonishment

[16] **anscheinend gleichgültig** with an air of indifference

[17] **wie es sich geziemt** as is fitting

[18] **aus der Fassung bringen** disconcert

[19] **mit ... Handbewegung** with a gesture of protest

[20] **natürlich vorausgesetzt** provided of course

[21] **geneigt** inclined

[22] **(ich) konnte nicht umhin (Ausdruck zu verleihen)** I could not but express

[23] **warum ... sei** why I of all people should have been singled out for the honor, why I should have the honor

[24] **die Herbheit** harshness

[25] **(wird sich) von selbst ergeben** will become apparent

[26] **er ... anders** *meaning:* he insisted upon addressing me in this manner

[27] **meines Wissens** as far as I know

[28] **sich schriftstellerisch betätigen** to be engaged in writing

und ich daher glaube, auf eine Veröffentlichung meiner merkwürdigen, aber ziemlich zwanglosen[29] Mitteilungen in leidlicher[30] Form
rechnen[31] zu dürfen."

Ich wehrte bescheiden ab, worauf Dr. Wehwald mit einem sonderbaren Zucken um die Nasenflügel[32] ohne weitere Einleitung begann: 45
„Die Heldin meiner Geschichte heißt Redegonda. Sie war die Gattin
eines Rittmeisters,[33] Baron T. vom Dragonerregiment X, das in
unserer kleinen Stadt Z garnisonierte." (Er nannte tatsächlich nur diese
Anfangsbuchstaben, obwohl mir nicht nur der Name der kleinen
Stadt, sondern aus Gründen, die bald ersichtlich[34] sein werden, auch 50
der Name des Rittmeisters und die Nummer des Regiments keine
Geheimnisse bedeuten.) „Redegonda", fuhr Dr. Wehwald fort, „war
eine Dame von außerordentlicher Schönheit und ich verliebte mich in
sie, wie man zu sagen pflegt,[35] auf den ersten Blick. Leider war mir jede
Gelegenheit versagt,[36] ihre persönliche Bekanntschaft zu machen, da 55
die Offiziere mit der Zivilbevölkerung beinahe gar keinen Verkehr
pflegten[37] und an dieser Exklusivität selbst gegenüber uns Herren von
der politischen Behörde[38] in fast verletzender Weise festhielten. So sah
ich Redegonda immer nur von weitem; sah sie allein oder an der Seite
ihres Gemahls, nicht selten in Gesellschaft anderer Offiziere und 60
Offiziersdamen, durch die Straßen spazieren, erblickte sie manchmal an
einem Fenster ihrer auf dem Hauptplatze gelegenen Wohnung, oder
sah sie abends in einem holpernden Wagen[39] nach dem kleinen Theater
fahren, wo ich dann das Glück hatte, sie vom Parkett[40] aus in ihrer
Loge[41] zu beobachten, die von den jungen Offizieren in den Zwischen- 65
akten[42] gerne besucht wurde. Zuweilen war mir, als geruhe[43] sie,
mich zu bemerken. Aber ihr Blick streifte immer nur so flüchtig über
mich hin,[44] daß ich daraus keine weiteren Schlüsse ziehen[45] konnte.
Schon hatte ich die Hoffnung aufgegeben, ihr jemals meine Anbetung
zu Füßen legen zu dürfen,[46] als sie mir an einem wundervollen Herbst- 70
vormittag in dem kleinen parkartigen Wäldchen,[47] das sich vom
östlichen Stadttor aus weit ins Land hinaus erstreckte, vollkommen
unerwartet entgegenkam. Mit einem unmerklichen[48] Lächeln ging sie

[29] **merkwürdigen ... zwanglosen** remarkable but rather informal
[30] **leidlich** tolerable
[31] **rechnen auf** count on
[32] **mit ... Nasenflügel** with a strange
twitching of his nose
[33] **der Rittmeister** cavalry captain
[34] **ersichtlich** apparent
[35] **wie ... pflegt** as the expression goes
[36] **(mir) war jede Gelegenheit versagt**
I had no opportunity
[37] **Verkehr pflegen** to associate with
[38] **die politische Behörde** civil government

[39] **in ... Wagen** in a jolting carriage
[40] **das Parkett** orchestra, pit
[41] **die Loge** box
[42] **der Zwischenakt** intermission
[43] **geruhen** deign
[44] **(streifte) so ... hin** passed over me
so fleetingly
[45] **Schlüsse ziehen** draw conclusions
[46] **(ihr) meine ... dürfen** *lit.:* to be
permitted to lay my devotion at her
feet; to confess to her my devotion
[47] **in ... Wäldchen** in the small, well-
kept grove
[48] **unmerklich** imperceptible

an mir vorüber, vielleicht ohne mich überhaupt zu gewahren und war bald wieder hinter dem gelblichen Laub verschwunden. Ich hatte sie 75 an mir vorübergehen lassen, ohne nur die Möglichkeit in Erwägung zu ziehen,[49] daß ich sie hätte grüßen oder gar[50] das Wort an sie richten können; und auch jetzt, da sie mir entschwunden war, dachte ich nicht daran, die Unterlassung[51] eines Versuchs zu bereuen, dem keinesfalls ein Erfolg hätte beschieden sein können.[52] Aber nun geschah etwas 80 Sonderbares: Ich fühlte mich nämlich plötzlich gezwungen, mir vorzustellen, was daraus geworden wäre,[53] wenn ich den Mut gefunden hätte, ihr in den Weg zu treten und sie anzureden. Und meine Phantasie spiegelte mir vor,[54] daß Redegonda, fern davon mich abzuweisen, ihre Befriedigung[55] über meine Kühnheit keineswegs zu verbergen suchte, 85 es im Laufe eines lebhaften Gespräches an Klagen über die Leere ihres Daseins, die Minderwertigkeit ihres Verkehrs[56] nicht fehlen ließ[57] und endlich ihrer Freude Ausdruck gab, in mir eine verständnisvolle mitfühlende Seele[58] gefunden zu haben. Und so verheißungsvoll[59] war der Blick, den sie zum Abschied auf mir ruhen ließ, daß mir, der ich 90 all dies, auch den Abschiedsblick, nur in meiner Einbildung erlebt hatte, am Abend desselben Tages, da ich sie in ihrer Loge wiedersah, nicht anders zumute war, als schwebe[60] ein köstliches[61] Geheimnis zwischen uns beiden. Sie werden sich nicht wundern, werter Freund, daß ich, der nun einmal von der Kraft seiner Einbildung eine so außerordentliche 95 Probe bekommen hatte, jener ersten Begegnung auf die gleiche Art bald weitere folgen ließ,[62] und daß sich unsere Unterhaltungen von Wiedersehen zu Wiedersehen freundschaftlicher,[63] vertrauter,[64] ja inniger[65] gestalteten, bis eines schönen Tages unter entblätterten[66] Ästen die angebetete Frau[67] in meine sehnsüchtigen Arme sank. Nun 100 ließ ich meinen beglückenden Wahn[68] immer weiterspielen,[69] und so dauerte es nicht mehr lange, bis Redegonda mich in meiner kleinen, am Ende der Stadt gelegenen Wohnung besuchte und mir Seligkeiten beschieden waren,[70] wie sie mir die armselige Wirklichkeit nie so

[49] **in Erwägung ziehen** consider
[50] **oder gar** let alone
[51] **die Unterlassung** omission
[52] **dem keinesfalls ... können** which could not possibly have been successful
[53] **was daraus geworden wäre** what would have happened
[54] **meine Phantasie spiegelte mir vor** *meaning:* in my fantasies I persuaded myself
[55] **die Befriedigung** satisfaction, pleasure
[56] **die Minderwertigkeit ihres Verkehrs** *meaning:* the triteness of her social life
[57] **(es an Klagen) nicht fehlen ließ** *meaning:* that she complained
[58] **eine ... Seele** *meaning:* a man of heart who could understand and share her feelings

[59] **verheißungsvoll** full of promise
[60] **schweben** hover
[61] **köstlich** precious
[62] **(daß ich) jener ersten ... ließ** *meaning:* that I invented in a similar manner further sequels to this first encounter
[63] **freundschaftlich** amicable
[64] **vertraut** familiar
[65] **innig** intimate
[66] **entblättert** leafless
[67] **die angebetete Frau** the woman (*I*) adored
[68] **mein beglückender Wahn** my blissful illusion
[69] **(ließ) immer weiterspielen** *meaning:* gave further rein (*to*)
[70] **mir ... waren** and I experienced such bliss

berauschend[71] zu bieten vermocht hätte. Auch an Gefahren fehlte es 105
nicht, unser Abenteuer zu würzen.[72] So geschah es einmal im Laufe
des Winters, daß der Rittmeister an uns vorbeisprengte, als wir auf der
Landstraße im Schlitten pelzverhüllt[73] in die Nacht hineinfuhren; und
schon damals stieg ahnungsvoll in meinen Sinnen auf,[74] was sich bald
in ganzer Schicksalsschwere[75] erfüllen sollte. In den ersten Frühlings- 110
tagen erfuhr man in der Stadt, daß das Dragonerregiment, dem
Redegondas Gatte angehörte, nach Galizien[76] versetzt werden sollte.

[Assignment II]

Meine, nein, unsere Verzweiflung war grenzenlos. Nichts blieb unbesprochen, was unter solchen außergewöhnlichen Umständen zwischen
Liebenden erwogen zu werden pflegt: gemeinsame Flucht, gemein- 115
samer Tod, schmerzliches Fügen[77] ins Unvermeidliche. Doch der
letzte Abend erschien, ohne daß ein fester Entschluß gefaßt worden
wäre. Ich erwartete Redegonda in meinem blumengeschmückten
Zimmer. Daß für alle Möglichkeiten vorgesorgt sei, war mein Koffer
gepackt, mein Revolver schußbereit,[78] meine Abschiedsbriefe ge- 120
schrieben. Dies alles, mein werter Freund, ist die Wahrheit. Denn so
völlig war ich unter die Herrschaft meines Wahns geraten, daß ich das
Erscheinen der Geliebten an diesem Abend, dem letzten vor dem
Abmarsch[79] des Regiments, nicht nur für möglich hielt, sondern daß
ich es geradezu[80] erwartete. Nicht wie sonst gelang es mir, ihr Schatten- 125
bild herbeizulocken,[81] die Himmlische in meine Arme zu träumen;
nein, mir war als hielte etwas Unberechenbares,[82] vielleicht Furchtbares,
sie daheim zurück; hundertmal ging ich zur Wohnungstüre, horchte
auf die Treppe hinaus, blickte aus dem Fenster, Redegondas Nahen[83]
schon auf der Straße zu erspähen; ja, in meiner Ungeduld war ich nahe 130
daran, davonzustürzen, Redegonda zu suchen, sie mir zu holen,
trotzig mit dem Recht des Liebenden und Geliebten sie dem Gatten
abzufordern[84] — bis ich endlich, wie von Fieber geschüttelt, auf
meinen Diwan niedersank. Da, plötzlich, es war nahe an Mitternacht,
tönte draußen die Klingel. Nun aber fühlte ich mein Herz stillestehen. 135
Denn daß die Klingel tönte, verstehen Sie mich wohl, war keine
Einbildung mehr. Sie tönte ein zweites und ein drittes Mal und erweckte
mich schrill und unwidersprechlich zum völligen Bewußtsein der
Wirklichkeit. Aber in demselben Augenblick, da ich erkannte, daß
mein Abenteuer bis zu diesem Abend nur eine seltsame Reihe von 140

[71] **berauschend** intoxicating
[72] **würzen** add spice
[73] **pelzverhüllt** wrapped in furs
[74] **und schon . . . auf** and even then my
spirit was heavy with foreboding
[75] **die Schicksalsschwere** fatality
[76] **Galizien** Galicia, *formerly part of the Austrian Empire, now part of Western Poland*
[77] **schmerzliches Fügen** painful resignation
[78] **schußbereit** loaded
[79] **der Abmarsch** departure
[80] **geradezu** actually
[81] **herbeilocken** conjure up
[82] **unberechenbar** incalculable
[83] **das Nahen** approach
[84] **abfordern** demand

Träumen bedeutet hatte, fühlte ich die kühnste Hoffnung in mir erwachen: Daß Redegonda, durch die Macht meiner Wünsche in den Tiefen ihrer Seele ergriffen, in eigener Gestalt herbeigelockt,[85] herbeigezwungen, draußen vor meiner Schwelle[86] stünde, daß ich sie in der nächsten Minute leibhaftig[87] in den Armen halten würde. In dieser 145 köstlichen Erwartung ging ich zur Türe und öffnete. Aber es war nicht Redegonda, die vor mir stand, es war Redegondas Gatte; er selbst, so wahrhaft und lebendig, wie Sie hier mir gegenüber auf dieser Bank sitzen, und blickte mir starr ins Gesicht. Mir blieb natürlich nichts übrig, als[88] ihn in mein Zimmer treten zu lassen, wo ich ihn einlud, 150 Platz zu nehmen. Er aber blieb aufrecht stehen, und mit unsäglichem Hohn um die Lippen sprach er: ‚Sie erwarten Redegonda. Leider ist sie am Erscheinen verhindert. Sie ist nämlich tot.' ‚Tot', wiederholte ich, und die Welt stand still. Der Rittmeister sprach unbeirrt[89] weiter: ‚Vor einer Stunde fand ich sie an ihrem Schreibtisch sitzend, dies kleine 155 Buch vor sich, das ich der Einfachheit halber[90] gleich mitgebracht habe. Wahrscheinlich war es der Schreck, der sie tötete, als ich so unvermutet[91] in ihr Zimmer trat. Hier diese Zeilen sind die letzten, die sie niederschrieb. Bitte!' Er reichte mir ein offenes, in violettes Leder gebundenes Büchlein, und ich las die folgenden Worte: 160 ‚Nun verlasse ich mein Heim auf immer, der Geliebte wartet.' Ich nickte nur, langsam, wie zur Bestätigung. ‚Sie werden erraten haben', fuhr der Rittmeister fort, ‚daß es Redegondas Tagebuch ist, das Sie in der Hand haben. Vielleicht haben Sie die Güte, es durchzublättern, um jeden Versuch des Leugnens als aussichtslos zu unterlassen.'[92] Ich 165 blätterte, nein, ich las. Beinahe eine Stunde las ich, an den Schreibtisch gelehnt, während der Rittmeister regungslos auf dem Diwan saß, las die ganze Geschichte unserer Liebe, diese holde, wundersame Geschichte, — in all ihren Einzelheiten; von dem Herbstmorgen an, da ich im Wald zum erstenmal das Wort an Redegonda gerichtet hatte, las 170 von unserem ersten Kuß, von unseren Spaziergängen, unseren Fahrten ins Land hinein, unseren Wonnestunden[93] in meinem blumengeschmückten Zimmer, von unseren Flucht- und Todesplänen, unserem Glück und unserer Verzweiflung. Alles stand in diesen Blättern aufgezeichnet, alles — was ich niemals in Wirklichkeit — und doch alles 175 genau so, wie ich es in meiner Einbildung erlebt hatte. Und ich fand das durchaus nicht so unerklärlich, wie Sie es, werter Freund, in diesem Augenblick offenbar zu finden scheinen. Denn ich ahnte mit einemmal,[94] daß Redegonda mich ebenso geliebt hatte wie ich sie und daß

---

[85] **herbeigelockt** *here:* enticed
[86] **die Schwelle** threshold
[87] **leibhaftig** bodily
[88] **Mir blieb nichts übrig, als . . .** I had no choice but . . .
[89] **unbeirrt** calmly
[90] **der Einfachheit halber** for the sake of clarity

[91] **unvermutet** unexpectedly
[92] **um jeden . . . unterlassen** *meaning:* so that you realize the uselessness of any denial
[93] **die Wonnestunden** hours of bliss
[94] **ich . . . einemmal** all of a sudden it dawned upon me

ihr dadurch die geheimnisvolle Macht geworden war,[95] die Erlebnisse 180
meiner Phantasie in der ihren alle mitzuleben. Und da sie als Weib den
Urgründen[96] des Lebens, dort wo Wunsch und Erfüllung eines sind,
näher war als ich, war sie wahrscheinlich im tiefsten überzeugt gewesen,
alles das, was nun in ihrem violetten Büchlein aufgezeichnet stand,
wirklich durchlebt zu haben. Aber noch etwas anderes hielt ich für 185
möglich: daß dieses ganze Tagebuch nicht mehr oder nicht weniger
bedeutete, als eine auserlesene[97] Rache, die sie an mir nahm, Rache für
meine Unentschlossenheit, die meine, unsere Träume nicht hatte zur
Wahrheit werden lassen; ja, daß ihr plötzlicher Tod das Werk ihres
Willens und daß es ihre Absicht gewesen war, das verräterische[98] 190
Tagebuch dem betrogenen Gatten auf solche Weise in die Hände zu
spielen.[99] Aber ich hatte keine Zeit, mich mit der Lösung dieser
Fragen lange aufzuhalten,[1] für den Rittmeister konnte ja doch nur eine,
die natürliche Erklärung gelten; so tat ich denn, was die Umstände
verlangten, und stellte mich ihm mit den in solchen Fallen üblichen 195
Worten zur Verfügung."[2]

„Ohne den Versuch" —

„Zu leugnen?!" unterbrach Dr. Wehwald herb. „Oh! Selbst wenn
ein solcher Versuch die leiseste Aussicht auf Erfolg geboten hätte, er
wäre mir kläglich[3] erschienen. Denn ich fühlte mich durchaus verant- 200
wortlich für alle Folgen eines Abenteuers, das ich hatte erleben wollen
und das zu erleben ich nur zu feig gewesen. — ‚Mir liegt daran', sprach
der Rittmeister, ‚unsern Handel auszutragen,[4] noch eh Redegondas
Tod bekannt wird. Es ist ein Uhr früh, um drei Uhr wird die Zusammenkunft unserer Zeugen stattfinden, um fünf soll die Sache erledigt 205
sein.' Wieder nickt' ich zum Zeichen des Einverständnisses.[5] Der
Rittmeister entfernte sich mit kühlem Gruß. Ich ordnete meine
Papiere,[6] verließ das Haus, holte zwei mir bekannte Herren von der
Bezirkshauptmannschaft[7] aus den Betten — einer war ein Graf —
teilte ihnen nicht mehr mit als nötig war, um sie zur raschen Erledigung 210
der Angelegenheit zu veranlassen,[8] spazierte dann auf dem Hauptplatz
gegenüber den dunklen Fenstern auf und ab, hinter denen ich Redegondas Leichnam liegen wußte, und hatte das sichere Gefühl, der
Erfüllung meines Schicksals entgegenzugehen. Um fünf Uhr früh in

[95] (daß ihr) gewonnen war that she had
acquired
[96] die Urgründe wellsprings
[97] auserlesen choice
[98] verräterisch compromising
[99] in die Hände spielen get it into the
hands
[1] aufzuhalten mit here: spend on
[2] (ich) stellte mich ihm (zur Verfügung) I put myself at his disposal (for
a duel)
[3] kläglich contemptible

[4] Mir liegt daran (unseren Handel
auszutragen) I would like to settle
this affair
[5] zum Zeichen des Einverständnisses
as a sign of agreement
[6] Ich . . . Papiere meaning: I put my
affairs in order
[7] die Bezirkshauptmannschaft district command
[8] um sie . . . veranlassen meaning: in
order to convince them that this matter
should be settled quickly

dem kleinen Wäldchen ganz nahe der Stelle, wo ich Redegonda zum 215
ersten Male hätte sprechen können, standen wir einander gegenüber,
die Pistole in der Hand, der Rittmeister und ich."

„Und Sie haben ihn getötet?"

„Nein. Meine Kugel fuhr hart an seiner Schläfe[9] vorbei. Er aber traf
mich mitten ins Herz. Ich war auf der Stelle tot, wie man zu sagen 220
pflegt."

„Oh!" rief ich stöhnend mit einem ratlosen Blick auf meinen
sonderbaren Nachbar. Aber dieser Blick fand ihn nicht mehr. Denn
Dr. Wehwald saß nicht mehr in der Ecke der Bank. Ja, ich habe Grund
zu vermuten, daß er überhaupt niemals dort gesessen hatte. Hingegen 225
erinnerte ich mich sofort, daß gestern abends im Caféhaus viel von
einem Duell die Rede gewesen, in dem unser Freund, Dr. Wehwald,
von einem Rittmeister namens Teuerheim erschossen worden war.
Der Umstand, daß Frau Redegonda noch am selben Tage mit einem
jungen Leutnant des Regiments spurlos verschwunden war, gab der 230
kleinen Gesellschaft trotz der ernsten Stimmung, in der sie sich befand,
zu einer Art von wehmütiger Heiterkeit[10] Anlaß, und jemand sprach
die Vermutung[11] aus, daß Dr. Wehwald, den wir immer als ein
Muster von Korrektheit, Diskretion und Vornehmheit gekannt hatten,
ganz in seinem Stil, halb mit seinem, halb gegen seinen Willen, für 235
einen anderen, Glücklicheren, den Tod hatte erleiden müssen.

Was jedoch die Erscheinung[12] des Dr. Wehwald auf der Stadtparkbank anbelangt,[13] so hätte sie gewiß an eindrucksvoller Seltsamkeit
erheblich gewonnen,[14] wenn sie sich mir vor dem ritterlichen[15] Ende
des Urbildes[16] gezeigt hätte. Und ich will nicht verhehlen,[17] daß der 240
Gedanke, durch diese ganz unbedeutende Verschiebung[18] die Wirkung
meines Berichtes zu steigern, mir anfangs nicht ganz ferne gelegen war.
Doch nach einiger Überlegung scheute ich vor der Möglichkeit des
Vorwurfs zurück,[19] daß ich durch eine solche, den Tatsachen nicht ganz
entsprechende Darstellung der Mystik, dem Spiritismus und anderen 245
gefährlichen Dingen neue Beweise in die Hand gespielt hätte,[20] sah
Anfragen voraus, ob meine Erzählung wahr oder erfunden wäre, ja, ob
ich Vorfälle solcher Art überhaupt für denkbar hielte — und hätte mich

---

[9] **hart an seiner Schläfe** close to his temple
[10] **wehmütige Heiterkeit** melancholy humor
[11] **die Vermutung** conjecture
[12] **die Erscheinung** *here:* apparition
[13] **Was (anbelangt)** as concerns
[14] **so hätte . . . gewonnen** *meaning:* it certainly would have been far more impressive and strange
[15] **ritterlich** chivalrous
[16] **das Urbild** original
[17] **verhehlen** conceal
[18] **unbedeutende Verschiebung** insignificant change
[19] **(ich) scheute . . . zurück** *meaning:* I did not want to expose myself to the reproach
[20] **daß ich (der Mystik) neue Beweise in die Hand gespielt hätte** *meaning:* that, by seeming to supply fresh evidence, I would have played into the hands of mysticism

vor der peinlichen Wahl gefunden,[21] je nach meiner Antwort als Okkultist oder als Schwindler erklärt zu werden. Darum habe ich es am 250 Ende vorgezogen die Geschichte meiner nächtlichen Begegnung so aufzuzeichnen, wie sie sich zugetragen, freilich auf die Gefahr hin,[22] daß viele Leute trotzdem an ihrer Wahrheit zweifeln werden — in jenem weithin verbreiteten Mißtrauen, das Dichtern nun einmal entgegengebracht zu werden pflegt,[23] wenn auch mit weniger Grund 255 als den meisten anderen Menschen.

---

[21] **(ich) hätte mich vor der (Wahl gefunden)** I would have been confronted with the choice
[22] **auf die Gefahr hin** at the risk

[23] **das Mißtrauen, . . . zu pflegt** the suspicion with which poets are usually regarded

Paul Ernst
(1866–1933)

Ernst, a learned literary theorist and ambitious, if disappointing, author of plays, fiction and epic poetry, envisaged a total reform of German literature along the lines of classical traditions. In his novellas, his reaction against modern "isms" and sensibilities expressed itself in an exclusive emphasis on the artful construction of plot. The following episode, cleverly wrought and cleverly told in the manner of the Italian masters, is one of a series entitled Komödianten- und Spitzbubengeschichten (*München: Langen-Müller, 1920*).

Der Hecht

DER HERR Stadtrichter Matta hat über eine Anzahl Spitzbuben abzu-urteilen.[1] Es war ein Auflauf[2] gewesen, bei dem mehrere Geldbeutel abgeschnitten wurden. Die Polizei hat verschiedene Leute verhaftet, von denen sie glaubt, daß sie bei dieser Gelegenheit tätig waren. Matta sitzt auf seinem Richterstuhl vor seinem breiten Tisch, zur linken Seite 5 sitzt ihm sein Schreiber[3] und schreibt nach;[4] er läßt die einzelnen Angeklagten vortreten, befragt[5] sie, hört ihre Antworten, befragt die Zeugen, bildet sich sein Urteil[6] und teilt dem Spitzbuben mit, zu wieviel Jahren er verurteilt[7] ist. Das Verfahren[8] erscheint uns vielleicht etwas oberflächlich; aber ländlich, sittlich,[9] das Gericht ist überlastet, 10 die Polizei faßt überhaupt keine Spitzbuben, die nicht unbedingt zu der denkbar höchsten Strafe[10] verurteilt werden müßten, wenn nicht für diese, dann für andere Taten, so daß die Schnelligkeit Mattas den armen Kerls eigentlich nur eine Möglichkeit gibt, glimpflicher davon-zukommen.[11] Außerdem reißen die Spitzbuben natürlich sobald wie 15 möglich aus,[12] wenn sie im Gefängnis sitzen.

Pietrino steht mit im Gerichtssaal; aber nicht als Angeklagter, sondern

---

[1] **über (etwas) aburteilen** pass judgment on (something)
[2] **der Auflauf** big crowd, big gathering
[3] **der Schreiber** clerk
[4] **nachschreiben** take notes
[5] **befragen** interrogate
[6] **das Urteil** judgment
[7] **verurteilt** condemned, sentenced
[8] **das Verfahren** procedure

[9] **ländlich, sittlich** *lit.:* rural, moral; *meaning:* this is customary in the country
[10] **zu der denkbar ... Strafe** to the highest possible punishment
[11] **glimpflicher davonzukommen** *meaning:* to get off with a more moderate sentence
[12] **ausreißen** bolt, abscond, break out of jail

82

als Zeuge. Er hat sich den Angeklagten zur Verfügung gestellt.[13] Er war mit im Gedränge[14] und bezeugt bei jedem Spitzbuben, der vorgeführt wird, daß er ihn keinen Geldbeutel hat abschneiden sehen. Das Zeugnis[15] hat bei den ersten Angeklagten geholfen; später fiel es dem Stadtrichter Matta ein, daß der Mann ja vielleicht den Beutel abgeschnitten haben kann, während Pietrino gerade nicht hinsah, und so nützt sein Zeugnis jetzt nichts mehr. Pietrino ist daher auch im Begriff zu gehen; denn wozu soll er sich umsonst im Gericht herumtreiben?[16]

Das Dienstmädchen des Richters Matta erscheint, bestellt[17] dem Herrn einen Gruß von der gnädigen Frau,[18] und Onkel Vittorio wäre gekommen und wollte zum Essen dableiben, und der Herr Richter möchte doch sehen, daß er recht frühzeitig fertig würde. Matta flucht auf die Gedankenlosigkeit der Weiber. Wie oft hat er nicht gesagt, daß sein silberner Trinkbecher, den er von Onkel Vittorio geschenkt bekommen hat, zum Silberschmied zum Ausbeulen[19] geschickt werden soll! Was wird Onkel Vittorio nun von ihm denken, wie er seine Geschenke in Ehren hält![20] Er entläßt das Dienstmädchen und trägt der gnädigen Frau auf,[21] sie solle wenigstens für etwas Anständiges zu Mittag sorgen.

Das Dienstmädchen geht; Pietrino hat schweigend das Gespräch mit angehört und geht gleichfalls.

Er geht auf den Fischmarkt, wo er eine Fischhändlerin weiß, die ausgezeichnete Fische hat. Er tritt vor ihren Stand,[22] knüpft ein Gespräch mit ihr an[23] und fragt sie, ob sie nicht einen schönen Hecht[24] hat, einen recht schönen Hecht, er muß reichlich sein für fünf Personen, er ist für den Herrn Stadtrichter Matta, und der Herr Stadtrichter Matta hat es nicht gern, wenn auf dem Tisch etwas knapp ist; der Onkel Vittorio ist zu Besuch, und Onkel Vittorio ist der Erbonkel[25] und ist ein starker Esser, und das weiß man ja, wenn Einer ordentlich[26] ißt, dann essen die andern auch mehr wie sonst.[27] Die Fischhändlerin hat gerade einen Hecht, der für die Gesellschaft des Herrn Stadtrichters paßt, einen Achtpfünder,[28] einen Hecht, wie er selten vorkommt heutzutage, denn der Hecht kann das auch nicht mehr leisten,[29] früher haben die Leute an

---

[13] **sich zur Verfügung stellen** to put oneself at the disposal
[14] **das Gedränge** throng, crowd
[15] **Das Zeugnis** testimony
[16] **sich herumtreiben** hang around
[17] **einen Gruß bestellen** convey a greeting
[18] **von ... Frau** *lit.:* from the gracious lady, from the mistress of the house, from madam
[19] **zum Ausbeulen** to take out the dents
[20] **in Ehren halten** honor

[21] **auftragen** commission, request
[22] **der Stand** market stall
[23] **ein Gespräch anknüpfen** start a conversation
[24] **der Hecht** pike
[25] **der Erbonkel** rich uncle (*whose estate one hopes to inherit*)
[26] **ordentlich** *here:* a lot
[27] **mehr wie sonst** **mehr als sonst**
[28] **der Achtpfünder** eight pounder
[29] **der Hecht ... leisten** *meaning:* the pikes cannot keep up any more (*with demand*)

den Fasttagen eine Seespinne[30] gegessen oder ein halbes Pfund Stint,[31] jetzt soll es immer Hecht sein, und wo soll denn der Hecht herkommen? Sie faßt den Hecht mit zwei Fingern zwischen den Kiemen[32] und hält ihn hoch; ein Staatshecht! Ein Prachthecht![33] Ein süßes Tier von 55 einem Hecht! Die Fischhändlerin ist ein junges, appetitliches[34] Weib, drall und rotbäckig,[35] mit gleichmäßigen, weißen Zähnen und frischen, blauen Augen. Ein Hecht zum Küssen![36]

Pietrino kauft den Hecht für fünf Bajocci[37] und bezahlt bar,[38] er läßt sich den Hecht in Papier schlagen[39] und geht zum Hause des Herrn 60 Stadtrichters Matta. Er bestellt der Frau Stadtrichter einen Gruß vom Herrn Stadtrichter, und hier wäre der Hecht für den Mittag,[40] der Herr Stadtrichter habe ihn selber gekauft, die Frau Stadtrichter möchte doch so freundlich sein[41] und dem Boten[42] den Mundbecher[43] des Herrn Stadtrichters geben, er solle ihn gleich zum Silberschmied bringen zum 65 Ausbeulen.

Die Frau Stadtrichter findet, daß ihr Mann gut gekauft hat, wenn der Hecht nur nicht zu teuer ist, denn den Männern wird immer mehr abgenommen[44] auf dem Markt als den Frauen; sie legt den Hecht auf eine große Schüssel, schließt den Schrank auf und nimmt den Mund- 70 becher heraus. Dann schärft sie dem Boten ein,[45] daß der Silberschmied ihn aber ja gleich in Ordnung bringt[46] und ihn nicht vierzehn Tage lang sich in der Werkstätte herumtreiben läßt,[47] denn der Herr Stadtrichter gebraucht ihn täglich und wäre sehr ärgerlich, wenn er seinen Mundbecher einmal nicht hätte. 75

Pietrino nimmt den Becher, wickelt ihn in das Papier, das um den Hecht geschlagen war, und zieht ab.[48]

Er geht in die Kneipe,[49] wo Freunde beieinander sitzen, und erzählt seinen Streich.[50] Lange Rübe[51] ist der Oberste am Tisch,[52] er hat selbstverständlich den Ehrenplatz, und alle sehen auf ihn, was er zu der 80 Geschichte sagen wird.

Lange Rübe zuckt die Achseln. Was ist das schließlich für eine

[30] **die Seespinne** crab
[31] **der Stint** smelt
[32] **die Kiemen** gills
[33] **ein Staatshecht! Ein Prachthecht!** A capital pike! A magnificent pike!
[34] **appetitlich** appetizing, attractive
[35] **drall und rotbäckig** buxom and red-cheeked
[36] **zum Küssen** worthy of being kissed
[37] **Bajocci** *small Italian copper coins (now obsolete)*
[38] **bar bezahlen** pay cash
[39] **in Papier schlagen** wrap in paper
[40] **für den Mittag** für das Mittagmahl
[41] **möchte doch so freundlich sein** should be kind enough
[42] **der Bote** messenger
[43] **der Mundbecher** favorite cup
[44] **den Männern wird immer mehr abgenommen** men are always fleeced more
[45] **schärft ein** impresses upon
[46] **daß . . . bringt** make sure the silversmith fixes it right away
[47] **(sich) herumtreiben läßt** lets it knock about
[48] **abziehen** take off, go away
[49] **die Kneipe** bar
[50] **der Streich** prank, trick
[51] **Lange Rübe** *lit.:* Long Turnip; *nickname of the leader of a gang of thieves who appear also in other stories by* **Ernst**
[52] **ist der Oberste am Tisch** *meaning:* sits at the head of the table

Heldentat![53] Ein silberner Becher für einen Hecht! Solche Geschäfte[54] macht jeder Kaufmann. Der Gauner[55] muß den Hecht auch wieder mitnehmen, dann hat er etwas geleistet; aber so etwas, das ist gar 85 nichts.

Pietrino ist gekränkt[56] und macht eine ausfallende Bemerkung[57] über Leute, die alles besser wissen, aber besser machen, das ist eine andere Sache. Wortlos nimmt ihm Lange Rübe den Becher ab und geht. 90

Er nimmt einen jungen Menschen mit, der da am Tische sitzt, und geht geradeswegs zum Hause des Stadtrichters und klingelt.[58] Die Frau Stadtrichter öffnet ihm in Küchenschürze[59] mit geröteten Wangen. Lange Rübe tut so, als ob er sie für das Dienstmädchen hält, und fragt, ob er die gnädige Frau nicht sprechen kann. Die Frau Stadtrichter gibt 95 einen erschrockenen Ton von sich,[60] reißt die Tür zur guten Stube[61] auf und erklärt, daß die gnädige Frau im Augenblick kommen wird. Lange Rübe tritt ein und wartet; der Bursche ist hinter ihm eingetreten und wartet mit, indem er die Mütze in der Hand dreht; die Frau Stadtrichter hat inzwischen ihre Schürze abgeworfen, sich in das 100 Korsett gepreßt, denn sie wallt gewöhnlich uferlos daher,[62] das gute braunseidene Kleid angezogen, schnell die Haare in Ordnung gebracht, und tritt nach einer Viertelstunde mit süßen Lächeln in die gute Stube, indem sie sich über die Dummheit des Mädchens beklagt, die ihr erst jetzt gesagt habe, daß ein Herr warte. Lange Rübe macht eine Ver- 105 beugung und stellt sich als geheimen Angestellten der Polizei vor. Die gnädige Frau ist einem frechen Gaunerstreich zum Opfer gefallen.[63] Hier — er zeigt ihr den Becher — diesen Becher hat ihr ein Spitzbube[64] abgeschwindelt,[65] der angab,[66] von dem Herrn Gemahl geschickt zu sein, und einen Hecht mitbrachte, den der Herr Stadtrichter angeblich[67] 110 gekauft haben sollte. Die Polizei hat den Mann bereits dingfest gemacht;[68] sie bittet nur noch, daß die Frau Stadtrichter den Hecht verabfolgt,[69] da man diesen nebst[70] dem Becher als Zeugen der Gaunerei[71] braucht.

[53] **Was ... Heldentat!** What sort of a feat is this, after all!
[54] **die Geschäfte** *here:* business deals
[55] **der Gauner** *here:* a crook worth his salt
[56] **Pietrino ist gekränkt** Pietrino's feelings are hurt
[57] **eine ausfallende Bemerkung** an insulting remark, a pointed remark
[58] **klingelt** (*he*) rings the doorbell
[59] **Die Frau ... Küchenschürze** The wife of the Municipal Judge opens the door for him dressed in her kitchen apron
[60] **gibt einen erschrockenen Ton von sich** makes a frightened sound
[61] **gute Stube** parlor
[62] **sie ... daher** *meaning:* she usually wobbles around unconfined
[63] **einem frechen Gaunerstreich zum Opfer fallen** fall victim to a rascally trick
[64] **der Spitzbube** rogue
[65] **hat ihr ... abgeschwindelt** got away from her by a ruse
[66] **angeben** claim
[67] **angeblich** supposedly
[68] **dingfest machen** arrest
[69] **verabfolgen** hand over
[70] **nebst** besides
[71] **die Gaunerei** instance of roguery

Die Frau Stadtrichter fällt aus allen Wolken.[72] Nein, was doch Einem 11 geschehen kann! Und der Herr Stadtrichter hat von nichts gewußt, er hat gar nicht nach dem Becher geschickt, er hat auch den Hecht gar nicht gekauft! Lange Rübe macht eine vornehme Handbewegung.[73] Der Herr Stadtrichter weiß selbst jetzt noch von nichts; aber die Polizei wacht.[74]

12

Kopfschüttelnd geht die Frau Stadtrichter in die Küche und winkt dem Burschen, daß er ihr folgt; in der Küche gibt sie ihm den Hecht, der noch auf der Schüssel liegt. „Aber die Schüssel gehört mir, ich bekomme sie doch wieder?" fragt sie. „Gewiß, gnädige Frau", erwidert Lange Rübe, macht eine tadellose Verbeugung,[75] zieht die Hand der 12 gnädigen Frau zum Kuß an den Mund und geht mit dem Burschen ab, der den Hecht trägt.

Pietrino erklärt etwas verdrossen,[76] daß er besiegt ist, denn Lange Rübe hat nicht nur den Hecht, sondern auch noch eine Schüssel aus gutem Porzellan[77] dazu erbeutet.[78] Aber die Wirtin kann den Hecht 13 sehr gut zubereiten, und der Wirt hat einen trefflichen Wein; der Mundbecher des Herrn Stadtrichters geht[79] um und sein Hecht wird aufgetragen, und so wird denn die leichte Verletztheit[80] in allgemeiner Zufriedenheit vergessen.

---

[72] **aus allen Wolken fallen** *meaning:* be thunderstruck, be completely taken aback
[73] **eine vornehme Handbewegung machen** make a genteel gesture
[74] **die Polizei wacht** the police are alert
[75] **eine tadellose Verbeugung** a faultless bow

[76] **verdrossen** vexed, annoyed
[77] **das Porzellan** china
[78] **erbeutet** captured
[79] **der Mundbecher (geht um)** the cup is passed around
[80] **die leichte Verletztheit** the slight annoyance, vexation

86

Hugo von Hofmannsthal
(1874–1929)

Together with George and Rilke, Hofmannsthal ranks among the leading poets of the twentieth century. His early lyrical interludes, Der Tor und der Tod (1893), his comedies, Der Schwierige (1918), the revival of medieval allegory in his version of Jedermann (1911) and the metaphysical tragedy Der Turm (1925–27) suggest his range in the drama. Working closely with the composer Richard Strauss, Hofmannsthal produced some of the best opera libretti in the German language, among them Der Rosenkavalier (1910). As an adolescent he celebrated with consummate sense of verbal texture and color the languid cult of beauty and evanescent sensation characteristic of the so-called Young Viennese and the fin de siècle. He became aware, at the same time, of the sterility inherent in a merely esthetic attitude toward life. The conflict between egocentric refinement and the need for self-dedication to vital and enduring values is a recurrent theme of his work. He dramatized it specifically in terms of the contrast between the pursuit of erotic adventure and the ideal of loyal love. Increasingly, he insisted upon the turn from the I to the Thou, to the affirmation of marriage, family, national and supranational community. Intimately familiar with the languages and literary traditions of Europe and ranging from classical antiquity to the moderns, he now sought to assert in his essays and to restore through his art the sense for the unity of the Western heritage.

The following story, written at the turn of the century, exemplifies the traditional concept of the novella as an essentially realistic narration of a unique event. In its conjunction of love and death, of fleeting adventure and tragic passion, of beauty and fatal disease, it suggests the iridescent splendor of Hofmannsthal's "Neo-Romanticism."

Das Erlebnis des Marschalls von Bassompierre

[Assignment I]

ZU EINER gewissen Zeit meines Lebens brachten es meine Dienste mit sich, daß ich ziemlich regelmäßig mehrmals in der Woche um eine gewisse Stunde über die kleine Brücke ging (denn der Pont Neuf[1] war

---

[1] **Pont Neuf** *bridge in Paris. French:* new bridge

Hugo von Hofmannsthal (courtesy of Christiane Zimmer-von Hofmannsthal. Atelier Adèle).

damals noch nicht erbaut) und dabei meist von einigen Handwerkern
oder anderen Leuten aus dem Volk erkannt und gegrüßt wurde, am 5
auffälligsten[2] aber und regelmäßigsten von einer sehr hübschen
Krämerin,[3] deren Laden an einem Schild mit zwei Engeln kenntlich[4]
war, und die, so oft ich in den fünf oder sechs Monaten vorüber kam,
sich tief neigte und mir so weit nachsah, als sie konnte. Ihr Betragen[5]
fiel mir auf;[6] ich sah sie gleichfalls an und dankte ihr sorgfältig.[7] 10
Einmal, im Spätwinter, ritt ich von Fontainebleau[8] nach Paris, und als
ich wieder die kleine Brücke heraufkam, trat sie an ihre Ladentür und
sagte zu mir, indem ich vorbeiritt: „Mein Herr, Ihre Dienerin!" Ich
erwiderte ihren Gruß, und indem ich mich von Zeit zu Zeit umsah,
hatte sie sich weiter vorgelehnt, um mir so weit als möglich nach- 15
zusehen. Ich hatte einen Bedienten und einen Postillion hinter mir, die
ich noch diesen Abend mit Briefen an gewisse Damen nach Fontainebleau zurückschicken wollte. Auf meinen Befehl stieg der Bediente ab
und ging zu der jungen Frau, um ihr in meinem Nanem zu sagen, daß
ich ihre Neigung, mich zu sehen und zu grüßen, bemerkt hätte; ich 20
wollte, wenn sie wünschte, mich näher kennenzulernen, sie aufsuchen,
wo sie verlangte.

Sie antwortete dem Bedienten: Er hätte ihr keine erwünschtere
Botschaft bringen können, sie wollte kommen, wohin ich sie bestellte.[9]

Im Weiterreiten fragte ich den Bedienten, ob er nicht etwa einen Ort 25
wüßte, wo ich mit der Frau zusammenkommen könnte? Er antwortete,
daß er sie zu einer gewissen Kupplerin[10] führen wollte; da er aber
ein sehr besorgter[11] und gewissenhafter Mensch war, dieser Diener
Wilhelm aus Courtrai, so setzte er gleich hinzu: Da die Pest[12] sich hie
und da zeige und nicht nur Leute aus dem niedrigen und schmutzigen 30
Volk, sondern auch ein Doktor und ein Domherr[13] schon daran
gestorben seien, so rate er mir, Matratzen, Decken und Leintücher aus
meinem Hause mitbringen zu lassen. Ich nahm den Vorschlag an, und
er versprach mir ein gutes Bett zu bereiten. Vor dem Absteigen sagte
ich noch, er solle auch ein ordentliches Waschbecken dorthin tragen, 35
eine kleine Flasche mit wohlriechender Essenz[14] und etwas Backwerk
und Äpfel; auch solle er dafür sorgen, daß das Zimmer tüchtig[15]
geheizt werde, denn es war so kalt, daß mir die Füße im Bügel[16] steif
gefroren waren, und der Himmel hing voll Schneewolken.

Den Abend ging ich hin und fand eine sehr schöne Frau von ungefähr 40
zwanzig Jahren auf dem Bette sitzen, indes die Kupplerin, ihren Kopf

---

[2] **am auffälligsten**   most conspicuously
[3] **die Krämerin**   shopkeeper (*female*)
[4] **kenntlich**   *here:* distinguished by
[5] **das Betragen**   behavior
[6] **(es) fiel mir auf**   (*it*) struck me
[7] **(ich) dankte ihr sorgfältig**   *here:* I took care to return her greeting
[8] **Fontainebleau**   *suburb of Paris*
[9] **... wohin ich sie bestellte**   *meaning:* wherever I would arrange to meet her
[10] **die Kupplerin**   procuress
[11] **besorgt**   careful
[12] **die Pest**   plague
[13] **der Domherr**   canon
[14] **wohlriechende Essenz**   perfume
[15] **tüchtig**   properly
[16] **der Bügel**   stirrup

und ihren runden Rücken in ein schwarzes Tuch eingemummt,[17] eifrig in sie hineinredete. Die Tür war angelehnt, im Kamin lohten große frische Scheiter[18] geräuschvoll auf,[19] man hörte mich nicht kommen, und ich blieb einen Augenblick in der Tür stehen. Die Junge sah mit großen Augen ruhig in die Flamme; mit einer Bewegung ihres Kopfes hatte sie sich wie auf Meilen von der widerwärtigen Alten entfernt; dabei war unter einer kleinen Nachthaube,[20] die sie trug, ein Teil ihrer schweren dunklen Haare vorgequollen[21] und fiel, zu ein paar natürlichen Locken sich ringelnd,[22] zwischen Schulter und Brust über das Hemd. Sie trug noch einen kurzen Unterrock[23] von grünwollenem Zeug und Pantoffeln[24] an den Füßen. In diesem Augenblick mußte ich mich durch ein Geräusch verraten haben: Sie warf ihren Kopf herum[25] und bog mir ein Gesicht entgegen, dem die übermäßige Anspannung der Züge[26] fast einen wilden Ausdruck gegeben hätte, ohne die strahlende Hingebung,[27] die aus den weit aufgerissenen Augen strömte und aus dem sprachlosen Mund wie eine unsichtbare Flamme herausschlug.[28] Sie gefiel mir außerordentlich; schneller als es sich denken läßt, war die Alte aus dem Zimmer und ich bei meiner Freundin. Als ich mir in der ersten Trunkenheit des überraschenden Besitzes einige Freiheiten herausnehmen wollte, entzog sie sich mir mit einer unbeschreiblich lebenden Eindringlichkeit[29] zugleich das Blickes und der dunkeltönenden Stimme. Im nächsten Augenblick aber fühlte ich mich von ihr umschlungen, die noch inniger mit dem fort und fort empordrängenden[30] Blick der unerschöpflichen[31] Augen als mit den Lippen und den Armen an mir haftete;[32] dann wieder war es, als wollte sie sprechen, aber die von Küssen zuckenden Lippen bildeten keine Worte, die bebende[33] Kehle[34] ließ keinen deutlicheren Laut als ein gebrochenes Schluchzen[35] empor.[36]

Nun hatte ich einen großen Teil dieses Tages zu Pferde[37] auf frostigen Landstraßen verbracht, nachher im Vorzimmer[38] des Königs einen sehr ärgerlichen und heftigen Auftritt[39] durchgemacht

[17] **eingemummt** wrapped
[18] **die Scheiter** logs
[19] **lohten auf** flared up
[20] **die Nachthaube** bonnet
[21] **war vorgequollen** had slipped out, escaped from
[22] **sich ringelnd** curling
[23] **der Unterrock** petticoat
[24] **der Pantoffel** slipper
[25] **Sie warf ihren Kopf herum** She quickly turned her head
[26] **die übermäßige Anspannung der Züge** the excessive tenseness of her features
[27] **die strahlende Hingebung** radiant devotion
[28] **herausschlug** burst forth

[29] **die Eindringlichkeit** urgency, intensity
[30] **empordrängend** *here:* upward
[31] **unerschöpflich** unfathomable
[32] **die noch inniger . . . haftete** *meaning:* who clung to me even more intensely with her eyes than with her lips and arms
[33] **beben** tremble
[34] **die Kehle** throat
[35] **gebrochenes Schluchzen** intermittent sobbing
[36] **(ließ) empor** permitted
[37] **zu Pferde** on horseback
[38] **das Vorzimmer** antechamber
[39] **der Auftritt** scene

und darauf, meine schlechte Laune zu betäuben, sowohl getrunken als mit dem Zweihänder[40] stark gefochten, und so überfiel mich mitten unter diesem reizenden und geheimnisvollen Abenteuer, als ich von 75 weichen Armen im Nacken[41] umschlungen und mit duftendem Haar bestreut dalag, eine so plötzliche heftige Müdigkeit und beinahe Betäubung,[42] daß ich mich nicht mehr zu erinnern wußte, wie ich denn gerade in dieses Zimmer gekommen wäre, ja sogar für einen Augenblick die Person, deren Herz so nahe dem meinigen klopfte, mit 80 einer ganz anderen aus früherer Zeit verwechselte und gleich darauf fest einschlief.[43]

Als ich wieder erwachte, war es noch finstere Nacht, aber ich fühlte sogleich, daß meine Freundin nicht mehr bei mir war. Ich hob den Kopf und sah beim schwachen Schein der zusammensinkenden Glut,[44] 85 daß sie am Fenster stand: sie hatte den einen Laden[45] aufgeschoben und sah durch den Spalt hinaus. Dann drehte sie sich um, merkte, daß ich wach war, und rief (ich sehe noch, wie sie dabei mit dem Ballen der linken Hand an ihrer Wange emporfuhr[46] und das vorgefallene Haar über die Schulter zurückwarf): „Es ist noch lange nicht Tag,[47] noch 90 lange nicht!" Nun sah ich erst recht, wie groß und schön sie war, und konnte den Augenblick kaum erwarten, daß sie mit wenigen der ruhigen großen Schritte ihrer schönen Füße, an denen der rötliche Schein emporglomm,[48] wieder bei mir wäre. Sie trat aber noch vorher an den Kamin,[49] bog sich zur Erde, nahm das letzte schwere Scheit, das 95 draußen lag, in ihre strahlenden nackten Arme und warf es schnell in die Glut. Dann wandte sie sich, ihr Gesicht funkelte von Flammen und Freude, mit der Hand riß[50] sie im Vorbeilaufen einen Apfel vom Tisch und war schon bei mir, ihre Glieder noch vom frischen Anhauch des Feuers umweht[51] und dann gleich aufgelöst[52] und von innen her von 100 stärkeren Flammen durchschüttelt,[53] mit der Rechten mich umfassend, mit der Linken zugleich die angebissene kühle Frucht und Wangen, Lippen und Augen meinem Mund darbietend. Das letzte Scheit im Kamin brannte stärker als alle anderen. Aufsprühend[54] sog es die Flamme in sich und ließ sie dann wieder gewaltig emporlohen,[55] 105 daß der Feuerschein über uns hinschlug,[56] wie eine Welle, die an der Wand sich brach und unsere umschlungenen Schatten jäh emporhob

---

40 **der Zweihänder** two-handed sword
41 **der Nacken** neck, shoulders
42 **die Betäubung** loss of consciousness
43 **fest einschlafen** fall into a deep sleep
44 **zusammensinkende Glut** dying embers
45 **der Laden** *here:* shutter
46 **wie sie ... emporfuhr** how, at the same time, she stroked her cheek with the palm of her left hand
47 **Es ... Tag.** The break of day is still far off.
48 **an ... emporglomm** *meaning:* which reflected the reddish glow
49 **der Kamin** fireplace
50 **reißen** seize
51 **vom ... umweht** *meaning:* still aglow from the flames
52 **aufgelöst** relaxed
53 **durchschüttelt** shaken
54 **aufsprühend** scattering sparks
55 **emporlohen** flare up
56 **über uns hinschlug** fell upon us

und wieder sinken ließ. Immer wieder knisterte[57] das starke Holz und nährte aus seinem Innern immer wieder neue Flammen, die emporzüngelten[58] und das schwere Dunkel mit Güssen und Garben[59] von rötlicher Helle verdrängten.[60] Auf einmal aber sank die Flamme hin, und ein kalter Lufthauch tat leise wie eine Hand den Fensterladen auf und entblößte die fahle widerwärtige Dämmerung.

[Assignment II]

Wir setzten uns auf und wußten, daß nun der Tag da war. Aber das da draußen glich[61] keinem Tag. Es glich nicht dem Aufwachen der Welt. Was da draußen lag, sah nicht aus wie eine Straße. Nichts einzelnes ließ sich erkennen: es war ein farbloser, wesenloser[62] Wust,[63] in dem sich zeitlose Larven hinbewegen mochten. Von irgendwoher, weither, wie aus der Erinnerung heraus, schlug eine Turmuhr, und eine feuchtkalte Luft, die keiner Stunde angehörte, zog sich immer stärker herein, daß wir uns schaudernd aneinanderdrückten. Sie bog sich zurück und heftete[64] ihre Augen mit aller Macht auf mein Gesicht; ihre Kehle zuckte, etwas drängte sich in ihr herauf[65] und quoll bis an den Rand der Lippen[66] vor: es wurde kein Wort daraus, kein Seufzer und kein Kuß, aber etwas, was ungeboren allen dreien glich. Von Augenblick zu Augenblick wurde es heller und der vielfältige[67] Ausdruck ihres zuckenden[68] Gesichts immer redender;[69] auf einmal kamen schlürfende[70] Schritte und Stimmen von draußen so nahe am Fenster vorbei, daß sie sich duckte[71] und ihr Gesicht gegen die Wand kehrte.[72] Es waren zwei Männer, die vorbeigingen: einen Augenblick fiel der Schein einer kleinen Laterne, die der eine trug, herein; der andere schob einen Karren,[73] dessen Rad knirschte und ächzte.[74] Als sie vorüber waren, stand ich auf, schloß den Laden und zündete ein Licht an. Da lag noch ein halber Apfel: wir aßen ihn zusammen, und dann fragte ich sie, ob ich sie nicht noch einmal sehen könnte, denn ich verreise erst Sonntag. Dies war aber die Nacht vom Donnerstag auf den Freitag gewesen.

Sie antwortete mir: daß sie es gewiß sehnlicher verlange als ich; wenn ich aber nicht den ganzen Sonntag bliebe, sei es ihr unmöglich; denn nur in der Nacht vom Sonntag auf den Montag könnte sie mich wiedersehen.

[57] **knistern** crackle
[58] **emporzüngeln** leap up
[59] **mit Güssen und Garben** *meaning:* with gushes and rays
[60] **verdrängen** displace
[61] **gleichen** to be like, to resemble
[62] **wesenlos** shadowy
[63] **der Wust** chaos
[64] **heften** pin
[65] **sich heraufdrängen** well up
[66] **(etwas) quoll ... Lippen** (something) rose to her lips
[67] **vielfältig** varied
[68] **zuckend** *here:* trembling
[69] **redend** *here:* expressive
[70] **schlürfend** shuffling, lurching
[71] **sich ducken** crouch
[72] **kehren** turn
[73] **der Karren** cart
[74] **knirschen und ächzen** creak and groan

Mir fielen zuerst verschiedene Abhaltungen [75] ein, so daß ich einige Schwierigkeiten machte, die sie mit keinem Worte, aber mit einem überaus schmerzlich fragenden Blick und einem gleichzeitigen, fast unheimlichen Hart- und Dunkelwerden ihres Gesichts anhörte. 145 Gleich darauf versprach ich natürlich, den Sonntag zu bleiben, und setzte hinzu, ich wollte also Sonntagabend mich wieder an dem nämlichen [76] Ort einfinden. Auf dieses Wort sah sie mich fest an und sagte mir mit einem ganz rauhen und gebrochenen Ton in der Stimme: „Ich weiß recht gut, daß ich um deinetwillen in ein schändliches [77] 150 Haus gekommen bin; aber ich habe es freiwillig getan, weil ich mit dir sein wollte, weil ich jede Bedingung eingegangen [78] wäre. Aber jetzt käme ich mir vor wie die letzte niedrigste Straßendirne, [79] wenn ich ein zweites Mal hierher zurückkommen könnte. Um deinetwillen hab' ich's getan, weil du für mich der bist, der du bist, weil du der 155 Bassompierre bist, weil du der Mensch auf der Welt bist, der mir durch seine Gegenwart dieses Haus da ehrenwert [80] macht!" Sie sagte: „Haus"; einen Augenblick war es, als wäre ein verächtlicheres Wort ihr auf der Zunge; indem sie das Wort aussprach, warf sie auf diese vier Wände, auf dieses Bett, auf die Decke, die herabgeglitten auf dem 160 Boden lag, einen solchen Blick, daß unter der Garbe von Licht, die aus ihren Augen hervorschoß, alle diese häßlichen und gemeinen Dinge aufzuzucken [81] und geduckt vor ihr zurückzuweichen schienen, als wäre der erbärmliche [82] Raum wirklich für einen Augenblick größer geworden. 165

Dann setzte sie mit einem unbeschreiblich sanften und feierlichen Tone hinzu: „Möge ich eines elenden Todes sterben, wenn ich außer meinem Mann und dir je irgendeinem anderen gehört habe und nach irgendeinem anderen auf der Welt verlange!" und schien, mit halb-offenen, lebenhauchenden Lippen leicht vorgeneigt, irgendeine 170 Antwort, eine Beteuerung meines Glaubens [83] zu erwarten, von meinem Gesicht aber nicht das zu lesen, was sie verlangte, denn ihr gespannter, suchender Blick trübte sich, ihre Wimpern schlugen auf und zu, [84] und auf einmal war sie am Fenster und kehrte mir den Rücken, die Stirn mit aller Kraft an den Laden gedrückt, den ganzen Leib von 175 lautlosem, aber entsetzlich heftigem Weinen so durchschüttert, daß mir das Wort im Munde erstarb [85] und ich nicht wagte, sie zu berühren. Ich erfaßte endlich eine ihrer Hände, die wie leblos herabhingen, und mit den eindringlichsten [86] Worten, die mir der Augenblick eingab,

---

[75] **die Abhaltungen** commitments
[76] **nämlichen** same
[77] **schändlich** disreputable
[78] **eine Bedingung eingehen** agree to a condition
[79] **die Straßendirne** streetwalker
[80] **ehrenwert** honorable
[81] **aufzucken** *here:* wince

[82] **erbärmlich** miserable
[83] **eine . . . Glaubens** an affirmation of my faith (in her)
[84] **ihre Wimpern . . . zu** her eyelashes fluttered
[85] **daß . . . erstarb** so that I could not utter a word
[86] **eindringlich** persuasive

gelang es mir nach langem, sie so weit zu besänftigen, daß sie mir ihr 18[..]
von Tränen überströmtes Gesicht wieder zukehrte, bis plötzlich ein
Lächeln, wie ein Licht zugleich aus den Augen und rings um die Lippen
hervorbrechend, in einem Moment alle Spuren des Weinens wegzehrte[87] und das ganze Gesicht mit Glanz überschwemmte. Nun war
es das reizendste Spiel, wie sie wieder mit mir zu reden anfing, indem 18[..]
sie sich mit dem Satz: „Du willst mich noch einmal sehen? So will ich
dich bei meiner Tante einlassen!"[88] endlos herumspielte, die erste
Hälfte zehnfach aussprach, bald mit kindischem gespieltem Mißtrauen,[89] dann die zweite mir als das größte Geheimnis zuerst ins Ohr
flüsterte, dann mit Achselzucken[90] und spitzem Mund, wie die selbst- 19[..]
verständlichste Verabredung von der Welt,[91] über die Schulter
hinwarf[92] und endlich, an mir hängend, mir ins Gesicht lachend und
schmeichelnd wiederholte. Sie beschrieb mir das Haus aufs genaueste,
wie man einem Kind den Weg beschreibt, wenn es zum erstenmal
allein über die Straße zum Bäcker gehen soll. Dann richtete sie sich 19[..]
auf, wurde ernst — und die ganze Gewalt ihrer strahlenden Augen
heftete sich auf mich[93] mit einer solchen Stärke, daß es war, als
müßten sie auch ein totes Geschöpf an sich zu reißen vermögend[94]
sein — und fuhr fort: „Ich will dich von zehn Uhr bis Mitternacht
erwarten und auch noch später und immerfort, und die Tür unten 20[..]
wird offen sein. Erst findest du einen kleinen Gang, in dem halte dich
nicht auf, denn da geht die Tür meiner Tante heraus. Dann stößt dir
eine Treppe entgegen, die führt dich in den ersten Stock, und dort bin
ich!" Und indem sie die Augen schloß, als ob ihr schwindelte, warf sie
den Kopf zurück, breitete die Arme aus und umfing mich, und war 20[..]
gleich wieder aus meinen Armen und in die Kleider eingehüllt, fremd
und ernst, und aus dem Zimmer; denn nun war völlig Tag.

Ich machte meine Einrichtung,[95] schickte einen Teil meiner Leute
mit meinen Sachen voraus und empfand schon am Abend des nächsten
Tages eine so heftige Ungeduld, daß ich bald nach dem Abendläuten[96] 21[..]
mit meinem Diener Wilhelm, den ich aber kein Licht mitnehmen hieß,
über die kleine Brücke ging, um meine Freundin wenigstens in ihrem
Laden oder in der daranstoßenden[97] Wohnung zu sehen und ihr
allenfalls[98] ein Zeichen meiner Gegenwart zu geben, wenn ich mir
auch schon keine Hoffnung auf mehr machte, als etwa einige Worte 21[..]
mit ihr wechseln zu können.

[87] **wegzehrte** consumed
[88] **bei meiner Tante einlassen** let you in at my aunt's
[89] **mit . . . Mißtrauen** with a childish show of distrust
[90] **mit Achselzucken** with a shrug of her shoulders
[91] **die . . . Welt** *meaning:* the most natural thing in the world
[92] **über die Schulter hinwerfen** toss off
[93] **heftete sich auf mich** *here:* seized me
[94] **vermögend** *here:* capable
[95] **die Einrichtung** *here:* arrangements
[96] **das Abendläuten** vesper bells
[97] **daranstoßend** adjoining
[98] **allenfalls** in any event

Um nicht aufzufallen,[99] blieb ich an der Brücke stehen und schickte den Diener voraus, um die Gelegenheit auszukundschaften.[1] Er blieb längere Zeit aus und hatte beim Zurückkommen die niedergeschlagene und grübelnde Miene, die ich an diesem braven Menschen immer 220 kannte, wenn er einen meinigen Befehl[2] nicht hatte erfolgreich ausführen können. „Der Laden ist versperrt",[3] sagte er, „und scheint auch niemand darinnen. Überhaupt läßt sich in den Zimmern, die nach der Gasse zu liegen,[4] niemand sehen und hören. In den Hof könnte man nur über eine hohe Mauer, zudem knurrt 225 dort ein großer Hund. Von den vorderen Zimmern ist aber eines erleuchtet, und man kann durch einen Spalt im Laden hineinsehen, nur ist es leider leer."

[Assignment III]

Mißmutig wollte ich schon umkehren, strich aber doch noch einmal langsam an dem Haus vorbei, und mein Diener in seiner Beflissenheit[5] 230 legte nochmals sein Auge an den Spalt, durch den ein Lichtschimmer drang, und flüsterte mir zu, daß zwar nicht die Frau, wohl aber der Mann nun in dem Zimmer sei. Neugierig, diesen Krämer zu sehen, den ich mich nicht erinnern konnte, auch nur ein einziges Mal in seinem Laden erblickt zu haben, und den ich mir abwechselnd als 235 einen unförmlichen, dicken Menschen oder als einen dürren, gebrechlichen Alten vorstellte, trat ich ans Fenster und war überaus erstaunt, in dem guteingerichteten vertäfelten[6] Zimmer einen ungewöhnlich großen und sehr gut gebauten Mann umhergehen zu sehen, der mich gewiß um einen Kopf überragte und, als er sich umdrehte, mir ein 240 sehr schönes, tiefernstes Gesicht zuwandte, mit einem braunen Bart, darin einige wenige silberne Fäden waren, und mit einer Stirn von fast seltsamer Erhabenheit,[7] so daß die Schläfen eine größere Fläche bildeten, als ich noch je bei einem Menschen gesehen hatte. Obwohl er ganz allein in Zimmer war, so wechselte doch sein Blick, seine Lippen 245 bewegten sich, und indem er unter dem Auf- und Abgehen hier und da stehenblieb, schien er sich in der Einbildung mit einer anderen Person zu unterhalten: einmal bewegte er den Arm, wie um eine Gegenrede mit halb nachsichtiger[8] Überlegenheit wegzuweisen.[9] Jede seiner Gebärden war von großer Lässigkeit[10] und fast verachtungs- 250 vollem Stolz, und ich konnte nicht umhin, mich bei seinem einsamen Umhergehen lebhaft des Bildes eines sehr erhabenen Gefangenen zu

[99] **auffallen** cause attention
[1] **die Gelegenheit auskundschaften** explore the situation
[2] **einen meinigen Befehl einen meiner Befehle**
[3] **versperrt** barred
[4] **die nach der Gasse zu liegen** which face the alley
[5] **die Beflissenheit** eagerness

[6] **vertäfelt** panelled
[7] **mit ... Erhabenheit** *meaning:* with a lofty forehead which was almost odd in its proportions
[8] **nachsichtig** forbearing
[9] **eine Gegenrede wegweisen** dismiss an objection
[10] **die Lässigkeit** nonchalance

erinnern, den ich im Dienst des Königs während seiner Haft in einem
Turmgemach des Schlosses zu Blois zu bewachen hatte. Diese
Ähnlichkeit schien mir noch vollkommener zu werden, als der Mann 255
seine rechte Hand emporhob und auf die emporgekrümmten[11] Finger
mit Aufmerksamkeit, ja mit finsterer Strenge hinabsah.

Denn fast mit der gleichen Gebärde hatte ich jenen erhabenen
Gefangenen öfter einen Ring betrachten sehen, den er am Zeigefinger
der rechten Hand trug und von welchem er sich niemals trennte. Der 260
Mann im Zimmer trat dann an den Tisch, schob die Wasserkugel[12] vor
das Wachslicht und brachte seine beiden Hände in den Lichtkreis, mit
ausgestreckten Fingern: er schien seine Nägel zu betrachten. Dann
blies er das Licht aus und ging aus dem Zimmer und ließ mich nicht
ohne eine dumpfe, zornige Eifersucht zurück, da das Verlangen nach 265
seiner Frau in mir fortwährend wuchs und wie ein umsichgreifendes[13]
Feuer sich von allem nährte, was mir begegnete und so durch diese
unerwartete Erscheinung in verworrener Weise gesteigert wurde, wie
durch jede Schneeflocke, die ein feuchtkalter Wind jetzt zertrieb[14]
und die mir einzeln an Augenbrauen und Wangen hängenblieben und 270
schmolzen.

Den nächsten Tag verbrachte ich in der nutzlosesten Weise, hatte
zu keinem Geschäft die richtige Aufmerksamkeit, kaufte ein Pferd, das
mir eigentlich nicht gefiel, wartete nach Tisch dem Herzog von
Nemours auf[15] und verbrachte dort einige Zeit mit Spiel und mit den 275
albernsten und widerwärtigsten Gesprächen. Es war nämlich von nichts
anderem die Rede als von der in der Stadt immer heftiger umsich-
greifenden Pest, und aus allen diesen Edelleuten brachte man kein
anderes Wort heraus als dergleichen Erzählungen von dem schnellen
Verscharren[16] der Leichen, von dem Strohfeuer, das man in den 280
Totenzimmern brennen müsse, um die giftigen Dünste[17] zu verzehren,
und so fort; der Albernste aber erschien mir der Kanonikus[18] von
Chandieu, der, obwohl dick und gesund wie immer, sich nicht enthalten konnte, unausgesetzt nach seinen Fingernägeln hinabzuschielen,[19]
ob sich an ihnen schon das verdächtige Blauwerden zeige, womit sich 285
die Krankheit anzukündigen pflegt.

Mich widerte das alles an, ich ging früh nach Hause und legte mich
zu Bette, fand aber den Schlaf nicht, kleidete mich vor Ungeduld wieder
an und wollte, koste es, was es wolle,[20] dorthin, meine Freundin zu
sehen, und müßte ich mit meinen Leuten gewaltsam eindringen. Ich 290
ging ans Fenster, meine Leute zu wecken, die eisige Nachtluft brachte

[11] **emporgekrümmt** bent
[12] **die Wasserkugel** a glass bowl filled
with water (*used to refract light*)
[13] **umsichgreifend** spreading
[14] **zertrieb** blew about, scattered
[15] **aufwarten** wait upon, call on
[16] **verscharren** bury without ceremony,

cover with earth
[17] **die Dünste** vapors
[18] **der Kanonikus** canon
[19] **hinabschielen** look out of the corner
of one's eyes
[20] **koste . . . wolle** no matter what the
price

mich zur Vernunft,[21] und ich sah ein, daß dies der sichere Weg war, alles zu verderben. Angekleidet warf ich mich aufs Bett und schlief endlich ein.

Ähnlich verbrachte ich den Sonntag bis zum Abend, war viel zu 295 früh in der bezeichneten Straße, zwang mich aber, in einer Nebengasse auf und nieder zu gehen, bis es zehn Uhr schlug. Dann fand ich sogleich das Haus und die Tür, die sie mir beschrieben hatte, und die Tür auch offen, und dahinter den Gang und die Treppe. Oben aber die zweite Tür, zu der die Treppe führte, war verschlossen, doch ließ sie unten 300 einen feinen Lichtstreif durch. So war sie drinnen und wartete und stand vielleicht horchend drinnen an der Tür, wie ich draußen. Ich kratzte mit dem Nagel an der Tür, da hörte ich drinnen Schritte: es schienen mir zögernd unsichere Schritte eines nackten Fußes. Eine Zeit stand ich ohne Atem und dann fing ich an zu klopfen: aber ich 305 hörte eine Mannesstimme, die fragte, wer draußen sei. Ich drückte mich ins Dunkel des Türpfostens und gab keinen Laut von mir: die Tür blieb zu und ich klomm mit der äußersten Stille, Stufe für Stufe, die Stiege hinab, schlich den Gang hinaus ins Freie und ging, mit pochenden[22] Schläfen und zusammengebissenen[23] Zähnen, glühend 310 vor[24] Ungeduld, einige Straßen auf und ab. Endlich zog es mich wieder vor das Haus: ich wollte noch nicht hinein; ich fühlte, ich wußte, sie würde den Mann entfernen,[25] es müßte gelingen, gleich würde ich zu ihr können. Die Gasse war eng; auf der anderen Seite war kein Haus, sondern die Mauer eines Klostergartens: an die drückte 315 ich mich hin und suchte von gegenüber das Fenster zu erraten. Da loderte in einem, das offen stand, im oberen Stockwerk, ein Schein auf und sank wieder ab, wie von einer Flamme. Nun glaubte ich, alles vor mir zu sehen: sie hatte ein großes Scheit in den Kamin geworfen wie damals, wie damals stand sie jetzt mitten im Zimmer, die Glieder 320 funkelnd von der Flamme, oder saß auf dem Bette und horchte und wartete. Von der Tür würde ich sie sehen und den Schatten ihres Nackens, ihrer Schultern, den die durchsichtige Stelle an der Wand hob und senkte.[26] Schon war ich im Gang, schon auf der Treppe; nun war auch die Tür nicht mehr verschlossen: angelehnt, ließ sie auch 325 seitwärts den schwankenden Schein durch. Schon streckte ich die Hand nach der Klinke aus, da glaubte ich drinnen Schritte und Stimmen von mehreren zu hören. Ich wollte es aber nicht glauben: ich nahm es für das Arbeiten meines Blutes[27] in den Schläfen, am Halse, und für das Lodern des Feuers drinnen. Auch damals hatte es laut 330 gelodert. Nun hatte ich die Klinke gefaßt, da mußte ich begreifen, daß

[21] **jemanden zur Vernunft bringen** bring someone to his senses
[22] **pochend** throbbing
[23] **zusammengebissen** clenched
[24] **glühend vor** feverish with
[25] **entfernen** get rid of

[26] **den ... senkte** *meaning:* which could be seen to rise and fall through the crevice between door and wall
[27] **das ... Blutes** the pulsating of my blood

Menschen drinnen waren, mehrere Menschen. Aber nun war es mir gleich: denn ich fühlte, ich wußte, sie war auch drinnen, und sobald ich die Tür aufstieß, konnte ich sie sehen, sie ergreifen, und wäre es auch aus den Händen anderer, mit einem Arm sie an mich reißen, müßte ich gleich den Raum für sie und mich mit meinem Degen, mit meinem Dolch aus einem Gewühl[28] schreiender Menschen herausschneiden! Das einzige, was mir ganz unerträglich schien, war, noch länger zu warten.

Ich stieß die Tür auf und sah: in der Mitte des leeren Zimmers ein paar Leute, welche Bettstroh verbrannten, und bei der Flamme, die das ganze Zimmer erleuchtete, abgekratzte[29] Wände, deren Schutt auf dem Boden lag, und an einer Wand einen Tisch, auf dem zwei nackte Körper ausgestreckt lagen, der eine sehr groß, mit zugedecktem Kopf, der andere kleiner, gerade an der Wand hingestreckt, und daneben der schwarze Schatten seiner Formen, der emporspielte und wieder sank.[30]

Ich taumelte die Stiege hinab und stieß vor dem Haus auf[31] zwei Totengräber;[32] der eine hielt mir seine kleine Laterne ins Gesicht und fragte mich, was ich suche? Der andere schob seinen ächzenden, knirschenden Karren gegen die Haustür. Ich zog den Degen, um sie mir vom Leibe zu halten, und kam nach Hause. Ich trank sogleich drei oder vier große Gläser schweren Wein und trat, nachdem ich mich ausgeruht hatte, den anderen Tag die Reise nach Lothringen[33] an.

Alle Mühe, die ich mir nach meiner Rückkunft gegeben, irgend etwas von dieser Frau zu erfahren, war vergeblich. Ich ging sogar nach dem Laden mit den zwei Engeln; allein die Leute, die ihn jetzt innehatten,[34] wußten nicht, wer vor ihnen darin gesessen[35] hatte.

[28] **das Gewühl** throng
[29] **abgekratzt** scraped
[30] **der . . . sank** which, rising and falling, played on the wall
[31] **stoßen auf** meet, encounter

[32] **der Totengräber** grave digger
[33] **Lothringen** Lorraine
[34] **innehaben** own
[35] **darin gesessen** *here:* occupied it

Kurt Tucholsky
(1890–1935)

In the aftermath of World War I, and under the impact of the disillusioning Twenties, a number of writers including Erich Kästner, Tucholsky and, among major figures, Bertolt Brecht, wrote in a vein which was aggressively "matter-of-fact." The pointed and poignant understatement, a cutting sobriety, are characteristic of these contemporaries of the early Hemingway. Yet, much as with Hemingway, their anti-sentimentalism suggests an undercurrent of sentiment and, indeed, of sentimentality. Tucholsky's humorous sketch implies that "happiness" is a misfit in the twentieth-century world of efficiency and routine. But if this is so, the apparent argument against happiness is, in truth, an indictment of an age that is all too "matter-of-fact."

Der Mann, der zu spät kam

„Jetzt? Jetzt kommen Sie hier in Frankfurt an mit Ihren Ostereiern?[1] Sagen Sie mal . . . "[2]

„Ich bitte um Verzeihung. Sie meinen, es sei zu spät . . . ?"

„Lieber Herr . . . wie war der werte Name?[3] Lieber Herr, was denken Sie sich eigentlich? Sollen wir vielleicht unseren Lesern kurz vor Pfingsten[4] etwas von Ostern erzählen? Was für eine Vorstellung haben Sie vom Betriebe[5] einer großen Zeitung? Nehmen Sie Ihre Eier wieder mit. Für uns sind Sie erledigt.[6] Aus und vorbei.[7] Ostereier vierzehn Tage nach Ostern! Machen Sie das immer so?"

„Ja." Der geflügelte Bote[8] legte die bunten Eier sorgfältig auf die Schreibtischplatte[9] des Redakteurs,[10] schüttelte die bestaubten[11] Flügel und schwieg. Dann sagte er:

„Ich bin der Mann, der zu spät kommt. Ich komme immer zu spät."

Der Redakteur streifte die Asche seiner Zigarette in den Aschenbecher, denn es war kurz nach den Feiertagen, und die Zimmer waren schön sauber, daher tat er es. „Sie kommen — Sie kommen immer zu spät?" sagte er.

[1] **das Osterei** Easter egg
[2] **Sagen Sie mal . . .** Well, I declare . . .; Really, now . . .
[3] **wie war der werte Name?** *meaning:* what was your name, Sir?
[4] **Pfingsten** Pentecost
[5] **der Betrieb** operation
[6] **Für . . . erledigt.** *meaning:* We are through with you.
[7] **Aus und vorbei** Over and done with
[8] **der geflügelte Bote** the winged messenger
[9] **die Schreibtischplatte** desk top
[10] **der Redakteur** editor
[11] **bestaubt** dust-covered

„Ich komme immer zu spät," sagte der Mann schlicht.

„Und wie wirkt sich das in Ihrem Leben aus?"[12] fragte der Redakteur mit mitleidigem[13] Blick. 20

„Das sieht so aus",[14] sagte der Mann. „Ich bin das Ding, das immer zu spät kommt. Ich komme als Kind ziemlich abgehetzt, atemlos[15] zur Schule, wenn sich die letzte Klassentür unerbittlich[16] geschlossen hat — ich komme ängstlich trippelnd an, klopfe schüchtern und werde mit einem Donnerwetter begrüßt; ich komme ins medizinische 25 Staatsexamen[17] manchmal ein ganzes Jahr zu spät und ich habe meine Zeit verloren: ich bringe dem Polizeibeamten die Erleuchtung[18] wegen des letzten großen Verbrechens, aber erst dann, wenn[19] der Täter[20] längst über den großen Teich[21] gefahren ist und in Kanada Birnen[22] pflanzt; ich weiß die allerbeste, die allertreffendste[23] Antwort, 30 die man dem frechen Patron von der Konkurrenz[24] zu geben hat — aber erst dann, wenn der schon weg ist; ich lasse den Lotteriezettel mit dem großen Los[25] in das Haus der armen Frau flattern, aber sie ist schon tot, und ihre grinsenden Erben[26] freuen sich ein Loch in den Kopf,[27] ich bereue, was ich dem armen Mädchen angetan[28] habe, die 35 mir ihr Leben gegeben hat und ihre Liebe — aber sie ist schon fort, mit einem anderen verheiratet, nicht sehr gut übrigens, — zu spät, zu spät; ich entwerfe[29] einen herrlichen Lebensplan, ich weiß genau, wie man es anfangen muß,[30] um Zeit, Geld und Kräfte zu sparen; aber das weiß ich erst, wenn ich ein alter Mann bin, und dann nützt es mir nichts 40 mehr[31] — zu spät; — alle Eisenbahnzüge fahren mir vor der Nase[32] weg; ich verpasse[33] Revolutionen und Ordenausteilungen;[34] ich hätte damals Terrains[35] kaufen sollen, aber ich bin zu spät gekommen; ich habe den psychologischen Augenblick nicht benützt, um Lisa zu küssen, es ist zu spät; ich habe die aktuelle[36] Zeitschrift nicht begründet, 45 und als noch niemand nach Mexiko fuhr, bin ich nicht hingefahren, und jetzt ist es zu spät. Überall komme ich an, wenn alles vorbei ist;

[12] **sich auswirken (auf)** *or* **(in)** have an effect (upon); affect
[13] **mitleidig** pitying
[14] **Das sieht so aus** It is like this
[15] **ziemlich abgehetzt, atemlos** *meaning:* in breathless haste
[16] **unerbittlich** without pity; inexorably
[17] **medizinisches Staatsexamen** civil service examination in medicine
[18] **Erleuchtung bringen** enlighten
[19] **aber . . . wenn** but not until
[20] **der Täter** culprit
[21] **über . . . Teich** across the big pond, *i.e.*, the Atlantic Ocean
[22] **die Birne** pear
[23] **treffend** appropriate
[24] **dem frechen . . . Konkurrenz** the fresh guy employed by the competitor
[25] **den . . . Los** the prize-winning ticket from the lottery
[26] **der Erbe** heir
[27] **sich ein Loch in den Kopf freuen** go mad with joy
[28] **angetan** done to
[29] **entwerfen** design, make
[30] **wie . . . muß** how one must go about
[31] **es nützt nichts mehr** it is of no use anymore
[32] **vor der Nase** *meaning:* right in front of my eyes
[33] **verpassen** miss
[34] **die Ordenausteilung** distribution of medals
[35] **das Terrain** real estate
[36] **aktuell** timely, fashionable

ich bin der Mann, der zu spät kommt — und hier, Herr Redakteur, sind meine Ostereier."

Der Redakteur warf in jähem[37] Entschluß seine ausgerauchte 50 Zigarette[38] auf den Fußboden. Er sah seinen Besucher fest an und sprach, jedes Wort betonend: „Sie — sind — ein — Schlemihl."[39]

Der geflügelte Bote erhob sich langsam und wollte die Ostereier ergreifen, die hier offenbar[40] nicht benötigt wurden; er machte eine ungeschickte Bewegung, sie kollerten[41] langsam zu Boden und zer- 55 brachen. „Man sagt", sprach er leise, „daß der Schlemihl keinen Schatten habe. Ich habe viele Schatten — viele Menschen sind meine Schatten."

„Ostereier zu Pfingsten", grollte der Redakteur dumpf. „Wie ich Ihnen sage: Sie brauchen nicht mehr wiederzukommen — stellen Sie 60 die Lieferung[42] an uns ein. Ich brauche Sie nicht mehr. Guten Tag."

Der Bote stand schon an der Tür, wandte sich noch einmal halb um und wiederholte mechanisch: „Guten Tag."

„Wie war doch Ihr Name?" fragte der Redakteur. Der Bote hatte schon die Klinke in der Hand, er verharrte noch einen Augenblick und 65 ließ seine Augen über die zerbrochenen Ostereier gehen.

„Ich heiße Glück[43]. . . ." sagte er.

---

[37] **jäh** sudden
[38] **ausgerauchte Zigarette** cigarette butt
[39] **ein Schlemihl** an awkward and unlucky person. *In Chamisso's* Peter Schlemihl (1814), *the hero sells his shadow to the devil only to find that all*

the riches he receives in return will not compensate him for his loss.
[40] **offenbar** obviously
[41] **kollern** roll
[42] **die Lieferung einstellen** stop delivery
[43] **das Glück** *here:* happiness

Das war das Ende: der Kurfürstendamm, 1945 (Foto-Gnilka).

Wolfgang Borchert
(1920–1947)

The success of Borchert's work was due, primarily, to its timeliness and to its sentimental appeal which was enhanced by the early death of the author. His radio play Draußen vor der Tür *(1947) dealt with the return of a crippled German soldier into an alien, hostile and chaotic fatherland which had no place for its defeated sons. Borchert is at his best in his carefully written short stories* (Die Hundeblume, An diesem Dienstag; *1947) which are distinguished by the author's human sympathy, economy of diction and sense for symbolic detail. The following episode tells of a child guarding the rubble heap that buried his brother and of an old man who weans the boy from his concern with death in order to bring him back to the world of the living. It conveys the mood and message of incipient recovery from the ravages of war.*

Nachts schlafen die Ratten doch

DAS HOHLE Fenster in der vereinsamten[1] Mauer gähnte blaurot voll früher Abendsonne. Staubgewölke flimmerte[2] zwischen den steilgereckten Schornsteinresten.[3] Die Schuttwüste döste.[4]

Er hatte die Augen zu. Mit einmal wurde es noch dunkler. Er merkte, daß jemand gekommen war und nun vor ihm stand, dunkel, 5 leise. Jetzt haben sie mich! dachte er. Aber als er ein bißcher blinzelte,[5] sah er nur zwei etwas ärmlich behoste Beine.[6] Die standen ziemlich krumm[7] vor ihm, daß er zwischen ihnen hindurchsehen konnte. Er riskierte ein kleines Geblinzel an den Hosenbeinen hoch und erkannte einen älteren Mann. Der hatte ein Messer und einen Korb in der Hand. 10 Und etwas Erde an den Fingerspitzen.

„Du schläfst hier wohl, was?" fragte der Mann und sah von oben auf das Haargestrüpp[8] herunter. Jürgen blinzelte zwischen den Beinen des Mannes hindurch in die Sonne und sagte: „Nein, ich schlafe nicht. Ich muss hier aufpassen."[9] Der Mann nickte: „So, dafür hast du wohl 15

---

[1] **vereinsamt** desolate
[2] **Staubgewölke flimmerte** clouds of dust flickered
[3] **steilgereckte Schornsteinreste** towering ruins of chimneys
[4] **Die Schuttwüste döste** The rubble desert slumbered
[5] **blinzeln** blink
[6] **zwei ... Beine** two legs in somewhat shabby trousers
[7] **krumm** crooked
[8] **das Haargestrüpp** tangle of hair
[9] **aufpassen** watch

103

den großen Stock da?" „Ja", antwortete Jürgen mutig und hielt den Stock fest.

„Worauf paßt du denn auf?"

„Das kann ich nicht sagen." Er hielt die Hände fest um den Stock.

„Wohl auf Geld, was?"[10] Der Mann setzte den Korb ab und wischte das Messer an seinem Hosenboden hin und her.   20

„Nein, auf Geld überhaupt nicht", sagte Jürgen verächtlich. „Auf ganz etwas anderes."

„Na, was denn?"

„Ich kann es nicht sagen. Was anderes eben."[11]   25

„Na, denn nicht.[12] Dann sage ich dir natürlich auch nicht, was ich hier im Korb habe." Der Mann stieß mit dem Fuß an den Korb und klappte das Messer zu.

„Pah, kann mir denken, was in dem Korb ist", meinte Jürgen geringschätzig,[13] „Kaninchenfutter."[14]   30

„Donnerwetter, ja!" sagte der Mann verwundert, „bist ja ein fixer Kerl.[15] Wie alt bist du denn?"

„Neun."

„Oha, denk mal an,[16] neun also. Dann weißt du ja auch, wieviel dreimal neun sind, wie?"   35

„Klar", sagte Jürgen und um Zeit zu gewinnen, sagte er noch; „das ist ja ganz leicht." Und er sah durch die Beine des Mannes hindurch. „Dreimal neun, nicht?" fragte er noch mal, „siebenundzwanzig. Das wußte ich gleich."

„Stimmt",[17] sagte der Mann, „und genau soviel Kaninchen habe ich."   40
Jürgen machte einen runden Mund: „Siebenundzwanzig?"

„Du kannst sie sehen. Viele sind noch ganz jung. Willst du?"

„Ich kann doch nicht. Ich muß doch aufpassen", sagte Jürgen unsicher.

„Immerzu?"[18] fragte der Mann, „nachts auch?"   45

„Nachts auch. Immerzu. Immer." Jürgen sah an den krummen Beinen hoch. „Seit Sonnabend schon," flüsterte er.

„Aber gehst du denn gar nicht nach Hause? Du mußt doch essen."

Jürgen hob einen Stein hoch. Da lag ein halbes Brot. Und eine Blechschachtel.[19]   50

„Du rauchst?" fragte der Mann, „hast du denn eine Pfeife?"

Jürgen faßte seinen Stock fest an und sagte zaghaft:[20] „Ich drehe.[21] Pfeife mag ich nicht."

---

[10] **was?** *here:* right? isn't it so?
[11] **Was anderes eben** simply something else
[12] **Na, denn nicht.** All right, then don't.
[13] **geringschätzig** with disdain
[14] **das Kaninchenfutter** rabbit food

[15] **ein fixer Kerl** a bright kid
[16] **denk mal an** imagine
[17] **Stimmt** Right
[18] **Immerzu** All the time
[19] **die Blechschachtel** tin box
[20] **zaghaft** timidly
[21] **Ich drehe** I roll my own (*cigarettes*).

104

„Schade", der Mann bückte sich zu seinem Korb, „die Kaninchen
hättest du ruhig mal[22] ansehen können. Vor allem die Jungen. Viel- 55
leicht hättest du dir eines ausgesucht. Aber du kannst hier ja nicht weg."

„Nein", sagte Jürgen traurig, „nein, nein."

Der Mann nahm den Korb hoch und richtete sich auf. „Na ja,
wenn du hierbleiben mußt — schade." Und er drehte sich um.

„Wenn du mich nicht verrätst",[23] sagte Jürgen da schnell, „es ist 60
wegen den Ratten."

Die krummen Beine kamen einen Schritt zurück: „Wegen den
Ratten?"

„Ja, die essen doch von Toten. Von Menschen. Da leben sie doch
von."[24] 65

„Wer sagt das?"

„Unser Lehrer."

„Und du paßt nun auf die Ratten auf?" fragte der Mann.

„Auf die doch nicht!" Und dann sagte er ganz leise: „Mein Bruder,
der liegt nämlich da unten. Da:" Jürgen zeigte mit dem Stock auf 70
die zusammengesackten[25] Mauern. Unser Haus kriegte eine Bombe.
Mit einmal war das Licht weg im Keller. Und er auch. Wir haben noch
gerufen. Er war viel kleiner als ich. Erst vier. Er muß hier ja noch sein.
Er ist doch viel kleiner als ich."

Der Mann sah von oben auf das Haargestrüpp. Aber dann sagte er 75
plötzlich: „Ja, hat euer Lehrer euch denn nicht gesagt, daß die Ratten
nachts schlafen?"

„Nein", flüsterte Jürgen und sah mit einmal ganz müde aus, das hat
er nicht gesagt.

„Na", sagte der Mann, „das ist aber ein Lehrer,[26] wenn er das nicht 80
mal weiß. Nachts schlafen die Ratten doch. Nachts kannst du ruhig
nach Hause gehen. Nachts schlafen sie immer. Wenn es dunkel wird,
schon."

Jürgen machte mit seinem Stock kleine Kuhlen[27] in den Schutt.
Lauter kleine Betten sind das, dachte er, alles kleine Betten. Da sagte 85
der Mann (und seine krummen Beine waren ganz unruhig dabei):
„Weißt du was? Jetzt füttere ich schnell meine Kaninchen und wenn es
dunkel wird, hole ich dich ab. Vielleicht kann ich eins mitbringen.
Ein kleines oder, was meinst du?"

Jürgen machte kleine Kuhlen in den Schutt. Lauter kleine Kaninchen. 90
Weiße, graue, weißgraue. „Ich weiß nicht", sagte er leise und sah auf
die krummen Beine, „wenn sie wirklich nachts schlafen."

Der Mann stieg über die Mauerreste weg auf die Straße.

---

[22] **ruhig mal** easily
[23] **verraten** *here:* give away
[24] **Da leben sie doch von** Davon
leben sie doch

[25] **zusammengesackt** caved in
[26] **das ist aber ein Lehrer** some teacher
that is!
[27] **die Kuhlen** holes

„Natürlich", sagte er von da, „euer Lehrer soll einpacken,[28] wenn er
das nicht mal[29] weiß."   95

Da stand Jürgen auf und fragte: „Wenn ich eins kriegen kann?
Ein weißes vielleicht?"

„Ich will mal versuchen", rief der Mann schon im Weggehen,[30]
„aber du mußt hier solange warten. Ich gehe dann mit dir nach Hause,
weißt du? Ich muß deinem Vater doch sagen, wie so ein Kaninchen-   100
stall gebaut wird. Denn das müßt ihr ja wissen."

„Ja", rief Jürgen, „ich warte. Ich muß ja noch aufpassen, bis es
dunkel wird. Ich warte bestimmt." Und er rief: „Wir haben auch noch
Bretter zu Hause. Kistenbretter",[31] rief er.

Aber das hörte der Mann schon nicht mehr. Er lief mit seinen krum-   105
men Beinen auf die Sonne zu. Die war schon rot vom Abend und
Jürgen konnte sehen, wie sie durch die Beine hindurchschien, so krumm
waren sie. Und der Korb schwenkte aufgeregt hin und her. Kaninchenfutter war da drin. Grünes Kaninchenfutter, das war etwas grau vom
Schutt.   110

---

[28] **soll einpacken** should quit, give   [30] **im Weggehen** as he was leaving
up   [31] **die Kistenbretter** boards from crates
[29] **nicht mal = nicht einmal** not even

Reinhard Lettau
(1929–   )

Lettau, presently a professor of German in America, belongs to the "Gruppe 47," an association which includes currently leading writers such as Ingeborg Bachmann, Heinrich Böll, Günther Grass, Uwe Johnson, and others. The Group (named after the year of its inception) has dominated the literary scene of West Germany in an era marked by the concern with economic recovery and material prosperity rather than with political ideologies or with spiritual values. Its members, generally critical of the German "Wirtschaftswunder", are widely divergent in manner and outlook. They share a concern with literary craftsmanship, and their work is symptomatic of a reaction against the literature fostered by the Nazis.

Reinhard Lettau's games and arabesques in the medium of prose, Schwierigkeiten beim Häuserbauen (*1962*), Auftritt Manigs (*1963*), *represent the formalist wing. They suggest a skeptical, humoristic and satirical l'art pour l'art rather than the commitment to a message or human substance.*

Herr Strich schreitet zum Äußersten[1]

LEUTE, die ihn kurz kennenlernten, wußten von Herrn Strich zu berichten, daß er den Tee trank wie ein englischer Oberst[2] nach fünfzehnjährigem Dienst in den Kolonien: so nebensächlich[3] und als sei draußen Dschungel mit grünen Phosphoraugen. Aber dem kleinen, sorgfältig gekleideten Gelehrten widerfuhr mit dieser Beurteilung 5
Unrecht.[4] Der vorsichtig ausgewählte Kreis von Gleichgesinnten[5] —
zumeist Studenten —, der sich zweimal wöchentlich um ihn versammelte, schätzte an Herrn Strich vorzüglich[6] die Scharfsinnigkeit[7] seiner glasklaren Formulierungen. Besonders, wenn er über moderne literarische Probleme sprach, zeichnete er sich durch geradezu gal- 10
lische[8] Eloquenz aus. Es war nicht verwunderlich, daß ein gelegentliches Gespräch über den Dichter C. Herrn Strich zu profunden

[1] **zum Äußersten schreiten** go to extremes
[2] **der Oberst** colonel
[3] **nebensächlich** negligently
[4] **(dem Gelehrten) widerfuhr ... Unrecht** this judgment did not do justice (to the scholar)

[5] **(Der) Kreis von Gleichgesinnten** (The) circle of those who shared his convictions
[6] **vorzüglich** here: above all
[7] **die Scharfsinnigkeit** acuteness
[8] **gallisch** Gallic, French

Gedanken Anlaß gab. „C.s", ließ er sich vernehmen,[9] „C.s Reflektionen über die Notwendigkeit zu provozieren,[10] sind es im besonderen, die unsere Aufmerksamkeit verdienen. Wir bemerken mit Verwunderung, daß sie philologisch bisher nicht verarbeitet[11] wurden. Hier wäre eine Lücke[12] zu füllen."

Ermutigt durch die lebhafte Zustimmung seiner Freunde forschte Strich während der nächsten Wochen nach dem Verbleib[13] der Handschriften[14] des Dichters C.; es stellte sich heraus,[15] daß eine Auktion sie nach Grönland verschlagen hatte.[16] Strich beschloß, an Ort und Stelle[17] Einsicht in die Handschriften zu nehmen.[18] Dabei entging ihm nicht,[19] daß der Abdruck[20] gewisser C.scher Studien nicht vollständig mit der Handschrift übereinstimmte:[21] einmal war ein „und" unterschlagen,[22] an anderer Stelle das Wort „mild", das in dem betreffenden Zusammenhang[23] durchaus am Platze[24] war, durch „wild" ersetzt[25] worden — eine Redaktion,[26] die Strich böswillig[27] und verhängnisvoll[28] nannte.

Mit einem Stab von Mitarbeitern machte sich Strich daran,[29] in einem umfangreichen[30] Aufsatz, den er an zahlreiche Zeitungen versandte, von diesen Irrtümern in der C.-Forschung Zeugnis abzulegen.[31] „Es gilt", sagte er im Vorwort, „es gilt, einem Manne Gerechtigkeit widerfahren zu lassen,[32] der es unternommen hat, uns tiefes Gedankengut[33] zu übermitteln — eine Leistung, die nur allzu leicht verkannt wird,[34] da die getreue Drucklegung[35] seiner Werke von gewisser Seite[36] sabotiert worden zu sein scheint."

Leider muß berichtet werden, daß Strichs Arbeit von allen Zeitungen abgelehnt wurde. Ein Redakteur ließ wissen, sein Essay sei besser für eine Nachtsendung[37] im Rundfunk[38] geeignet.[39] Aber auch dort

---

[9] **sich vernehmen lassen** announce
[10] **die Notwendigkeit zu provozieren** the necessity of causing provocation
[11] **philologisch verarbeiten** receive scholarly treatment
[12] **die Lücke** gap
[13] **nach dem Verbleib forschen** make inquiries concerning the whereabouts
[14] **die Handschrift** *here:* manuscript
[15] **es stellte sich heraus** it turned out
[16] **daß ... hatte** that an auction had landed them in Greenland
[17] **an Ort und Stelle** on the spot
[18] **Einsicht nehmen** look at
[19] **Dabei ... nicht** At that he did not fail to notice
[20] **der Abdruck** printed version
[21] **übereinstimmen mit** agree with
[22] **unterschlagen** omitted
[23] **in ... Zusammenhang** in the given context
[24] **durchaus am Platze** entirely appropriate

[25] **ersetzt** replaced
[26] **eine Redaktion** an editing job
[27] **böswillig** malevolent
[28] **verhängnisvoll** disastrous
[29] **sich daranmachen** set about to
[30] **umfangreich** comprehensive
[31] **Zeugnis ablegen** *here:* produce evidence
[32] **Gerechtigkeit widerfahren lassen** do justice to
[33] **tiefes Gedankengut** body of profound ideas
[34] **die ... wird** which, all too easily, goes unappreciated
[35] **getreue Drucklegung** *here:* faithful editing
[36] **von gewisser Seite** from certain quarters
[37] **die Nachtsendung** cultural program (*broadcast late at night*)
[38] **der Rundfunk** radio
[39] **besser geeignet** more suitable

wurde Strich bitter enttäuscht. Uns Heutigen habe C. nichts mehr zu   40
sagen,[40] schrieb ein Abteilungsleiter;[41] er könne wohl mit Fug und
Recht[42] als überholt[43] bezeichnet werden — zumal[44] für eine Nachtsendung, und das wolle schon etwas heißen.[45]

„Ich vermute", rief Strich anläßlich[46] der nächsten Zusammenkunft, „ich vermute hinter dieser Summe unwürdiger Verkennungen[47]   45
eine Methode."

In dem sonst so ruhigen Kreis löste diese Eröffnung[48] große
Empörung aus;[49] es kam zu Tumultszenen. Angefeuert durch die Pfui-
Rufe[50] einiger Studenten ließ[51] sich Strich zu der Bemerkung hin-
reißen, er werde die Publizierung der Manuskripte notfalls[52] mit   50
Waffengewalt erzwingen. „Es genügt", versetzte[53] er, „wenn wir das
Funkhaus[54] besetzen.[55] Dazu wollen allerdings sorgfältige Vor-
bereitungen getroffen sein." Man stimmte ihm allgemein zu, die
Rollen wurden noch am nächsten Tage verteilt, und es fand ein
sechswöchiger Schießunterricht statt, wobei Ausgaben ungeliebter   55
Dichter, deren Strich sich schon lange hatte entledigen[56] wollen, als
Zielscheiben[57] benutzt wurden.

An einem nebligen Frühlingsmorgen hielten vor dem Hauptportal
des Funkhauses fünf vollbesetzte Taxis. Unter den bewaffneten Männern, die die Treppe emporschwärmten,[58] erblickte man, einen dicken   60
Stoß[59] Bücher im Arm, auch Herrn Strich. Nachdem der Portier[60]
von einem baumlangen[61] Philosophiestudenten niedergeschlagen
worden war, besetzten zwei Männer den Eingang des Funkhauses. Mit
einer Eskorte begab sich Strich ohne Verzug[62] in den Senderaum.[63]
Eine Gymnastiklehrerin, die dort „Rumpf beugt — streckt"[64] sagte,   65
wurde auf einen Sessel festgebunden; sie ließ es lächelnd geschehen.
Unterdessen wurden alle Personen, die man im Hause antraf, in einem
Raum zusammengetrieben, wo sie unter vorgehaltener Pistole[65] ein
Kolleg[66] über C. hörten. Im Senderaum nahm Herr Strich vor dem

---

[40] **Uns . . . sagen**   C. had nothing to say to the contemporary mind
[41] **der Abteilungsleiter**   department head
[42] **mit Fug und Recht**   justifiably
[43] **überholt**   passé
[44] **zumal**   *here:* even
[45] **und . . . heißen**   and that was saying a lot
[46] **anläßlich**   on the occasion of
[47] **unwürdige Verkennungen**   unworthy misjudgments
[48] **die Eröffnung**   disclosure
[49] **Empörung auslösen**   give rise to indignation
[50] **die Pfui-Rufe**   boohs
[51] **ließ sich zu der Bemerkung hin-reißen**   was carried away to the point of remarking
[52] **notfalls**   if necessary
[53] **versetzten**   stated
[54] **das Funkhaus**   radio station
[55] **besetzen**   occupy
[56] **sich entledigen**   get rid of
[57] **die Zielscheibe**   target
[58] **emporschwärmen**   swarm up
[59] **der Stoß**   stack
[60] **der Portier**   doorman
[61] **baumlang**   tall as a pole
[62] **ohne Verzug**   without delay
[63] **der Senderaum**   broadcasting studio
[64] **Rumpf beugt — streckt**   bend from the hips — stretch!
[65] **unter vorgehaltener Pistole**   with a pistol pointing at them
[66] **das Kolleg**   lecture

Mikrophon Platz. Mit voller, sicherer Stimme verlas er sein Vorwort[67]   70
und wollte eben in seine Erörterungen[68] über die Fehlinterpretation[69]
der C. schen Werke eintreten,[70] als draußen der erste Schuß fiel. Ohne
böse Absicht hatte sich ein Verkehrspolizist dem Haupteingang des
Funkhauses genähert; es kostete ihn das Leben. Der Vorfall[71] blieb auf
der Straße nicht unbemerkt, das Überfallkommando[72] war in wenigen   75
Minuten zur Stelle und forderte die Rebellen zur Übergabe auf.[73]
Diese Bitte wurde abschlägig beschieden,[74] die erstaunten Polizeibeamten wurden mit einer Flut griechischer und lateinischer Spott-
verse[75] überschüttet. Ein Polizeioffizier mit Gymnasialbildung[76] gab
den ersten Schuß, die Studenten ließen das Feuer nicht unerwidert[77]   80
und bald entspann sich[78] ein regelrechtes Gefecht.[79]

Herrn Strich konnte das draußen einsetzende Geplänkel[80] nicht aus
dem Konzept bringen;[81] man hatte damit gerechnet. Mit ruhiger
Stimme verlas er seinen Aufsatz, ohne eine einzige Fußnote zu über-
gehen.[82] Im Begriff, das Fazit[83] seiner Betrachtungen zu ziehen, wurde   85
er allerdings von einer Kugel getroffen. Seine Revolution müssen wir
tragisch nennen — dies besonders, weil keines seiner Worte je in den
Äther drang.[84] Ein geistesgegenwärtiger Operateur[85] hatte, als die
Verschwörer[86] das Funkhaus betraten, die Wellenverbindung[87] zum
Sendeturm[88] durch einen Hebelgriff[89] unterbrochen. Die Strichsche   90
Arbeit wurde der Mitwelt[90] somit nicht bekannt und die Erhellung[91]
der Dichterpersönlichkeit C.s muß späteren philologischen Nach-
forschungen vorbehalten bleiben.[92]

[67] **das Vorwort** preface
[68] **die Erörterung** explication, discussion
[69] **die Fehlinterpretation** misinterpretation
[70] **eintreten** enter upon, start with
[71] **Der Vorfall** incident
[72] **das Überfallkommando** riot squad
[73] **die Rebellen zur Übergabe auffordern** ask the rebels to surrender
[74] **abschlägig beschieden** refused
[75] **der Spottvers** satirical verse
[76] **mit Gymnasialbildung** *here:* with a humanistic education
[77] **nicht unerwidert lassen** reply in kind
[78] **entspann sich** developed
[79] **das Gefecht** battle

[80] **das Geplänkel** *here:* skirmish
[81] **aus dem Konzept bringen** distract from his purpose
[82] **übergehen** omit
[83] **das Fazit** summary, conclusion
[84] **in den Äther dringen** get on the air
[85] **Ein geistesgegenwärtiger Operateur** A radio operator with presence of mind
[86] **der Verschwörer** conspirator
[87] **die Wellenverbindung** *here:* connection
[88] **der Sendeturm** transmitter
[89] **durch einen Hebelgriff** by pulling a lever
[90] **die Mitwelt** contemporaries
[91] **die Erhellung** elucidation
[92] **vorbehalten bleiben** be reserved, remain a task for

Assignments

Hebel: *Unverhofftes Wiedersehen*

VOCABULARY BUILDING

das Grab, -(e)s, ⸚er	grave
der Ort -(e)s, ⸚er *or* **-e**	place
das Hindernis, -ses, -se	obstacle
der Jüngling, -s, -e	youth
klopfen	to knock, beat
weinen	to cry, weep
vergessen, (vergißt), vergaß, vergessen	to forget
unterdessen	meanwhile
zerstören	to destroy
teilen	to divide
die Macht, -, ⸚e	power, might
erobern	to conquer
die Werkstatt, -, ⸚en	workshop
der Boden, -s, - *or* **⸚**	ground, floor, soil
der Leichnam, -s, -e	corpse
das Alter, -s	age
erkennen, erkannte, erkannt	to recognize
die Träne, -, -en	tear
die Beerdigung, -, -en	interment, funeral

QUESTIONS

1. Was geschah, bevor der junge Bergmann seine Braut heiraten konnte?
2. Was geschah in den Jahren, in denen die Braut um ihren Bräutigam trauerte?
3. Wie fanden die Bergleute den jungen Bergmann wieder?
4. Was empfand seine Braut, als sie ihn wiedersah? (empfinden = *to feel*)

Kleist: *Anekdote*

VOCABULARY BUILDING

die Reise, -, -n	trip, journey
die Schlacht, -, -en	battle
besetzen	to occupy
besitzen, besaß, besessen	to possess
einzeln	single
tapfer	brave
der Staub, -(e)s	dust
die Flasche, -, -n	bottle, "flask"
die Stirn(e), -, -(e)n	forehead, brow
der Schuß, -sses, ⸚sse	shot

der Bart, -(e)s, ⸚e	beard
augenblicklich	immediately
der Stiefel, -s, -	boot
wenden, wendete *or* wandte, gewendet *or* gewandt	to turn
angreifen, (greift an), griff an angegriffen	to attack
die Gewohnheit, -, -en	custom, habit
der Platz, -es, ⸚e	place, square

QUESTIONS

1. Was bestellt der preußische Reiter? (bestellen = *to order*)
2. Warum will der Wirt, daß der Reiter das Dorf verläßt?
3. Was geschieht in dem Augenblick, als drei Franzosen ins Dorf reiten?

Kleist: *Bettelweib*

VOCABULARY BUILDING

sich befinden, (befindet sich), befand sich, hat sich befunden	to be situated, to lie
zufällig	by accident, accidental(ly)
das Stroh, -s	straw
betteln	to beg
das Mitleid(en), -s	pity, compassion
die Mühe, -, -n	effort
befehlen, (befiehlt), befahl, befohlen	order, command
der Winkel, -s, -	corner
das Ehepaar, -(e)s, -e	married couple
bleich	pale
unsichtbar	invisible
das Geräusch, -es, -e	noise
der Ritter, -s, -	knight
der Vorfall, -(e)s, ⸚e	incident, occurrence
die Heiterkeit, -	good humor, cheerfulness
die Gefälligkeit, -, -en	favor
entsetzlich	horrible
bellen	to bark
schicken	to send
umkommen, (kommt um), kam um, ist umgekommen	to perish

QUESTIONS

1. Was geschah der alten Frau in dem Schloß des Marchese?
2. Warum wollte der Marchese sein Schloß verkaufen?
3. Was teilte der Ritter dem Ehepaar mit? (mitteilen = *to relate, tell*)
4. Was tat der Marchese, um das Gerücht, daß es in dem Zimmer umgehe, niederzuschlagen?
5. Welche Bedeutung hat die Reaktion des Hundes?

6. Schildern Sie das Ende des Marchese und seines Schlosses! (schildern =
to describe)

Heine: *Saul Ascher*

VOCABULARY BUILDING

zubringen, (bringt zu), brachte zu, zugebracht	to spend (*time*)
ängstlich	timid
der Verstand, -(e)s	intellect, understanding
das Gemüt, -(e)s, -er	soul, heart, feeling
behaupten	to maintain, assert
die Kraft, -, ⁻e	power, force
der Vorzug, -(e)s, ⁻e	advantage
gerade	straight; just
der Glaube, -ns	faith, belief
das Christentum, -s	Christianity
verbieten, (verbietet), verbot, verboten	prohibit, forbid
die Erzählung, -, -en	narrative, tale
die Darstellung, -, -en	presentation
der Schatten, -s, -	shadow
unheimlich	uncanny
die Glocke, -, -n	bell
schweigen, schwieg, geschwiegen	to be silent
zittern	to tremble
kaum	hardly, scarcely
die Möglichkeit, -, -en	possibility
unterscheiden, (unterscheidet), unterschied, unterschieden	to distinguish, differentiate
die Unterscheidung, -	distinction
der Beweis, es, -e	proof

QUESTIONS

1. Wie sah Doktor Saul Ascher aus?
2. In welchem Satz pflegte er seine Überzeugungen zusammenzufassen?
3. Beschreiben Sie die Stimmung, in der sich der Autor befand, als ihm der Geist Doktor Aschers erschien!
4. Zwischen den Überzeugungen Doktor Aschers und der Tatsache, daß er als Geist erscheint, besteht ein Widerspruch. Erklären Sie das!

Schnitzler: *Das Tagebuch der Redegonda*

Assignment I, pp. 73–77

VOCABULARY BUILDING

die Gegenwart, -	presence
bemerken	to notice

angenehm	pleasant(ly)
vornehm	elegant
die Vornehmheit, -	elegance
die Befriedigung, -, -en	satisfaction
die Begegnung, -, -en	encounter
anscheinend	apparently
der Zufall, -(e)s, ̈e	accident, coincidence
messen, (mißt), maß, gemessen	to measure
wählen	to choose
die Wahl, -, -en	choice
der Grund, -(e)s, ̈e	reason
die Gelegenheit, -, -en	opportunity
die Gesellschaft, -, -en	society, company
das Laub, -(e)s	foliage
bereuen	to regret
lebhaft	lively, animated
die Einbildung, -	imagination
erleben	to experience
das Geheimnis, -ses, -se	secret
erfahren, (erfährt), erfuhr, erfahren	to find out

QUESTIONS

1. Beschreiben Sie Dr. Wehwald!
2. Warum wählte Dr. Wehwald den Autor, um ihm seine Geschichte zu erzählen?
3. Wie lernte Dr. Wehwald Redegonda kennen?
4. Was erlebte Dr. Wehwald mit Redegonda in seiner Phantasie bis zu jenem Tag, als das Regiment, dem ihr Gatte angehörte, versetzt werden sollte?

Schnitzler: *Das Tagebuch der Redegonda*

Assignment II, pp. 77–81

VOCABULARY BUILDING

die Verzweiflung, -	despair
der Entschluß, -sses, ̈sse	resolution
erwarten	to expect
die Ungeduld, -	impatience
das Abenteuer, -s, -	adventure
die Wirklichkeit, -, -en	reality
bedeuten	to signify, mean
einladen, (ladet ein), lud ein, eingeladen	to invite
erraten, (errät), erriet, erraten	to guess
der Diwan, -s, -e	sofa
der Spaziergang, -(e)s, ̈e	walk, stroll
das Tagebuch, -(e)s, ̈er	diary

die Rache, -	revenge
die Absicht, -, -en	intention
die Verantwortung, -	responsibility
verantwortlich	responsible
der Erfolg, -(e)s, -e	success
die Kugel, -, -n	bullet
die Stimmung, -, -en	mood
voraussehen, (sieht voraus),	
sah voraus, vorausgesehen	to anticipate

QUESTIONS

1. Wie bereitete sich Dr. Wehwald auf den letzten Abend vor?
2. Was erwartete Dr. Wehwald, als die Klingel tönte?
3. Was berichtete der Rittmeister?
4. Was stand in dem Tagebuch der Redegonda?
5. Wie starb Dr. Wehwald?

Ernst: *Der Hecht*

VOCABULARY BUILDING

verhaften	to arrest
der Angeklagte, -n, -n	accused, defendant
der Zeuge, -n, -n	witness
der Richter, -s, -	judge
das Urteil, -s, -e	judgment, opinion
verurteilen	to condemn
oberflächlich	superficial
das Gefängnis, -ses, -se	jail
das Dienstmädchen, -s, -	maid
der Hecht, -(e)s, -e	pike
gleichmäßig	even
der Schrank, -(e)s, ⸚e	cupboard
der Kaufmann, -(e)s plural	
(usually): **Kaufleute**	merchant, businessman
der Becher, -s, -	cup, beaker
die Schürze, -, -n	apron
frech	impertinent
das Opfer, -s, -	victim
zubereiten, bereitete zu,	
zubereitet	to prepare
allgemein	general

QUESTIONS

1. Wie verhält sich Pietrino als Zeuge?
2. Wie bringt er sich in den Besitz des Bechers?
3. Wie gelingt es Lange Rübe, auch noch den Hecht und die Schüssel zu stehlen?

Hofmannsthal: *Bassompierre*

Assignment I, pp. 87–92

VOCABULARY BUILDING

das Erlebnis, -ses, -se	experience, adventure
regelmäßig	regular
der Handwerker, -s, -	craftsman
das Schild, -(e)s, -er	sign
die Botschaft, -, -en	message
gewissenhaft	conscientious
die Matratze, -, -n	mattress
die Decke, -, -n	blanket
das Leintuch, -(e)s, ‸er	sheet
heizen	to heat
der Ausdruck, -(e)s, ‸e	expression
die Laune, -,-n	mood
reizend	charming
verwechseln	to confuse
wach	awake
die Wange, -, -n	cheek
das Glied, -(e)s, -er	limb
die Frucht, -, ‸e	fruit
die Welle, -, -n	wave

QUESTIONS

1. Wie kam es, daß der Marschall von Bassompierre die Krämerin kennen-lernte?
2. Wohin wollte der Diener die Frau führen, und warum war er besorgt?
3. Beschreiben Sie die junge Frau!

Hofmannsthal: *Bassompierre*

Assignment II, pp. 92–95

VOCABULARY BUILDING

gleichen, glich, geglichen	to be like, resemble
feucht	moist
die Erinnerung, -, -en	memory, remembrance
die Kehle, -, -n	throat
zucken	to twitch
der Karren, -s, -	cart
das Rad, -(e)s, ‸er	wheel
die Schwierigkeit, -, -en	difficulty
freiwillig	voluntary

116

die Bedingung, -, -en	condition
verächtlich	contemptible, contemptuous
hinzusetzen, setzte hinzu, hinzugesetzt	to add
verlangen	to demand, long for
berühren	to touch
das Geschöpf, -(e)s, -e	creature
der Gang, -(e)s, ⸚e	corridor, passageway
empfinden, (empfindet), empfand, empfunden	to feel
die Ungeduld, -	impatience
knurren	to growl
leer	empty

QUESTIONS

1. Wie empfanden die Beiden den Morgen?
2. Welche Pläne machten sie für ihr nächstes Zusammentreffen?
3. Was berichtete der Diener?

Hofmannsthal: *Bassompierre*

Assignment III, pp. 95–98

VOCABULARY BUILDING

der Spalt, -(e)s, -e	crevice
umkehren, kehrte um, ist umgekehrt	to turn back
flüstern	to whisper
überaus	very, extremely
der Faden, -s, ⸚	thread
seltsam	strange, odd
die Ähnlichkeit, -	resemblance
ähnlich	similar
die Eifersucht, -	jealousy
heftig	violent
giftig	poisonous
das Gift, -(e)s, -e	poison
unausgesetzt	continually
der Atem, -s	breath
der Laut, -(e)s, -e	sound
erraten, (errät), erriet, erraten	to guess
das Stockwerk, -(e)s, -e	floor, storey
die Stelle, -, -n	place
horchen	to listen
die Klinke, -, -n	handle
ergreifen, ergriff, ergriffen	to grasp, seize

QUESTIONS

1. Wer war der Mann, den der Marschall durch den Spalt im Laden erblickte, und wie sah er aus?
2. Beschreiben Sie den folgenden Tag des Marschalls!
3. Schreiben Sie eine kurze Zusammenfassung des Endes der Geschichte!

Tucholsky: *Der Mann, der zu spät kam*

VOCABULARY BUILDING

um Verzeihung bitten	to apologize
der Bote, -n, -n	messenger
bunt	colorful
der Schreibtisch, -(e)s, -e	desk
der Flügel, -s, -	wing
der Aschenbecher, -s, -	ashtray
sauber	clean
das Verbrechen, -s, -	crime
der Teich, -(e)s, -e	pond
die Birne, -, -en	pear
die Konkurrenz, -	competition
der Erbe, -n, -n	heir
sparen	to save (*e.g., money*)
der Redakteur, -s, -e	editor
die Zeitschrift, -, -en	periodical
vorbei	past, over
der Fußboden, -s, ··n	floor
der Besucher, -s, -	visitor
der Schatten, -s, -	shadow

QUESTIONS

1. Warum wollte der Redakteur die Eier nicht mehr annehmen?
2. Führen Sie einige Beispiel an, aus denen hervorgeht (*give some examples which indicate*), daß der geflügelte Bote immer zu spät kommt!
3. Wer ist der geflügelte Bote, und was ist die Moral von der Geschichte?

Borchert: *Nachts schlafen die Ratten doch*

VOCABULARY BUILDING

der Schornstein, -(e)s, -e	smoke stack, chimney
gähnen	to yawn
der Schutt, -(e)s	rubble
der Korb, -(e)s, ··e	basket
aufpassen, paßte auf, aufgepaßt	to watch
nicken	to nod
der Stock, -(e)s, ··e	stick, cane
unsicher	uncertain
die Schachtel, -, -n	box

das Kaninchen, -s, -	rabbit
die Pfeife, -, -n	pipe
der Keller, -s, -	cellar
füttern	to feed
lauter	nothing but
die Kiste, -, -n	crate
das Brett, -(e)s, -er	board
aufgeregt	excited

QUESTIONS

1. Warum wachte Jürgen auf dem Schutt?
2. Wie gelang es dem alten Mann, Jürgen auf andere Gedanken zu bringen?
3. Was halten Sie für die Grundstimmung (*basic mood*) dieser Geschichte?
   Ist der Autor pessimistisch? Ist er optimistisch?

Lettau: *Herr Strich schreitet zum Äußersten*

VOCABULARY BUILDING

berichten	to report
der Dienst, -es, -e	service
der Gelehrte, -n, -n	scholar
der Anlaß, -sses, -̈sse	occasion
die Aufmerksamkeit, -	attention
die Lücke, -, -n	gap
die Handschrift, -, -en	manuscript, handwriting
die Leistung, -, -en	achievement
das Vorwort, -(e)s, -e	preface
unternehmen, (unternimmt),	
unternahm, unternommen	to undertake
verkennen, verkannte, verkannt	to misunderstand
der Rundfunk, -s	radio
enttäuschen	to disappoint
der Kreis, -es, -e	circle
besetzen	to occupy
die Bemerkung, -, -en	observation
der Eingang, -(e)s, -̈e	entrance
der Aufsatz, -es, -̈e	essay, article
der Hebel, -s, -	lever

QUESTIONS

1. Auf welche Weise wollte Strich dem Dichter C. Gerechtigkeit widerfahren lassen?
2. Wie besetzten Strich und seine Studenten das Funkhaus?
3. Warum bezeichnet der Autor Strichs Revolution als tragisch?

Part III *Tonio Kröger*

Thomas Mann (*Wide World Photos*).

Thomas Mann
(1875–1955)

Thomas Mann's world is suspended between thesis and antithesis, between mind and nature, consciousness and life, refinement of civilization and loss of vital stamina. In his twenties, the author established his fame with a novel describing the increasing spiritualization and progressive decay of a family (Buddenbrooks, 1901). In his forties he conceived of Western civilization and Western decadence in the image of a sanatorium and of a protagonist inspired to self-realization through the stimulant of disease (Der Zauberberg, 1924). In his sixties he completed his journey into the mythical regions of the Bible, to treat with sympathetic irony of man's hope to achieve, after all, the synthesis between his vital and his spiritual endowments (Joseph und seine Brüder, 1943). However, shortly thereafter, he seemed to revert once more to his earlier—pessimistic—emphasis. Doktor Faustus (1947), the fictitious biography of a diseased musician, is symbolic of Germany's pact with the devil consummated in the destructive and self-destructive era of Hitler's rule. It reveals, at the same time, Mann's perennial concern with the—inevitable?—conjunction between creative mind and pathological affliction.

To be sure, the artist, as Mann sees him, is committed to both Life and Spirit. The following novella which, together with Der Tod in Venedig (1913), ranks among Mann's most characteristic and perfect works, is as close to autobiography as fiction can afford to be. Tonio Kröger (1903) is the story of a writer whose highly developed consciousness and articulate sensibility alienate him from the unproblematic health and unenlightened normalcy of the "blond and blue-eyed." And yet his love of life, that yearning for the "bliss of the commonplace" which transforms mere artistry into true art (see p. 187), will also alienate him from the shiftless and rootless "gypsies in the green wagon," from the escapists into a vacuum of mere intellect and sterile literary sophistication. Tonio's social position between the respectable bourgeoisie and the no-man's-land of Bohemia is thus symbolic of a larger predicament.

The attentive reader of this work will note Mann's deliberate use of recurrent phrases and situations. As some of these "leitmotifs" blend and merge into larger units, they enter into relations of contrast with other motifs and clusters. Hans Hansen, Ingeborg Holm, those who can dance, in short, "the blond and blue-eyed," are as one, and so are, in turn, the outsiders who cannot perform the dance of life without stumbling. Every motif, every trait, every incident in the story serves thus to reinforce the basic conception of conflict *between Spirit and Life and of the artist's unfulfilled yearning to unite them. And the entire work develops in the manner of a musical composition which utilizes, shifts and varies a given thematic material in a sequence of distinct movements.*

Similarly, Mann's irony which animates his precise observations and the painstaking artistry of his prose, stems from the same sense of being placed between the opposites. Even as a stylist, Mann is constantly weaving back and forth between his polarities, between realism and symbolism, between commitment and detachment, between love and contempt for both Spirit and Life. For with Mann every statement is balanced by a counterstatement, every yes must be qualified by a no, and only the artist, "the most human of men," can hope to contain the opposites in his ironical creations.

Tonio Kröger

I

[Assignment I]

DIE WINTERSONNE stand nur als armer Schein,[1] milchig und matt hinter Wolkenschichten über der engen Stadt. Naß und zugig war's in den giebeligen[2] Gassen, und manchmal fiel eine Art von weichem Hagel, nicht Eis, nicht Schnee.

Die Schule war aus. Über den gepflasterten[3] Hof und heraus aus der Gatterpforte[4] strömten die Scharen der Befreiten, teilten sich und enteilten nach rechts und links. Große Schüler hielten mit Würde ihr Bücherpäckchen[5] hoch gegen die linke Schulter gedrückt, indem sie mit dem rechten Arm wider den Wind dem Mittagessen entgegen ruderten; kleines Volk setzte sich lustig in Trab,[6] daß der Eisbrei[7] umherspritzte und die Siebensachen der Wissenschaft[8] in den Seehundsränzeln[9] klapperten. Aber hie und da riss alles[10] mit frommen Augen die Mützen herunter vor dem Wotanshut und dem Jupiterbart[11] eines gemessen hinschreitenden Oberlehrers ...[12]

5

10

[1] **als armer Schein** as a feeble light
[2] **giebelig** gabled, lined with gabled houses
[3] **gepflastert** paved, cobbled
[4] **die Gatterpforte** wrought-iron gate
[5] **das Bücherpäckchen** a stack of books held together by a strap
[6] **sich in Trab setzen** trot off
[7] **der Eisbrei** slush
[8] **die Siebensachen der Wissenschaft** paraphernalia of learning

[9] **in den Seehundsränzeln** in their seal-skin satchels
[10] **alles** *here:* everyone
[11] **Wotanshut ... Jupiterbart** *a broad-rimmed hat and a flowing beard are here associated with Wotan (Odin) and Jupiter as symbols of authority*
[12] **eines ... Oberlehrers** of a master walking along with measured stride

124

„Kommst du endlich, Hans?" sagte Tonio Kröger, der lange auf 15
dem Fahrdamm[13] gewartet hatte; lächelnd trat er dem Freunde entgegen, der im Gespräch mit anderen Kameraden aus der Pforte[14]
kam und schon im Begriffe war,[15] mit ihnen davon zu gehen...
„Wieso?" fragte er und sah Tonio an..."Ja, das ist wahr! Nun
gehen wir[16] noch ein bißchen." 20
Tonio verstummte, und seine Augen trübten sich. Hatte Hans es
vergessen, fiel es ihm erst jetzt wieder ein, daß sie heute mittag ein
wenig zusammen spazieren gehen wollten? Und er selbst hatte sich
seit der Verabredung beinahe unausgesetzt darauf gefreut!
„Ja, adieu, ihr!" sagte Hans Hansen zu den Kameraden. „Dann gehe 25
ich noch ein bißchen mit Kröger."[17] — Und die beiden wandten sich
nach links, indes die anderen nach rechts schlenderten.
Hans und Tonio hatten Zeit, nach der Schule spazieren zu gehen,
weil sie beide Häusern angehörten, in denen erst um vier Uhr zu
Mittag gegessen wurde.[18] Ihre Väter waren große Kaufleute, die 30
öffentliche Ämter bekleideten[19] und mächtig waren in der Stadt. Den
Hansens gehörten schon seit manchem Menschenalter die weitläu-
figsten Holzlagerplätze drunten am Fluß, wo gewaltige Sägemaschinen
unter Fauchen und Zischen die Stämme zerlegten.[20] Aber Tonio war
Konsul[21] Krögers Sohn, dessen Getreidesäcke mit dem breiten 35
schwarzen Firmendruck[22] man Tag für Tag durch die Straßen kutschieren[23] sah; und seiner Vorfahren großes altes Haus war das herr-
schaftlichste[24] der ganzen Stadt... Beständig mußten die Freunde, der
vielen Bekannten wegen, die Mützen herunternehmen, ja, von manchen
Leuten wurden die Vierzehnjährigen zuerst gegrüßt...[25] 40
Beide hatten die Schulmappen über die Schultern gehängt, und
beide waren sie gut und warm gekleidet; Hans in eine kurze Seemanns-
Überjacke,[26] über welcher auf Schultern und Rücken der breite, blaue
Kragen seines Marineanzuges[27] lag, und Tonio in einen grauen Gurt-
paletot.[28] Hans trug eine dänische Matrosenmütze mit schwarzen 45
Bändern, unter der ein Schopf[29] seines bastblonden[30] Haares

---

[13] **auf dem Fahrdamm** in the street
[14] **die Pforte** entrance
[15] **im Begriffe sein** be about to
[16] **gehen wir** let us go
[17] **mit Kröger** *Note: The use of the last name is common in German schools.*
[18] **in denen ... wurde** *Note: In Europe the main meal of the day is usually served around noon.*
[19] **bekleiden** *here:* occupy
[20] **unter ... zerlegten** hissed and spat as they cut up timber
[21] **der Konsul** *Note: The Krögers held a hereditary position of honor in the government of the Free City of Lübeck.*

[22] **mit ... Firmendruck** with the name of the firm in big black letters
[23] **kutschieren** *here:* driven through the streets in horse carts
[24] **herrschaftlich** manorial, magnificent
[25] **von ... gegrüßt** *Note: In Germany children are expected to show their respect by greeting the adults first.*
[26] **die Seemanns-Überjacke** sailor's overcoat
[27] **der Marineanzug** sailor suit
[28] **der Gurtpaletot** belted topcoat
[29] **der Schopf** shock (*of hair*)
[30] **bastblond** straw colored

hervorquoll. Er war außerordentlich hübsch und wohlgestaltet, breit in den Schultern und schmal in den Hüften, mit freiliegenden[31] und scharf blickenden stahlblauen Augen. Aber unter Tonios runder Pelzmütze blickten aus einem brünetten und ganz südlich scharf   50 geschnittenen Gesicht[32] dunkle und zart umschattete Augen mit zu schweren Lidern träumerisch und ein wenig zaghaft hervor ... Mund und Kinn waren ihm ungewöhnlich weich gebildet. Er ging nachlässig und ungleichmäßig, während Hansens schlanke Beine in den schwarzen Strümpfen so elastisch und taktfest[33] einherschritten ...   55

Tonio sprach nicht. Er empfand Schmerz. Indem er seine etwas schräg stehenden Brauen[34] zusammenzog und die Lippen zum Pfeifen gerundet hielt, blickte er seitwärts geneigten Kopfes ins Weite. Diese Haltung und Miene war ihm eigentümlich.[35]

Plötzlich schob Hans seinen Arm unter den Tonios und sah ihn   60 dabei von der Seite an, denn er begriff sehr wohl, um was es sich handelte.[36] Und obgleich Tonio auch bei den nächsten Schritten noch schwieg, so ward er doch auf einmal sehr weich gestimmt.[37]

„Ich hatte es nämlich nicht vergessen, Tonio," sagte Hans und blickte vor sich nieder auf das Trottoir,[38] „sondern ich dachte nur, daß heute   65 doch wohl nichts daraus werden könnte, weil es ja so naß und windig ist. Aber mir macht das gar nichts, und ich finde es famos,[39] daß du trotzdem auf mich gewartet hast. Ich glaubte schon, du seist nach Hause gegangen, und ärgerte mich ..."

Alles in Tonio geriet in eine hüpfende und jubelnde Bewegung bei   70 diesen Worten.[40]

„Ja, wir gehen nun also über[41] die Wälle!"[42] sagte er mit bewegter Stimme.[43] „Über den Mühlenwall und den Holstenwall, und so bringe ich dich nach Hause, Hans ... Bewahre,[44] das schadet gar nichts, daß ich dann meinen Heimweg allein mache; das nächste Mal   75 begleitest du mich."

Im Grunde glaubte er nicht sehr fest an das, was Hans gesagt hatte, und fühlte genau, daß jener nur halb so viel Gewicht auf diesen Spaziergang zu zweien legte[45] wie er. Aber er sah doch, daß Hans

---

[31] **freiliegend** wide set

[32] **aus ... Gesicht** from a brunette face with finely chiselled southern features

[33] **taktfest** rhythmically

[34] **seine ... Brauen** his somewhat slanted brows

[35] **ihm eigentümlich** peculiar to him

[36] **um ... handelte** what the trouble was

[37] **so ... gestimmt** *meaning:* his heart was suddenly softened

[38] **das Trottoir** sidewalk

[39] **ich finde es famos** I think it is great

[40] **Alles ... Worten.** At these words everything in Tonio leaped and jumped for joy.

[41] **über** *here:* by way of

[42] **die Wälle, Mühlenwall, Holstenwall** *Note: The site of the old city-walls was converted into promenades.*

[43] **mit bewegter Stimme** with a quaver in his voice

[44] **Bewahre** Goodness no

[45] **daß ... legte** that their walk together mattered only half as much to the latter

seine Vergeßlichkeit bereute und es sich angelegen sein ließ,[46] ihn zu 80
versöhnen. Und er war weit von der Absicht entfernt, die Versöhnung
hintanzuhalten . . .[47]

Die Sache war die, daß Tonio Hans Hansen liebte und schon vieles
um ihn [48] gelitten hatte. Wer am meisten liebt, ist der Unterlegene [49]
und muß leiden, — diese schlichte und harte Lehre hatte seine vierzehn- 85
jährige Seele bereits vom Leben entgegengenommen; und er war so
geartet, daß er solche Erfahrungen wohl vermerkte,[50] sie gleichsam
innerlich aufschrieb und gewissermaßen seine Freude daran hatte,[51]
ohne sich freilich für seine Person danach zu richten [52] und praktischen
Nutzen daraus zu ziehen.[53] Auch war es so mit ihm bestellt,[54] daß er 90
solche Lehren weit wichtiger und interessanter achtete, als die Kenntnisse, die man ihm in der Schule aufnötigte, ja, daß er sich während der
Unterrichtsstunden in den gotischen Klassengewölben [55] meistens
damit abgab, solche Einsichten bis auf den Grund zu empfinden und
völlig auszudenken. Und diese Beschäftigung bereitete ihm eine ganz 95
ähnliche Genugtuung, wie wenn er mit seiner Geige (denn er spielte die
Geige) in seinem Zimmer umherging und die Töne, so weich, wie er
sie nur hervorzubringen vermochte, in das Plätschern des Springstrahles
hinein erklingen ließ,[56] der drunten im Garten unter den Zweigen des
alten Walnußbaumes tänzelnd emporstieg . . .   100

Der Springbrunnen, der alte Walnußbaum, seine Geige und in der
Ferne das Meer, die Ostsee, deren sommerliche Träume er in den
Ferien belauschen [57] durfte, diese Dinge waren es, die er liebte, mit
denen er sich gleichsam umstellte [58] und zwischen denen sich sein
inneres Leben abspielte, Dinge, deren Namen mit guter Wirkung in 105
Versen zu verwenden sind und auch wirklich in den Versen, die Tonio
Kröger zuweilen verfertigte, immer wieder erklangen.[59]

Dieses, daß er ein Heft mit selbstgeschriebenen Versen besaß, war
durch sein eigenes Verschulden bekannt geworden und schadete ihm
sehr, bei seinen Mitschülern sowohl wie bei den Lehrern. Dem Sohne 110
Konsul Krögers schien es einerseits, als sei es dumm und gemein, daran
Anstoß zu nehmen,[60] und er verachtete dafür sowohl die Mitschüler
wie die Lehrer, deren schlechte Manieren ihn obendrein abstießen und

---

[46] **es sich angelegen sein lassen** take pains
[47] **hintanhalten** discourage
[48] **um ihn** *here:* because of him
[49] **der Unterlegene** the vanquished, the victim
[50] **er war ... vermerkte** his nature was such that he took note of such experiences
[51] **und ... hatte** and enjoyed them in a sense
[52] **ohne ... richten** without acting in accordance with them

[53] **Nutzen ziehen** derive benefit
[54] **Auch ... bestellt** Also, his disposi-tion was such
[55] **das Klassengewölbe** vaulted class-rooms
[56] **(und die Töne) in das Plätschern ... ließ** and let the sounds mingle with the splashing of the fountain
[57] **belauschen** overhear
[58] **sich umstellen** surround oneself
[59] **erklingen** resound
[60] **Anstoß nehmen** take offense

deren persönliche Schwächen er seltsam eindringlich[61] durchschaute. Andererseits aber empfand er selbst es als ausschweifend[62] und eigentlich ungehörig,[63] Verse zu machen, und mußte all denen gewissermaßen recht geben,[64] die es für eine befremdende Beschäftigung hielten. Allein das vermochte ihn nicht,[65] davon abzulassen ...

Da er daheim seine Zeit vertat, beim Unterricht langsamen und abgewandten Geistes[66] war und bei den Lehrern schlecht angeschrieben stand,[67] so brachte er beständig die erbärmlichsten Zensuren[68] nach Hause, worüber sein Vater, ein langer, sorgfältig gekleideter Herr mit sinnenden[69] blauen Augen, der immer eine Feldblume im Knopfloch trug, sich sehr erzürnt und bekümmert zeigte. Der Mutter Tonios jedoch, seiner schönen, schwarzhaarigen Mutter, die Consuelo mit Vornamen hiess und überhaupt so anders war als die übrigen Damen der Stadt, weil der Vater sie sich einstmals von ganz unten auf der Landkarte[70] heraufgeholt hatte, — seiner Mutter waren die Zeugnisse grundeinerlei ...[71]

[Assignment II]

Tonio liebte seine dunkle und feurige Mutter, die so wunderbar den Flügel[72] und die Mandoline spielte, und er war froh, daß sie sich ob seiner zweifelhaften Stellung unter den Menschen nicht grämte.[73] Andererseits aber empfand er, daß der Zorn des Vaters weit würdiger und respektabler sei, und war, obgleich er von ihm gescholten wurde, im Grunde ganz einverstanden mit ihm, während er die heitere Gleichgültigkeit der Mutter ein wenig liederlich fand. Manchmal dachte er ungefähr: Es ist gerade genug, daß ich bin, wie ich bin, und mich nicht ändern will und kann, fahrlässig, widerspenstig und auf Dinge bedacht,[74] an die sonst niemand denkt. Wenigstens gehört es sich,[75] daß man mich ernstlich schilt und straft dafür, und nicht mit Küssen und Musik darüber hinweggeht. Wir sind doch keine Zigeuner im grünen Wagen, sondern anständige Leute, Konsul Krögers, die Familie der Kröger ... Nicht selten dachte er auch: Warum bin ich doch sonderlich und in Widerstreit mit allem, zerfallen mit[76] den Lehrern

115

120

125

130

135

140

[61] **seltsam eindringlich** with extraordinary penetration
[62] **ausschweifend** eccentric, extravagant
[63] **ungehörig** out of place
[64] **(er) mußte ... geben** he had to agree to a certain extent with those
[65] **Allein das vermochte ihn nicht** However, this did not induce him
[66] **langsamen und abgewandten Geistes** slow and withdrawn in spirit
[67] **schlecht angeschrieben stehen** have a bad reputation
[68] **die Zensuren** grades

[69] **sinnend** pensive
[70] **von ... Landkarte** *lit.:* from way below on the map *meaning:* from the South, *here:* South America
[71] **grundeinerlei** a matter of complete indifference
[72] **der Flügel** here: Grand piano
[73] **sich grämen ob** grieve about
[74] **auf Dinge bedacht** concerned with things
[75] **es gehört sich** it is proper
[76] **zerfallen mit** in conflict with

und fremd unter den anderen Jungen? Siehe sie an, die guten Schüler 145
und die von solider Mittelmäßigkeit. Sie finden die Lehrer nicht
komisch, sie machen keine Verse und denken nur Dinge, die man eben
denkt und die man laut aussprechen kann. Wie ordentlich und einverstanden mit allem und jedermann sie sich fühlen müssen! Das
muß gut sein . . . Was aber ist mit mir,[77] und wie wird dies alles 150
ablaufen?[78]

Diese Art und Weise,[79] sich selbst und sein Verhältnis zum Leben
zu betrachten, spielte eine wichtige Rolle in Tonios Liebe zu Hans
Hansen. Er liebte ihn zunächst, weil er schön war; dann aber weil er in
allen Stücken[80] als sein eigenes Widerspiel[81] und Gegenteil erschien. 155
Hans Hansen war ein vortrefflicher Schüler und außerdem ein frischer
Gesell,[82] der ritt, turnte, schwamm wie ein Held und sich der allgemeinen Beliebtheit erfreute. Die Lehrer waren ihm beinahe mit
Zärtlichkeit zugetan, nannten ihn mit Vornamen und förderten ihn auf
alle Weise, die Kameraden waren auf seine Gunst bedacht,[83] und auf 160
der Straße hielten ihn Herren und Damen an, faßten ihn an dem Schopfe
bastblonden Haares, der unter seiner dänischen Schiffermütze hervorquoll und sagten: „Guten Tag, Hans Hansen, mit deinem netten
Schopf! Bist du noch Primus?[84] Grüß' Papa und Mama, mein
prächtiger Junge . . ."   165

So war Hans Hansen, und seit Tonio Kröger ihn kannte, empfand er
Sehnsucht, sobald er ihn erblickte, eine neidische Sehnsucht, die
oberhalb der Brust saß und brannte. Wer so blaue Augen hätte,[85]
dachte er, und so in Ordnung und glücklicher Gemeinschaft mit aller
Welt lebte, wie du! Stets bist du auf eine wohlanständige und all- 170
gemein respektierte Weise beschäftigt. Wenn du die Schulaufgaben
erledigt hast, so nimmst du Reitstunden oder arbeitest mit der Laubsäge,[86] und selbst in den Ferien, an der See, bist du vom Rudern,
Segeln und Schwimmen in Anspruch genommen,[87] indes ich müßiggängerisch und verloren im Sande liege und auf die geheimnisvoll 175
wechselnden Mienenspiele[88] starre, die über des Meeres Antlitz
huschen. Aber darum sind deine Augen so klar. Zu sein wie du . . .

Er machte nicht den Versuch, zu werden wie Hans Hansen, und
vielleicht war es ihm nicht einmal sehr ernst mit diesem Wunsche.
Aber er begehrte schmerzlich, so, wie er war, von ihm geliebt zu 180
werden, und er warb um seine Liebe auf seine Art, eine langsame und
innige, hingebungsvolle, leidende und wehmütige Art, aber von einer

---

[77] **Was aber ist mit mir** What is the
matter with me
[78] **ablaufen** *here:* turn out
[79] **Art und Weise** way, manner
[80] **in allen Stücken** in all respects
[81] **das Widerspiel** counterpart
[82] **ein frischer Gesell** a regular guy
[83] **auf seine Gunst bedacht** eager to

obtain his favor
[84] **der Primus** *here:* first in your class
[85] **Wer . . . hätte** If only I had such
blue eyes
[86] **die Laubsäge** fret-saw
[87] **in Anspruch genommen (von)** occupied (with)
[88] **die Mienenspiele** expressions

Wehmut, die tiefer und zehrender brennen kann als alle jähe Leiden-schaftlichkeit, die man von seinem fremden Äußern[89] hätte erwarten können. 185

Und er warb nicht ganz vergebens, denn Hans, der übrigens eine gewisse Überlegenheit an ihm achtete, eine Gewandtheit des Mundes,[90] die Tonio befähigte, schwierige Dinge auszusprechen, begriff ganz wohl, daß hier eine ungewöhnlich starke und zarte Empfindung für ihn lebendig sei, erwies sich dankbar und bereitete 190 ihm manches Glück durch sein Entgegenkommen[91] — aber auch manche Pein der Eifersucht, der Enttäuschung und der vergeblichen Mühe, eine geistige Gemeinschaft[92] herzustellen. Denn es war das Merkwürdige, daß Tonio, der Hans Hansen doch um seine Daseins-art[93] beneidete, beständig trachtete, ihn zu seiner eigenen herüber- 195 zuziehen,[94] was höchstens auf Augenblicke und auch dann nur schein-bar gelingen konnte . . .

„Ich habe jetzt etwas Wundervolles gelesen, etwas Prachtvolles . . .'' sagte er. Sie gingen und aßen gemeinsam[95] aus einer Tüte Frucht-bonbons, die sie beim Krämer Iwersen in der Mühlenstrasse für zehn 200 Pfennige erstanden[96] hatten. „Du mußt es lesen, Hans, es ist nämlich Don Carlos von Schiller[97] . . . Ich leihe es dir, wenn du willst . . .''

„Ach nein'', sagte Hans Hansen, „das laß nur, Tonio, das paßt nicht für mich. Ich bleibe bei meinen Pferdebüchern, weißt du. Famose Abbildungen sind darin, sage ich dir. Wenn du mal bei mir bist, zeige 205 ich sie dir. Es sind Augenblicksphotographien,[98] und man sieht die Gäule im Trab und im Galopp und im Sprunge, in allen Stellungen, die man in Wirklichkeit gar nicht zu sehen bekommt, weil es zu schnell geht . . .''

„In allen Stellungen?'' fragte Tonio höflich. „Ja, das ist fein. Was 210 aber Don Carlos betrifft, so geht das über alle Begriffe.[99] Es sind Stellen darin, du sollst sehen, die so schön sind, daß es einem einen Ruck gibt,[1] daß es gleichsam knallt[2] . . .''

„Knallt es?'' fragte Hans Hansen . . . „Wieso?''

„Da ist zum Beispiel die Stelle, wo der König geweint hat, weil er 215

---

[89] **von seinem fremden Äußern** lit.: of his foreign looking exterior
[90] **eine Gewandtheit des Mundes** a dexterity of expression
[91] **(Hans) bereitete . . . Entgegenkom-men** Hans gave him a good deal of happiness by his responsiveness
[92] **geistige Gemeinschaft** community of mind
[93] **die Daseinsart** way of life
[94] **herüberziehen** *here:* win him over
[95] **gemeinsam** jointly
[96] **erstanden** bought
[97] Note: *Schiller's* Don Carlos (*1787*) *is a* tragedy set in the sixteenth century and concerned with events leading eventually to the defection of the Netherlands from the rule of Spain. Tonio identifies with the lonely Spanish king, Philipp II, who feels misunderstood by his courtiers and betrayed by those whom he loves.
[98] **die Augenblicksphotographien** snapshots
[99] **so . . . Begriffe** that is beyond any-thing you could dream of
[1] **daß . . . gibt** that it gives you a start
[2] **daß . . . knallt** as though it were an explosion

von dem Marquis betrogen ist ... aber der Marquis hat ihn nur dem Prinzen zuliebe[3] betrogen, verstehst du, für den er sich opfert. Und nun kommt aus dem Kabinett[4] in das Vorzimmer die Nachricht, daß der König geweint hat. ‚Geweint?‘ ‚Der König geweint?‘ Alle Hofmänner sind fürchterlich betreten, und es geht einem durch und durch,[5] denn es ist ein schrecklich starrer und strenger König. Aber man begreift es so gut, daß er geweint hat, und mir tut er eigentlich mehr leid, als der Prinz und der Marquis zusammengenommen. Er ist immer so ganz allein und ohne Liebe, und nun glaubt er einen Menschen gefunden zu haben, und der verrät ihn ...“ 225

Hans Hansen sah von der Seite in Tonios Gesicht, und irgend etwas in diesem Gesicht mußte ihn wohl dem Gegenstande gewinnen,[6] denn er schob plötzlich wieder seinen Arm unter den Tonios und fragte:

„Auf welche Weise verrät er ihn denn, Tonio?“ 230

Tonio geriet in Bewegung.[7]

„Ja, die Sache ist“, fing er an, „daß alle Briefe nach Brabant und Flandern[8] ...“

„Da kommt Erwin Jimmerthal“, sagte Hans.

Tonio verstummte. Möchte ihn doch, dachte er, die Erde ver-235 schlingen, diesen Jimmerthal! Warum muß er kommen und uns stören! Wenn er nur nicht mit uns geht und den ganzen Weg von der Reitstunde spricht ... Denn Erwin Jimmerthal hatte ebenfalls Reitstunde. Er war der Sohn des Bankdirektors und wohnte hier draußen vorm Tore.[9] Mit seinen krummen Beinen und Schlitzaugen[10] 240 kam er ihnen, schon ohne Schulmappe, durch die Allee entgegen.

„Tag,[11] Jimmerthal“, sagte Hans. „Ich gehe ein bißchen mit Kröger ...“

„Ich muß zur Stadt“, sagte Jimmerthal, „und etwas besorgen. Aber ich gehe noch ein Stück mit euch ... Das sind wohl Fruchtbonbons, 245 die ihr da habt? Ja, danke, ein paar esse ich. Morgen haben wir wieder Stunde, Hans.“ — Es war die Reitstunde gemeint.

„Famos!“ sagte Hans. „Ich bekomme jetzt die ledernen Gama-schen,[12] du, weil ich neulich[13] die Eins[14] im Exerzitium[15] hatte ...“

---

[3] **zuliebe** on account of
[4] **das Kabinett** private chamber
[5] **es ... durch** it goes right through you
[6] **(etwas) mußte ... gewinnen** something must have won him over to this subject
[7] **in Bewegung geraten** become animated
[8] *Note:* „**Da ßalle Briefe nach Brabant und Flandern**
Dem König ausgeliefert werden“
(Don Carlos, Act V, Scene 3)

This passage pertains again to the supposed betrayal of the king by the one person in whom he had put his trust.
[9] **vorm Tore** beyond the city gate
[10] **die Schlitzaugen** slanted eyes
[11] **Tag** *short for:* **Guten Tag**
[12] **(die) Gamasche** legging
[13] **neulich** recently
[14] **die Eins** *Note: In German schools number 1 corresponds to A, 2 to B, 3 to C, 4 to D, 5 to F.*
[15] **das Exerzitium** exercises

„Du hast wohl keine Reitstunde, Kröger?" fragte Jimmerthal, und 250
seine Augen waren nur ein Paar blanker Ritzen[16] . . ."

„Nein . . ." antwortete Tonio mit ganz ungewisser Betonung.

„Du solltest", bemerkte Hans Hansen, „deinen Vater bitten, daß du
auch Stunde bekommst, Kröger."

„Ja . . ." sagte Tonio zugleich hastig und gleichgültig. Einen Augen- 255
blick schnürte sich ihm die Kehle zusammen,[17] weil Hans ihn mit
Nachnamen angeredet hatte; und Hans schien dies zu fühlen, denn er
sagte erläuternd:

„Ich nenne dich Kröger, weil dein Vorname so verrückt ist, du,
entschuldige, aber ich mag ihn nicht leiden. Tonio . . . Das ist doch 260
überhaupt kein Name. Übrigens kannst du ja nichts dafür,[18] bewahre!"

„Nein, du heißt wohl hauptsächlich so, weil es so ausländisch klingt
und etwas Besonderes ist . . ." sagte Jimmerthal und tat, als ob er zum
Guten reden wollte.[19]

Tonios Mund zuckte. Er nahm sich zusammen[20] und sagte: 265
„Ja, es ist ein alberner Name, ich möchte, weiß Gott, lieber Heinrich
oder Wilhelm heißen, das könnt ihr mir glauben. Aber es kommt
daher, daß ein Bruder meiner Mutter, nach dem ich getauft worden
bin, Antonio heißt; denn meine Mutter ist doch von drüben[21] . . ."

Dann schwieg er und ließ die beiden von Pferden und Lederzeug 270
sprechen. Hans hatte Jimmerthal untergefaßt[22] und redete mit einer
geläufigen Teilnahme,[23] die für Don Carlos niemals in ihm zu erwecken
gewesen wäre . . . Von Zeit zu Zeit fühlte Tonio, wie der Drang zu
weinen ihm prickelnd in die Nase stieg; auch hatte er Mühe, sein Kinn
in der Gewalt[24] zu behalten, das beständig ins Zittern geriet[25] . . . 275

Hans mochte seinen Namen nicht leiden, — was war dabei zu tun?
Er selbst hieß Hans, und Jimmerthal hieß Erwin, gut, das waren
allgemein anerkannte Namen, die niemand befremdeten.[26] Aber
„Tonio" war etwas Ausländisches und Besonderes. Ja, es war in allen
Stücken etwas Besonderes mit ihm, ob er wollte oder nicht, und er 280
war allein und ausgeschlossen von den Ordentlichen und Gewöhnlichen, obgleich er doch kein Zigeuner im grünen Wagen war, sondern
ein Sohn Konsul Krögers, aus der Familie der Kröger . . . Aber warum
nannte Hans ihn Tonio, solange sie allein waren, wenn er, kam ein
dritter hinzu, anfing, sich seiner zu schämen? Zuweilen war er ihm 285
nahe und gewonnen,[27] ja. Auf welche Weise verrät er ihn denn,

---

[16] **blanke Ritzen** shiny slits
[17] **die Kehle schnürte sich ihm zusammen** he felt a lump in his throat
[18] **du kannst nichts dafür** you can't
·help it
[19] **und tat, . . . wollte** *meaning:* as if he
intended to say something nice
[20] **Er nahm sich zusammen** He pulled
himself together

[21] **drüben** the other side
[22] **Hans . . . untergefaßt** Hans had
taken Jimmerthal by the arm
[23] **mit . . . Teilnahme** with voluble interest
[24] **in der Gewalt** under control
[25] **ins Zittern geraten** start to tremble
[26] **befremden** offend
[27] **gewonnen** won over

Tonio? hatte er gefragt und ihn untergefaßt. Aber als dann Jimmerthal gekommen war, hatte er dennoch erleichtert aufgeatmet,[28] hatte ihn verlassen und ihm ohne Not seinen fremden Rufnamen vorgeworfen. Wie weh es tat, dies alles durchschauen zu müssen!... Hans Hansen 290 hatte ihn im Grunde ein wenig gern, wenn sie unter sich waren,[29] er wußte es. Aber kam ein dritter, so schämte er sich dessen und opferte ihn auf. Und er war wieder allein. Er dachte an König Philipp. Der König hatte geweint...

„Gott bewahre", sagte Erwin Jimmerthal, „nun muß ich aber 295 wirklich zur Stadt! Adieu, ihr, und Dank für die Fruchtbonbons!" Darauf sprang er auf eine Bank, die am Wege stand, lief mit seinen krummen Beinen darauf entlang und trabte davon.

„Jimmerthal mag ich leiden!" sagte Hans mit Nachdruck.[30] Er hatte eine verwöhnte und selbstbewußte[31] Art, seine Sympathien und 300 Abneigungen kundzugeben, sie gleichsam gnädigst zu verteilen... Und dann fuhr er fort, von der Reitstunde zu sprechen, weil er einmal im Zuge war.[32] Es war auch nicht mehr so weit bis zum Hansenschen Wohnhause; der Weg über die Wälle nahm nicht so viel Zeit in Anspruch.[33] Sie hielten ihre Mützen fest und beugten die Köpfe vor dem 305 starken, feuchten Wind, der in dem kahlen Geäst der Bäume knarrte und stöhnte. Und Hans Hansen sprach, während Tonio nur dann und wann ein künstliches[34] Ach und Jaja einfliessen ließ,[35] ohne Freude darüber, daß Hans ihn im Eifer der Rede[36] wieder untergefaßt hatte, denn das war nur eine scheinbare Annäherung,[37] ohne Bedeutung.   310

Dann verließen sie die Wallanlagen[38] unfern des Bahnhofes, sahen einen Zug mit plumper Eilfertigkeit[39] vorüberpuffen, zählten zum Zeitvertreib[40] die Wagen und winkten dem Manne zu, der in seinen Pelz vermummt zuhöchst auf dem allerletzten saß. Und am Lindenplatze, vor Großhändler Hansens Villa, blieben sie stehen, und Hans 315 zeigte ausführlich,[41] wie amüsant es sei, sich unten auf die Gartenpforte zu stellen und sich in den Angeln hin und her zu schlenkern, daß es nur so kreischte.[42] Aber hierauf verabschiedete er sich.

„Ja, nun muß ich hinein", sagte er. „Adieu, Tonio. Das nächste Mal begleite ich dich nach Hause, sei sicher."   320

„Adieu, Hans", sagte Tonio, „es war nett, spazieren zu gehen."

[28] **erleichtert aufatmen** breathe easier
[29] **wenn... waren** when they were alone
[30] **mit Nachdruck** emphatically
[31] **selbstbewußt** self-assured
[32] **weil... war** *meaning:* because he had become absorbed by this topic
[33] **in Anspruch nehmen** take up
[34] **einfliessen liess** *meaning:* threw in
[35] **künstlich** forced
[36] **im... Rede** while talking eagerly
[37] **die Annäherung** *rapprochement,* nearness
[38] **die Wallanlagen** embankment gardens
[39] **mit plumper Eilfertigkeit** with clumsy haste
[40] **zum Zeitvertreib** to pass the time
[41] **ausführlich** at length
[42] **sich unten... kreischte** *meaning:* to stand on the bottom rail of the garden gate and let it swing on its creaking hinges

Ihre Hände, die sich drückten, waren ganz naß und rostig von der Gartenpforte. Als aber Hans in Tonios Augen sah, entstand etwas wie reuiges Besinnen [43] in seinem hübschen Gesicht.

„Übrigens werde ich nächstens [44] Don Carlos lesen!" sagte er rasch. 325 „Das mit dem König im Kabinett muß famos sein!" Dann nahm er seine Mappe unter den Arm und lief durch den Vorgarten. [45] Bevor er im Hause verschwand, nickte er noch einmal zurück.

Und Tonio Kröger ging ganz verklärt und beschwingt [46] von dannen. Der Wind trug ihn von hinten, aber es war nicht darum allein, daß er 330 so leicht von der Stelle kam. [47]

Hans würde Don Carlos lesen, und dann würden sie etwas miteinander [48] haben, worüber weder Jimmerthal noch irgend ein anderer mitreden konnte! Wie gut sie einander verstanden! Wer wußte, — vielleicht brachte er ihn noch dazu, ebenfalls Verse zu schreiben? . . . 335 Nein, nein, das wollte er nicht! Hans sollte nicht werden, wie Tonio, sondern bleiben, wie er war, so hell und stark, wie alle ihn liebten und Tonio am meisten! Aber daß er Don Carlos las, würde trotzdem nicht schaden . . . Und Tonio ging durch das alte, untersetzte [49] Tor, ging am Hafen entlang und die steile, zugige und nasse Giebelgasse hinauf 340 zum Haus seiner Eltern. Damals lebte sein Herz; Sehnsucht war darin und schwermütiger Neid und ein klein wenig Verachtung und eine ganze keusche Seligkeit.

II

[Assignment III]

Die blonde Inge, Ingeborg Holm, Doktor Holms Tochter, der am Markte wohnte, dort, wo hoch, spitzig und vielfach [50] der gotische Brunnen stand, sie war's, die Tonio Kröger liebte, als er sechzehn Jahre alt war.

Wie geschah das? Er hatte sie tausendmal gesehen; an einem Abend 5 jedoch sah er sie in einer gewissen Beleuchtung, sah, wie sie im Gespräch mit einer Freundin auf eine gewisse übermütige [51] Art lachend den Kopf zur Seite warf, auf eine gewisse Art ihre Hand, eine gar nicht besonders schmale, gar nicht besonders feine Kleinmädchenhand zum Hinterkopfe führte, wobei der weiße Gazeärmel von ihrem 10 Ellenbogen zurückglitt, hörte, wie sie ein Wort, ein gleichgültiges Wort, auf eine gewisse Art betonte, wobei ein warmes Klingen [52]

---

[43] **etwas wie reuiges Besinnen** something like remorse
[44] **nächstens** pretty soon
[45] **der Vorgarten** front yard
[46] **beschwingt** buoyant
[47] **daß . . . kam** that he walked so easily

[48] **miteinander** in common
[49] **untersetzt** squat, low
[50] **vielfach** *here:* ornate
[51] **übermütig** gay
[52] **ein warmes Klingen** a warm ring

in ihrer Stimme war, und ein Entzücken ergriff sein Herz, weit stärker
als jenes, das er früher zuweilen empfunden hatte, wenn er Hans
Hansen betrachtete, damals, als er noch ein kleiner, dummer Junge 15
war.

An diesem Abend nahm er ihr Bild mit fort, mit dem dicken,
blonden Zopf, den länglich geschnittenen,[53] lachenden, blauen Augen
und dem zart angedeuteten Sattel von Sommersprossen[54] über der
Nase, konnte nicht einschlafen, weil er das Klingen in ihrer Stimme 20
hörte, versuchte leise, die Betonung[55] nachzuahmen, mit der sie das
gleichgültige Wort ausgesprochen hatte und erschauerte dabei.[56]
Die Erfahrung lehrte ihn, daß dies die Liebe sei. Aber obgleich er
genau wußte, daß die Liebe ihm viel Schmerz, Drangsal[57] und
Demütigung bringen müsse, daß sie überdies den Frieden zerstöre und 25
das Herz mit Melodien überfülle, ohne daß man Ruhe[58] fand, eine
Sache rund zu formen und in Gelassenheit etwas Ganzes daraus zu
schmieden,[59] so nahm er sie doch mit Freuden auf, überließ sich ihr[60]
ganz und pflegte[61] sie mit den Kräften seines Gemütes, denn er wußte,
dass sie reich und lebendig mache, und er sehnte sich, reich und le- 30
bendig zu sein, statt in Gelassenheit etwas Ganzes zu schmieden . . .

Dies, daß Tonio Kröger sich an die lustige Inge Holm verlor, ereignete sich in dem ausgeräumten Salon der Konsulin Husteede, die es an
jenem Abend traf,[62] die Tanzstunde zu geben; denn es war ein Privatkursus, an dem nur Angehörige von ersten Familien teilnahmen, und 35
man versammelte sich reihum[63] in den elterlichen Häusern, um sich
Unterricht in Tanz und Anstand[64] erteilen zu lassen. Aber zu diesem
Behufe[65] kam allwöchentlich Ballettmeister Knaak eigens von Hamburg herbei.

François Knaak war sein Name, und was für ein Mann war das! 40
„J'ai l'honneur[66] de me vous représenter", sagte er, „mon nom est
Knaak . . ." Und dies spricht man nicht aus, während man sich ver-
beugt, sondern wenn man wieder aufrecht steht, — gedämpft[67] und
dennoch deutlich. Man ist nicht täglich in der Lage, sich auf französisch
vorstellen zu müssen, aber kann man es in dieser Sprache korrekt und 45

[53] **länglich geschnitten** oblong, long-ish, slanted
[54] **der zart angedeutete Sattel von Sommersprossen** *meaning:* a hint of pale freckles across her nose
[55] **die Betonung** intonation
[56] **und erschauerte dabei** and felt a shiver run through him
[57] **die (das) Drangsal** distress
[58] **die Ruhe** tranquility
[59] **eine Sache . . . schmieden** *meaning:* to give a well-rounded form to a subject and to shape it dispassionately into a whole
[60] **(er) überließ sich ihr** he surrendered himself to it
[61] **pflegen** cherish
[62] **die . . . traf** whose turn it was that evening
[63] **reihum** by turns
[64] **der Anstand** deportment
[65] **zu diesem Behufe** for this purpose
[66] **J'ai . . . représenter** I have the honor of introducing myself to you. *Knaak's faulty French suggests the pseudo-elegance of his manner.*
[67] **gedämpft** softly, in a low voice

tadellos, so wird es einem auf deutsch erst recht nicht fehlen.[68] Wie
wunderbar der seidig schwarze Gehrock[69] sich an seine fetten Hüften
schmiegte![70] In weichen Falten fiel sein Beinkleid[71] auf seine Lack-
schuhe[72] hinab, die mit breiten Atlasschleifen[73] geschmückt waren,
und seine braunen Augen blickten mit einem müden Glück über irhe
eigene Schönheit umher . . .

Jedermann ward erdrückt[74] durch das Übermaß seiner Sicherheit
und Wohlanständigkeit.[75] Er schritt — und niemand schritt wie er,
elastisch, wogend, wiegend,[76] königlich — auf die Herrin des Hauses
zu, verbeugte sich und wartete, daß man ihm die Hand reiche. Erhielt
er sie, so dankte er mit leiser Stimme dafür, trat federnd[77] zurück,
wandte sich auf dem linken Fuße, schnellte den rechten mit niedergedrückter Spitze seitwärts vom Boden ab[78] und schritt mit bebenden[79]
Hüften davon.

Man ging rückwärts und unter Verbeugungen zur Tür hinaus, wenn
man eine Gesellschaft verließ, man schleppte[80] einen Stuhl nicht herbei,
indem man ihn an einem Bein ergriff, oder am Boden entlang schleifte,
sondern man trug ihn leicht an der Lehne[81] herzu und setzte ihn
geräuschlos nieder. Man stand nicht da, indem man die Hände auf dem
Bauch faltete und die Zunge in den Mundwinkel schob; tat man es
dennoch, so hatte Herr Knaak eine Art, es ebenso zu machen, daß man
für den Rest seines Lebens einen Ekel vor dieser Haltung[82] bewahrte . . .

Dies war der Anstand. Was aber den Tanz betraf, so meisterte Herr
Knaak ihn womöglich[83] in noch höherem Grade. In dem ausgeräumten Salon brannten die Gasflammen des Kronleuchters und die Kerzen
auf dem Kamin.[84] Der Boden war mit Talkum bestreut, und in stum-
mem Halbkreise standen die Eleven[85] umher. Aber jenseits der Portieren,[86] in der anstoßenden Stube, saßen auf Plüschstühlen[87] die
Mütter und Tanten und betrachteten durch ihre Lorgnetten[88] Herrn
Knaak, wie er in gebückter Haltung, den Saum seines Gehrockes mit
je zwei Fingern erfaßt hielt und mit federnden[89] Beinen die einzelnen

---

[68] **aber kann . . . fehlen** but if you can
do it correctly and faultlessly in French,
you will be able to do it all the more
easily in German
[69] **der Gehrock** frock-coat
[70] **sich schmiegen** cling to, fit
[71] **das Beinkleid** trousers
[72] **der Lackschuh** patent leather shoe
[73] **die Atlasschleife** satin bow
[74] **erdrückt** overwhelmed
[75] **Sicherheit und Wohlanständigkeit**
selfassurance and propriety
[76] **wogend, wiegend** with a swaying
undulating gait
[77] **federnd** buoyantly
[78] **(er) schnellte . . . ab** and pressing

down the tip of his right foot, he swung
it sideways off the floor
[79] **bebend** quivering
[80] **schleppen** lug
[81] **die Lehne** back of the chair
[82] **die Haltung** posture
[83] **womöglich** if that was possible
[84] **der Kamin** *here:* mantelpiece
[85] **die Eleven** students
[86] **die Portieren** drapes (*separating two
rooms*)
[87] **die Plüschstühle** plush-covered
chairs
[88] **die Lorgnetten** lorgnettes, eye-
glasses
[89] **federnd** springy

Teile der Masurka[90] demonstrierte. Beabsichtigte er aber, sein Publikum gänzlich zu verblüffen, so schnellte er sich plötzlich und ohne zwingenden Grund vom Boden empor,[91] indem er seine Beine mit verwirrender Schnelligkeit in der Luft umeinander wirbelte,[92] gleich- 80 sam mit denselben trillerte,[93] worauf er mit einem gedämpften, aber alles in seinen Festen erschütternden Plumps[94] zu dieser Erde zurückkehrte . . .

Was für ein unbegreiflicher Affe,[95] dachte Tonio Kröger in seinem Sinn. Aber er sah wohl, daß Inge Holm, die lustige Inge, oft mit 85 einem selbstvergessenen[96] Lächeln Herrn Knaaks Bewegungen verfolgte, und nicht dies allein war es, weshalb alle diese wundervoll beherrschte Körperlichkeit ihm im Grunde etwas wie Bewunderung abgewann.[97] Wie ruhevoll und unverwirrbar[98] Herrn Knaaks Augen blickten! Sie sahen nicht in die Dinge hinein, bis dorthin, wo sie kom- 90 pliziert und traurig werden; sie wußten nichts, als daß sie braun und schön seien. Aber deshalb war seine Haltung so stolz! Ja, man mußte dumm sein, um so schreiten zu können wie er; und dann wurde man geliebt, denn man war liebenswürdig.[99] Er verstand es so gut, daß Inge, die blonde, süße Inge, auf Herrn Knaak blickte, wie sie es tat. 95 Aber würde denn niemals ein Mädchen so auf ihn selbst blicken?

O doch, das kam vor. Da war Magdalena Vermehren, Rechtsanwalt Vermehrens Tochter, mit dem sanften Mund und den großen, dunklen, blanken[1] Augen voll Ernst und Schwärmerei.[2] Sie fiel oft hin beim Tanzen; aber sie kam zu ihm bei der Damenwahl,[3] sie wußte, 100 daß er Verse dichtete, sie hatte ihn zweimal gebeten, sie ihr zu zeigen, und oftmals schaute sie ihn von weitem mit gesenktem Kopfe an. Aber was sollte ihm das?[4] Er, er liebte Inge Holm, die blonde, lustige Inge, die ihn sicher darum verachtete, daß er poetische Sachen schrieb . . . er sah sie an, sah ihre schmalgeschnittenen, blauen Augen, die voll 105 Glück und Spott waren, und eine neidische Sehnsucht, ein herber, drängender Schmerz,[5] von ihr ausgeschlossen und ihr ewig fremd zu sein, saß in seiner Brust und brannte . . .

„Erstes Paar en avant!"[6] sagte Herr Knaak, und keine Worte

---

[90] **die Masurka** *Polish dance*
[91] **sich emporschnellen** spring from the ground
[92] **(indem er seine Beine) umeinander wirbelte** whirling his legs about each other
[93] **gleichsam . . . trillerte** executing a trill with them, so to speak
[94] **mit einem . . . Plumps** with a muffled thud, which, however, shook everything in its foundations
[95] **ein unbegreiflicher Affe** an incredible monkey
[96] **selbstvergessen** *here:* entranced

[97] **im Grunde etwas wie Bewunderung abgewinnen** *meaning:* arouse something like admiration
[98] **unverwirrbar** imperturbable
[99] **liebenswürdig** lovable
[1] **blank** shiny
[2] **die Schwärmerei** enthusiasm
[3] **die Damenwahl** ladies' choice
[4] **Was sollte ihm das?** But what was that to him?
[5] **ein herber, drängender Schmerz** a bitter, insistent pain
[6] *en avant* forward

schildern, wie wunderbar der Mann den Nasallaut [7] hervorbrachte. Man 110
übte Quadrille, [8] und zu Tonio Krögers tiefem Erschrecken [9] befand er
sich mit Inge Holm in ein und demselben Karree. [10] Er mied sie, wie er
konnte, und dennoch geriet er beständig in ihre Nähe; er wehrte [11]
seinen Augen, sich ihr zu nahen, und dennoch traf sein Blick beständig
auf sie . . . Nun kam sie an der Hand des rotköpfigen Ferdinand 115
Matthiessen gleitend und laufend herbei, warf den Zopf zurück und
stellte sich aufatmend [12] ihm gegenüber. Herr Heinzelmann, der
Klavierspieler, griff mit seinen knochigen Händen in die Tasten, [13] Herr
Knaak kommandierte, die Quadrille begann.

[Assignment IV]

Sie bewegte sich vor ihm hin und her, vorwärts und rückwärts, 120
schreitend und drehend, ein Duft, der von ihrem Haar oder dem
zarten, weißen Stoff ihres Kleides ausging, berührte ihn manchmal, und
seine Augen trübten sich mehr und mehr. Ich liebe dich, liebe, süße
Inge, sagte er innerlich, und er legte in diese Worte seinen ganzen
Schmerz darüber, daß sie so eifrig und lustig bei der Sache [14] war und 125
sein nicht achtete. Ein wunderschönes Gedicht von Storm [15] fiel ihm
ein: „Ich möchte schlafen; aber du mußt tanzen." Der demütigende
Widersinn [16] quälte ihn, der darin lag, tanzen zu müssen, während man
liebte . . .

„Erstes Paar en avant!" sagte Herr Knaak, denn es kam eine neue 130
Tour. [17] „Compliment! Moulinet des dames! Tour de main!" [18]
Und niemand beschreibt, auf welch graziöse Art er das stumme e vom
„de" verschluckte.

„Zweites Paar en avant!" Tonio Kröger und seine Dame waren
daran. [19] „Compliment!" Und Tonio Kröger verbeugte sich. „Mou- 135
linet des dames!" Und Tonio Kröger, mit gesenktem Kopfe und finsteren Brauen legte seine Hand auf die Hände der vier Damen, auf die
Inge Holms, und tanzte „moulinet".

Ringsum entstand ein Kichern und Lachen. Herr Knaak fiel in eine
Ballettpose, welche ein stilisiertes Entsetzen ausdrückte. „O weh!" 140
rief er. „Halt, halt! Kröger ist unter die Damen geraten! [20] En arrière, [21]
Fräulein Kröger, zurück, fi donc! [22] Alle haben es nun verstanden, nur

[7] **der Nasallaut** the nasal quality (*of the French vowels*)
[8] **die Quadrille** *a dance*
[9] **das Erschrecken** alarm
[10] **das Karree** set (*of dancers*)
[11] **wehrte** restrained
[12] **aufatmend** drawing a deep breath
[13] **die Tasten** keys
[14] **bei der Sache** engaged (*in the dance*)
[15] **Gedicht von Storm** see also p. 184 f., and for the text, see Storm's poem in the poetry section.
[16] **der demütigende Widersinn** the humiliating contradiction
[17] **eine neue Tour** a new turn
[18] *Compliment! . . . main!* Bow! Ladies turn about! Hands round!
[19] **(sie) waren daran** it was (their) turn
[20] **Kröger . . . geraten** Kröger has strayed among the ladies
[21] *En arrière* Back!
[22] *fi donc!* for shame!

138

Sie nicht. Husch![23] Fort! Zurück mit Ihnen!" Und er zog sein gelb-
seidenes Taschentuch und scheuchte Tonio Kröger damit an seinen
Platz zurück.   145

Alles lachte, die Jungen, die Mädchen und die Damen jenseits der
Portieren, denn Herr Knaak hatte etwas gar zu Drolliges aus dem
Zwischenfall gemacht, und man amüsierte sich wie im Theater. Nur
Herr Heinzelmann wartete mit trockener Geschäftsmiene auf das
Zeichen zum Weiterspielen, denn er war abgehärtet gegen Herrn 150
Knaaks Wirkungen.

Dann ward die Quadrille fortgesetzt. Und dann war Pause. Das
Folgmädchen[24] klirrte mit einem Teebrett[25] voll Weingeleegläsern
zur Tür herein, und die Köchin folgte mit einer Ladung Plumcake in
ihrem Kielwasser.[26] Aber Tonio Kröger stahl sich fort, ging heimlich 155
auf den Korridor hinaus und stellte sich dort, die Hände auf dem
Rücken, vor ein Fenster mit herabgelassener Jalousie,[27] ohne zu bedenken, daß man durch diese Jalousie gar nicht sehen konnte, und daß
es also lächerlich sei, davorzustehen und zu tun, als blicke man hinaus.

Er blickte aber in sich hinein, wo so viel Gram und Sehnsucht war. 160
Warum, warum war er hier? Warum saß er nicht in seiner Stube am
Fenster und las in Storms Immensee[28] und blickte hie und da in den
abendlichen Garten hinaus, wo der alte Walnußbaum schwerfällig
knarrte? Das wäre sein Platz gewesen. Mochten die anderen tanzen und
frisch und geschickt bei der Sache sein![29] . . . Nein, nein, sein Platz 165
war dennoch hier, wo er sich in Inges Nähe wußte, wenn er auch nur
einsam von ferne stand und versuchte, in dem Summen, Klirren und
Lachen dort drinnen ihre Stimme zu unterscheiden, in welcher es klang
von warmem Leben. Deine länglich geschnittenen, blauen, lachenden
Augen, du blonde Inge! So schön und heiter wie du kann man nur 170
sein, wenn man nicht Immensee liest und niemals versucht, selbst
dergleichen zu machen; das ist das Traurige! . . .

Sie müßte kommen! Sie müßte bemerken, daß er fort war, müßte
fühlen, wie es um ihn stand,[30] müßte ihm heimlich folgen, wenn auch
nur aus Mitleid, ihm ihre Hand auf die Schulter legen und sagen: 175
Komm herein zu uns, sei froh, ich liebe dich. Und er horchte hinter
sich und wartete in unvernünftiger Spannung, daß sie kommen möge.
Aber sie kam keineswegs. Dergleichen geschah nicht auf Erden.

Hatte auch sie ihn verlacht, gleich allen anderen? Ja, das hatte sie
getan, so gern er es ihret- und seinetwegen geleugnet hätte. Und 180

---

[23] **Husch!** Shoo!
[24] **das Folg(e)mädchen** maid
[25] **das Teebrett** tray
[26] **in ihrem Kielwasser** in her wake
[27] **mit herabgelassener Jalousie** with
lowered blinds
[28] **Storms *Immensee*** *a nostalgic nov-*

ella by Storm
[29] **Mochten die anderen . . . sein**
meaning: let others dance and bend their
fresh and lively minds on the pleasures
at hand
[30] **wie . . . stand** what was the matter
with him

doch hatte er nur aus Versunkenheit in ihre Nähe[31] „moulinet des dames" mitgetanzt. Und was verschlug das?[32] Man würde vielleicht einmal aufhören zu lachen! Hatte etwa nicht kürzlich eine Zeitschrift ein Gedicht von ihm angenommen, wenn sie dann auch wieder eingegangen[33] war, bevor das Gedicht hatte erscheinen können? Es kam 18..
der Tag,[34] wo er berühmt war, wo alles gedruckt wurde, was er schrieb, und dann würde man sehen, ob es nicht Eindruck auf Inge Holm machen würde ... Es würde keinen Eindruck machen, nein, das war es ja. Auf Magdalena Vermehren, die immer hinfiel, ja, auf die. Aber niemals auf Inge Holm, niemals auf die blauäugige, lustige 190 Inge. Und war es also nicht vergebens? ...

Tonio Krögers Herz zog sich schmerzlich zusammen bei diesem Gedanken. Zu fühlen, wie wunderbare spielende und schwermütige Kräfte sich in dir regen, und dabei zu wissen, daß diejenigen, zu denen du dich hinübersehnst,[35] ihnen in heiterer Unzugänglichkeit gegenüber- 195 stehen,[36] das tut sehr weh. Aber obgleich er einsam, ausgeschlossen und ohne Hoffnung vor einer geschlossenen Jalousie stand und in seinem Kummer tat, als könne er hindurchblicken, so war er dennoch glücklich. Denn damals lebte sein Herz. Warm und traurig schlug es für dich, Ingeborg Holm, und seine Seele umfaßte deine blonde, lichte 200 und übermütig gewöhnliche[37] kleine Persönlichkeit in seliger Selbstverleugnung.

Mehr als einmal stand er mit erhitztem Angesicht an einsamen Stellen, wohin Musik, Blumenduft und Gläsergeklirr nur leise drangen, und suchte in dem fernen Festgeräusch deine klingende Stimme zu 205 unterscheiden, stand in Schmerzen um dich und war dennoch glücklich. Mehr als einmal kränkte es ihn, daß er mit Magdalena Vermehren, die immer hinfiel, sprechen konnte, daß sie ihn verstand und mit ihm lachte und ernst war, während die blonde Inge, saß er auch neben ihr, ihm fern und fremd und befremdet erschien, denn seine Sprache war 210 nicht ihre Sprache; und dennoch war er glücklich. Denn das Glück, sagte er sich, ist nicht, geliebt zu werden; das ist eine mit Ekel gemischte Genugtuung für die Eitelkeit. Das Glück ist, zu lieben und vielleicht kleine trügerische Annäherungen an den geliebten Gegenstand zu erhaschen.[38] Und er schrieb diesen Gedanken innerlich auf, dachte ihn 215 völlig aus und empfand ihn bis auf den Grund.

---

[31] **aus ... Nähe** because he was absorbed in her presence

[32] **Und was verschlug das?** And what did it matter?

[33] **eingehen** fold up

[34] **Es kam der Tag** = Der Tag würde kommen

[35] **daß ... hinübersehnst** that those you yearn for

[36] **ihnen ... gegenüberstehen** *lit.:* confront them (*i.e., your creative powers*) with serene inaccessibility; *meaning:* are serenely indifferent to your gifts

[37] **übermütig gewöhlich** exuberantly commonplace

[38] **trügerische ... erhaschen** snatch deceptive approaches to the object of your love

Treue! dachte Tonio Kröger. Ich will treu sein und dich lieben, Ingeborg, solange ich lebe! So wohlmeinend war er. Und dennoch flüsterte in ihm eine leise Furcht und Trauer, daß er ja auch Hans Hansen ganz und gar vergessen habe, obgleich er ihn täglich sah. Und 220 es war das Häßliche und Erbärmliche, daß diese leise und ein wenig hämische[39] Stimme recht behielt,[40] daß die Zeit verging und Tage kamen, da Tonio Kröger nicht mehr so unbedingt wie ehemals für die lustige Inge zu sterben bereit war, weil er Lust und Kräfte in sich fühlte, auf seine Art in der Welt eine Menge des Merkwürdigen[41] zu 225 leisten.

Und er umkreiste behutsam den Opferaltar, auf dem die lautere und keusche Flamme seiner Liebe loderte, kniete davor und schürte[42] und nährte sie auf alle Weise, weil er treu sein wollte. Und über eine Weile, unmerklich, ohne Aufsehen[43] und Geräusch, war sie dennoch erloschen. 230

Aber Tonio Kröger stand noch eine Zeitlang vor dem erkalteten Altar, voll Staunen und Enttäuschung darüber, daß Treue auf Erden unmöglich war. Dann zuckte er die Achseln und ging seiner Wege.

III

[Assignment V]

Er ging den Weg, den er gehen mußte, ein wenig nachlässig und ungleichmäßig, vor sich hinpfeifend, mit seitwärts geneigtem Kopfe ins Weite blickend, und wenn er irre ging, so geschah es, weil es für etliche einen richtigen Weg überhaupt nicht gibt. Fragte man ihn, was in aller Welt er zu werden gedachte, so erteilte er wechselnde Auskunft, 5 denn er pflegte zu sagen (und hatte es auch bereits aufgeschrieben), daß er die Möglichkeiten zu tausend Daseinsformen in sich trage, zusammen mit dem heimlichen Bewußtsein, daß es im Grunde lauter Unmöglichkeiten seien ...

Schon bevor er von der engen Vaterstadt schied, hatten sich leise die 10 Klammern[44] und Fäden gelöst, mit denen sie ihn hielt. Die alte Familie der Kröger war nach und nach in einen Zustand des Abbröckelns und der Zersetzung geraten, und die Leute hatten Grund, Tonio Krögers eigenes Sein und Wesen[45] ebenfalls zu den Merkmalen dieses Zustandes zu rechnen. Seines Vaters Mutter war gestorben, das Haupt des 15 Geschlechtes,[46] und nicht lange darauf, so folgte sein Vater, der lange, sinnende, sorgfältig gekleidete Herr mit der Feldblume im Knopfloch,

---

[39] **hämisch** spiteful
[40] **recht behalten** turn out to be right
[41] **eine Menge des Merkwürdigen** much that was noteworthy
[42] **schürte** tended
[43] **das Aufsehen** stir

[44] **die Klammern** ties
[45] **Krögers ... Wesen** Kröger's own existence and character
[46] **Haupt des Geschlechtes** head of the family

ihr im Tode nach. Das große Krögersche Haus stand mitsamt seiner würdigen Geschichte zum Verkaufe, und die Firma ward ausgelöscht. Tonios Mutter jedoch, seine schöne feurige Mutter, die so wunderbar den Flügel und die Mandoline spielte und der alles ganz einerlei war,[47] vermählte sich nach Jahresfrist aufs neue, und zwar mit einem Musiker, einem Virtuosen mit italienischem Namen, dem sie in blaue Fernen folgte. Tonio Kröger fand dies ein wenig liederlich; aber war er berufen, es ihr zu wehren?[48] Er schrieb Verse und konnte nicht einmal beantworten, was in aller Welt er zu werden gedachte . . .

Und er verließ die winklige Heimatstadt,[49] um deren Giebel der feuchte Wind pfiff, verließ den Springbrunnen und den alten Walnußbaum im Garten, die Vertrauten[50] seiner Jugend, verließ auch das Meer, das er so sehr liebte, und empfand keinen Schmerz dabei. Denn er war groß[51] und klug geworden, hatte begriffen, was für eine Bewandtnis es mit ihm hatte,[52] und war voller Spott für das plumpe niedrige Dasein, das ihn so lange in seiner Mitte gehalten hatte.

Er ergab sich ganz der Macht, die ihm als die erhabenste auf Erden erschien, zu deren Dienst er sich berufen fühlte und die ihm Hoheit und Ehren versprach, der Macht des Geistes und Wortes, die lächelnd über dem unbewußten und stummen Leben thront. Mit seiner jungen Leidenschaft ergab er sich ihr, und sie lohnte ihm mit allem, was sie zu schenken hat, und nahm ihm unerbittlich all das, was sie als Entgelt[53] dafür zu nehmen pflegt.

Sie schärfte seinen Blick und ließ ihn die grossen Wörter durchschauen, die der Menschen Busen blähen, sie erschloß ihm der Menschen Seelen und seine eigene, machte ihn hellsehend und zeigte ihm das Innere der Welt und alles letzte,[54] was hinter den Worten und Taten ist. Was er aber sah, war dies: Komik und Elend[55] — Komik und Elend.

Da kam, mit der Qual und dem Hochmut der Erkenntnis,[56] die Einsamkeit, weil es ihn im Kreise der Harmlosen mit dem fröhlich dunklen Sinn nicht litt[57] und das Mal an seiner Stirn sie verstörte.[58] Aber mehr und mehr versüßte sich[59] ihm auch die Lust am Worte und der Form, denn er pflegte zu sagen (und hatte es auch bereits aufgeschrieben), daß die Kenntnis der Seele allein unfehlbar trübsinnig

[47] **der alles . . . war** who did not care about anything
[48] **aber . . . wehren?** but was he called upon to prevent her from it?
[49] **die winklige Heimatstadt** his hometown with its winding streets
[50] **die Vertrauten** familiar friends
[51] **groß** *here:* grown-up
[52] **was . . . hatte** how things stood with him
[53] **als Entgelt** *meaning:* in return
[54] **alles letzte** the ultimate

[55] **Komik und Elend** *meaning:* the farce and the misery of it all
[56] **die Erkenntnis** knowledge, insight
[57] **weil . . . litt** because he could not stand the company of the innocent with their cheerfully obtuse minds
[58] **(weil) das Mal . . . verstörte** because they were troubled by the sign (*i.e., the mark of Cain*) on his brow
[59] **sich mehr und mehr versüßte** kept growing sweeter and sweeter

machen würde,[60] wenn nicht die Vergnügungen des Ausdrucks uns
wach und munter erhielten ...

Er lebte in großen Städten und im Süden, von dessen Sonne er sich
ein üppigeres Reifen seiner Kunst versprach; und vielleicht war es das 55
Blut seiner Mutter, welches ihn dorthin zog. Aber da sein Herz tot und
ohne Liebe war, so geriet er in Abenteuer des Fleisches, stieg tief hinab
in Wollust und heiße Schuld[61] und litt unsäglich dabei. Vielleicht war
es das Erbteil seines Vaters in ihm, des langen, sinnenden, reinlich
gekleideten Mannes mit der Feldblume im Knopfloch, das ihn dort 60
unten so leiden machte und manchmal eine schwache, sehnsüchtige
Erinnerung in ihm sich regen ließ an eine Lust der Seele,[62] die einstmals
sein eigen gewesen war und die er in allen Lüsten[63] nicht wiederfand.

Ein Ekel und Haß gegen die Sinne erfaßte ihn und ein Lechzen[64]
nach Reinheit und wohlanständigem[65] Frieden, während er doch die 65
Luft der Kunst atmete, die laue und süße, duftgeschwängerte[66] Luft
eines beständigen Frühlings, in der es treibt und braut und keimt in
heimlicher Zeugungswonne.[67] So kam es nur dahin,[68] daß er, haltlos[69]
zwischen krassen Extremen, zwischen eisiger Geistigkeit und verzeh-
render Sinnenglut hin- und hergeworfen, unter Gewissensnöten[70] ein 70
erschöpfendes Leben führte, ein ausbündiges, ausschweifendes[71] und
außerordentliches Leben, das er, Tonio Kröger, im Grunde verab-
scheute. Welch Irrgang![72] dachte er zuweilen. Wie war es nur möglich,
daß ich in alle diese exzentrischen Abenteuer geriet? Ich bin doch kein
Zigeuner im grünen Wagen, von Hause aus[73] ... 75

Aber in dem Maße, wie seine Gesundheit geschwächt ward, ver-
schärfte sich seine Künstlerschaft, ward wählerisch, erlesen, kostbar, fein,
reizbar gegen[74] das Banale und aufs höchste empfindlich in Fragen
des Taktes und Geschmacks. Als er zum ersten Male hervortrat,[75]
wurde unter denen, die es anging,[76] viel Beifall und Freude laut, denn 80
es war ein wertvoll gearbeitetes[77] Ding, was er geliefert hatte, voll
Humor und Kenntnis des Leidens. Und schnell ward sein Name,
derselbe, mit dem ihn einst seine Lehrer scheltend gerufen hatten,

---

[60] **daß ... würde** that knowledge of the soul alone would unfailingly make us melancholy
[61] **(er) stieg ... Schuld** (he) descended into the depths of lust and burning guilt
[62] **eine Lust der Seele** a delight of the soul
[63] **in allen Lüsten** in all the desires of the flesh
[64] **das Lechzen** thirst
[65] **wohlanständig** respectable
[66] **duftgeschwängert** heavy with fragrance
[67] **in der ... Zeugungswonne** which burgeons and brews and germinates in the secret delight of creation

[68] **So ... dahin** The only result of all this was
[69] **haltlos** without anything to hold on to
[70] **unter Gewissensnöten** afflicted with pangs of conscience
[71] **ausschweifend** eccentric, dissolute
[72] **der Irrgang** labyrinth, aberration
[73] **von Hause aus** by nature; originally
[74] **reizbar gegen** irritated by
[75] **Als ... hervortrat** *meaning:* at his first publication
[76] **unter ... anging** *lit.:* among those whom it concerned; *meaning:* among the literary connoisseurs
[77] **gearbeitet** *here:* wrought

derselbe, mit dem er seine ersten Reime an den Walnußbaum, den Springbrunnen und das Meer unterzeichnet hatte, dieser aus Süd und Nord zusammengesetzte Klang, dieser exotisch angehauchte[78] Bürgersname zu einer Formel, die Vortreffliches bezeichnete; denn der schmerzlichen Gründlichkeit seiner Erfahrungen gesellte sich ein seltener, zäh ausharrender und ehrsüchtiger Fleiß, der im Kampf mit der wählerischen Reizbarkeit seines Geschmacks unter heftigen Qualen ungewöhnliche Werke entstehen ließ.[79]

Er arbeitete nicht wie jemand, der arbeitet, um zu leben, sondern wie einer, der nichts will, als arbeiten, weil er sich als lebendigen Menschen für nichts achtet,[80] nur als Schaffender in Betracht zu kommen wünscht und im übrigen grau und unauffällig umhergeht, wie ein abgeschminkter[81] Schauspieler, der nichts ist, solange er nichts darzustellen hat. Er arbeitete stumm, abgeschlossen, unsichtbar und voller Verachtung für jene Kleinen, denen das Talent ein geselliger Schmuck war, die, ob sie nun arm oder reich waren, wild und abgerissen einhergingen oder mit persönlichen[82] Krawatten Luxus trieben,[83] in erster Linie glücklich, liebenswürdig und künstlerisch zu leben bedacht waren,[84] unwissend darüber, daß gute Werke nur unter dem Druck eines schlimmen Lebens entstehen, daß, wer lebt, nicht arbeitet, und daß man gestorben sein muß, um ganz ein Schaffender zu sein.[85]

IV

[Assignment VI]

„Störe ich?" fragte Tonio Kröger auf der Schwelle des Ateliers.[86] Er hielt seinen Hut in der Hand und verbeugte sich sogar ein wenig, obgleich Lisaweta Iwanowna seine Freundin war, der er alles sagte.

„Erbarmen Sie sich, Tonio Kröger, und kommen Sie ohne Zeremonien herein!" antwortete sie mit ihrer hüpfenden Betonung.[87] „Es ist bekannt, daß Sie eine gute Kinderstube[88] genossen haben und wissen, was sich schickt."[89] Dabei steckte sie ihren Pinsel zu der Palette in die linke Hand, reichte ihm die rechte und blickte ihm lachend und kopfschüttelnd ins Gesicht.

---

[78] **angehaucht** tinged

[79] **denn der schmerzlichen ... ließ** for the painful thoroughness of the experiences he had gone through, combined with the irritable fastidiousness of his taste and under grinding torments issued in work of a quality quite uncommon (*Lowe-Porter*)

[80] **weil ... achtet** *meaning:* because he has no regard for himself as a live human being

[81] **abgeschminkt** without makeup

[82] **persönlich** personalized, original

[83] **Luxus trieben** showed off

[84] **(in erster Linie) bedacht sein** be primarily concerned

[85] **daß man ... sein** that one must die to life in order to be utterly a creator

[86] **das Atelier** studio

[87] **mit ... Betonung** with her lilting intonation

[88] **eine gute Kinderstube** a good upbringing

[89] **was sich schickt** what is proper

„Ja, aber Sie arbeiten", sagte er. „Lassen Sie sehen ... O, Sie sind   10
vorwärts gekommen." Und er betrachtete abwechselnd die farbigen
Skizzen, die zu beiden Seiten der Staffelei⁹⁰ auf Stühlen lehnten, und
die große, mit enem quadratischen Liniennetz überzogene⁹¹ Leinwand, auf welcher in dem verworrenen und schemenhaften⁹² Koh-
leentwurf⁹³ die ersten Farbflecke aufzutauchen begannen.   15

Es war in München, in einem Rückgebäude⁹⁴ der Schellingstraße,
mehrere Stiegen hoch. Draußen, hinter dem breiten Nordlicht-
fenster,⁹⁵ herrschte Himmelsblau, Vogelgezwitscher und Sonnenschein, und des Frühlings junger, süßer Atem, der durch eine offene
Klappe⁹⁶ hereinströmte, vermischte sich mit dem Geruch von Fixativ   20
und Ölfarbe, der den weiten Arbeitsraum erfüllte. Ungehindert über-
flutete das goldige Licht des hellen Nachmittags die weitläufige
Kahlheit⁹⁷ des Ateliers, beschien freimütig den ein wenig schadhaften⁹⁸
Fußboden, den rohen, mit Fläschchen, Tuben und Pinseln bedeckten
Tisch unterm Fenster und die ungerahmten Studien an den untape-   25
zierten⁹⁹ Wänden, beschien den Wandschirm aus rissiger Seide,¹ der
in der Nähe der Tür einen kleinen, stilvoll möblierten² Wohn- und
Mußewinkel begrenzte, beschien das werdende Werk auf der Staffelei
und davor die Malerin und den Dichter.

Sie mochte etwa so alt sein wie er, nämlich ein wenig jenseits der   30
Dreißig. In ihrem dunkelblauen, fleckigen Schürzenkleid³ saß sie auf
einem niedrigen Schemel⁴ und stützte⁵ das Kinn in die Hand. Ihr
braunes Haar, fest frisiert⁶ und an den Seiten schon leicht ergraut,
bedeckte in leisen Scheitelwellen⁷ ihre Schläfen und gab den Rahmen
zu ihrem brünetten, slawisch geformten, unendlich sympathischen⁸   35
Gesicht mit der Stumpfnase,⁹ den scharf herausgearbeiteten¹⁰ Wangenknochen und den kleinen, schwarzen, blanken Augen. Gespannt,
mißtrauisch und gleichsam gereizt¹¹ musterte sie schiefen und gekniffenen Blicks ihre Arbeit ...

Er stand neben ihr, hielt die rechte Hand in die Hüfte gestemmt und   40
drehte mit der Linken eilig an seinem braunen Schnurrbart. Seine
schrägen Brauen waren in einer finsteren und angestrengten Bewegung,

⁹⁰ **die Staffelei** easel
⁹¹ **mit ... überzogen** covered with a network of squares
⁹² **schemenhaft** shadowy, schematic
⁹³ **der Kohleentwurf** charcoal sketch
⁹⁴ **das Rückgebäude** rear building
⁹⁵ **das Nordlicht-Fenster** window with northern exposure (*to get maximal and even daylight for painting*)
⁹⁶ **die Klappe** transom
⁹⁷ **die Kahlheit** emptiness
⁹⁸ **schadhaft** worn
⁹⁹ **untapeziert** unpapered
¹ **der Wandschirm aus rissiger Seide** torn silkscreen
² **stilvoll möbliert** tastefully furnished
³ **das Schürzenkleid** smock
⁴ **der Schemel** footstool
⁵ **stützte** rested
⁶ **fest frisiert** done up securely
⁷ **die Scheitelwellen** waves (*from the crown of the head*)
⁸ **sympathisch** likeable
⁹ **die Stumpfnase** snub-nose
¹⁰ **scharf herausgearbeitet** strongly accentuated
¹¹ **gleichsam gereizt** as if vexed

wobei er leise vor sich hinpfiff, wie gewöhnlich. Er war äußerst sorgfältig und gediegen gekleidet,[12] in einen Anzug von ruhigem Grau und reserviertem Schnitt. Aber in seiner durcharbeiteten Stirn,[13] über der sein dunkles Haar so außerordentlich simpel und korrekt sich scheitelte, war ein nervöses Zucken, und die Züge seines südlich geschnittenen Gesichts waren schon scharf, von einem harten Griffel[14] gleichsam nachgezogen[15] und ausgeprägt, während doch sein Mund so sanft umrissen, sein Kinn so weich gebildet erschien ... Nach einer Weile strich er mit der Hand über Stirn und Augen und wandte sich ab.

„Ich hätte nicht kommen sollen", sagte er.

„Warum hätten Sie nicht, Tonio Kröger?"

„Eben stehe ich von meiner Arbeit auf, Lisaweta, und in meinem Kopf sieht es genau aus wie auf dieser Leinwand. Ein Gerüst, ein blasser, von Korrekturen beschmutzter Entwurf und ein paar Farb-flecke, ja; und nun komme ich hierher und sehe dasselbe. Und auch den Konflikt und Gegensatz finde ich hier wieder", sagte er und schnup-perte[16] in die Luft, „der mich zu Hause quälte. Seltsam ist es. Beherrscht dich ein Gedanke, so findest du ihn überall ausgedrückt, du riechst ihn sogar im Winde. Fixativ und Frühlingsaroma, nicht wahr? Kunst und — ja, was ist das andere? Sagen Sie nicht ‚Natur‘, Lisaweta, ‚Natur‘ ist nicht erschöpfend.[17] Ach, nein, ich hätte wohl lieber spazieren gehen sollen, obgleich es die Frage ist, ob ich mich dabei wohler befunden hätte! Vor fünf Minuten, nicht weit von hier, traf ich einen Kollegen, Adalbert, den Novellisten, ‚Gott verdamme den Frühling!‘ sagte er in seinem aggressiven Stil. ‚Er ist und bleibt die gräßlichste Jahreszeit! Können Sie einen vernünftigen Gedanken fassen, Kröger, können Sie die kleinste Pointe und Wirkung[18] in Gelassenheit ausar-beiten,[19] wenn es Ihnen auf eine unanständige Weise im Blute kribbelt[20] und eine Menge von unzugehörigen[21] Sensationen Sie beunruhigt, die, sobald Sie sie prüfen, sich als ausgemacht[22] triviales und gänzlich unbrauchbares Zeug entpuppen?[23] Was mich betrifft, so gehe ich nun ins Café. Das ist neutrales, vom Wechsel der Jahreszeiten unberührtes Gebiet, wissen Sie, das stellt sozusagen die entrückte[24] und erhabene Sphäre des Literarischen dar, in der man nur vornehmerer Einfälle fähig ist ...‘ Und er ging ins Café; und vielleicht hätte ich mitgehen sollen."

Lisaweta amüsierte sich.

[12] **gediegen gekleidet** dressed conservatively
[13] **in . . . Stirn** on his furrowed, careworn brow
[14] **der Griffel** slate pencil
[15] **nachgezogen** traced
[16] **schnuppern** sniff
[17] **erschöpfend** exhaustive
[18] **die Wirkung** effect
[19] **in Gelassenheit ausarbeiten** work out calmly
[20] **kribbelt** tingles
[21] **unzugehörig** inappropriate
[22] **ausgemacht** *here:* utterly
[23] **sich entpuppen (als)** turn out to be
[24] **entrückt** remote

„Das ist gut, Tonio Kröger. Das mit dem ‚unanständigen Kribbeln‘ 80
ist gut. Und er hat ja gewissermaßen recht, denn mit dem Arbeiten ist
es wirklich nicht sonderlich bestellt im Frühling.[25] Aber nun geben Sie
acht. Nun mache ich trotzdem noch diese kleine Sache hier, diese kleine
Pointe und Wirkung, wie Adalbert sagen würde. Nachher gehen wir
in den ‚Salon‘ und trinken Tee, und Sie sprechen sich aus;[26] denn das 85
sehe ich genau, daß Sie heute geladen[27] sind. Bis dahin gruppieren[28]
Sie sich wohl irgendwo, zum Beispiel auf der Kiste da, wenn Sie nicht
für Ihre Patrizier-Gewänder fürchten . . .“

„Ach, lassen Sie mich mit meinen Gewändern in Ruh, Lisaweta
Iwanowna! Wünschten Sie, daß ich in einer zerrissenen Sammetjacke 90
oder einer rotseidenen Weste umherliefe? Man ist als Künstler innerlich
immer Abenteurer genug. Äußerlich soll man sich gut anziehen, zum
Teufel, und sich benehmen wie ein anständiger Mensch . . . Nein,
geladen bin ich nicht“, sagte er und sah zu, wie sie auf der Palette eine
Mischung bereitete. „Sie hören ja,[29] daß es nur ein Problem und 95
Gegensatz ist, was mir im Sinne liegt[30] und mich bei der Arbeit
störte . . . Ja, wovon sprachen wir eben? Von Adalbert, dem Novellisten, und was für ein stolzer und fester Mann er ist. ‚Der Frühling ist
die gräßlichste Jahreszeit‘, sagte er und ging ins Café. Denn man muß
wissen, was man will, nicht wahr? Sehen Sie, auch mich macht der 100
Frühling nervös, auch mich setzt die holde Trivialität der Erinnerungen
und Empfindungen, die er erweckt, in Verwirrung; nur, daß ich es
nicht über mich gewinne,[31] ihn dafür[32] zu schelten und zu verachten;
denn die Sache ist die, daß ich mich vor ihm schäme, mich schäme vor
seiner reinen Natürlichkeit und seiner siegenden Jugend. Und ich weiß 105
nicht, ob ich Adalbert beneiden oder geringschätzen soll, dafür, daß er
nichts davon weiß . . .

„Man arbeitet schlecht im Frühling, gewiß, und warum? Weil man
empfindet. Und weil der ein Stümper[33] ist, der glaubt, der Schaffende
dürfe empfinden. Jeder echte und aufrichtige Künstler lächelt über die 110
Naivität dieses Pfuscher-Irrtums,[34] melancholisch vielleicht, aber er
lächelt. Denn das, was man sagt, darf ja niemals die Hauptsache sein,
sondern nur das an und für sich[35] gleichgültige Material, aus dem das
ästhetische Gebilde in spielender und gelassener Überlegenheit zusammenzusetzen ist.[36] Liegt Ihnen zu viel an dem,[37] was Sie zu sagen 115

---

[25] **mit . . . Frühling** spring really is not especially conducive to work
[26] **sich aussprechen** unburden oneself
[27] **geladen** brimful
[28] **gruppieren** place
[29] **Sie hören ja** I told you
[30] **was . . . liegt** which is on my mind
[31] **nur . . . gewinne** only I cannot get myself to
[32] **ihn dafür** Note: *refers to spring*
[33] **der Stümper** bungler
[34] **der Pfuscher-Irrtum** bungler's illusion
[35] **an und für sich** in and by itself
[36] **zusammenzusetzen ist** must be composed
[37] **Liegt . . . dem** If you are too much concerned with

haben, schlägt Ihr Herz zu warm dafür, so können Sie eines vollständigen Fiaskos sicher sein. Sie werden pathetisch,[38] Sie werden sentimental, etwas Schwerfälliges, Täppisch-Ernstes,[39] Unbeherrschtes, Unironisches, Ungewürztes, Langweiliges, Banales entsteht unter Ihren Händen, und nichts als Gleichgültigkeit bei den Leuten, nichts als 120 Enttäuschung und Jammer bei Ihnen selbst ist das Ende ... Denn so ist es ja, Lisaweta: Das Gefühl, das warme, herzliche Gefühl ist immer banal und unbrauchbar, und künstlerisch sind bloß die Gereiztheiten und kalten Ekstasen unseres verdorbenen, unseres artistischen Nervensystems.[40] Es ist nötig, daß man irgend etwas Außermenschliches und 125 Unmenschliches sei, daß man zum Menschlichen in einem seltsam fernen und unbeteiligten Verhältnis stehe, um imstande und überhaupt versucht zu sein,[41] es zu spielen,[42] damit zu spielen, es wirksam und geschmackvoll darzustellen. Die Begabung für Stil, Form und Ausdruck setzt bereits dies kühle und wählerische[43] Verhältnis zum Mensch- 130 lichen, ja, eine gewiße menschliche Verarmung und Verödung[44] voraus. Denn das gesunde und starke Gefühl, dabei bleibt es,[45] hat keinen Geschmack. Es ist aus mit dem Künstler,[46] sobald er Mensch wird und zu empfinden beginnt. Das wußte Adalbert, und darum begab er sich ins Café, in die ‚entrückte Sphäre‘, jawohl!“ 135

[Assignment VII]

„Nun, Gott mit ihm,[47] Batuschka“,[48] sagte Lisaweta und wusch sich die Hände in einer Blechwanne; „Sie brauchen ihm ja nicht zu folgen.“

„Nein, Lisaweta, ich folge ihm nicht, und zwar einzig, weil ich hie und da imstande bin, mich vor dem Frühling meines Künstlertums ein wenig zu schämen.[49] Sehen Sie, zuweilen erhalte ich Briefe von fremder 140 Hand,[50] Lob- und Dankschreiben aus meinem Publikum, bewunderungsvolle Zuschriften ergriffener Leute.[51] Ich lese diese Zuschriften, und Rührung beschleicht mich[52] angesichts des warmen und unbeholfenen[53] menschlichen Gefühls, das meine Kunst hier bewirkt[54] hat,

---

[38] **pathetisch** full of pathos
[39] **(etwas) Täppisch-Ernstes** something clumsily serious
[40] **künstlerisch ... Nervensystems** only the irritations and icy ecstasies of the artist's corrupted nervous system are artistically creative
[41] **um imstande ... sein** to be capable and, indeed, to be tempted
[42] **es zu spielen = das Menschliche zu spielen** *meaning:* to play at it, to treat it as a play
[43] **wählerisch** fastidious
[44] **die Verödung** desolation, sterility
[45] **dabei bleibt es** say what you will
[46] **Es ... Künstler** the artist is done for
[47] **Nun, Gott mit ihm** *meaning:* I wish him luck

[48] *Batuschka* = **Väterchen** *Russian term of endearment*
[49] **weil ... schämen** *lit.:* because now and then I am capable of feeling a little ashamed of being an artist when I am confronted with spring; *meaning:* because now and then spring still manages to make me a little ashamed of being an artist.
[50] **von fremder Hand** from strangers
[51] **bewunderungsvolle ... Leute** admiring letters from deeply moved people
[52] **Rührung beschleicht mich** I am touched
[53] **unbeholfen** awkward
[54] **bewirken** elicit, bring forth

eine Art von Mitleid faßt mich an gegenüber der begeisterten Naivität, 145
die aus den Zeilen spricht, und ich erröte bei dem Gedanken, wie sehr
dieser redliche Mensch ernüchtert[55] sein müßte, wenn er je einen Blick
hinter die Kulissen[56] täte, wenn seine Unschuld je begriffe, daß ein
rechtschaffener, gesunder und anständiger Mensch überhaupt nicht
schreibt, mimt,[57] komponiert . . . was alles ja nicht hindert, daß ich 150
seine Bewunderung für mein Genie benütze, um mich zu steigern[58]
und zu stimulieren, daß ich sie gewaltig ernst nehme und ein Gesicht
dazu mache wie ein Affe, der den großen Mann spielt . . . Ach, reden
Sie mir nicht darein,[59] Lisaweta! Ich sage Ihnen, daß ich es oft ster-
bensmüde bin, das Menschliche darzustellen, ohne am Menschlichen 155
teilzuhaben . . . Ist der Künstler überhaupt ein Mann? Man frage ‚das
Weib‘ danach! Mir scheint, wir Künstler teilen alle ein wenig das
Schicksal jener präparierten päpstlichen Sänger[60] . . . Wir singen ganz
rührend schön. Jedoch — "
„Sie sollten sich ein bißchen schämen, Tonio Kröger. Kommen Sie 160
nun zum Tee. Das Wasser wird gleich kochen, und hier sind Papyros.[61]
Beim Sopransingen waren Sie stehen geblieben; und fahren Sie da nur
fort. Aber schämen sollten Sie sich. Wenn ich nicht wüßte, mit welch
stolzer Leidenschaft Sie Ihrem Berufe ergeben sind . . ."
„Sagen Sie nichts von ‚Beruf‘, Lisaweta Iwanowna! Die Literatur ist 165
überhaupt kein Beruf, sondern ein Fluch, — damit Sie's wissen.[62] Wann
beginnt er fühlbar zu werden, dieser Fluch? Früh, schrecklich früh. Zu
einer Zeit, da man billig[63] noch in Frieden und Eintracht mit Gott und
der Welt leben sollte. Sie fangen an, sich gezeichnet,[64] sich in einem
rätselhaften Gegensatz zu den anderen, den Gewöhnlichen, den Ordent- 170
lichen zu fühlen, der Abgrund von Ironie, Unglaube, Opposition,
Erkenntnis, Gefühl, der Sie von den Menschen trennt, klafft tiefer und
tiefer, Sie sind einsam, und fortan gibt es keine Verständigung mehr.
Was für ein Schicksal! Gesetzt, daß[65] das Herz lebendig genug, liebevoll
genug geblieben ist, es als furchtbar zu empfinden! . . . Ihr Selbst- 175
bewußtsein[66] entzündet sich,[67] weil Sie unter Tausenden das Zeichen
an Ihrer Stirne spüren und fühlen, daß es niemandem entgeht.[68] Ich
kannte einen Schauspieler von Genie, der als Mensch mit einer krank-
haften Befangenheit[69] und Haltlosigkeit[70] zu kämpfen hatte. Sein

[55] **ernüchtert** disillusioned
[56] **hinter die Kulissen** behind the scenes
[57] **mimen** act
[58] **mich zu steigern** to increase my powers
[59] **reden . . . darein** don't contradict me
[60] **jener präparierten päpstlichen Sänger** of those castrated papal singers (*a reference to the papal choir of eunuchs abolished in 1878). These boys were emasculated in order to prevent mutation and thus to preserve the youthful beauty of their voices.*

[61] *Papyros* Russian: cigarettes
[62] **damit Sie's wissen!** believe me!
[63] **billig** by rights
[64] **gezeichnet** marked
[65] **Gesetzt, daß** Assuming that
[66] **das Selbstbewußtsein** self-estimate
[67] **entzündet sich** is affected, kindled, inflamed
[68] **daß es niemandem entgeht** that everyone sees it
[69] **die Befangenheit** self-consciousness
[70] **die Haltlosigkeit** instability

überreiztes [71] Ichgefühl zusammen mit dem Mangel an Rolle, an 18c darstellerischer Aufgabe,[72] bewirkten das bei diesem vollkommenen Künstler und verarmten Menschen ... Einen Künstler, einen wirklichen, nicht einen, dessen bürgerlicher Beruf die Kunst ist,[73] sondern einen vorbestimmten und verdammten, ersehen [74] Sie mit geringem Scharfblick [75] aus einer Menschenmasse. Das Gefühl der Separation und 185 Unzugehörigkeit, des Erkannt- und Beobachtetseins, etwas zugleich Königliches und Verlegenes ist in seinem Gesicht. In den Zügen eines Fürsten, der in Zivil [76] durch die Volksmenge schreitet, kann man etwas Ähnliches beobachten. Aber da hilft kein Zivil, Lisaweta! Verkleiden Sie sich, vermummen Sie sich,[77] ziehen Sie sich an wie ein Attaché 190 oder ein Gardeleutnant in Urlaub: [78] Sie werden kaum die Augen aufzuschlagen und ein Wort zu sprechen brauchen, und jedermann wird wissen, daß Sie kein Mensch sind, sondern irgend etwas Fremdes, Befremdendes,[79] Anderes ... "

„Aber was ist der Künstler? Vor keiner Frage hat die Bequemlichkeit 195 und Erkenntnisträgheit der Menschheit sich zäher erwiesen als vor dieser.[80] ‚Dergleichen [81] ist Gabe‘, sagen demütig die braven Leute, die unter der Wirkung [82] eines Künstlers stehen, und weil heitere und erhabene Wirkungen [83] nach ihrer gutmütigen [84] Meinung ganz unbedingt auch heitere und erhabene Ursprünge haben müssen, 200 so argwöhnt niemand, daß es sich hier vielleicht um eine äußerst schlimm bedingte, äußerst fragwürdige ‚Gabe‘ handelt [85] ... Man weiß, daß Künstler leicht verletzlich sind,. — nun, man weiß auch, daß dies bei Leuten mit gutem Gewissen und solid gegründetem Selbstgefühl [86] nicht zuzutreffen pflegt ... Sehen Sie, Lisaweta, ich 205 hege auf dem Grunde meiner Seele — ins Geistige übertragen [87] — gegen den Typus des Künstlers [88] den ganzen Verdacht,[89] den jeder meiner ehrenfesten Vorfahren droben in der engen Stadt irgend einem Gaukler und abenteuernden Artisten [90] entgegengebracht hätte, der in

---

[71] **überreizt** hyper-sensitive
[72] **mit ... Aufgabe** *meaning:* together with the fact that he lacked a part, that he had nothing to represent
[73] **dessen ... ist** who has taken up art as a profession like any other
[74] **ersehen** *here:* pick out
[75] **der Scharfblick** acuteness (*of vision*)
[76] **in Zivil** in civilian clothes, *meaning:* disguised as ordinary citizen
[77] **sich vermummen** to put on a costume
[78] **in Urlaub** on leave
[79] **(etwas) Befremdendes** something alienating
[80] **Vor keiner ... dieser** *meaning:* Nothing shows up the persistent laziness and the mental inertia of man better

than his attitude toward this question
[81] **Dergleichen** This sort of thing
[82] **die Wirkung** *here:* influence
[83] **die Wirkungen** effects
[84] **gutmütig** innocent, good-natured
[85] **so argwöhnt ... handelt** no one suspects that the gift in question may have sinister origins and that it may be a very dubious affair
[86] **das Selbstgefühl** self-esteem
[87] **ins Geistige übertragen** transposed to an intellectual plane
[88] **gegen den Typus des Künstlers** against the artist as a type
[89] **(ich hege) den ganzen Verdacht** (I harbor) all the suspicions
[90] **Gaukler und abenteuernder Artist** juggler and mountebank

sein Haus gekommen wäre. Hören Sie folgendes. Ich kenne einen 210
Bankier, einen ergrauten⁹¹ Geschäftsmann, der die Gabe besitzt,
Novellen zu schreiben. Er macht von dieser Gabe in seinen Muße-
stunden Gebrauch, und seine Arbeiten sind manchmal ganz ausgezeichnet. Trotz — ich sage ‚trotz‘ — dieser sublimen Veranlagung ist dieser
Mann nicht völlig unbescholten;⁹² er hat im Gegenteil bereits eine 215
schwere Freiheitsstrafe zu verbüßen gehabt, und zwar aus triftigen
Gründen.⁹³ Ja, es geschah ganz eigentlich erst in der Strafanstalt, daß er
seiner Begabung inne wurde, und seine Sträflingserfahrungen bilden
das Grundmotiv in allen seinen Produktionen. Man könnte daraus, mit
einiger Keckheit, folgern, daß es nötig sei, in irgend einer Art von 220
Strafanstalt zu Hause zu sein, um zum Dichter zu werden. Aber drängt
sich nicht der Verdacht auf,⁹⁴ daß seine Erlebnisse im Zuchthause
weniger innig mit den Wurzeln und Ursprüngen seiner Künstlerschaft
verwachsen gewesen sein möchten,⁹⁵ als das, was ihn hineinbrachte⁹⁶ — ?
Ein Bankier, der Novellen dichtet, das ist eine Rarität, nicht wahr? 225
Aber ein nicht krimineller, ein unbescholtener⁹⁷ und solider Bankier,
welcher Novellen dichtete — das kommt nicht vor . . . Ja, da lachen
Sie nun, und dennoch scherze ich nur halb und halb. Kein Problem,
keines in der Welt, ist quälender, als das vom Künstlertum und seiner
menschlichen Wirkung.⁹⁸ Nehmen Sie das wunderartigste Gebilde⁹⁹ 230
des typischsten und darum mächtigsten Künstlers, nehmen Sie ein so
morbides und tief zweideutiges Werk wie *Tristan und Isolde*¹ und
beobachten Sie die Wirkung, die dieses Werk auf einen jungen,
gesunden, stark normal empfindenden Menschen ausübt. Sie sehen
Gehobenheit, Gestärktheit,² warme, rechtschaffene Begeisterung, 235
Angeregtheit vielleicht zu eigenem ‚künstlerischen‘ Schaffen . . . Der
gute Dilettant!³ In uns Künstlern sieht es gründlich anders aus, als er
mit seinem ‚warmen Herzen‘ und ‚ehrlichen Enthusiasmus‘ sich
träumen mag. Ich habe Künstler von Frauen und Jünglingen um-
schwärmt und umjubelt⁴ gesehen, während ich über sie wußte . . . Man 240
macht, was die Herkunft, die Miterscheinungen⁵ und Bedingungen des

---

⁹¹ **ergraut** grey-haired
⁹² **(dieser Mann) ist nicht völlig unbescholten** his record is not quite
clean
⁹³ **(er hat) eine schwere . . . Gründen**
he has had to serve a prison sentence, on
anything but trifling grounds
⁹⁴ **drängt . . . auf** doesn't the suspicion
force itself upon you; can you escape
the suspicion
⁹⁵ **verwachsen gewesen sein möchten**
might have been bound up (*with*)
⁹⁶ **das, . . . hineinbrachte = was ihn ins
Zuchthaus brachte**

⁹⁷ **unbescholten** possessing a good name
⁹⁸ **und seiner menschlichen Wirkung**
and its effect on the human being
⁹⁹ **(das) Gebilde** creation
¹ *Tristan und Isolde opera by Wagner*
² **Gehobenheit, Gestärktheit** exalta-
tation, a tonic effect
³ **Der gute Dilettant!** *meaning:* That
good-natured, naive dilettante!
⁴ **von . . . umjubelt** *meaning:* surrounded, adored and celebrated by enthusiastic women and youths
⁵ **die Miterscheinungen** accompanying circumstances

Künstlertums betrifft,[6] immer wieder die merkwürdigsten Erfahrungen..."[7]

„An anderen, Tonio Kröger — verzeihen Sie — oder nicht nur an anderen?" 24

Er schwieg. Er zog seine schrägen Brauen zusammen und pfiff vor sich hin.

„Ich bitte um Ihre Tasse, Tonio. Er ist nicht stark.[8] Und nehmen Sie eine neue Zigarette. Übrigens wissen Sie sehr wohl, daß Sie die Dinge ansehen, wie sie nicht notwendig angesehen zu werden brauchen..." 250

„Das ist die Antwort des Horatio,[9] liebe Lisaweta. ,Die Dinge so betrachten, hieße, sie zu genau betrachten', nicht wahr?"

„Ich sage, daß man sie ebenso genau von einer anderen Seite betrachten kann, Tonio Kröger. Ich bin bloß ein dummes malendes Frauenzimmer, und wenn ich Ihnen überhaupt etwas zu erwidern weiß, 25? wenn ich Ihren eigenen Beruf ein wenig gegen Sie in Schutz nehmen[10] kann, so ist es sicherlich nichts Neues, was ich vorbringe,[11] sondern nur eine Mahnung[12] an das, was Sie selbst sehr wohl wissen... Wie also: Die reinigende, heiligende Wirkung der Literatur, die Zerstörung der Leidenschaften durch die Erkenntnis und das Wort, die Literatur als 26c Weg zum Verstehen, zum Vergeben und zur Liebe, die erlösende Macht der Sprache, der literarische Geist als die edelste Erscheinung des Menschengeistes überhaupt, der Literat als vollkommener Mensch, als Heiliger, — die Dinge so betrachten, hieße, sie nicht genau genug betrachten?" 26?

[Assignment VIII]

„Sie haben ein Recht, so zu sprechen, Lisaweta Iwanowna, und zwar im Hinblick auf das Werk Ihrer Dichter, auf die anbetungswürdige[13] russische Literatur, die so recht eigentlich die heilige Literatur darstellt, von der Sie reden. Aber ich habe Ihre Einwände nicht außer acht gelassen,[14] sondern sie gehören mit zu dem, was mir heute im Sinne 27c liegt... Sehen Sie mich an. Ich sehe nicht übermäßig munter aus, wie? Ein bißchen alt und scharfzügig[15] und müde, nicht wahr? Nun, um auf die ,Erkenntnis' zurückzukommen, so ließe sich ein Mensch denken, der, von Hause aus gutgläubig,[16] sanftmütig, wohlmeinend und ein

---

[6] **(was) betrifft** with respect to

[7] **(Man macht) die merkwürdigsten Erfahrungen** (One makes) the strangest discoveries

[8] **Er ist nicht stark. = Der Tee ist nicht stark.**

[9] **Horatio** Note: This is the first reference to the Hamlet-theme, and specifically to Act V, Scene 1: "'Twere to consider too curiously, to consider so." According to the glossary of The Yale Shakespeare, "too curiously" means "too minutely", hence German "allzu genau" or "zu genau" ("all too precisely").

[10] **in Schutz nehmen** defend

[11] **vorbringen** submit, suggest

[12] **die Mahnung** reminder

[13] **anbetungswürdig** worthy of veneration

[14] **außer acht lassen** ignore

[15] **scharfzügig** drawn, pinched

[16] **gutgläubig** credulous

wenig sentimental, durch die psychologische Hellsicht[17] ganz einfach 275
aufgerieben[18] und zugrunde gerichtet würde. Sich von der Traurigkeit
der Welt nicht übermannen lassen;[19] beobachten, merken, einfügen,[20]
auch das Quälendste, und übrigens guter Dinge sein,[21] schon im
Vollgefühl der sittlichen Überlegenheit über die abscheuliche Erfindung
des Seins,[22] — ja, freilich! Jedoch zuweilen wächst Ihnen die Sache[23] 280
trotz aller Vergnügungen des Ausdrucks ein wenig über den Kopf.[24]
Alles verstehen hieße alles verzeihen? Ich weiß doch nicht. Es gibt
etwas, was ich Erkenntnisekel[25] nenne, Lisaweta: Der Zustand, in
dem es dem Menschen genügt, eine Sache zu durchschauen, um sich
bereits zum Sterben angewidert[26] (und durchaus nicht versöhnlich 285
gestimmt)[27] zu fühlen, — der Fall Hamlets, des Dänen, dieses typischen
Literaten. Er wußte, was das ist: zum Wissen berufen werden, ohne
dazu geboren zu sein.[28] Hellsehen noch durch den Tränenschleier des
Gefühls hindurch, erkennen, merken, beobachten und das Beobachtete
lächelnd beiseite legen müssen noch in Augenblicken, wo Hände sich 290
umschlingen, Lippen sich finden, wo des Menschen Blick, erblindet
von Empfindung, sich bricht,[29] — es ist infam, Lisaweta, es ist niederträchtig,[30] empörend[31] . . . aber was hilft es, sich zu empören?[32]

„Eine andere, aber nicht minder liebenswürdige Seite der Sache ist
dann freilich die Blasiertheit,[33] Gleichgültigkeit und ironische Müdig- 295
keit aller Wahrheit gegenüber, wie es denn Tatsache ist, daß es nirgends
in der Welt stummer und hoffnungsloser zugeht als[34] in einem Kreise
von geistreichen[35] Leuten, die bereits mit allen Hunden gehetzt[36] sind.
Alle Erkenntnis ist alt und langweilig. Sprechen Sie eine Wahrheit aus,
an deren Eroberung und Besitz Sie vielleicht eine gewisse jugendliche 300
Freude haben, und man wird Ihre ordinäre Aufgeklärtheit mit einem
kurzen Entlassen der Luft durch die Nase beantworten[37] . . . Ach ja,

[17] **(die) Hellsicht** clear-sightedness
[18] **aufgerieben** exhausted
[19] **sich nicht übermannen lassen** *lit.*: not to let oneself be overpowered
[20] **einfügen** *lit.*: insert; integrate
[21] **guter Dinge sein** to be cheerful
[22] **über . . . Seins** *lit.*: over the horrible invention of existence; *meaning*: concerning the fact that human existence is a horrible invention
[23] **zuweilen** at times
[24] **die Sache wächst Ihnen ein wenig über den Kopf** this business tends to get the better of you
[25] **der Erkenntnisekel** being sick of knowledge, disgust with knowledge
[26] **zum Sterben angewidert** to be sick to death
[27] **versöhnlich gestimmt** to be in a conciliatory mood
[28] **zum Wissen . . . sein** *meaning*: to be

chosen to know without a birthright to such knowledge. *Note: Hamlet, according to Tonio, was compelled to an awareness of the truth which proved too much for his native endowments.*
[29] **sich bricht** grows dim
[30] **niederträchtig** vile
[31] **empörend** outrageous
[32] **sich empören** be outraged
[33] **die Blasiertheit** ennui
[34] **daß es . . . als . . .** that social life is nowhere less communicative and hopeless than . . .
[35] **geistreich** clever
[36] **mit allen Hunden gehetzt** *meaning*: jaded with sophistication
[37] **man wird . . . beantworten** *meaning*: they will answer your trite sense of enlightenment with a contemptuous snort

die Literatur macht müde, Lisaweta! In menschlicher Gesellschaft kann
es einem, ich versichere Sie, geschehen, daß man vor lauter Skepsis und
Meinungsenthaltsamkeit für dumm gehalten wird,[38] während man 305
doch nur hochmütig und mutlos ist . . . Dies zur ,Erkenntnis.'[39] Was
aber das ,Wort' betrifft, so handelt es sich da vielleicht weniger um eine
Erlösung als um ein Kaltstellen und Aufs-Eis-Legen der Empfindung?[40]
Im Ernst, es hat eine eisige und empörend anmaßliche Bewandtnis mit
dieser prompten und oberflächlichen Erledigung des Gefühls durch die 310
literarische Sprache.[41] Ist Ihnen das Herz zu voll, fühlen Sie sich von
einem süßen oder erhabenen Erlebnis allzusehr ergriffen: nichts ein-
facher! Sie gehen zum Literaten, und alles wird in kürzester Frist
geregelt sein. Er wird Ihnen Ihre Angelegenheit analysieren und for-
mulieren, bei Namen nennen, aussprechen und zum Reden bringen,[42] 315
wird Ihnen das Ganze für alle Zeit erledigen[43] und gleichgültig machen
und keinen Dank dafür nehmen.[44] Sie aber werden erleichtert, gekühlt
und geklärt[45] nach Hause gehen und sich wundern, was an der Sache
Sie eigentlich soeben noch mit so süßem Tumult verstören konnte.
Und für diesen kalten und eitlen Charlatan wollen Sie ernstlich ein- 320
treten?[46] Was ausgesprochen ist, so lautet sein Glaubensbekenntnis,
ist erledigt.[47] Ist die ganze Welt ausgesprochen, so ist sie erledigt, erlöst,
abgetan[48] . . . Sehr gut! Jedoch ich bin kein Nihilist . . ."

„Sie sind kein —" sagte Lisaweta . . . Sie hielt gerade ihr Löffelchen
mit Tee in der Nähe des Mundes und erstarrte in dieser Haltung.   325

„Nun ja . . . nun ja . . . kommen Sie zu sich,[49] Lisaweta! Ich bin es
nicht, sage ich Ihnen, in bezug auf das lebendige Gefühl. Sehen Sie, der
Literat begreift im Grunde nicht, daß das Leben noch fortfahren mag,
zu leben, daß es sich dessen nicht schämt, nachdem es doch ausgesprochen und ,erledigt' ist. Aber siehe da,[50] es sündigt trotz aller Erlösung 330
durch die Literatur unentwegt darauf los;[51] denn alles Handeln ist
Sünde in den Augen des Geistes . . .[52]

---

[38] **daß man . . . wird** *meaning:* that a
person who is skeptical to the point of
refraining from expressing any opinion
is taken for stupid

[39] **Dies zur ,Erkenntnis'** So much for
'knowledge'

[40] **ein Kaltstellen . . . Empfindung** a
chilling of the emotions and putting
them on ice

[41] **es hat . . . Sprache** *meaning:* there is
something frigid and pretentious about
the prompt and superficial way in which
literary language disposes of feeling

[42] **zum Reden bringen** discuss it

[43] **erledigen** dispose of

[44] **und . . . nehmen** and to expect no
reward

[45] **geklärt** enlightened

[46] **eintreten (für)** defend

[47] **ist erledigt** *lit.:* is disposed of; *meaning:* is finished

[48] **abgetan** done with

[49] **kommen Sie zu sich** compose yourself

[50] **siehe da** lo and behold

[51] **(es sündigt) unentwegt darauf los**
it keeps on sinning

[52] **alles . . . Geistes** *lit.:* all action is sin
in the eyes of the spirit; *meaning: all
action is bound up with the imperfect tem-
poral sphere of the sensory world and therefore sinful in the face of the unchanging and
absolute sphere of spiritual perfection.*

„Ich bin am Ziel,[53] Lisaweta. Hören Sie mich an. Ich liebe das Leben — dies ist ein Geständnis. Nehmen Sie es und bewahren Sie es, — ich habe es noch keinem gemacht. Man hat gesagt, man hat es sogar 335 geschrieben und drucken lassen, daß ich das Leben hasse oder fürchte oder verachte oder verabscheue. Ich habe dies gern gehört, es hat mir geschmeichelt; aber darum ist es nicht weniger falsch. Ich liebe das Leben ... Sie lächeln, Lisaweta, und ich weiß, worüber. Aber ich beschwöre Sie, halten Sie es nicht für Literatur, was ich da sage![54] 340 Denken Sie nicht an Cesare Borgia[55] oder an irgend eine trunkene[56] Philosophie, die ihn aufs Schild erhebt![57] Er ist mir nichts, dieser Cesare Borgia, ich halte nicht das Geringste auf ihn, und ich werde nie und nimmer begreifen, wie man das Außerordentliche und Dämonische als Ideal verehren mag. Nein, das ‚Leben‘, wie es als ewiger Gegensatz 345 dem Geiste und der Kunst gegenübersteht, — nicht als Vision von blutiger Größe und wilder Schönheit, nicht als das Ungewöhnliche stellt es uns Ungewöhnlichen sich dar;[58] sondern das Normale, Wohlanständige und Liebenswürdige ist das Reich unserer Sehnsucht, ist das Leben in seiner verführerischen Banalität! Der ist noch lange 350 kein Künstler,[59] meine Liebe, dessen letzte und tiefste Schwärmerei das Raffinierte, Exzentrische und Satanische ist, der die Sehnsucht nicht kennt nach dem Harmlosen, Einfachen und Lebendigen, nach ein wenig Freundschaft, Hingebung, Vertraulichkeit und menschlichem Glück, — die verstohlene und zehrende Sehnsucht, Lisaweta, nach den 355 Wonnen der Gewöhnlichkeit! ...[60]

„Ein menschlicher Freund! Wollen Sie glauben, daß es mich stolz und glücklich machen würde, unter Menschen einen Freund zu besitzen? Aber bislang habe ich nur unter Dämonen, Kobolden,[61] tiefen Unholden und erkenntnisstummen Gespenstern,[62] das heißt: 360 unter Literaten, Freunde gehabt.

[Assignment IX]

„Zuweilen gerate ich auf irgend ein Podium, finde mich in einem Saale Menschen gegenüber, die gekommen sind, mir zuzuhören. Sehen Sie, dann geschieht es, daß ich mich bei einer Umschau im

---

[53] **Ich bin am Ziel** I am done
[54] **ich beschwöre ... sage!** *meaning:* I implore you, do not consider what I am saying to be mere literary fiction
[55] **Cesare Borgia** *A Renaissance prince, frequently considered the prototype of amoral and ruthless indulgence in the excess of passions and ambitions.*
[56] **trunken** *lit.:* drunken; *meaning:* orgiastic, Dionysian
[57] **aufs Schild erheben** exalt
[58] **nicht als das Ungewöhnliche ... dar**

meaning: not in the guise of the uncommon does life reveal itself to us who are uncommon
[59] **Der ... Künstler** That man is very far from being an artist
[60] **Wonnen der Gewöhnlichkeit** bliss of the commonplace
[61] **der Kobold** goblin
[62] **tiefe Unholde und erkenntnisstumme Gespenster** *meaning:* melancholy monsters and specters dumb with excess of knowledge

Publikum 63 beobachte, mich ertappe, 64 wie ich heimlich im Audito- 365
rium umherspähe, mit der Frage im Herzen, wer es ist, der zu mir kam,
wessen Beifall und Dank zu mir dringt, mit wem meine Kunst mir hier
eine ideale Vereinigung schafft ... Ich finde nicht, was ich suche,
Lisaweta. Ich finde die Herde und Gemeinde, die mir wohlbekannt ist,
eine Versammlung von ersten Christen gleichsam: Leute mit unge- 370
schickten Körpern und feinen Seelen, Leute, die immer hinfallen,
sozusagen, Sie verstehn mich, und denen die Poesie eine sanfte Rache
am Leben ist, — immer nur Leidende und Sehnsüchtige und Arme und
niemals jemand von den anderen, den Blauäugigen, Lisaweta, die den
Geist nicht nötig haben! ... 375

„Und wäre es nicht zuletzt ein bedauerlicher Mangel an Folgerichtigkeit, 65 sich zu freuen, wenn es anders wäre? Es ist widersinnig, 66 das
Leben zu lieben und dennoch mit allen Künsten 67 bestrebt zu sein, es
auf seine Seite zu ziehen, 68 es für die Finessen und Melancholien, den
ganzen kranken Adel der Literatur zu gewinnen. 69 Das Reich der 380
Kunst nimmt zu, und das der Gesundheit und Unschuld nimmt ab auf
Erden. Man sollte, was noch davon übrig ist, aufs sorgfältigste konservieren und man sollte nicht Leute, die viel lieber in Pferdebüchern mit
Momentaufnahmen 70 lesen, zur Poesie verführen wollen!

„Denn schließlich, — welcher Anblick wäre kläglicher, als der des 385
Lebens, wenn es sich in der Kunst versucht? 71 Wir Künstler verachten
niemand gründlicher als den Dilettanten, den Lebendigen, der glaubt,
obendrein bei Gelegenheit 72 einmal ein Künstler sein zu können. Ich
versichere Sie, diese Art von Verachtung gehört zu meinen persön-
lichsten Erlebnissen. Ich befinde mich in einer Gesellschaft in gutem 390
Hause, man ißt, trinkt und plaudert, man versteht sich aufs beste, und
ich fühle mich froh und dankbar, eine Weile unter harmlosen und
regelrechten Leuten als ihresgleichen 73 verschwinden zu können.
Plötzlich (dies ist mir begegnet) erhebt sich ein Offizier, ein Leutnant
ein hübscher und strammer Mensch, dem ich niemals eine seine, 395
Ehrenkleides unwürdige Handlungsweise zugetraut hätte, 74 und bittes
mit unzweideutigen Worten um die Erlaubnis, uns einige Verse
mitzuteilen, die er angefertigt habe. Man gibt ihm, mit bestürztem
Lächeln, 75 diese Erlaubnis, und er führt sein Vorhaben aus, indem er

63 **bei ... Publikum** looking around in the audience
64 **sich ertappen** catch oneself
65 **Mangel an Folgerichtigkeit** lack of consistency
66 **widersinnig** irrational
67 **mit allen Künsten** *meaning:* with all the means and tricks at one's disposal
68 **es ... ziehen** win it over to one's side
69 **(es) zu gewinnen (für)** to gain its sympathy for

70 **die Momentaufnahmen** snapshots
71 **wenn ... versucht** when it tries its hand at art
72 **obendrein bei Gelegenheit** and what is more, only occasionally
73 **als ihresgleichen** as one of them
74 **dem ich ... hätte** *meaning:* whom I could never have believed guilty of any conduct unbecoming his uniform
75 **mit bestürztem Lächeln** with a disconcerted smile

von einem Zettel, den er bis dahin in seinem Rockschoß [76] verborgen 400
gehalten hat, seine Arbeit vorliest, etwas an die Musik und die Liebe,
kurzum, ebenso tief empfunden wie unwirksam. Nun bitte ich aber
jedermann: ein Leutnant! Ein Herr der Welt! Er hätte es doch wahr-
haftig nicht nötig . . .! Nun, es erfolgt, was erfolgen muß: Lange
Gesichter, Stillschweigen, ein wenig künstlicher Beifall und tiefstes 405
Mißbehagen ringsum. Die erste seelische Tatsache, deren ich mir
bewußt werde, ist die, daß ich mich mitschuldig fühle an der Verstörung, die dieser unbedachte [77] junge Mann über die Gesellschaft
gebracht; und kein Zweifel: auch mich, in dessen Handwerk er
gepfuscht hat,[78] treffen spöttische und entfremdete Blicke. Aber die 410
zweite besteht darin, daß dieser Mensch, vor dessen Sein und Wesen
ich soeben noch den ehrlichsten Respekt empfand, in meinen Augen
plötzlich sinkt, sinkt, sinkt . . . Ein mitleidiges Wohlwollen [79] faßt mich
an. Ich trete, gleich einigen anderen beherzten und gutmütigen Herren,
an ihn heran und rede ihm zu.[80] ‚Meinen Glückwunsch‘, sage ich, ‚Herr 415
Leutnant! Nein, das war allerliebst!‘ Und es fehlt nicht viel, daß ich
ihm auf die Schulter klopfe.[81] Aber ist Wohlwollen die Empfindung,
die man einem Leutnant entgegenzubringen hat? . . . Seine Schuld!
Da stand er und büßte in großer Verlegenheit den Irrtum,[82] daß man
ein Blättchen pflücken dürfe, ein einziges, vom Lorbeerbaume der 420
Kunst, ohne mit seinem Leben dafür zu zahlen. Nein, da halte ich es
mit [83] meinem Kollegen, dem kriminellen Bankier — Aber finden Sie
nicht, Lisaweta, daß ich heute von einer hamletischen Redseligkeit bin?“

„Sind Sie nun fertig, Tonio Kröger?“

„Nein. Aber ich sage nichts mehr.“ 425

„Und es genügt auch. — Erwarten Sie eine Antwort?“

„Haben Sie eine?“

„Ich dächte doch. — Ich habe Ihnen gut zugehört, Tonio, von Anfang
bis zu Ende, und ich will Ihnen die Antwort geben, die auf alles paßt,
was Sie heute nachmittag gesagt haben, und die Lösung ist für das 430
Problem, das Sie so sehr beunruhigt hat. Nun also! Die Lösung ist die,
daß Sie, wie Sie da sitzen, ganz einfach ein Bürger sind.“

„Bin ich?“ fragte er und sank ein wenig zusammen . . .

„Nicht wahr, das trifft Sie hart, und das muß es ja auch. Und darum
will ich den Urteilsspruch um etwas mildern, denn das kann ich. Sie 435
sind ein Bürger auf Irrwegen,[84] Tonio Kröger, — ein verirrter
Bürger.“ [85]

---

[76] **der Rockschoß** coat-tail (pocket)
[77] **unbedacht** rash
[78] **in . . . hat** *meaning:* since he has
meddled with my craft in his blundering
way
[79] **mitleidiges Wohlwollen** benevolence tinged with pity
[80] **zureden** encourage

[81] **klopfen** *here:* pat
[82] **der Irrtum** mistaken notion
[83] **da halte ich es mit** there I go along
with
[84] **ein Bürger auf Irrwegen** a bourgeois
gone astray
[85] **ein verirrter Bürger** a bourgeois
who has lost his way

Stillschweigen. Dann stand er entschlossen auf und griff nach Hut und Stock.

„Ich danke Ihnen, Lisaweta Iwanowna; nun kann ich getrost[86] nach 440 Hause gehn. Ich bin erledigt."[87]

V

Gegen den Herbst sagte Tonio Kröger zu Lisaweta Iwanowna:

„Ja, ich verreise nun, Lisaweta; ich muß mich auslüften, ich mache mich fort, ich suche das Weite."[88]

„Nun, wie denn, Väterchen, geruhen[89] Sie wieder nach Italien zu fahren?" 5

„Gott, gehen Sie mir doch mit Italien,[90] Lisaweta! Italien ist mir bis zur Verachtung gleichgültig! Das ist lange her, daß ich mir einbildete, dorthin zu gehören. Kunst, nicht wahr? Sammetblauer[91] Himmel, heißer Wein und süße Sinnlichkeit... Kurzum, ich mag das nicht. Ich verzichte. Die ganze bellezza[92] macht mich nervös. Ich mag auch 10 alle diese fürchterlich lebhaften Menschen dort unten mit dem schwarzen Tierblick nicht leiden. Diese Romanen[93] haben kein Gewissen in den Augen... Nein, ich gehe nun ein bißchen nach Dänemark."

„Nach Dänemark?"

„Ja. Und ich verspreche mir Gutes davon. Ich bin aus Zufall noch 15 niemals hinaufgelangt, so nah ich während meiner ganzen Jugend der Grenze war, und dennoch habe ich das Land von jeher gekannt und geliebt. Ich muß wohl diese nördliche Neigung von meinem Vater haben, denn meine Mutter war doch eigentlich mehr für die bellezza, sofern ihr nämlich nicht Alles ganz einerlei war. Aber nehmen Sie die 20 Bücher, die dort oben geschrieben werden, diese tiefen, reinen und humoristischen Bücher, Lisaweta, — es geht mir nichts darüber,[94] ich liebe sie. Nehmen Sie die skandinavischen Mahlzeiten, diese unvergleichlichen Mahlzeiten, die man nur in einer starken Salzluft verträgt (ich weiß nicht, ob ich sie überhaupt noch vertrage) und die ich von 25 Hause aus ein wenig kenne, denn man ißt schon ganz so bei mir zu Hause. Nehmen Sie auch nur die Namen, die Vornamen, mit denen die Leute dort oben geschmückt sind und von denen es ebenfalls schon viele bei mir zu Hause gibt, einen Laut wie ‚Ingeborg‘, ein Harfenschlag

---

[86] **getrost** in peace
[87] **Ich bin erledigt** I am finished
[88] **ich mache ... Weite** I am off, I am getting out
[89] **geruhen** deign, condescend
[90] **gehen Sie ... Italien** get along with your Italy

[91] **sammetblau** velvet blue
[92] *bellezza* (*Italian*) beauty; *here:* Southern beauty
[93] **Romanen** Latins
[94] **es geht ... darüber** I like nothing better

makellosester Poesie.[95] Und dann die See, — Sie haben die Ostsee dort 30
oben! . . . Mit einem Worte, ich fahre hinauf, Lisaweta. Ich will die
Ostsee wiedersehen, will diese Vornamen wieder hören, diese Bücher
an Ort und Stelle[96] lesen; ich will auch auf der Terrasse von Kronborg
stehen, wo der ‚Geist' zu Hamlet kam und Not und Tod über den
armen, edlen jungen Menschen brachte . . ." 35

„Wie fahren Sie, Tonio, wenn ich fragen darf? Welche Route
nehmen Sie?"

„Die übliche", sagte er achselzuckend[97] und errötete deutlich. „Ja,
ich berühre meine — meinen Ausgangspunkt,[98] Lisaweta, nach dreizehn
Jahren, und das kann ziemlich komisch werden." 40

Sie lächelte.

„Das ist es, was ich hören wollte, Tonio Kröger. Und also fahren Sie
mit Gott. Versäumen[99] Sie auch nicht, mir zu schreiben, hören Sie?
Ich verspreche mir einen erlebnisvollen Brief von Ihrer Reise nach —
Dänemark . . ." 45

VI

[Assignment X]

Und Tonio Kröger fuhr gen Norden. Er fuhr mit Komfort (denn er
pflegte zu sagen, daß jemand, der es innerlich[1] so viel schwerer hat als
andere Leute, gerechten Anspruch[2] auf ein wenig äußeres Behagen
habe), und er rastete nicht eher, als bis die Türme der engen Stadt, von
der er ausgegangen, sich vor ihm in die graue Luft erhoben. Dort nahm 5
er einen kurzen, seltsamen Aufenthalt[3] . . .

Ein trüber Nachmittag ging schon in den Abend über,[4] als der Zug
in die schmale, verräucherte, so wunderlich vertraute Halle einfuhr;
noch immer ballte sich unter dem schmutzigen Glasdach der Qualm[5]
in Klumpen zusammen und zog in gedehnten Fetzen hin und wieder,[6] 10
wie damals, als Tonio Kröger, nichts als Spott im Herzen, von hier
gefahren war. — Er versorgte sein Gepäck, ordnete an, daß es ins Hotel
geschafft werde, und verließ den Bahnhof.

Das waren die zweispännigen, schwarzen, unmäßig hohen und
breiten Droschken[7] der Stadt, die draußen in einer Reihe standen! Er 15

---

[95] **ein Harfenschlag makellosester Poesie** a cadence of purest poetry (*played on a harp*)
[96] **an Ort und Stelle** *meaning:* in their native environment
[97] **achselzuckend** shrugging his shoulders
[98] **der Ausgangspunkt** point of origin
[99] **Versäumen** Neglect

[1] **innerlich** inwardly
[2] **der Anspruch** claim
[3] **der Aufenthalt** stay, sojourn
[4] **(ging) über** merged into
[5] **der Qualm** thick smoke
[6] **. . . zog in . . . wieder** wreathed to and fro in long tatters (*Lowe-Porter*)
[7] **(die zweispännigen) Droschken** the cabs drawn by two horses

nahm keine davon; er sah sie nur an, wie er alles ansah, die schmalen
Giebel und spitzen Türme, die über die nächsten Dächer herüber-
grüßten, die blonden und lässigplumpen [8] Menschen mit ihrer breiten
und dennoch rapiden Redeweise [9] rings um ihn her, und ein nervöses
Gelächter stieg in ihm auf, das eine heimliche Verwandtschaft mit   20
Schluchzen hatte. — Er ging zu Fuß, ging langsam, den unablässigen
Druck des feuchten Windes im Gesicht, über die Brücke, an deren
Geländer mythologische Statuen standen, und eine Strecke am Hafen
entlang.

Großer Gott, wie winzig und winklig das Ganze erschien! Waren   25
hier in all der Zeit die schmalen Giebelgassen so putzig steil [10] zur
Stadt [11] emporgestiegen? Die Schornsteine und Maste der Schiffe
schaukelten leise in Wind und Dämmerung auf dem trüben Flusse.
Sollte er jene Straße hinaufgehen, die dort, [12] an der das Haus lag, das
er im Sinne hatte? Nein, morgen. Er war so schläfrig jetzt. Sein Kopf   30
war schwer von der Fahrt, und langsame, nebelhafte Gedanken zogen
ihm durch den Sinn.

Zuweilen in diesen dreizehn Jahren, wenn sein Magen verdorben [13]
gewesen war, hatte ihm geträumt, daß er wieder daheim sei in dem
alten, hallenden Haus, an der schrägen [14] Gasse, daß auch sein Vater   35
wieder da sei und ihn hart anlasse [15] wegen seiner entarteten Lebensführung, [16] was er jedesmal sehr in der Ordnung gefunden hatte. Und
diese Gegenwart nun unterschied sich durch nichts von einem dieser
betörenden und unzerreißbaren Traumgespinste, [17] in denen man sich
fragen kann, ob dies Trug oder Wirklichkeit ist, und sich notgedrungen   40
mit Überzeugung für das letztere entscheidet, um dennoch am Ende zu
erwachen [18] . . . Er schritt durch die wenig belebten, zugigen Straßen, [19]
hielt den Kopf gegen den Wind gebeugt und schritt wie schlafwandelnd
in der Richtung des Hotels, des ersten der Stadt, wo er übernachten
wollte. Ein krummbeiniger Mann mit einer Stange, an deren Spitze ein   45
Feuerchen brannte, ging mit wiegendem Matrosenschritt [20] vor ihm
her und zündete die Gaslaternen an.

Wie war ihm doch? [21] Was war das alles, was unter der Asche seiner
Müdigkeit, ohne zur klaren Flamme zu werden, so dunkel und

---

[8] **lässigplump** easy-going and clumsy
[9] **die Redeweise** manner of speech
[10] **so putzig steil** so drolly and steeply
[11] **zur Stadt** *meaning:* from the harbour
to the city
[12] **die dort** that one, over there
[13] **verdorben** *here:* upset
[14] **schräg** *here:* steep, sloping
[15] **hart anlassen** take to task severely
[16] **entartete Lebensführung** degenerate way of life
[17] **betörende und unzerreißbare**

Traumgespinste deceptive and inescapable dream fabrications
[18] **und sich notgedrungen ... erwachen**
and cannot but decide emphatically for
the latter, only to wake up after all in
the end
[19] **die wenig ... Straßen** the scarcely
populated, drafty streets
[20] **mit wiegendem Matrosenschritt**
with the rolling gait of a sailor
[21] **Wie war ihm doch?** How did he
feel (*about all this*)?

schmerzlich glomm? Still, still und kein Wort! Keine Worte! Er wäre 50
gern lange so dahingegangen, im Wind durch die dämmerigen,
traumhaft vertrauten²² Gassen. Aber alles war so eng und nah bei
einander. Gleich war man am Ziel.

In der oberen Stadt gab es Bogenlampen,²³ und eben erglühten sie.
Da war das Hotel, und es waren die beiden schwarzen Löwen, die 55
davor lagen und vor denen er sich als Kind gefürchtet hatte. Noch
immer blickten sie mit einer Miene, als wollten sie niesen, einander an;
aber sie schienen viel kleiner geworden, seit damals. — Tonio Kröger
ging zwischen ihnen hindurch.

Da er zu Fuß kam, wurde er ohne viel Feierlichkeit²⁴ empfangen. 60
Der Portier und ein sehr feiner, schwarzgekleideter Herr, welcher die
Honneurs machte²⁵ und beständig mit den kleinen Fingern seine
Manschetten in die Ärmel zurückstieß, musterten ihn prüfend und
wägend²⁶ vom Scheitel bis zu den Stiefeln, sichtlich bestrebt,²⁷ ihn
gesellschaftlich ein wenig zu bestimmen,²⁸ ihn hierarchisch und 65
bürgerlich unterzubringen und ihm einen Platz in ihrer Achtung
anzuweisen,²⁹ ohne doch zu einem beruhigenden Ergebnis gelangen zu
können, weshalb sie sich für eine gemäßigte Höflichkeit entschieden.
Ein Kellner, ein milder Mensch mit brotblonden Backenbartstreifen,³⁰
einem altersblanken Frack³¹ und Rosetten auf den lautlosen Schuhen, 70
führte ihn zwei Treppen hinauf³² in ein reinlich und altväterlich
eingerichtetes Zimmer, hinter dessen Fenster sich im Zwielicht ein
pittoresker und mittelalterlicher Ausblick auf Höfe, Giebel und die
bizarren Massen der Kirche eröffnete, in deren Nähe das Hotel gelegen
war. Tonio Kröger stand eine Weile vor diesem Fenster; dann setzte 75
er sich mit gekreuzten Armen auf das weitschweifige Sofa, zog seine
Brauen zusammen und pfiff vor sich hin.

Man brachte Licht, und sein Gepäck kam. Gleichzeitig legte der
milde Kellner den Meldezettel³³ auf den Tisch, und Tonio Kröger
malte mit seitwärts geneigtem Kopf etwas darauf, das aussah wie 80
Name, Stand³⁴ und Herkunft. Hierauf bestellte er ein wenig Abendbrot
und fuhr fort, von seinem Sofawinkel aus ins Leere zu blicken. Als das
Essen vor ihm stand, ließ er es noch lange unberührt, nahm endlich ein

---

²² **traumhaft vertraut** dreamily familiar
²³ **die Bogenlampen** arc-lamps
²⁴ **ohne viel Feierlichkeit** without much ceremony
²⁵ **welcher . . . machte** who received the guests
²⁶ **prüfend und wägend mustern** look over searchingly and critically
²⁷ **sichtlich bestrebt** obviously with the intent
²⁸ **ihn . . . bestimmen** *meaning:* assign him to his proper category within the bourgeois hierarchy
²⁹ **ihm . . . anzuweisen** *meaning:* to mete out to him the suitable degree of courtesy (*Lowe-Porter*)
³⁰ **die Backenbartstreifen** sidewhiskers
³¹ **altersblanker Frack** dress suit shiny with age
³² **zwei Treppen hinauf** two flights up
³³ **der Meldezettel** registration form
³⁴ **der Stand** status, profession

paar Bissen und ging noch eine Stunde im Zimmer auf und ab, wobei er zuweilen stehen blieb und die Augen schloß. Dann entkleidete er 85 sich mit langsamen Bewegungen und ging zu Bette. Er schlief lange, unter verworrenen und seltsam sehnsüchtigen Träumen. —

Als er erwachte, sah er sein Zimmer von hellem Tage erfüllt. Verwirrt und hastig besann er sich,[35] wo er sei, und machte sich auf,[36] um die Vorhänge zu öffnen. Des Himmels schon ein wenig blasses 90 Spätsommer-Blau war von dünnen, vom Wind zerzupften[37] Wolkenfetzchen durchzogen; aber die Sonne schien über seiner Vaterstadt.

Er verwandte noch mehr Sorgfalt auf seine Toilette als gewöhnlich, wusch und rasierte sich aufs beste und machte sich so frisch und reinlich, als habe er einen Besuch in gutem, korrektem Hause vor, wo es 95 gälte, einen schmucken und untadelhaften Eindruck zu machen;[38] und während der Hantierungen des Ankleidens[39] horchte er auf das ängstliche Pochen seines Herzens.

Wie hell es draußen war! Er hätte sich wohler gefühlt, wenn, wie gestern, Dämmerung in den Straßen gelegen hätte, nun aber sollte er 100 unter den Augen der Leute durch den klaren Sonnenschein gehen. Würde er auf Bekannte stoßen, angehalten, befragt werden und Rede stehen[40] müssen, wie er diese dreizehn Jahre verbracht? Nein, gottlob,[41] es kannte ihn keiner mehr, und wer sich seiner erinnerte, würde ihn nicht erkennen, denn er hatte sich wirklich ein wenig verändert unter- 105 dessen. Er betrachtete sich aufmerksam im Spiegel, und plötzlich fühlte er sich sicherer hinter seiner Maske, hinter seinem früh durcharbeiteten[42] Gesicht, das älter als seine Jahre war . . . Er ließ Frühstück kommen und ging dann aus, ging unter den abschätzenden[43] Blicken des Portiers und des feinen Herrn in Schwarz durch das Vestibül und 110 zwischen den beiden Löwen hindurch ins Freie.

Wohin ging er? Er wußte es kaum. Es war wie gestern. Kaum, daß er sich wieder von diesem wunderlich würdigen und urvertrauten[44] Beieinander[45] von Giebeln, Türmchen, Arkaden, Brunnen umgeben sah, kaum daß er den Druck des Windes, des starken Windes, der ein 115 zartes und herbes[46] Aroma aus fernen Träumen mit sich führte, wieder im Angesicht spürte, als es sich ihm wie Schleier und Nebelgespinst um die Sinne legte[47] . . . Die Muskeln seines Gesichtes spannten sich ab;

---

[35] **sich besinnen** *here:* recall
[36] **machte sich auf** *here:* got up
[37] **zerzupft** frayed
[38] **wo es . . . machen** where he intended to make a pleasing and correct impression
[39] **während . . . Ankleidens** *meaning:* while he was dressing
[40] **Rede stehen** give an account
[41] **gottlob** thank God

[42] **früh durcharbeitet** prematurely careworn
[43] **abschätzend** appraising
[44] **urvertraut** long-familiar
[45] **das Beieinander** conglomeration
[46] **herb** pungent
[47] **als es . . . legte** *meaning:* when his senses seemed enveloped by veils and webs of mist

und mit stille gewordenem Blick betrachtete er Menschen und Dinge. Vielleicht, daß er dort, an jener Straßenecke, dennoch erwachte ... 120

Wohin ging er? Ihm war, als stehe die Richtung, die er einschlug, in einem Zusammenhange mit seinen traurigen und seltsam reuevollen[48] Träumen zur Nacht ... Auf den Markt ging er, unter den Bogengewölben des Rathauses hindurch, wo Fleischer mit blutigen Händen ihre Ware wogen, auf den Marktplatz, wo hoch, spitzig und vielfach 125 der gotische Brunnen stand. Dort blieb er vor einem Hause stehen, einem schmalen und schlichten, gleich anderen mehr, mit einem geschwungenen, durchbrochenen Giebel,[49] und versank in dessen Anblick. Er las das Namensschild an der Tür und ließ seine Augen ein Weilchen auf jedem der Fenster ruhen. Dann wandte er sich langsam 130 zum Gehen.

Wohin ging er? Heimwärts. Aber er nahm einen Umweg, machte einen Spaziergang vors Tor hinaus, weil er Zeit hatte. Er ging über den Mühlenwall und den Holstenwall und hielt seinen Hut fest vor dem Winde, der in den Bäumen rauschte und knarrte. Dann verließ er 135 die Wallanlagen unfern des Bahnhofes, sah einen Zug mit plumper Eilfertigkeit vorüberpuffen, zählte zum Zeitvertreib die Wagen und blickte dem Manne nach, der zuhöchst auf dem allerletzten saß. Aber am Lindenplatze machte er vor einer der hübschen Villen halt, die dort standen, spähte lange in den Garten und zu den Fenstern hinauf und 140 verfiel am Ende darauf, die Gatterpforte in ihren Angeln hin- und herzuschlenkern, so daß es kreischte. Dann betrachtete er eine Weile seine Hand, die kalt und rostig geworden war, und ging weiter, ging durch das alte, untersetzte Tor, am Hafen entlang und die steile zugige Gasse hinauf zum Haus seiner Eltern. 145

Es stand, eingeschlossen von den Nachbarhäusern, die sein Giebel überragte, grau und ernst wie seit dreihundert Jahren, und Tonio Kröger las den frommen Spruch, der in halbverwischten Lettern über dem Eingang stand. Dann atmete er auf und ging hinein.

Sein Herz schlug ängstlich, denn er gewärtigte,[50] sein Vater könnte 150 aus einer der Türen zu ebener Erde,[51] an denen er vorüberschritt, hervortreten, im Kontorrock[52] und die Feder hinterm Ohr, ihn anhalten und ihn wegen seines extravaganten Lebens streng zur Rede stellen, was er sehr in Ordnung gefunden hätte. Aber er gelangte unbehelligt[53] vorbei. Die Windfangtür[54] war nicht geschlossen, 155 sondern nur angelehnt, was er als tadelnswert[55] empfand, während ihm gleichzeitig zumute war wie in gewissen leichten Träumen, in

---

[48] **reuevoll** remorseful
[49] **mit ... Giebel** with a curved openwork gable
[50] **er gewärtigte** he expected
[51] **zu ebener Erde** on the ground floor

[52] **der Kontorrock** office coat
[53] **unbehelligt** undisturbed
[54] **die Windfangtür** stormdoor
[55] **tadelnswert** objectionable

denen die Hindernisse von selbst vor einem weichen und man, von
wunderbarem Glück begünstigt, ungehindert vorwärts dringt ... Die
weite Diele,[56] mit großen, viereckigen Steinfliesen [57] gepflastert, wider- 160
hallte [58] von seinen Schritten. Der Küche gegenüber, in der es still war,
sprangen wie vor Alters [59] in beträchtlicher Höhe die seltsamen,
plumpen, aber reinlich lackierten Holzgelasse [60] aus der Wand hervor,
die Mägdekammern, die nur durch eine Art freiliegender Stiege [61] von
der Diele aus zu erreichen waren. Aber die großen Schränke und die 165
geschnitzte Truhe waren nicht mehr da, die hier gestanden hatten ...
Der Sohn des Hauses beschritt die gewaltige Treppe und stützte sich
mit der Hand auf das weißlackierte, durchbrochene Holzgeländer,[62]
indem er sie bei jedem Schritte erhob und beim nächsten sacht wieder
darauf niedersinken ließ, wie als versuche er schüchtern, ob die ehe- 170
malige Vertrautheit mit diesem alten, soliden Geländer wieder-
herzustellen sei ... Aber auf dem Treppenabsatz [63] blieb er stehen,
vorm Eingang zum Zwischengeschoß.[64] An der Tür war ein weißes
Schild befestigt, auf dem in schwarzen Buchstaben zu lesen war:
Volksbibliothek.[65]   175

[Assignment XI]

Volksbibliothek? dachte Tonio Kröger, denn er fand, daß hier weder
das Volk noch die Literatur etwas zu suchen hatten.[66] Er klopfte an die
Tür ... Ein Herein ward laut,[67] und er folgte ihm. Gespannt und
finster blickte er in eine höchst unziemliche Veränderung [68] hinein.

Das Geschoß [69] war drei Stuben tief, deren Verbindungstüren offen 180
standen. Die Wände waren fast in ihrer ganzen Höhe mit gleichförmig
gebundenen Büchern bedeckt, die auf dunklen Gestellen [70] in langen
Reihen standen. In jedem Zimmer saß hinter einer Art von Ladentisch [71] ein dürftiger Mensch [72] und schrieb. Zwei davon wandten nur
die Köpfe nach Tonio Kröger, aber der erste stand eilig auf, wobei 185
er sich mit beiden Händen auf die Tischplatte [73] stützte, den Kopf
vorschob, die Lippen spitzte, die Brauen emporzog und den Besucher
mit eifrig zwinkernden [74] Augen anblickte ...

---

[56] **die Diele** (entrance) hall
[57] **die Steinfliesen** flag-stones
[58] **widerhallen** echo
[59] **wie vor Alters** as in olden days
[60] **die Holzgelasse** wooden structures
[61] **durch ... Stiege** *meaning:* by an open stairway
[62] **das Holzgeländer** wooden banister
[63] **der Treppenabsatz** landing
[64] **das Zwischengeschoß** mezzanine
[65] **die Volksbibliothek** Public Library
[66] **etwas zu suchen haben** have any business

[67] **Ein Herein ward laut** *meaning:* He heard a "Come in"
[68] **blickte er in eine höchst unziemliche Veränderung** *meaning:* he looked upon a scene of most unseemly alteration
[69] **Das Geschoß** floor, storey
[70] **Gestelle** *here:* shelves
[71] **der Ladentisch** counter
[72] **ein dürftiger Mensch** a poor creature
[73] **die Tischplatte** table top
[74] **eifrig zwinkernd** eagerly blinking

„Verzeihung", sagte Tonio Kröger, ohne den Blick von den vielen Büchern zu wenden. „Ich bin hier fremd, ich besichtige die Stadt.[75] 190 Dies ist also die Volksbibliothek? Würden Sie erlauben, daß ich mir ein wenig Einblick in die Sammlung verschaffe?"[76]

„Gern!" sagte der Beamte und zwinkerte noch heftiger . . . „Gewiß, das steht jedermann frei. Wollen Sie sich nur umsehen . . . Ist Ihnen ein Katalog gefällig?"[77] 195

„Danke", antwortete Tonio Kröger. „Ich orientiere mich leicht." Damit begann er, langsam an den Wänden entlang zu schreiten, indem er sich den Anschein gab, als studiere er die Titel auf den Bücherrücken. Schließlich nahm er einen Band heraus, öffnete ihn und stellte sich damit ans Fenster. 200

Hier war das Frühstückszimmer gewesen. Man hatte hier morgens gefrühstückt, nicht droben im großen Eßsaal, wo aus der blauen Tapete[78] weiße Götterstatuen hervortraten . . . Das dort hatte als Schlafzimmer gedient. Seines Vaters Mutter war dort gestorben, so alt sie war, unter schweren Kämpfen, denn sie war eine genußfrohe Welt- 205 dame[79] und hing[80] am Leben. Und später hatte dort sein Vater selbst den letzten Seufzer getan, der lange, korrekte, ein wenig wehmütige und nachdenkliche Herr mit der Feldblume im Knopfloch . . . Tonio hatte am Fußende seines Sterbebettes gesessen, mit heißen Augen, ehrlich und gänzlich hingegeben an ein stummes und starkes Gefühl, 210 an Liebe und Schmerz. Und auch seine Mutter hatte am Lager[81] gekniet, seine schöne feurige Mutter, ganz aufgelöst in heißen Tränen; worauf sie mit dem südlichen Künstler in blaue Fernen gezogen war . . . Aber dort hinten, das kleinere, dritte Zimmer, nun ebenfalls ganz mit Büchern angefüllt, die ein dürftiger Mensch bewachte, war lange Jahre 215 hindurch sein eigenes gewesen. Dorthin war er nach der Schule heim-gekehrt, nachdem er einen Spaziergang, wie eben jetzt, gemacht, an jener Wand hatte sein Tisch gestanden, in dessen Schublade[82] er seine ersten innigen[83] und hilflosen Verse verwahrt[84] hatte . . . Der Walnußbaum . . . Eine stechende Wehmut durchzuckte ihn. Er blickte 220 seitwärts durchs Fenster hinaus. Der Garten lag wüst,[85] aber der alte Walnußbaum stand an seinem Platze, schwerfällig knarrend und rauschend im Winde. Und Tonio Kröger ließ die Augen auf das Buch zurückgleiten, das er in Händen hielt, ein hervorragendes Dichtwerk und ihm wohlbekannt. Er blickte auf diese schwarzen Zeilen und 225

---

[75] **ich besichtige die Stadt** I am seeing the sights of the city
[76] **sich Einblick verschaffen** examine
[77] **Ist . . . gefällig?** Would you care for a catalogue?
[78] **die Tapete** wallpaper
[79] **eine genußfrohe Weltdame** a pleasure-loving lady of the world

[80] **(sie) hing am Leben** (she) clung to life
[81] **das Lager** bed
[82] **die Schublade** drawer
[83] **innig** deeply felt
[84] **verwahrt** kept
[85] **wüst** desolate

Satzgruppen nieder, folgte eine Strecke dem kunstvollen Fluß des Vortrags,[86] wie er in gestaltender[87] Leidenschaft sich zu einer Pointe und Wirkung erhob und dann effektvoll absetzte[88] ...

Ja, das ist gut gemacht, sagte er, stellte das Dichtwerk weg und wandte sich. Da sah er, daß der Beamte noch immer aufrecht stand und 230 mit einem Mischausdruck[89] von Diensteifer[90] und nachdenklichem Mißtrauen[91] seine Augen zwinkern ließ.

„Eine ausgezeichnete Sammlung, wie ich sehe", sagte Tonio Kröger. „Ich habe schon einen Überblick[92] gewonnen. Ich bin Ihnen sehr verbunden.[93] Adieu." Damit ging er zur Tür hinaus; aber es war ein 235 zweifelhafter Abgang,[94] und er fühlte deutlich, daß der Beamte, voller Unruhe über diesen Besuch, noch minutenlang stehen und zwinkern würde.

Er spürte keine Neigung, noch weiter vorzudringen. Er war zu Hause gewesen. Droben, in den großen Zimmern hinter der Säulen- 240 halle, wohnten fremde Leute, er sah es; denn der Treppenkopf war durch eine Glastür verschlossen, die ehemals nicht dagewesen war, und irgend ein Namensschild war daran. Er ging fort, ging die Treppe hinunter, über die hallende Diele, und verließ sein Elternhaus. In einem Winkel eines Restaurants nahm er in sich gekehrt[95] eine schwere und 245 fette Mahlzeit ein und kehrte dann ins Hotel zurück.

„Ich bin fertig", sagte er zu dem feinen Herrn in Schwarz. „Ich reise heute nachmittag." Und er bestellte seine Rechnung, sowie den Wagen, der ihn an den Hafen bringen sollte, zum Dampfschiff nach Kopen- hagen. Dann ging er auf sein Zimmer und setzte sich an den Tisch, saß 250 still und aufrecht, indem er die Wange in die Hand stützte und mit blicklosen[96] Augen auf die Tischplatte niedersah. Später beglich[97] er seine Rechnung und machte seine Sachen bereit. Zur festgesetzten Zeit ward der Wagen gemeldet, und Tonio Kröger stieg reisefertig[98] hinab. 255

Drunten, am Fuße der Treppe, erwartete ihn der feine Herr in Schwarz.

„Um Vergebung!" sagte er und stieß mit den kleinen Fingern seine Manschetten in die Ärmel zurück ... „Verzeihen Sie, mein Herr, daß wir Sie noch eine Minute in Anspruch nehmen[99] müssen. Herr 260 Seehaase — der Besitzer des Hotels — ersucht Sie um eine Unterredung

---

[86] **der Vortrag** presentation
[87] **gestaltend** creative
[88] **effektvoll absetzen** break off art- fully
[89] **der Mischausdruck** mingled expres- sion
[90] **der Diensteifer** zeal
[91] **nachdenkliches Mißtrauen** thought- ful distrust

[92] **der Überblick** *here:* general impres- sion
[93] **verbunden** obliged
[94] **der Abgang** exit
[95] **in sich gekehrt** absorbed in himself
[96] **blicklos** unseeing
[97] **beglich** paid
[98] **reisefertig** ready to leave
[99] **in Anspruch nehmen** *here:* detain

von zwei Worten. Eine Formalität . . . Er befindet sich dort hinten . . .
Wollen Sie die Güte haben, sich mit mir zu bemühen[1] . . . Es ist nur
Herr Seehaase, der Besitzer des Hotels.‟

Und er führte Tonio Kröger unter einladendem Gestenspiel in den 265
Hintergrund des Vestibüls. Dort stand in der Tat Herr Seehaase. Tonio
Kröger kannte ihn von Ansehen[2] aus alter Zeit. Er war klein, fett und
krummbeinig. Sein geschorener Backenbart war weiß geworden; aber
noch immer trug er eine weit ausgeschnittene Frackjacke[3] und dazu ein
grün gesticktes[4] Sammetmützchen.[5] Übrigens war er nicht allein. Bei 270
ihm, an einem kleinen, an der Wand befestigten Pultbrett,[6] stand, den
Helm auf dem Kopf, ein Polizist, welcher seine behandschuhte Rechte
auf einem bunt beschriebenen Papier[7] ruhen ließ, das vor ihm auf dem
Pulte lag, und Tonio Kröger mit seinem ehrlichen Soldatengesicht so
entgegensah, als erwartete er, daß dieser bei seinem Anblick in den 275
Boden versinken müsse.

Tonio Kröger blickte von Einem zum Andern und verlegte sich aufs
Warten.[8]

„Sie kommen von München?‟ fragte endlich der Polizist mit einer
gutmütigen und schwerfälligen Stimme.   280

Tonio Kröger bejahte dies.

„Sie reisen nach Kopenhagen?‟

„Ja, ich bin auf der Reise in ein dänisches Seebad.‟

„Seebad?—Ja, Sie müssen mal Ihre Papiere vorweisen‟, sagte der
Polizist, indem er das letzte Wort mit besonderer Genugtuung aus- 285
sprach.

„Papiere . . . ‟ Er hatte keine Papiere. Er zog seine Brieftasche
hervor und blickte hinein; aber es befand sich außer einigen Geld-
scheinen nichts darin als die Korrektur[9] einer Novelle, die er an
seinem Reiseziel[10] zu erledigen gedachte. Er verkehrte nicht gern mit[11] 290
Beamten und hatte sich noch niemals einen Paß austellen lassen . . .

„Es tut mir leid‟, sagte er, „aber ich führe[12] keine Papiere bei mir.‟

„So?‟ sagte der Polizist . . . „Gar keine? — Wie ist Ihr Name?‟

Tonio Kröger antwortete ihm.

„Ist das auch wahr?!‟ fragte der Polizist, reckte sich auf[13] und 295
öffnete plötzlich seine Nasenlöcher,[14] so weit er konnte . . .

„Vollkommen wahr‟, antwortete Tonio Kröger.

---

[1] **sich mit mir zu bemühen** *meaning:* to come with me
[2] **von Ansehen** by sight
[3] **die Frackjacke** dress coat
[4] **gestickt** embroidered
[5] **das Sammetmützchen** velvet cap
[6] **das Pultbrett** writing shelf
[7] **auf . . . Papier** on a paper covered with writing
[8] **(er) verlegte sich aufs Warten** (he)
decided to wait
[9] **die Korrektur** proofs
[10] **das Reiseziel** destination of his journey
[11] **verkehren mit** associate with
[12] **ich führe** *here:* I carry
[13] **reckte sich auf** *meaning:* suddenly
erect
[14] **die Nasenlöcher** nostrils

„Was sind Sie denn?"

Tonio Kröger schluckte hinunter und nannte mit fester Stimme sein
Gewerbe. — Herr Seehaase hob den Kopf und sah neugierig in sein 300
Gesicht empor.

„Hm!" sagte der Polizist. „Und Sie geben an,[15] nicht identisch zu
sein mit einem Individium namens—" Er sagte „Individium" und
buchstabierte[16] dann aus dem buntbeschriebenen Papier einen ganz
verzwickten[17] und romantischen Namen zusammen, der aus den 305
Lauten verschiedener Rassen abenteuerlich gemischt erschien und den
Tonio Kröger im nächsten Augenblick wieder vergessen hatte.
„— Welcher", fuhr er fort, „von unbekannten Eltern und unbestimmter
Zuständigkeit[18] wegen verschiedener Betrügereien und anderer
Vergehen[19] von der Münchner Polizei verfolgt wird und sich wahr- 310
scheinlich auf der Flucht nach Dänemark befindet?"

„Ich gebe das nicht nur an", sagte Tonio Kröger und machte eine
nervöse Bewegung mit den Schultern. — Dies rief einen gewissen
Eindruck hervor.

„Wie? Ach so, na gewiß!" sagte der Polizist. „Aber daß Sie auch 315
gar nichts vorweisen können!"

Auch Herr Seehaase legte sich beschwichtigend ins Mittel.[20]

„Das Ganze ist eine Formalität", sagte er, „nichts weiter! Sie müssen
bedenken, daß der Beamte nur seine Schuldigkeit tut. Wenn Sie sich
irgendwie legitimieren[21] könnten ... Ein Papier ..." 320

Alle schwiegen. Sollte er der Sache ein Ende machen, indem er sich
zu erkennen gab, indem er Herrn Seehaase eröffnete,[22] daß er kein
Hochstapler[23] von unbestimmter Zuständigkeit sei, von Geburt kein
Zigeuner im grünen Wagen, sondern der Sohn Konsul Krögers, aus
der Familie der Kröger? Nein, er hatte keine Lust dazu. Und waren 325
diese Männer der bürgerlichen Ordnung nicht im Grunde ein wenig
im Recht? Gewissermaßen war er ganz einverstanden mit ihnen ... Er
zuckte die Achseln und blieb stumm.

„Was haben Sie denn da?" fragte der Polizist. „Da, in dem Porteföhch?"[24] 330

„Hier? Nichts. Es ist eine Korrektur", antwortete Tonio Kröger.

„Korrektur? Wieso? Lassen Sie mal sehen."

Und Tonio Kröger überreichte ihm seine Arbeit. Der Polizist
breitete sie auf der Pultplatte aus und begann darin zu lesen. Auch Herr
Seehaase trat näher herzu und beteiligte sich an der Lektüre.[25] Tonio 335

---

[15] **Sie geben an** you allege
[16] **buchstabieren** spell
[17] **verzwickt** intricate
[18] **die Zuständigkeit** residence
[19] **das Vergehen** misdemeanor
[20] **Herr . . . Mittel** Mr. Seehaase inter-
ceded in order to conciliate

[21] **sich legitimieren** identify oneself
[22] **eröffnen** reveal
[23] **der Hochstapler** swindler
[24] **das Porteföhch** briefcase *Note the
incorrect pronunciation of Portefeuille.*
[25] **die Lektüre** reading

Kröger blickte ihnen über die Schultern und beobachtete, bei welcher
Stelle sie seien. Es war ein guter Moment, eine Pointe und Wirkung,
die er vortrefflich herausgearbeitet hatte. Er war zufrieden mit sich.

„Sehen Sie!" sagte er. „Da steht mein Name. Ich habe dies geschrie-
ben, und nun wird es veröffentlicht, verstehen Sie."   340

„Nun, das genügt!" sagte Herr Seehaase mit Entschluß, raffte die
Blätter zusammen, faltete sie und gab sie ihm zurück. „Das muß
genügen, Petersen!" wiederholte er kurz, indem er verstohlen[26] die
Augen schloß und abwinkend[27] den Kopf schüttelte. „Wir dürfen den
Herrn nicht länger aufhalten. Der Wagen wartet. Ich bitte sehr, die 345
kleine Störung zu entschuldigen, mein Herr. Der Beamte hat ja nur
seine Pflicht getan, aber ich sagte ihm sofort, daß er auf falscher
Fährte[28] sei . . ."

So?[29] dachte Tonio Kröger.

Der Polizist schien nicht ganz einverstanden; er wandte noch etwas 350
ein von ,Individium' und ,vorweisen'. Aber Herr Seehaase führte
seinen Gast unter wiederholten Ausdrücken des Bedauerns durch das
Vestibül zurück, geleitete ihn zwischen den beiden Löwen hindurch
zum Wagen und schloß[30] selbst unter Achtungsbezeugungen[31] den
Schlag hinter ihm. Und dann rollte die lächerlich hohe und breite 355
Droschke stolpernd, klirrend und lärmend die steilen Gassen hinab
zum Hafen . . .

Dies war Tonio Krögers seltsamer Aufenthalt in seiner Vaterstadt.

VII

[Assignment XII]

Die Nacht fiel ein, und mit einem schwimmenden Silberglanz stieg
schon der Mond empor, als Tonio Krögers Schiff die offene See
gewann. Er stand am Bugspriet,[32] in seinen Mantel gehüllt vor dem
Winde, der mehr und mehr erstarkte, und blickte hinab in das dunkle
Wandern und Treiben der starken, glatten Wellenleiber dort unten,   5
die umeinander schwankten, sich klatschend[33] begegneten, in uner-
warteten Richtungen auseinanderschossen und plötzlich schaumig
aufleuchteten . . .

Eine schaukelnde und still entzückte Stimmung erfüllte ihn. Er war
ein wenig niedergeschlagen gewesen, daß man ihn daheim als Hoch- 10
stapler hatte verhaften wollen, ja, — obgleich er es gewissermaßen in

---

[26] **verstohlen** stealthily
[27] **abwinkend** warning off (the policeman)
[28] **auf falscher Fährte** on the wrong
track
[29] **So?** Is that so?

[30] **den Schlag schließen** close the door
(of a vehicle)
[31] **die Achtungsbezeugungen** show of
respect
[32] **der Bugspriet** prow
[33] **klatschend** with a clap

der Ordnung gefunden hatte. Aber dann, nachdem er sich eingeschifft,[34] hatte er, wie als Knabe zuweilen mit seinem Vater, dem Verladen der Waren zugesehen, mit denen man, unter Rufen, die ein Gemisch aus Dänisch und Plattdeutsch[35] waren, den tiefen Bauch des 15 Dampfers füllte, hatte gesehen, wie man außer den Ballen[36] und Kisten auch einen Eisbären und einen Königstiger[37] in dick vergitterten[38] Käfigen hinabließ, die wohl von Hamburg kamen und für eine dänische Menagerie bestimmt waren; und dies hatte ihn zerstreut. Während dann das Schiff zwischen den flachen Ufern den Fluß entlang 20 glitt, hatte er Polizist Petersens Verhör[39] ganz und gar vergessen; und alles, was vorher gewesen war, seine süßen, traurigen und reuigen Träume der Nacht, der Spaziergang, den er gemacht, der Anblick des Walnußbaumes, war wieder in seiner Seele stark geworden. Und nun, da das Meer sich öffnete, sah er von fern den Strand, an dem er als 25 Knabe die sommerlichen Träume des Meeres hatte belauschen dürfen, sah die Glut des Leuchtturms[40] und die Lichter des Kurhauses,[41] darin er mit seinen Eltern gewohnt... Die Ostsee![42] Er lehnte den Kopf gegen den starken Salzwind, der reif und ohne Hindernis daherkam, die Ohren umhüllte und einen gelinden Schwindel, eine gedämpfte 30 Betäubung[43] hervorrief, in der die Erinnerung an alles Böse, an Qual und Irrsal,[44] an Wollen und Mühen[45] träge und selig unterging. Und in dem Sausen, Klatschen, Schäumen und Ächzen rings um ihn her glaubte er das Rauschen und Knarren des alten Walnußbaumes, das Kreischen einer Gartenpforte zu hören ... Es dunkelte mehr und 35 mehr.

„Die Sderne,[46] Gott, sehen Sie doch bloß die Sderne an", sagte plötzlich mit schwerfällig singender Betonung eine Stimme, die aus dem Innern einer Tonne zu kommen schien. Er kannte sie schon. Sie gehörte einem rotblonden und schlicht gekleideten Mann mit geröteten 40 Augenlidern und einem feuchtkalten Aussehen, als habe er soeben gebadet. Beim Abendessen in der Kajüte[47] war er Tonio Krögers Nachbar gewesen und hatte mit zagen und bescheidenen Bewegungen erstaunliche Mengen von Hummer-Omeletten[48] zu sich genommen. Nun lehnte er neben ihm an der Brüstung[49] und blickte zum Himmel 45

---

[34] **sich einschiffen** embark
[35] **das Plattdeutsch** Low German
[36] **die Ballen** bales
[37] **der Königstiger** Bengal tiger
[38] **vergittert** barred
[39] **das Verhör** cross-examination
[40] **der Leuchtturm** lighthouse
[41] **das Kurhaus** hotel (*at a seaside resort*)
[42] **die Ostsee** the Baltic Sea
[43] **eine gedämpfte Betäubung** mild daze
[44] **das Irrsal** error

[45] **die Mühen** painful efforts
[46] **die Sderne = *die Sterne*.** *The tendency to pronounce "st," "sp" without the "sh" sound, and to voice voiceless stops (e.g. "sd" instead of "st") is characteristic of some North-German dialects.*
[47] **die Kajüte** cabin *here:* salon, dining room
[48] **die Hummer-Omelette** lobster omelet
[49] **die Brüstung** railing

empor, indem er sein Kinn mit Daumen und Zeigefinger erfaßt hielt. Ohne Zweifel befand er sich in einer jener außerordentlichen und festlich-beschaulichen [50] Stimmungen, in denen die Schranken [51] zwischen den Menschen dahinsinken, in denen das Herz auch Fremden sich öffnet und der Mund Dinge spricht, vor denen er sich sonst 50 schamhaft verschließen würde [52] . . .

„Sehen Sie, Herr, doch bloß die Sderne an. Da sdehen sie und glitzern, es ist, weiß Gott, der ganze Himmel voll. Und nun bitt' ich Sie, wenn man hinaufsieht und bedenkt, daß viele davon doch hundertmal größer sein sollen als die Erde, wie wird einem da zu Sinn? [53] Wir 55 Menschen haben den Telegraphen erfunden und das Telephon und so viele Errungenschaften [54] der Neuzeit, [55] ja, das haben wir. Aber wenn wir da hinaufsehen, so müssen wir doch erkennen und versdehen, daß wir im Grunde Gewürm [56] sind, elendes Gewürm und nichts weiter, — hab' ich recht oder unrecht, Herr? Ja, wir sind Gewürm!" antwortete 60 er sich selbst und nickte demütig und zerknirscht [57] zum Firmament empor.

Au . . . nein, der hat keine Literatur im Leibe! dachte Tonio Kröger. Und alsbald fiel ihm etwas ein, was er kürzlich gelesen hatte, der Aufsatz eines berühmten französischen Schriftstellers über kosmo- 65 logische und psychologische Weltanschauung; es war ein recht feines Geschwätz [58] gewesen.

Er gab dem jungen Mann etwas wie eine Antwort auf seine tief erlebte Bemerkung, und dann fuhren sie fort, miteinander zu sprechen, indem sie, über die Brüstung gelehnt, in den unruhig erhellten, 70 bewegten [59] Abend hinausblickten. Es erwies sich, [60] daß der Reisegefährte ein junger Kaufmann aus Hamburg war, der seinen Urlaub zu dieser Vergnügungsfahrt benutzte . . .

„Sollst", sagte er, „ein bisschen mit dem steamer nach Kopenhagen fahren, denk' ich, und da sdeh [61] ich nun, und es ist ja so weit ganz 75 schön. Aber das mit den Hummer-Omeletten, das war nicht richtig, Herr, das sollen Sie sehn, denn die Nacht wird sdürmisch, das hat der Kapitän selbst gesagt, und mit so einem unbekömmlichen [62] Essen im Magen ist das kein Sbass . . ."

Tonio Kröger lauschte all dieser zutunlichen [63] Torheit mit einem 80 heimlichen und freundschaftlichen Gefühl.

---

[50] **festlich-beschaulich** festively contemplative
[51] **die Schranken** barriers
[52] **vor denen ... würde** *meaning:* which otherwise it would be too embarrassed to express
[53] **wie ... Sinn?** how does that make you feel?
[54] **die Errungenschaft** accomplishment, achievement
[55] **die Neuzeit** modern times
[56] **das Gewürm** worms, vermin
[57] **zerknirscht** abjectly
[58] **feines Geschwätz** sophisticated chit-chat
[59] **bewegt** restless
[60] **Es erwies sich** It turned out
[61] **sdeh** = *steh(e)*
[62] **unbekömmlich** indigestible
[63] **zutunlich** engaging

„Ja", sagte er, „man ißt überhaupt zu schwer hier oben. Das macht faul und wehmütig."

„Wehmütig?" wiederholte der junge Mann und betrachtete ihn verdutzt[64] . . . „Sie sind wohl fremd hier, Herr?" fragte er plötzlich . . . 85

„Ach ja, ich komme weit her!" antwortete Tonio Kröger mit einer vagen und abwehrenden[65] Armbewegung.

„Aber Sie haben recht", sagte der junge Mann; „Sie haben, weiß Gott, recht in dem, was Sie von wehmütig sagen! Ich bin fast immer wehmütig, aber besonders an solchen Abenden wie heute, wenn die 90 Sderne am Himmel sdehn." Und er stützte wieder sein Kinn mit Daumen und Zeigefinger.

Sicherlich schreibt er Verse, dachte Tonio Kröger, tief ehrlich empfundene Kaufmannsverse . . .

Der Abend rückte vor, und der Wind war nun so heftig geworden, 95 daß er das Sprechen behinderte. So beschlossen sie, ein wenig zu schlafen, und wünschten einander gute Nacht.

Tonio Kröger streckte sich in seiner Koje[66] auf der schmalen Bettstatt aus, aber er fand keine Ruhe. Der strenge Wind und sein herbes Arom hatten ihn seltsam erregt, und sein Herz war unruhig wie 100 in ängstlicher Erwartung von etwas Süßem. Auch verursachte die Erschütterung,[67] welche entstand, wenn das Schiff einen steilen Wogenberg hinabglitt und die Schraube[68] wie im Krampf außerhalb des Wassers arbeitete, ihm arge Übelkeit. Er kleidete sich wieder vollends an und stieg ins Freie hinauf. 105

Wolken jagten am Monde vorbei. Das Meer tanzte. Nicht runde und gleichmäßige Wellen kamen in Ordnung daher, sondern weithin, in bleichem und flackerndem Licht, war die See zerrissen, zerpeitscht, zerwühlt,[69] leckte und sprang in spitzen, flammenartigen Riesen- zungen empor, warf neben schaumerfüllten Klüften zackige und un- 110 wahrscheinliche Gebilde auf und schien mit der Kraft ungeheurer Arme in tollem Spiel den Gischt in alle Lüfte[70] zu schleudern. Das Schiff hatte schwere Fahrt;[71] stampfend, schlenkernd[72] und ächzend arbeitete es sich durch den Tumult, und manchmal hörte man den Eisbären und den Tiger, die unter dem Seegang[73] litten, in seinem 115 Innern brüllen. Ein Mann im Wachstuchmantel,[74] die Kapuze[75] überm Kopf und eine Laterne um den Leib geschnallt, ging breitbeinig und mühsam balancierend auf dem Verdecke hin und her. Aber dort hinten stand, tief über Bord[76] gebeugt, der junge Mann aus Hamburg

---

[64] **verdutzt** taken aback
[65] **abwehrend** defensive
[66] **die Koje** cabin
[67] **die Erschütterung** vibration
[68] **die Schraube** screw
[69] **zerwühlt** churned up
[70] **in alle Lüfte** in all directions

[71] **Das Schiff . . . Fahrt** The ship sailed through heavy seas
[72] **schlenkernd** lurching
[73] **der Seegang** heavy seas
[74] **der Wachstuchmantel** oilskin coat
[75] **die Kapuze** hood
[76] **der Bord** railing

und ließ es sich schlecht ergehen.[77] „Gott", sagte er mit hohler und 120
wankender[78] Stimme, als er Tonio Kröger gewahrte, „sehen Sie doch
bloß den Aufruhr der Elemente, Herr!" Aber dann wurde er unterbrochen und wandte sich eilig ab.

Tonio Kröger hielt sich an irgend einem gestrafften Tau[79] und
blickte hinaus in all den unbändigen Übermut.[80] In ihm schwang sich 125
ein Jauchzen[81] auf, und ihm war, als sei es mächtig genug, um Sturm
und Flut zu übertönen.[82] Ein Sang an das Meer, begeistert von Liebe,
tönte in ihm. Du meiner Jugend wilder Freund, so sind wir einmal
noch vereint ... Aber dann war das Gedicht zu Ende. Es ward nicht
fertig, nicht rund geformt und nicht in Gelassenheit zu etwas Ganzem 130
geschmiedet. Sein Herz lebte ...

Lange stand er so; dann streckte er sich auf einer Bank am Kajütenhäuschen[83] aus und blickte zum Himmel hinauf, an dem die Sterne
flackerten. Er schlummerte sogar ein wenig. Und wenn der kalte
Schaum in sein Gesicht spritzte, so war es ihm im Halbschlaf wie eine 135
Liebkosung.

Senkrechte Kreidefelsen,[84] gespenstisch im Mondschein, kamen in
Sicht und näherten sich; das war Möen, die Insel. Und wieder trat
Schlummer dazwischen, unterbrochen von salzigen Sprühschauern, die
scharf ins Gesicht bissen und die Züge erstarren ließen ... Als er völlig 140
wach wurde, war es schon Tag, ein hellgrauer, frischer Tag, und die
grüne See ging ruhiger. Beim Frühstück sah er den jungen Kaufmann
wieder, der heftig errötete, wahrscheinlich vor Scham, im Dunkeln so
poetische und blamable Dinge geäußert zu haben, mit allen fünf
Fingern seinen kleinen rötlichen Schnurrbart emporstrich und ihm 145
einen soldatisch scharfen Morgengruß zurief, um ihn dann ängstlich zu
meiden.

Und Tonio Kröger landete in Dänemark. Er hielt Ankunft in
Kopenhagen,[85] gab Trinkgeld[86] an jeden, der sich die Miene[87] gab,
als hätte er Anspruch darauf, durchwanderte von seinem Hotelzimmer 150
aus drei Tage lang die Stadt, indem er sein Reisebüchlein[88] aufgeschlagen vor sich her trug, und benahm sich ganz wie ein besserer
Fremder, der seine Kenntnisse zu bereichern wünscht. Er betrachtete
des Königs Neumarkt und das „Pferd" in seiner Mitte, blickte achtungsvoll an den Säulen der Frauenkirche empor, stand lange vor Thor- 155
waldsens edlen und lieblichen Bildwerken,[89] stieg auf den Runden

---

[77] **und ließ ... ergehen** *meaning:* and
he was sick
[78] **wankend** quavering, shaky
[79] **gestrafftes Tau** tight rope
[80] **unbändiger Übermut** boundless exultation
[81] **das Jauchzen** jubilation
[82] **übertönen** drown out
[83] **das Kajütenhäuschen** pilot-house

[84] **Senkrechte Kreidefelsen** Perpendicular white cliffs
[85] **Er ... Kopenhagen** He celebrated
his arrival in Copenhagen
[86] **das Trinkgeld** tip
[87] **die Miene** air
[88] **das Reisebüchlein** guidebook
[89] **das Bildwerk** sculpture

Turm, besichtigte Schlösser und verbrachte zwei bunte⁹⁰ Abende im
Tivoli.⁹¹ Aber es war nicht so recht eigentlich all dies, was er sah.

An den Häusern, die oft ganz das Aussehen der alten Häuser seiner
Vaterstadt mit geschwungenen, durchbrochenen Giebeln hatten, sah 160
er Namen, die ihm aus alten Tagen bekannt waren, die ihm etwas
Zartes und Köstliches zu bezeichnen schienen, und bei alldem etwas wie
Vorwurf, Klage und Sehnsucht nach Verlorenem in sich schlossen.
Und allerwegen,⁹² indes er in verlangsamten, nachdenklichen Zügen⁹³
die feuchte Seeluft atmete, sah er Augen, die so blau, Haare, die so 165
blond, Gesichter, die von eben der Art waren, wie er sie in den seltsam
wehen und reuigen Träumen der Nacht geschaut, die er in seiner
Vaterstadt verbracht hatte. Es konnte geschehen, daß auf offener
Strasse ein Blick, ein klingendes⁹⁴ Wort, ein Auflachen⁹⁵ ihn ins
Innerste traf . . .   170

Es litt ihn nicht lange in der munteren Stadt. Eine Unruhe, süß und
töricht, Erinnerung halb und halb Erwartung, bewegte ihn, zusammen
mit dem Verlangen, irgendwo still am Strande liegen zu dürfen und
nicht den angelegentlich sich umtuenden Touristen spielen⁹⁶ zu müssen.
So schiffte er sich aufs neue ein⁹⁷ und fuhr an einem trüben Tage (die 175
See ging schwarz) nordwärts die Küste von Seeland entlang gen
Helsingör. Von dort setzte er seine Reise unverzüglich zu Wagen auf
dem Chausseewege⁹⁸ fort, noch drei Viertelstunden lang, immer ein
wenig oberhalb des Meeres, bis er an seinem letzten und eigentlichen
Ziele hielt, dem kleinen weißen Badehotel mit grünen Fensterläden, 180
das inmitten einer Siedelung niedriger Häuschen stand und mit seinem
holzgedeckten Turm auf den Sund und die schwedische Küste hinausblickte. Hier stieg er ab, nahm Besitz von dem hellen Zimmer, das man
ihm bereit gehalten, füllte Bord und Spind⁹⁹ mit dem, was er mit sich
führte, und schickte sich an, hier eine Weile zu leben.   185

VIII

[Assignment XIII]

Schon rückte der September vor: es waren nicht mehr viele Gäste in
Aalsgaard. Bei den Mahlzeiten in dem großen, balkengedeckten¹
Eßsaal zu ebener Erde, dessen hohe Fenster auf die Glasveranda und die
See hinausführten, führte die Wirtin den Vorsitz,² ein bejahrtes

---

⁹⁰ **bunt** colorful
⁹¹ *Tivoli amusement park*
⁹² **allerwegen** everywhere
⁹³ **die Züge** *here:* draughts
⁹⁴ **klingend** ringing
⁹⁵ **das Auflachen** sudden laugh
⁹⁶ **den angelegentlich . . . spielen** feign

the eagerly exploring tourist
⁹⁷ **sich einschiffen** embark
⁹⁸ **der Chausseeweg** highway
⁹⁹ **Bord und Spind** shelves and closets
¹ **balkengedeckt** covered with beams
² **(die Wirtin) führte den Vorsitz**
the hostess presided

Mädchen mit weißem Haar, farblosen Augen, zartrosigen Wangen und   5
einer haltlosen Zwitscherstimme,[3] das immer seine roten Hände auf
dem Tafeltuche ein wenig vorteilhaft zu gruppieren[4] trachtete. Ein
kurzhalsiger alter Herr mit eisgrauem Schifferbart und dunkelbläu-
lichem Gesicht war da, ein Fischhändler aus der Hauptstadt, der des
Deutschen mächtig[5] war. Er schien gänzlich verstopft[6] und zum   10
Schlagfluß[7] geneigt, denn er atmete kurz und stoßweise[8] und hob von
Zeit zu Zeit den beringten Zeigefinger zu einem seiner Nasenlöcher
empor, um es zuzudrücken und dem anderen durch starkes Blasen ein
wenig Luft zu verschaffen. Nichtsdestoweniger sprach er beständig der
Aquavitflasche zu,[9] die sowohl beim Frühstück als beim Mittag- und   15
Abendessen vor ihm stand. Dann waren nur noch drei große amerika-
nische Jünglinge mit ihrem Gouverneur oder Hauslehrer[10] zugegen, der
schweigend an seiner Brille rückte und tagüber mit ihnen Fußball
spielte. Sie trugen ihr rotgelbes Haar in der Mitte gescheitelt und
hatten lange, unbewegte Gesichter. „Please, give me the wurst-things   20
there!" sagte der eine. „That's not wurst, that's schinken!" sagte ein
anderer, und dies war alles, was sowohl sie als der Hauslehrer zur
Unterhaltung beitrugen; denn sonst saßen sie still und tranken heißes
Wasser.

Tonio Kröger hätte sich keine andere Art von Tischgesellschaft   25
gewünscht. Er genoß seinen Frieden, horchte auf die dänischen Kehllaute,[11] die hellen und trüben Vokale, in denen der Fischhändler und die
Wirtin zuweilen konversierten, wechselte hie und da mit dem ersteren
eine schlichte Bemerkung über den Barometerstand und erhob sich
dann, um durch die Veranda wieder an den Strand hinunterzugehen,   30
wo er schon lange Morgenstunden verbracht hatte.

Manchmal war es dort still und sommerlich. Die See ruhte träge und
glatt, in blauen, flaschengrünen und rötlichen Streifen, von silbrig
glitzernden Lichtreflexen überspielt, der Tang[12] dörrte zu Heu in der
Sonne, und die Quallen[13] lagen da und verdunsteten. Es roch ein   35
wenig faulig und ein wenig auch nach dem Teer des Fischerbootes, an
welches Tonio Kröger, im Sande sitzend, den Rücken lehnte, — so
gewandt, daß er den offenen Horizont und nicht die schwedische
Küste vor Augen hatte; aber des Meeres leiser Atem strich rein und
frisch über alles hin.   40

Und graue, stürmische Tage kamen. Die Wellen beugten die Köpfe

---

[3] **haltlose Zwitscherstimme**   a wavering chirping voice
[4] **gruppieren**   arrange
[5] **des Deutschen mächtig sein**   have a
command of German
[6] **verstopft**   congested
[7] **der Schlagfluß**   apoplexy
[8] **kurz und stoßweise**   in short gasps

[9] **Nichtsdestoweniger . . . zu**   Nonetheless, he constantly addressed himself
to his bottle of liquor
[10] **Gouverneur oder Hauslehrer**
master or tutor
[11] **die Kehllaute**   guttural sounds
[12] **der Tang**   seaweed
[13] **die Qualle**   jellyfish

wie Stiere, die die Hörner zum Stoße einlegen,[14] und rannten wütend gegen den Strand, der hoch hinauf überspielt[15] und mit naßglänzendem Seegras, Muscheln und angeschwemmtem Holzwerk[16] bedeckt war. Zwischen den langgestreckten Wellenhügeln dehnten sich unter dem verhängten[17] Himmel blaßgrün-schaumig die Täler; aber dort, wo hinter den Wolken die Sonne stand, lag auf den Wassern ein weißlicher Sammetglanz. 45

Tonio Kröger stand in Wind und Brausen eingehüllt, versunken[18] in dies ewige, schwere, betäubende Getöse, das er so sehr liebte. Wandte er sich und ging fort, so schien es plötzlich ganz ruhig und warm um ihn her. Aber im Rücken wußte er sich das Meer;[19] es rief, lockte und grüßte. Und er lächelte. 50

Er ging landeinwärts, auf Wiesenwegen durch die Einsamkeit, und bald nahm Buchenwald ihn auf, der sich hügelig weit[20] in die Gegend erstreckte. Er setzte sich ins Moos, an einen Baum gelehnt, so, daß er zwischen den Stämmen einen Streifen des Meeres gewahren konnte. Zuweilen trug der Wind das Geräusch der Brandung zu ihm, das klang, wie wenn in der Ferne Bretter aufeinander fallen. Krähengeschrei über den Wipfeln, heiser, öde und verloren... Er hielt ein Buch auf den Knien, aber er las nicht eine Zeile darin. Er genoß ein tiefes Vergessen, ein erlöstes Schweben über Raum und Zeit,[21] und nur zuweilen war es, als würde sein Herz von einem Weh durchzuckt, einem kurzen, stechenden Gefühl von Sehnsucht oder Reue, das nach Namen und Herkunft zu fragen er zu träge und versunken war. 55 60 65

So verging mancher Tag; er hätte nicht zu sagen vermocht, wie viele, und trug kein Verlangen danach, es zu wissen. Dann aber kam einer, an welchem etwas geschah; es geschah, während die Sonne am Himmel stand und Menschen zugegen[22] waren, und Tonio Kröger war nicht einmal so außerordentlich erstaunt darüber. 70

Gleich dieses Tages Anfang gestaltete sich[23] festlich und entzückend. Tonio Kröger erwachte sehr früh und ganz plötzlich, fuhr mit einem feinen und unbestimmten Erschrecken aus dem Schlafe empor[24] und glaubte, in ein Wunder, einen feenhaften Beleuchtungszauber[25] hineinzublicken. Sein Zimmer, mit Glastür und Balkon nach dem Sunde hinaus gelegen und durch einen dünnen, weißen Gazevorhang in Wohn- und Schlafraum geteilt, war zartfarbig tapeziert[26] und mit 75

---

[14] **die ... einlegen** which lower their horns to charge
[15] **überspielt** *here:* inundated, soaked
[16] **angeschwemmtes Holzwerk** driftwood
[17] **verhängt** overcast
[18] **versunken** lost, absorbed
[19] **im ... Meer** he was ever conscious of the sea in back of him
[20] **hügelig weit** far over the hills

[21] **ein erlöstes ... Zeit** *meaning:* a hovering redeemed from space and time
[22] **zugegen** present
[23] **gestaltete sich** turned out to be
[24] **aus dem Schlafe emporfahren** wake up suddenly
[25] **feenhafter Beleuchtungszauber** fairy-like magic of illumination
[26] **zartfarbig tapeziert** papered in delicate colors

leichten, hellen Möbeln versehen, so daß es stets einen lichten und
freundlichen Anblick bot. Nun aber sahen seine schlaftrunkenen Augen
es in einer unirdischen Verklärung[27] und Illumination vor sich liegen, 80
über und über getaucht in einen unsäglich holden und duftigen Rosenschein, der Wände und Möbel vergoldete und den Gazevorhang in ein
mildes, rotes Glühen versetzte[28] . . . Tonio Kröger begriff lange nicht,
was sich ereignete. Als er aber vor der Glastür stand und hinausblickte,
sah er, daß es die Sonne war, die aufging. 85

Mehrere Tage lang war es trüb und regnicht[29] gewesen; jetzt aber
spannte sich der Himmel wie aus straffer, blaßblauer Seide schimmernd
klar über See und Land, und durchquert und umgeben von rot und
golden durchleuchteten Wolken,[30] erhob sich feierlich[31] die Sonnenscheibe über das flimmernd gekrauste Meer,[32] das unter ihr zu 90
erschauern[33] und zu erglühen schien . . . So hub der Tag an, und
verwirrt und glücklich warf Tonio Kröger sich in die Kleider, früh-
stückte vor allen anderen drunten in der Veranda, schwamm hierauf
von dem kleinen hölzernen Badehäuschen aus eine Strecke in den Sund
hinaus und tat dann einen stundenlangen Gang am Strande hin. Als er 95
zurückkehrte, hielten mehrere omnibusartige Wagen vorm Hotel,
und vom Eßsaal aus gewahrte er, daß sowohl in dem anstoßenden[34]
Gesellschaftszimmer,[35] dort, wo das Klavier stand, als auch in der
Veranda und auf der Terrasse, die davor lag, Menschen in großer
Anzahl, kleinbürgerlich gekleidete Herrschaften,[36] an runden Tischen 100
saßen und unter angeregten[37] Gesprächen Bier mit Butterbrot genossen.
Es waren ganze Familien, ältere und junge Leute, ja sogar ein paar
Kinder.

Beim zweiten Frühstück (der Tisch trug schwer an[38] kalter Küche,[39]
Geräuchertem, Gesalzenem und Gebackenem) erkundigte sich Tonio 105
Kröger, was vor sich gehe.[40]

„Gäste!" sagte der Fischhändler. „Ausflügler[41] und Ballgäste aus
Helsingör! Ja, Gott soll uns bewahren, wir werden nicht schlafen
können, diese Nacht! Es wird Tanz geben, Tanz und Musik, und man
muß fürchten, daß das lange dauert. Es ist eine Familienvereinigung,[42] 110

---

[27] **die Verklärung** transfiguration
[28] **den Gazevorhang . . . versetzte**
gave to the gauze curtain a mild red
glow
[29] **regnicht** rainy
[30] **rot und golden durchleuchtete
Wolken** clouds suffused with red and
gold
[31] **feierlich** in splendor
[32] **das . . . Meer** the glittering ruffled
sea
[33] **erschauern** quiver
[34] **anstoßend** adjoining

[35] **das Gesellschaftszimmer** lounge
[36] **kleinbürgerlich gekleidete Herrschaften** ladies and gentlemen dressed
in the manner of the lower middle-class
[37] **angeregt** lively
[38] **trug schwer an** was heavy with
[39] **kalte Küche** cold dishes, "smorgasbord"
[40] **. . . was vor sich gehe** what was
going on
[41] **die Ausflügler** excursionists
[42] **die Familienvereinigung** family reunion

eine Landpartie [43] nebst Reunion, kurzum eine Subskription [44] oder dergleichen, und sie genießen den schönen Tag. Sie sind zu Boot und zu Wagen gekommen und jetzt frühstücken sie. Später fahren sie noch weiter über Land, aber abends kommen sie wieder, und dann ist Tanzbelustigung [45] hier im Saale. Ja, verdammt und verflucht, wir 115 werden kein Auge zutun . . ."

„Das ist eine hübsche Abwechslung", sagte Tonio Kröger.

Hierauf wurde längere Zeit nichts mehr gesprochen. Die Wirtin ordnete ihre roten Finger, der Fischhändler blies durch das rechte Nasenloch, um sich ein wenig Luft zu verschaffen, und die Amerikaner 120 tranken heißes Wasser und machten lange Gesichter dazu.

Da geschah dies auf einmal: Hans Hansen und Ingeborg Holm gingen durch den Saal. —

Tonio Kröger lehnte, in einer wohligen Ermüdung [46] nach dem Bade und seinem hurtigen [47] Gang, im Stuhl und aß geräucherten Lachs auf 125 Röstbrot; [48] — er saß der Veranda und dem Meere zugewandt. Und plötzlich öffnete sich die Tür, und Hand in Hand kamen die beiden herein, — schlendernd [49] und ohne Eile. Ingeborg, die blonde Inge, war hell gekleidet, wie sie in der Tanzstunde bei Herrn Knaak zu sein pflegte. Das leichte, geblümte Kleid reichte ihr nur bis zu den Knöcheln, 130 und um die Schultern trug sie einen breiten, weißen Tüllbesatz mit spitzem Ausschnitt, [50] der ihren weichen, geschmeidigen Hals freiließ. Der Hut hing ihr an seinen zusammengeknüpften Bändern über dem einen Arm. Sie war vielleicht ein klein wenig erwachsener als sonst, und trug ihren wunderbaren Zopf nun um den Kopf gelegt; aber Hans 135 Hansen war ganz wie immer. Er hatte seine Seemanns-Überjacke mit den Knöpfen an, über welcher auf Schultern und Rücken der breite, blaue Kragen lag; die Matrosenmütze mit den kurzen Bändern hielt er in der hinabhängenden Hand und schlenkerte [51] sie sorglos hin und her. Ingeborg hielt ihre schmal geschnittenen Augen abgewandt, vielleicht 140 ein wenig geniert [52] durch die speisenden Leute, die auf sie schauten. Allein [53] Hans Hansen wandte nun gerade und aller Welt zum Trotz [54] den Kopf nach der Frühstückstafel und musterte mit seinen stahlblauen Augen Einen nach dem Anderen herausfordernd und gewissermaßen verächtlich; er ließ sogar Ingeborgs Hand fahren [55] und schwenkte seine 145 Mütze noch heftiger hin und her, um zu zeigen, was für ein Mann er

---

[43] **die Landpartie** excursion (*into the country*)
[44] **eine Subskription** *meaning:* a joint party to which everyone contributes
[45] **die Tanzbelustigung** dancing
[46] **in einer wohligen Ermüdung** pleasantly fatigued
[47] **hurtig** brisk
[48] **das Röstbrot** toast

[49] **schlendernd** sauntering
[50] **einen breiten . . . Ausschnitt** a broad, white V-shaped tull flounce
[51] **schlenkern** dangle
[52] **geniert** embarrassed
[53] **Allein** *here:* However
[54] **aller Welt zum Trotz** in defiance of everyone
[55] **(ließ) fahren** let go

sei. So gingen die beiden, mit dem still blauenden [56] Meere als Hintergrund, vor Tonio Krögers Augen vorüber, durchmaßen den Saal seiner Länge nach [57] und verschwanden durch die entgegengesetzte Tür im Klavierzimmer.   150

Dies begab sich um halb zwölf Uhr vormittags, und noch während die Kurgäste beim Frühstück saßen, brach nebenan und in der Veranda die Gesellschaft auf [58] und verließ, ohne daß noch jemand den Eßsaal betreten hätte, durch den Seitenzugang, der vorhanden war, das Hotel. Man hörte, wie draußen unter Scherzen und Gelächter die Wagen 155 bestiegen wurden, wie ein Gefährt [59] nach dem anderen auf der Landstraße sich knirschend in Bewegung setzte und davonrollte ...

„Sie kommen also wieder?" fragte Tonio Kröger ...

„Das tun sie!" sagte der Fischhändler. „Und Gott sei's geklagt.[60] Sie haben Musik bestellt, müssen Sie wissen, und ich schlafe hier überm 160 Saale."

„Das ist eine hübsche Abwechslung", wiederholte Tonio Kröger. Dann stand er auf und ging fort.

Er verbrachte den Tag, wie er die anderen verbracht hatte, am Strande, im Walde, hielt ein Buch auf den Knien und blinzelte in die 165 Sonne. Er bewegte nur einen Gedanken: [61] diesen, daß sie wiederkehren und im Saale Tanzbelustigung abhalten würden, wie es der Fischhändler versprochen hatte; und er tat nichts, als sich hierauf freuen, mit einer so ängstlichen und süßen Freude, wie er sie lange, tote Jahre hindurch nicht mehr erprobt [62] hatte. Einmal, durch irgend eine Verknüpfung 170 von Vorstellungen,[63] erinnerte er sich flüchtig [64] eines fernen Bekannten, Adalberts, des Novellisten, der wußte, was er wollte, und sich ins Kaffeehaus begeben hatte, um der Frühlingsluft zu entgehen. Und er zuckte die Achseln über ihn ...

Es wurde früher als gewöhnlich zu Mittag gegessen, und das Abend- 175 brot nahm man ebenfalls zeitiger als sonst, im Klavierzimmer, weil im Saale schon Vorbereitungen zum Balle getroffen [65] wurden: auf so festliche Art war alles in Unordnung gebracht. Dann, als es schon dunkel war und Tonio Kröger in seinem Zimmer saß, ward es wieder lebendig auf der Landstraße und im Hause. Die Ausflügler kehrten 180 zurück; ja, aus der Richtung von Helsingör trafen zu Rad [66] und zu Wagen noch neue Gäste ein, und bereits hörte man drunten im Hause eine Geige stimmen und eine Klarinette näselnde Übungsläufe

---

[56] **blauend**   *meaning:* blue
[57] **(sie) durchmaßen ... nach**   they walked the length of the hall
[58] **(brach) auf**   got ready to leave
[59] **das Gefährt**   carriage
[60] **Gott sei's geklagt**   More's the pity
[61] **Er bewegte nur einen Gedanken** He had but one thought

[62] **erprobt**   *here:* experienced
[63] **Verknüpfung von Vorstellungen** chain of associations
[64] **flüchtig**   in passing
[65] **Vorbereitungen treffen**   make preparations
[66] **zu Rad**   on bicycle

vollführen[67] . . . Alles versprach, daß es ein glänzendes Ballfest geben werde.   185

Nun setzte das kleine Orchester mit einem Marsche ein: gedämpft und taktfest[68] scholl es herauf: man eröffnete den Tanz mit einer Polonaise.[69] Tonio Kröger saß noch eine Weile still und lauschte. Als er aber vernahm, wie das Marschtempo in Walzertakt überging, machte er sich auf und schlich geräuschlos aus seinem Zimmer.   190

Von dem Korridor, an dem es gelegen war, konnte man über eine Nebentreppe zu dem Seiteneingang des Hotels und von dort, ohne ein Zimmer zu berühren, in die Glasveranda gelangen. Diesen Weg nahm er leise und verstohlen, als befinde er sich auf verbotenen Pfaden, tastete[70] sich behutsam durch das Dunkel, unwiderstehlich angezogen 195 von dieser dummen und selig wiegenden Musik, deren Klänge schon klar und ungedämpft zu ihm drangen.

Die Veranda war leer und unerleuchtet, aber die Glastür zum Saale, wo die beiden großen, mit blanken Reflektoren versehenen Petroleumlampen[71] hell erstrahlten, stand geöffnet. Dorthin schlich er sich auf 200 leisen Sohlen, und der diebische Genuß, hier im Dunkeln stehen und ungesehen die belauschen zu dürfen, die im Lichte tanzten, verursachte ein Prickeln in seiner Haut. Hastig und begierig sandte er seine Blicke nach den beiden aus, die er suchte . . .

Die Fröhlichkeit des Festes schien schon ganz frei entfaltet,[72] obgleich 205 es kaum seit einer halben Stunde eröffnet war; aber man war ja bereits warm und angeregt hiehergekommen, nachdem man den ganzen Tag miteinander verbracht, sorglos, gemeinsam und glücklich. Im Klavierzimmer, das Tonio Kröger überblicken konnte, wenn er sich ein wenig weiter vorwagte, hatten sich mehrere ältere Herren rauchend 210 und trinkend beim Kartenspiel vereinigt; aber andere saßen bei ihren Gattinnen im Vordergrunde auf den Plüschstühlen und an den Wänden des Saales und sahen dem Tanze zu. Sie hielten die Hände auf die gespreizten Knie gestützt und bliesen mit einem wohlhabenden Ausdruck[73] die Wangen auf, indes die Mütter, Kapotthütchen auf den 215 Scheiteln,[74] die Hände unter der Brust zusammenlegten und mit seitwärts geneigten Köpfen in das Getümmel[75] der jungen Leute schauten. Ein Podium war an der einen Längswand des Saales errichtet worden, und dort taten die Musikanten ihr Bestes. Sogar eine Trompete

[67] **(man) (hörte) eine Geige . . . vollführen** one heard the tuning of a violin and the nasal sounds of a clarinet practicing scales
[68] **taktfest** rhythmically
[69] **die Polonaise** *a stately Polish dance*
[70] **tastete sich** felt his way
[71] **mit blanken Reflektoren versehene Petroleumlampen** oil lamps, furnished with bright reflectors
[72] **Die Fröhlichkeit . . . entfaltet** The merriment of the festival seemed in full swing already
[73] **mit . . . Ausdruck** with the air of well-to-do citizens
[74] **Kapotthütchen auf den Scheiteln** bonnets on their heads
[75] **das Getümmel** whirl

war da, welche mit einer gewissen zögernden Behutsamkeit blies, als 220
fürchtete sie sich vor ihrer eigenen Stimme, die sich dennoch beständig
brach und überschlug[76] ... Wogend und kreisend bewegten sich die
Paare umeinander, indes andere Arm in Arm den Saal umwandelten.[77]
Man war nicht ballmäßig gekleidet, sondern nur wie an einem Sommer-
sonntag, den man im Freien verbringt: die Kavaliere in kleinstädtisch 225
geschnittenen Anzügen,[78] denen man ansah,[79] daß sie die ganze Woche
geschont wurden, und die jungen Mädchen in lichten und leichten
Kleidern mit Feldblumensträußchen an den Miedern.[80] Auch ein paar
Kinder waren im Saale und tanzten untereinander auf ihre Art, sogar
wenn die Musik pausierte. Ein langbeiniger Mensch in schwalben- 230
schwanzförmigem Röckchen,[81] ein Provinzlöwe mit Augenglas und
gebranntem Haupthaar,[82] Postadjunkt[83] oder dergleichen und wie die
fleischgewordene[84] komische Figur aus einem dänischen Roman,
schien Festordner und Kommandeur des Balles zu sein. Eilfertig,
transpirierend[85] und mit ganzer Seele bei der Sache,[86] war er überall 235
zugleich, schwänzelte übergeschäftig[87] durch den Saal, indem er
kunstvoll mit den Zehenspitzen zuerst auftrat und die Füße, die in
glatten und spitzen Militärstiefeletten[88] steckten, auf eine verzwickte
Art kreuzweis übereinander setzte, schwang die Arme in der Luft,
traf[89] Anordnungen, rief nach Musik, klatschte in die Hände, und bei 240
all dem flogen die Bänder der großen, bunten Schleife, die als Zeichen
seiner Würde auf seiner Schulter befestigt war und nach der er
manchmal liebevoll den Kopf drehte, flatternd hinter ihm drein.

Ja, sie waren da, die beiden, die heute im Sonnenlicht an Tonio
Kröger vorübergezogen waren, er sah sie wieder und erschrak vor 245
Freude, als er sie fast gleichzeitig gewahrte. Hier stand Hans Hansen,
ganz nahe bei ihm, dicht an der Tür; breitbeinig und ein wenig vorge-
beugt, verzehrte er bedächtig ein großes Stück Sandtorte,[90] wobei er
die hohle Hand unters Kinn hielt, um die Krümel aufzufangen. Und
dort an der Wand saß Ingeborg Holm, die blonde Inge, und eben 250
schwänzelte der Adjunkt auf sie zu, um sie durch eine ausgesuchte[91]
Verbeugung zum Tanze aufzufordern,[92] wobei er die eine Hand auf

---

[76] **die sich ... überschlug** which, nonetheless, continuously broke and cracked
[77] **umwandeln** walk around
[78] **in ... Anzügen** in suits of provincial cut
[79] **denen man ansah** *lit.:* of which one could tell; *meaning:* which obviously
[80] **Feldblumensträußchen ... Miedern** bunches of field-flowers on their bodices
[81] **in schwalbenschwanzförmigem Röckchen** in a coat with a little swallow-tail
[82] **gebranntes Haupthaar** frizzled hair
[83] **der Postadjunkt** post-office clerk
[84] **fleischgeworden** incarnate
[85] **transpirierend** perspiring
[86] **mit ganzer ... Sache** utterly absorbed
[87] **(er) schwänzelte übergeschäftig** *meaning:* tripping officiously
[88] **die Militärstiefeletten** military half-boots
[89] **Anordnungen treffen** issue orders
[90] **die Sandtorte** *a cake similar to pound cake*
[91] **ausgesucht** choice
[92] **zum Tanze auffordern** ask for a dance

den Rücken legte und die andere graziös[93] in den Busen schob; aber sie schüttelte den Kopf und deutete an, daß sie zu atemlos sei und ein wenig ruhen müsse, worauf der Adjunkt sich neben sie setzte.   255

[Assignment XIV]

Tonio Kröger sah sie an, die beiden, um die er vor Zeiten[94] Liebe gelitten hatte, — Hans und Ingeborg. Sie waren es nicht so sehr vermöge einzelner Merkmale und der Ähnlichkeit der Kleidung, als kraft[95] der Gleichheit der Rasse und des Typus, dieser lichten, stahlblauäugigen und blondhaarigen Art, die eine Vorstellung von Reinheit, Ungetrübt- 260 heit,[96] Heiterkeit und einer zugleich stolzen und schlichten, unberühr- baren Sprödigkeit[97] hervorrief . . . Er sah sie an, sah, wie Hans Hansen so keck und wohlgestalt wie nur jemals, breit in den Schultern und schmal in den Hüften, in seinem Matrosenanzug dastand, sah, wie Ingeborg auf eine gewisse übermütige Art lachend den Kopf zur Seite 265 warf, auf eine gewisse Art ihre Hand, eine gar nicht besonders schmale, gar nicht besonders feine Klein-Mädchenhand, zum Hinterkopfe führte, wobei der leichte Ärmel von ihrem Ellenbogen zurückglitt, — und plötzlich erschütterte das Heimweh[98] seine Brust mit einem solchen Schmerz, daß er unwillkürlich weiter ins Dunkel zurückwich, damit 270 niemand das Zucken seines Gesichtes sähe.

Hatte ich euch vergessen? fragte er. Nein, niemals! Nicht dich, Hans, noch dich, blonde Inge! Ihr wart es ja, für die ich arbeitete, und wenn ich Applaus vernahm, blickte ich heimlich um mich, ob ihr daran teilhättet[99] . . . : Hast du nun den Don Carlos gelesen, Hans Hansen, wie 275 du es mir an eurer Gartenpforte versprachst? Tu's nicht! ich verlange es nicht mehr von dir. Was geht dich der König an, der weint, weil er einsam ist? Du sollst deine hellen Augen nicht trüb und traumblöde[1] machen vom Starren in Verse und Melancholie . . . Zu sein wie du! Noch einmal anfangen, aufwachsen gleich dir, rechtschaffen,[2] fröhlich 280 und schlicht, regelrecht, ordnungsgemäß und im Einverständnis mit Gott und der Welt, geliebt werden von den Harmlosen und Glück- lichen, dich zum Weibe nehmen, Ingeborg Holm, und einen Sohn haben wie du, Hans Hansen, — frei vom Fluch der Erkenntnis und der schöpferischen Qual leben, lieben und loben in seliger Gewöhnlich- 285 keit![3] . . . Noch einmal anfangen? Aber es hülfe nichts. Es würde wieder so werden, — alles würde wieder so kommen, wie es gekommen

---

[93] **graziös** gracefully
[94] **vor Zeiten** a long time ago
[95] **vermöge; kraft** by virtue of
[96] **die Ungetrübtheit** serenity
[97] **die Sprödigkeit** reserve
[98] **das Heimweh** nostalgia
[99] **ob . . . teilhättet** whether you par-
ticipated in it
[1] **trüb und traumblöde** *meaning:* dim and heavy with dreams
[2] **rechtschaffen** decent
[3] **in seliger Gewöhnlichkeit** in bliss- ful mediocrity

ist. Denn Etliche[4] gehen mit Notwendigkeit in die Irre,[5] weil es einen
rechten Weg für sie überhaupt nicht gibt.

Nun schwieg die Musik; es war Pause, und Erfrischungen wurden 290
gereicht.[6] Der Adjunkt eilte persönlich mit einem Teebrett voll
Heringssalat umher und bediente die Damen: aber vor Ingeborg Holm
ließ er sich sogar auf ein Knie nieder, als er ihr das Schälchen reichte,
und sie errötete vor Freude darüber.

Man begann jetzt dennoch im Saale auf den Zuschauer unter der 295
Glastür aufmerksam zu werden, und aus hübschen, erhitzten Gesichtern
trafen ihn fremde und forschende Blicke; aber er behauptete trotzdem
seinen Platz.[7] Auch Ingeborg und Hans streiften ihn beinahe gleichzeitig mit den Augen, mit jener vollkommenen Gleichgültigkeit, die
fast das Ansehen der Verachtung hat. Plötzlich jedoch ward er sich 300
bewußt, daß von irgendwoher ein Blick zu ihm drang und auf ihm
ruhte ... Er wandte den Kopf, und sofort trafen seine Augen mit
denen zusammen, deren Berührung er empfunden hatte. Ein Mädchen
stand nicht weit von ihm, mit blassem, schmalem und feinem Gesicht,
das er schon früher bemerkt hatte. Sie hatte nicht viel getanzt, die 305
Kavaliere hatten sich nicht sonderlich um sie bemüht,[8] und er hatte sie
einsam mit herb[9] geschlossenen Lippen an der Wand sitzen sehen.
Auch jetzt stand sie allein. Sie war hell und duftig gekleidet, wie die
anderen, aber unter dem durchsichtigen Stoff ihres Kleides schimmerten
ihre bloßen Schultern spitz und dürftig, und der magere Hals stak so 310
tief zwischen diesen armseligen[10] Schultern, daß das stille Mädchen
fast ein wenig verwachsen[11] erschien. Ihre Hände, mit dünnen Halb-
handschuhen bekleidet, hielt sie so vor der flachen Brust, daß die
Fingerspitzen sich sacht berührten. Gesenkten Kopfes blickte sie Tonio
Kröger von unten herauf mit schwarzen, schwimmenden Augen an. 315
Er wandte sich ab ...

Hier, ganz nahe bei ihm, saßen Hans und Ingeborg. Er hatte sich zu
ihr gesetzt, die vielleicht seine Schwester war, und umgeben von
anderen rotwangigen Menschenkindern aßen und tranken sie, schwatz-
ten und vergnügten sich, riefen sich mit klingenden Stimmen Necke- 320
reien[12] zu und lachten hell in die Luft. Konnte er sich ihnen nicht ein
wenig nähern? Nicht an ihn oder sie ein Scherzwort richten, das ihm
einfiel und das sie ihm wenigstens mit einem Lächeln beantworten
mußten? Es würde ihn beglücken, er sehnte sich danach; er würde

---

[4] **Etliche** Some (people)
[5] **in die Irre gehen** go astray
[6] **wurden gereicht** were passed
around
[7] **seinen Platz behaupten** maintain
one's position
[8] **die Kavaliere ... bemüht** the young

men had not exerted themselves much
on her behalf
[9] **herb** austerely
[10] **armselig** pitiful
[11] **verwachsen** misshapen
[12] **die Neckereien** teasing remarks,
banter

dann zufriedener in sein Zimmer zurückkehren, mit dem Bewußtsein, 32₅
eine kleine Gemeinschaft mit den beiden hergestellt zu haben. Er
dachte sich aus, was er sagen könnte; aber er fand nicht den Mut, es zu
sagen. Auch war es ja wie immer: sie würden ihn nicht verstehen,
würden befremdet[13] auf das horchen, was er zu sagen vermöchte.
Denn ihre Sprache war nicht seine Sprache.   33c

Nun schien der Tanz aufs neue beginnen zu sollen. Der Adjunkt
entfaltete eine umfassende[14] Tätigkeit. Er eilte umher und forderte alle
Welt zum Engagieren[15] auf, räumte mit Hilfe des Kellners Stühle und
Gläser aus dem Wege, erteilte den Musikern Befehle und schob einzelne Täppische,[16] die nicht wußten wohin, an den Schultern vor sich 33₅
her. Was hatte man vor?[17] Je vier und vier Paare bildeten Karrees ...
Eine schreckliche Erinnerung machte Tonio Kröger erröten. Man
tanzte Quadrille.

Die Musik setzte ein, und die Paare schritten unter Verbeugungen
durcheinander. Der Adjunkt kommandierte; er kommandierte, bei 34c
Gott, auf französisch und brachte die Nasallaute auf unvergleichlich
distingierte Art hervor. Ingeborg Holm tanzte dicht vor[18] Tonio
Kröger, in dem Karree, das sich unmittelbar an der Glastür befand. Sie
bewegte sich vor ihm hin und her, vorwärts und rückwärts, schreitend
und drehend; ein Duft, der von ihrem Haar oder dem zarten Stoff ihres 34₅
Kleides ausging, berührte ihn manchmal, und er schloß die Augen in
einem Gefühl, das ihm von je so wohl bekannt gewesen, dessen Arom
und herben Reiz[19] er in all diesen letzten Tagen leise verspürt hatte und
das ihn nun wieder ganz mit seiner süßen Drangsal[20] erfüllte. Was war
es doch? Sehnsucht, Zärtlichkeit? Neid? Selbstverachtung?... 350
Moulinet des dames! Lachtest du, blonde Inge, lachtest du mich aus,[21]
als ich moulinet tanzte und mich so jämmerlich blamierte?[22] Und
würdest du auch heute noch lachen, nun da ich doch so etwas wie ein
berühmter Mann geworden bin? Ja, das würdest du und würdest
dreimal recht daran tun! Und wenn ich, ich ganz allein, die neun 35₅
Symphonien, die Welt als Wille und Vorstellung und das Jüngste
Gericht[23] vollbracht hätte, — du würdest ewig recht haben zu lachen ...
Er sah sie an, und eine Verszeile fiel ihm ein, deren er sich lange nicht

---

[13] **befremdet** *meaning:* uncomprehend-
ingly
[14] **umfassend** all-embracing
[15] **zum Engagieren** to engage a partner
[16] **einzelne Täppische** a few awkward
fellows
[17] **Was hatte man vor?** What was
coming?
[18] **dicht vor** close to
[19] **herber Reiz** bitter-sweet enchantment (*Lowe-Porter*)
[20] **mit seiner süßen Drangsal** with its
sweet distress
[21] **auslachen** laugh at, mock
[22] **sich jämmerlich blamieren** disgrace oneself miserably
[23] **die neun Symphonien** by *Beethoven,*
Die Welt als Wille und Vorstellung
by *Schopenhauer, and* **Das Jüngste**
Gericht by *Michelangelo in the Sistine
Chapel in the Vatican. Each represents the
highest achievement of its kind. (Elizabeth
M. Wilkinson)*

erinnert hatte und die ihm doch so vertraut und verwandt war: „Ich möchte schlafen, aber du mußt tanzen." Er kannte sie so gut, die 360 melancholisch-nordische, innig-ungeschickte Schwerfälligkeit[24] der Empfindung, die daraus sprach. Schlafen... Sich danach sehnen, einfach und völlig dem Gefühle leben zu dürfen, das ohne die Verpflichtung, zur Tat und zum Tanz zu werden, süß und träge in sich selber ruht, — und dennoch tanzen, behend[25] und geistesgegenwärtig den 365 schweren, schweren und gefährlichen Messertanz[26] der Kunst vollführen zu müssen, ohne je ganz des demütigenden Widersinnes[27] zu vergessen, der darin lag, tanzen zu müssen, indes man liebte...

Auf einmal geriet das Ganze in eine tolle und ausgelassene Bewegung. Die Karrees hatten sich aufgelöst, und springend und gleitend stob alles 370 umher:[28] man beschloß die Quadrille mit einem Galopp. Die Paare flogen zum rasenden Eiltakt der Musik[29] an Tonio Kröger vorüber, schassierend,[30] hastend, einander überholend, mit kurzem, atemlosem Gelächter. Eines kam daher, mitgerissen[31] von der allgemeinen Jagd, kreisend und vorwärts sausend. Das Mädchen hatte ein blasses feines 375 Gesicht und magere, zu hohe Schultern. Und plötzlich, dicht vor ihm, entstand ein Stolpern, Rutschen und Stürzen... Das blasse Mädchen fiel hin. Sie fiel so hart und heftig, daß es fast gefährlich aussah, und mit ihr der Kavalier. Dieser mußte sich so gröblich weh getan haben, daß er seiner Tänzerin ganz vergaß, denn, nur halbwegs aufgerichtet, 380 begann er unter Grimassen seine Knie mit den Händen zu reiben; und das Mädchen, scheinbar ganz betäubt vom Falle, lag noch immer am Boden. Da trat Tonio Kröger vor, faßte sie sacht an den Armen und hob sie auf. Abgehetzt,[32] verwirrt und unglücklich sah sie zu ihm empor, und plötzlich färbte ihr zartes Gesicht sich mit einer matten 385 Röte.

„Tak! O, mange Tak!"[33] sagte sie und sah ihn von unten herauf mit dunklen, schwimmenden Augen an.

„Sie sollten nicht mehr tanzen, Fräulein", sagte er sanft. Dann blickte er sich noch einmal nach ihnen um, nach Hans und Ingeborg, und ging 390 fort, verließ die Veranda und den Ball und ging in sein Zimmer hinauf.

Er war berauscht von dem Feste, an dem er nicht teil gehabt, und müde von Eifersucht. Wie früher, ganz wie früher war es gewesen! Mit erhitztem Gesicht hatte er an dunkler Stelle gestanden, in Schmer- 395 zen um euch, ihr Blonden, Lebendigen, Glücklichen, und war dann

[24] **innig-ungeschickte Schwerfällig-keit** tenderly awkward clumsiness
[25] **behend** nimbly
[26] **der Messertanz** sword-dance
[27] **der Widersinn** paradox
[28] **(stob) umher** scattered about
[29] **zum ... Musik** in keeping with the madly racing beat of the music
[30] **schassierend** chasing
[31] **mitgerissen** swept along
[32] **Abgehetzt** Exhausted
[33] **Tak! O, mange Tak!** *Danish:* "Many thanks"

einsam hinweggegangen. Jemand müßte nun kommen! Ingeborg müßte nun kommen, müßte bemerken, daß er fort war, müßte ihm heimlich folgen, ihm die Hand auf die Schulter legen und sagen: Komm herein zu uns! Sei froh! Ich liebe dich!... Aber sie kam keineswegs. 400 Dergleichen geschah nicht. Ja, wie damals war es, und er war glücklich wie damals. Denn sein Herz lebte. Was aber war gewesen während all der Zeit, in der er das geworden, was er nun war? — Erstarrung;[34] Öde; Eis; und Geist! Und Kunst!...

Er entkleidete sich, legte sich zur Ruhe, löschte das Licht. Er flüsterte 405 zwei Namen in das Kissen hinein, diese paar keuschen, nordischen Silben, die ihm seine eigentliche und ursprüngliche Liebes-, Leides- und Glücksart, das Leben, das simple und innige Gefühl, die Heimat bezeichneten. Er blickte zurück auf die Jahre seit damals bis auf diesen Tag. Er gedachte der wüsten Abenteuer der Sinne, der Nerven und 410 des Gedankens, die er durchlebt, sah sich zerfressen[35] von Ironie und Geist, verödet[36] und gelähmt von Erkenntnis, halb aufgerieben[37] von den Fiebern und Frösten des Schaffens, haltlos und unter Gewissens- nöten[38] zwischen krassen Extremen, zwischen Heiligkeit und Brunst[39] hin- und hergeworfen, raffiniert,[40] verarmt, erschöpft von kalten und 415 künstlich erlesenen[41] Exaltationen, verirrt, verwüstet, zermartert,[42] krank — und schluchzte vor Reue und Heimweh.

Um ihn war es still und dunkel. Aber von unten tönte gedämpft und wiegend des Lebens süßer, trivialer Dreitakt[43] zu ihm herauf.

IX

Tonio Kröger saß im Norden und schrieb an Lisaweta Iwanowna, seine Freundin, wie er es ihr versprochen hatte.

Liebe Lisaweta dort unten in Arkadien,[44] wohin ich bald zurück- kehren werde, schrieb er. Hier ist nun also so etwas wie ein Brief, aber er wird Sie wohl enttäuschen, denn ich denke,[45] ihn ein wenig allge- 5 mein zu halten. Nicht, daß ich so gar nichts zu erzählen, auf meine Weise nicht dies und das erlebt hätte. Zu Hause, in meiner Vaterstadt, wollte man mich sogar verhaften... aber davon sollen Sie mündlich hören. Ich habe jetzt manchmal Tage, an denen ich es vorziehe, auf gute Art etwas allgemeines zu sagen, anstatt Geschichten zu erzählen. 10

---

[34] **die Erstarrung** torpor
[35] **zerfressen** corroded
[36] **verödet** laid waste
[37] **aufgerieben** spent
[38] **haltlos . . . Gewissensnöten** with- out support and in anguish of conscience
[39] **die Brunst** lust

[40] **raffiniert** sophisticated
[41] **erlesen** select
[42] **zermartert** tortured
[43] **der Dreitakt** waltz rhythm
[44] **Arkadien** *a proverbially idyllic region of rural simplicity, here used ironically*
[45] **ich denke** *here:* I intend

Wissen Sie wohl noch, Lisaweta, daß Sie mich einmal einen Bürger, einen verirrten Bürger nannten? Sie nannten mich so in einer Stunde, da ich Ihnen, verführt durch andere Geständnisse, die ich mir vorher hatte entschlüpfen[46] lassen, meine Liebe zu dem gestand, was ich das Leben nenne; und ich frage mich, ob Sie wohl wußten, wie sehr Sie 15 damit die Wahrheit trafen, wie sehr mein Bürgertum und meine Liebe zum „Leben" eins und dasselbe sind. Diese Reise hat mir Veranlassung gegeben, darüber nachzudenken . . .

Mein Vater, wissen Sie, war ein nordisches Temperament: betrachtsam,[47] gründlich, korrekt aus Puritanismus und zur Wehmut geneigt; 20 meine Mutter von unbestimmt exotischem Blut, schön, sinnlich, naiv, zugleich fahrlässig[48] und leidenschaftlich und von einer impulsiven Liederlichkeit.[49] Ganz ohne Zweifel war dies eine Mischung, die außerordentliche Möglichkeiten — und außerordentliche Gefahren — in sich schloß. Was herauskam, war dies: ein Bürger, der sich in die 25 Kunst verirrte, ein Bohemien mit Heimweh nach der guten Kinderstube, ein Künstler mit schlechtem Gewissen. Denn mein bürgerliches Gewissen ist es ja, was mich in allem Künstlertum, aller Außerordentlichkeit und allem Genie etwas tief Zweideutiges, tief Anrüchiges,[50] tief Zweifelhaftes erblicken läßt, was mich mit dieser verliebten 30 Schwäche für das Simple, Treuherzige[51] und Angenehm-Normale, das Ungeniale und Anständige erfüllt.

Ich stehe zwischen zwei Welten, bin in keiner daheim und habe es infolge dessen ein wenig schwer. Ihr Künstler nennt mich einen Bürger, und die Bürger sind versucht, mich zu verhaften . . . ich weiß nicht, 35 was von beidem mich bitterer kränkt. Die Bürger sind dumm; ihr Anbeter der Schönheit aber, die ihr mich phlegmatisch und ohne Sehnsucht heißt, solltet bedenken, daß es ein Künstlertum gibt, so tief, so von Anbeginn und Schicksals wegen,[52] daß keine Sehnsucht ihm süßer und empfindenswerter erscheint als die nach den Wonnen der 40 Gewöhnlichkeit.

Ich bewundere die Stolzen und Kalten, die auf den Pfaden der großen, der dämonischen Schönheit abenteuern[53] und den „Menschen" verachten, — aber ich beneide sie nicht. Denn wenn irgend etwas imstande ist, aus einem Literaten[54] einen Dichter zu machen, so ist es 45 diese meine Bürgerliebe[55] zum Menschlichen, Lebendigen und Gewöhnlichen. Alle Wärme, alle Güte, aller Humor kommt aus ihr, und fast will mir scheinen, als sei sie jene Liebe selbst, von der

<table>
<tr><td>[46] entschlüpfen lassen let slip out</td><td>[51] treuherzig ingenuous</td></tr>
<tr><td>[47] betrachtsam contemplative</td><td>[52] so von . . . wegen meaning: so much</td></tr>
<tr><td>[48] fahrlässig negligent</td><td>part of one's origin and destiny</td></tr>
<tr><td>[49] von . . . Liederlichkeit impulsively careless</td><td>[53] abenteuern seek adventure</td></tr>
<tr><td></td><td>[54] der Literat literary man, writer</td></tr>
<tr><td>[50] tief Anrüchiges profoundly disputable</td><td>[55] die Bürgerliebe bourgeois love</td></tr>
</table>

geschrieben steht, daß Einer mit Menschen- und Engelszungen reden könnte und ohne sie doch nur ein tönendes Erz und eine klingende Schelle [56] sei. 50

Was ich getan habe, ist nichts, nicht viel, so gut wie nichts. Ich werde Besseres machen, Lisaweta, — dies ist ein Versprechen. Während ich schreibe, rauscht das Meer zu mir herauf, und ich schließe die Augen. Ich schaue in eine ungeborene und schemenhafte [57] Welt hinein, die 55 geordnet und gebildet sein will, ich sehe in ein Gewimmel [58] von Schatten menschlicher Gestalten, die mir winken, daß ich sie banne [59] und erlöse: tragische und lächerliche und solche, die beides zugleich sind, — und diesen bin ich sehr zugetan. [60] Aber meine tiefste und verstohlenste [61] Liebe gehört den Blonden und Blauäugigen, den hellen 60 Lebendigen, den Glücklichen, Liebenswürdigen und Gewöhnlichen.

Schelten Sie diese Liebe nicht, Lisaweta; sie ist gut und fruchtbar. Sehnsucht ist darin und schwermütiger Neid und ein klein wenig Verachtung und eine ganze keusche Seligkeit.

---

[56] **tönendes Erz und klingende Schelle** sounding brass and tinkling cymbals (*Cf. I. Corinthians, XIII, 1 in Luther's translation*)
[57] **schemenhaft** shadowy
[58] **das Gewimmel** whirl
[59] **bannen** conjure up
[60] **diesen . . . zugetan** to these I am drawn in sympathy
[61] **verstohlen** secretive

Assignments

Mann: *Tonio Kröger*

Assignment I, pp. 124–128

VOCABULARY BUILDING

verstummen	to grow silent
vergessen, (vergißt), vergaß, vergessen	to forget
sich auf etwas freuen	to look forward to something
der Begriff, -(e)s, -e	idea, notion, concept
im Begriff(e) sein (etwas zu tun)	to be about (to do something)
die Verabredung, -, -en	agreement, appointment
der Kaufmann, -(e)s; (*usually*) **die Kaufleute**	businessman, merchant
öffentlich	public
die Geige, -, -n	violin
der Brunnen, -s, -	well
der Springbrunnen	fountain
empfinden, (empfindet), empfand, empfunden	to feel
leiden, (leidet), litt, gelitten	to suffer
bewegen	to move (*an object*)
sich (*acc.*) **bewegen**	to move (*reflexive*)
die Bewegung, -, -en	movement, motion
schaden	to damage
es schadet ihm	it harms him
es schadet nichts	it does not matter
der Unterricht, -(e)s	instruction
die Unterrichtsstunde	lesson; class period
unterrichten	to instruct, teach
bereuen	to regret

QUESTIONS

1. Beschreiben Sie Hans Hansen und Tonio Kröger.
2. Beschreiben Sie das Verhältnis (*relationship*) zwischen Tonio Kröger und Hans Hansen.
3. Wie verhält sich Tonio Kröger (*what is T.K.'s attitude*) in der Schule?
4. Wofür interessiert er sich?

Assignment II, pp. 128–134

VOCABULARY BUILDING

die Stellung, -, -en	position
einerseits, ander(er)seits	on the one hand, on the other hand

der Zorn, -(e)s	anger
ungefähr	approximately
die Art und Weise	manner
betrachten	to look at, observe
zunächst	in the first place
der Held, -en, -en	hero
die Sehnsucht, -	longing, nostalgia
die Gemeinschaft, -, -en	community, *also:* communion
der Geist, -es	spirit, intellect, mind; the plural **die Geister** usually refers to spirits or ghosts
geistig	spiritual, intellectual
merkwürdig	strange, odd
der Neid, -es	envy
beneiden	to envy
betrügen, betrog, betrogen	to deceive
das Opfer, -s, -	sacrifice, victim
sich (*acc.*) opfern	to sacrifice oneself
verraten, (verrät), verriet verraten	to betray
der Gegenstand, -(e)s, ⸚e	object, topic
gleichgültig	indifferent
die Seligkeit, -	bliss

QUESTIONS

1. Beschreiben Sie Tonio Krögers Mutter.
2. Warum ist Hans Hansen bei seinen Lehrern so beliebt?
3. Welche Bedeutung hat die Figur des spanischen Königs für Tonio?
4. Warum will Tonio nicht, daß Erwin Jimmerthal ihn und Hans Hansen begleitet?
5. Wie verhält sich Tonio Kröger zu seinem Namen?

Assignment III, pp. 134–138

VOCABULARY BUILDING

die Erfahrung, -, -en	experience
erfahren, (erfährt), erfuhr, erfahren	to experience, find out
obgleich	although
sich (*acc.*) versammeln	to gather
betreffen, (betrifft), betraf, betroffen	concern
das betrifft mich	that concerns me
„Was den Tanz betraf...“	As far as the dance was concerned . . .
üben	to practice
meiden, (meidet), mied, gemieden *or* vermeiden, vermied, vermieden	to avoid

beabsichtigen	to intend
verblüffen	to startle, surprise
der Grund, -(e)s, ⸚e	reason; ground
ohne zwingenden Grund	without compelling reason
die Haltung, -, -en	attitude, posture
das Publikum, -s	audience
sanft	gentle
verachten	to scorn, despise
die Verachtung, -	contempt
gleiten, (gleitet), glitt, ist geglit- ten	to glide
beständig	constant(ly), continual(ly)
der Ekel, -s	disgust

QUESTIONS

1. Beschreiben Sie die blonde Inge.
2. Beschreiben Sie Herrn Knaak.
3. Was sollen die jungen Leute von Herrn Knaak lernen?
4. Charakterisieren Sie Tonios Verhältnis zu Inge, Magdalene und Knaak.

Assignment IV, pp. 138–141

VOCABULARY BUILDING

der Duft, -(e)s, ⸚e	fragrance
der Stoff, -(e)s, -e	material, substance, matter
berühren	to touch
eifrig	diligent
ringsum	on all sides, all around
das Paar, -(e)s, -e	pair, couple
ein paar Leute	a few people
heimlich	secretly, stealthily
das Taschentuch, -(e)s, ⸚er	handkerchief
der Zwischenfall, -s, ⸚e	incident
das Zeichen, -s, -	sign
der Eindruck, -(e)s, ⸚e	impression
einen Eindruck machen	to make or create an impression
fort-setzen, setzte fort, fort- gesetzt	to continue
die Pause, -, -n	pause, intermission
bedenken, bedachte, bedacht	consider
lächerlich	ridiculous
häßlich	ugly
erbärmlich	pitiful, miserable
unterscheiden, (unterscheidet), unterschied, unterschieden	to distinguish, differentiate
die Zeitschrift, -, -en	periodical, magazine
drucken	print

QUESTIONS

1. Wie kam es, daß Tonio unter die Damen geriet?
2. Beschreiben Sie die Gefühle, die Tonio mit dem Vers „Ich möchte schlafen; aber du mußt tanzen" verbindet.
3. Worin besteht, nach Tonios Meinung, das Glück? Und warum empfand er zu jener Zeit, als er Inge liebte, daß sein Herz lebte?
4. Was wurde aus Tonios Entschluß (*resolution*), der blonden Inge die Treue zu halten?

Assignment V, pp. 141–144

VOCABULARY BUILDING

die Auskunft, -, ⸚e	information
das Dasein, -s	existence
die Daseinsform, -, -en	form of existence, way of life
scheiden, (scheidet), schied, ist geschieden	to take leave of, depart
der Faden, -s, ⸚	thread
der Zustand, -(e)s, ⸚e	condition, state
das Wesen, -s	nature, essence (*no plural*)
das Wesen, -s, -	creature, being
sorgfältig	careful, meticulous
die Firma, -, (*pl.*) Firmen	firm
der Spott, -(e)s	mockery
die Macht, -, ⸚e	power
der Dienst, -es, -e	service
versprechen, (verspricht), versprach, versprochen	to promise
jemandem etwas (*acc.*) versprechen	to promise something to somebody
bewußt	conscious
unbewußt	unconscious
das Bewußtsein, -s	consciousness
durchschauen	to see through
die Einsamkeit, -	solitude, loneliness
einsam	solitary, lonely
die Erinnerung, -, -en	memory
sich (*acc.*) erinnern	to remember
jemanden an etwas erinnern	to remind someone of something

QUESTIONS

1. Was wurde aus Tonios Familie?
2. Zwischen welchen Extremen bewegte sich Tonio in jener Zeit, als er im Süden lebte?
3. Welcher Art waren Tonios Werke, und wie wurden sie aufgenommen?
4. Erklären Sie den Satz, „..., daß man gestorben sein muß, um ganz ein Schaffender zu sein."

Assignment VI, pp. 144–148

VOCABULARY BUILDING

stören	to disturb
die Schwelle, -, -n	threshold
die Betonung, -, -en	accent
der Pinsel, -s, -	paintbrush
die Skizze, -, -n	sketch
der Maler, -s, -; die Malerin, -, -nen	painter
die Möbel (*plural*)	furniture
möbliert	furnished
unendlich	infinite
endlich (*adj.*)	finite
endlich (*adv.*)	finally, at last
die Unendlichkeit, -	infinity
die Begabung, -, -en	talent
der Ausdruck, -(e)s, ̈e	expression
ausdrücklich	explicit(ly)
ausdrucksvoll	expressive
die Enttäuschung, -, -en	disappointment
enttäuschen	to disappoint
die Kiste, -, -n	box, crate
sich (*acc.*) schämen	to be ashamed, to be embarrassed
der Gegensatz, -es, ̈e	contrast, opposition
im Stande sein (etwas zu tun)	to be capable (of doing something)

QUESTIONS

1. Beschreiben Sie das Atelier der Lisaweta Iwanowna.
2. Wie erklären Sie sich Adalberts Einstellung (*attitude*) zum Frühling?
3. Warum meint Tonio, daß man als Schaffender nicht empfinden darf?

Assignment VII, pp. 148–152

VOCABULARY BUILDING

die Unschuld, -	innocence
die Schuld, -	guilt
unschuldig	innocent
schuldig	guilty
entschuldigen	to excuse
beschuldigen	to accuse
darstellen	to represent
die Darstellung, -, -en	presentation, representation
die Leidenschaft, -, -en	passion
der Beruf, -(e)s, -e	profession, calling
der Fluch, -(e)s, ̈e	curse
fluchen	to curse
verflucht	damned

das Schicksal, -s, -e	fate
der Schauspieler, -s, -	actor
kämpfen	to fight, struggle
der Kampf, -(e)s, ⸚e	fight, struggle
vollkommen	perfect
die Gabe, -, -n	gift
zweideutig	ambiguous
eindeutig	unambiguous

QUESTIONS

1. Warum schämt sich Tonio seines Künstlertums?
2. Warum hält Tonio die Literatur für einen Fluch?
3. Was soll das Beispiel des Bankiers beweisen?
4. Wie unterscheidet sich Lisawetas Auffassung der Literatur von Tonios?

Assignment VIII, pp. 152–155

VOCABULARY BUILDING

zugrunde richten	to destroy
die Erfindung, -, -en	invention
der Zustand, -(e)s, ⸚e	state, condition
die Tatsache, -, -n	fact
geistreich	clever, witty
oberflächlich	superficial
fort-fahren, fährt fort, fuhr fort, ist fortgefahren	to continue
ernst	earnest, serious
der Ernst, -es	seriousness
im Ernst	in all seriousness
ernsthaft, ernstlich	seriously
menschlich	human, humane
ehren	to honor
die Ehre, -, -n	honor
ehrlich	honest, honorable
verehren	admire, venerate
lauter	pure, sheer
versichern	to assure, insure
regeln	to adjust, regulate
die Regel, -, -n	rule

QUESTIONS

1. Weshalb glaubt Tonio, daß es nirgends in der Welt stummer und hoffnungsloser zugeht als in einem Kreise von geistreichen Leuten?
2. Was meint Tonio mit dem Satz: „Was ausgesprochen ist, ist erledigt"?
3. Was ist ein Nihilist?
4. Was ist die große Sehnsucht des Künstlers?

Assignment IX, pp. 155–159

zuweilen	now and then, occasionally
die Rache, -	revenge
das Reich, -(e)s, -e	empire, realm
zu-nehmen, (nimmt zu), nahm zu, zugenommen	to increase
verführen	to seduce
der Zettel, -s, -	slip of paper
die Erlaubnis, -, -se	permission
erlauben	to permit
der Beifall, -s	applause
zahlen	to pay
die Lösung, -, -en	solution
der Glückwunsch, -es, ⸚e	congratulation
der Irrtum, -s, ⸚er	error
sich (acc.) irren	to be in error, err
pflücken	to pluck, pick
das Erlebnis, -ses, -se	experience
erleben	to experience
sich (acc.) erheben, erhob, erhoben	to rise
die Gelegenheit, -en	occasion
bei Gelegenheit	on occasion
gelegentlich	occasionally

QUESTIONS

1. Beschreiben Sie das Verhältnis des Künstlers zu seinem Publikum.
2. Warum verliert Tonio seinen Respekt vor dem Leutnant?
3. Worin bestehen Schuld und Irrtum des Dilettanten?
4. Was berechtigt Lisaweta dazu (*what justifies Lisaweta in*), Tonio als einen verirrten Bürger zu bezeichnen?

Assignment X, pp. 159–164

gegen	against; toward
gegen den Herbst	toward fall
der Sinn, -(e)s	sense; meaning
die Sinne	the senses
die Sinnlichkeit, -	sensuality
sinnlich	sensuous, sensual
sinnvoll	meaningful
die Neigung, -, -en	inclination
der See, -s, -n	lake
die See, -	sea, ocean
die Ostsee, -	Baltic Sea
üblich	usual

verwandt (mit)	related, akin (to)
die Verwandtschaft, -	kinship, affinity; relations
die Strecke, -, -n	stretch
entlang (*with acc.*)	along
der Schornstein, -(e)s, -e	smokestack
der Weg, -(e)s, -e	way
der Umweg, -(e)s, -e	detour
gehen, ging, ist gegangen	go
der Gang, -(e)s, ⸚e	corridor, passageway; gait
der Eingang, -(e)s, ⸚e	entrance
der Ausgang, -(e)s, ⸚e	exit

QUESTIONS

1. Warum will Tonio nicht nach Italien fahren?
2. Welche Gründe gibt Tonio für seine Reise nach Dänemark an? Und was verschweigt er?
3. Wie fühlt sich Tonio bei seiner Ankunft in seiner Heimatstadt?
4. Wie empfängt man ihn im Hotel?
5. Warum macht Tonio einen Umweg zu dem Haus seiner Eltern?

Assignment XI, pp. 164–169

VOCABULARY BUILDING

sammeln	to collect
die Sammlung, -, -en	collection
seufzen	to sigh
der Seufzer, -s, -	sigh
das Mißtrauen, -s	distrust
der Winkel, -s, -	corner
besitzen, besaß, besessen	to own
der Besitzer, -s, -	owner
der Soldat, -en, -en	soldier
neugierig	curious
der Buchstabe, -n, -n	letter
buchstabieren	to spell
gewissermaßen	in a sense
sich (*acc.*) **beteiligen an** (*plus dative*)	to participate in
einverstanden	in agreement
der Aufenthalt, -(e)s	stay
die Pflicht, -, -en	duty
beobachten	to observe
ein-wenden, (wendet ein), wandte ein, *or* **wendete ein, eingewandt** *or* **eingewendet**	to object
lachen	to laugh
lächerlich	ridiculous
lächeln	to smile

QUESTIONS

1. Beschreiben Sie Tonios Besuch in der „Volksbibliothek."
2. Wie verhielt sich Herr Seehaase bei dem Verhör (*interrogation*) Tonio Krögers?
3. Wie verhielt sich der Polizist?
4. Wie gelang es Tonio Kröger, sich zu legitimieren?
5. Welche Bedeutung hat diese Episode?

Assignment XII, pp. 169–174

VOCABULARY BUILDING

die Richtung, -, -en	direction
die Stimmung, -, -en	mood
die Ware, -, -en	merchandise
der Dampfer, -s, -	steamer
der Käfig, -s, -e	cage
das Ufer, -s, -	shore
erwarten	to expect
die Erwartung, -, -en	expectation
dunkel	dark
dunkeln	grow dark
die Dunkelheit, -	darkness
schlicht	simple
sich (*acc.*) **benehmen, (benimmt), benahm, benommen**	to behave
bescheiden	modest
köstlich	delicious, precious
zart	tender, gentle
hohl	hollow
der Felsen, -s, -	rock
fort-setzen	to continue
das Trinkgeld, -(e)s, -er	tip

QUESTIONS

1. Warum fand Tonio es „gewissermaßen in der Ordnung", „daß man ihn daheim als Hochstapler hatte verhaften wollen"?
2. Beschreiben Sie Tonios Begegnung mit dem Kaufmann.
3. Warum konnte Tonio sein Gedicht nicht fertig machen?
4. Beschreiben Sie Tonios Aufenthalt in Kopenhagen.

Assignment XIII, pp. 174–182

VOCABULARY BUILDING

vor-rücken	to advance
die Farbe, -, -n	color
farblos	colorless

nichtsdestoweniger	nonetheless
die Muschel, -, -n	shell
der Schinken, -s, -	ham
die Unterhaltung, -, -en	entertainment, conversation
umgeben, (umgibt), umgab, umgeben	to surround
umgeben von	surrounded by
erstaunt	astonished
bestellen	to order
der Hintergrund, -(e)s	background
die Kleinstadt, -, ⸚e	small town
kleinstädtisch	provincial
genießen, genoß, genossen	to enjoy
der Genuß, -sses, ⸚sse	enjoyment, pleasure
zurück-kehren	to return
verzehren	to eat
lehnen	to lean
drehen	to turn

QUESTIONS

1. Beschreiben Sie die wenigen Gäste des kleinen Badehotels in Aalsgaard.
2. Wie verbrachte Tonio hier seine Tage?
3. Beschreiben Sie die Ausflügler und Ballgäste aus Helsingör.
4. Vergleichen Sie den „Adjunkt" mit Herrn Knaak.

Assignment XIV, pp. 182–188

VOCABULARY BUILDING

ähnlich	similar
die Ähnlichkeit, -, -en	similarity
gleich	equal, identical, alike
die Gleichheit, -	equality, identity
die Art, -, -en	species, type, kind
die Art und Weise	the manner
rufen, rief, gerufen	to call
hervor-rufen	to call forth, produce
die Qual, -, -en	torment
erschüttern	to shake, move deeply
sich (acc.) nieder-lassen, (läßt sich nieder), ließ sich nieder, hat sich niedergelassen	to get down
durchsichtig	transparent
notwendig	necessary
die Notwendigkeit, -	necessity
der Zweifel, -s, -	doubt
zweifelhaft	dubious, questionable

QUESTIONS

1. Die zwei jungen Leute, denen Tonio Kröger begegnet, sind in Wirklichkeit gewiß nicht Hans Hansen und Ingeborg Holm. Woher wissen wir das?

2. Welche Figur entspricht (*corresponds to*) Magdalena Vermehren? Worin besteht die Ähnlichkeit?

3. Was bedeutet das Erlebnis der Wiederbegegnung für Tonio Kröger? Welche Funktion hat diese Episode im Rahmen der Novelle?

4. Zu welchem Ergebnis kommt Tonio Kröger in Bezug auf seine Rolle als Künstler?

5. Was ist imstande, aus einem Literaten einen Dichter zu machen?

Part IV *Gedichte*

In range and effortless perfection, Goethe's poetry *is unique in the German language. Gracefully, and with deceptive simplicity,* Heidenröslein (1771) *tells of violent, faithless, and destructive passion. Its later counterpart,* Gefunden (1813), *symbolizes a tender emotion leading to enduring happiness. In the exuberant* Mailied (1771) *the lovers are united with the power that rejuvenates the natural universe, and in the swift rhythms of* Willkommen und Abschied (1771) *this experience triumphs even over the sorrow of parting. An den* Mond (1776–1778, 1789) *evokes a mood of resignation and the remembrance of lost joys.* Wanderers Nachtlied (1780) *is inspired by the serene acquiescence in the calm before death. The highly dramatic* Erlkönig (1782), *set to music by Schubert, suggests the style of the folk-ballad (see also* Heidenröslein) *whereas* Der Zauberlehrling (1797), *a true virtuoso piece, illustrates the "Kunst-Ballade" (see also Schiller's* Der Taucher *and Heine's* Belsazar). *The "sorcerer's apprentice" experiments with powers beyond his control in much the same spirit, and with similar results, as some of our contemporary technicians. The poems following are more explicitly philosophical. Characteristic of the youthful mood of* Storm and Stress, *the hymn of self-reliant and self-creative man entitled* Prometheus (1774) *exalts the rebellion against the worship of divine power. With equal beauty* Grenzen der Menschheit (ca. 1781) *expresses the opposite and essentially classical mood of self-containment and humility.* Gesang der Geister über den Wassern (1779) *represents the ceaseless cycles and phases of man's spiritual existence in the image of water.* Selige Sehnsucht (1814) *conveys, in the symbol of physical love and the image of the moth consumed by light, Goethe's philosophy of self-realization by way of self-surrender and self-transcendence in the pursuit of ever higher forms of being.* Lied des Türmers (*from the second part of* Faust) *expresses the poet's perennial joy in beholding the animated spectacles of this world that he managed to remain in love with for some eighty years.*

Schiller, the most celebrated German dramatist—his major plays include Kabale und Liebe (1784), Don Carlos (1787), *and* Wallenstein (1799)— *is rarely attuned to lyrical poetry. He is most impressive in the dramatic genre of the ballad in which he displays his rhetorical skill, his command of verbal artifice, and his sense for theatrical effect in order to convey an idealistic message or a moral lesson.* Die Kraniche des Ibykus, Die Bürgschaft, *and* Der Taucher (*all* 1797) *are characteristic samples of his art.*

In Hölderlin's Schicksalslied *a Romantic despair and yearning for divine* perfection combine with classical form. Novalis' denial of calculating reason and the projected return to the wisdom of lovers, children, fairy-tales, and poetry state the program of the Romantics at the turn of the eighteenth century (Wenn nicht mehr Zahlen und Figuren . . .). It is a program realized in the entrancing and "irrational" magic and merging of sound and imagery characteristic of Brentano (Wiegenlied). It is expressed likewise in Eichendorff's Sehnsucht, in "Wanderlust" enamored of the undomesticated beauty of secretive forests, in the longing for the far-away, the exotic and adventurous South. Limited objects revealed in sober daylight frustrate the wingbeat of Romantic yearning. But in the infinity of all-encompassing night, when heaven and earth unite, the soul is set free from its terrestrial prison. Now it may spread its wings in flight and hope to regain its homeland in a sphere beyond this world (Mondnacht). In Mörike's Das verlassene Mägdlein, the dream must yield to harsh reality. Um Mitternacht treats the Romantic theme once more but in a manner that maintains, so to speak, an even balance between the claims of day and night, of consciousness and mystical oblivion.

In the facile and easily accessible verse of Heine, Romantic motifs are turned into the transparent disguise of an artist who plays with self-conscious skill upon his and the reader's sentiments. Heine is at his best when he expresses his own disillusionment, for example, in the bitter-sweet mood of Der alte König or in the self-mockery of the unhappy youth who is the victim of an "old story" told with utmost economy and simplicity (Ein Jüngling liebt ein Mädchen . . .). The legendary motifs of Die Lorelei serve to dramatize the pathetic shipwreck suffered in the course of unrequited love. And yet this subjective and essentially modern re-interpretation of a poetic superstition has survived in much the same manner as the genuine folk songs. The ballad of Belsazar exhibits Heine's virtuosity in the dramatic vein rather than his faith. Wir saßen am Fischerhause . . . , a quiet and unassuming poem, conjures up a mood of evening haze and paints a seascape.

The elaborate monotony of Platen's ghasel (Es liegt an eines Menschen Schmerz . . .) and the weary question and answer of Lenau's Frage convey a mood characteristic of some nineteenth-century poets who nursed their lyrical disgust of life. Storm, Keller, and Meyer represent, particularly in the prose novella, the art of Poetic Realism prevalent in the second half of the century. As Mann's Tonio Kröger suggests, the sobriety of North Germany does not exclude the reverie and sensuous melancholy of Storm's Hyazinthen. Keller's Abendlied contains a credo of reverent delight in the precise, if poetically heightened, observation of the concrete and visible world. To Keller this world revealed all its wealth and splendor in the guise of Swiss life and scenery. In the poetry of his countryman C. F. Meyer, the power of realistic perception is refined to the point where its object turns into a symbol. His

"Roman fountain" is an image of the give-and-take, the rhythm, the flux of life (Der römische Brunnen).

Nietzsche's thought and style initiate the modern era of German literature. The two poems in which he celebrates his all- and self-consuming spirit (Ecce Homo) and the craving for an eternally self-sufficient affirmation of life (Das trunkne Lied) represent two aspects of this destructive and creative genius. The fleeting sensory image of wandering clouds, the passage of birds, and the equally fleeting moment of love captured in Liliencron's Märztag suggest the immediacy of experience and the tragic sense of impermanence that are inherent in his Impressionism. Dehmel's Arbeitsmann proclaims the hopes and revolutionary aspirations of the proletariat. Morgenstern's humor skirts, or plays upon, the absurd, and pokes fun at the contemporary aesthetes (Das aesthetische Wiesel).

The self-sufficiency of aesthetic perfection—of beauty for beauty's sake—is suggested by Hofmannsthal's flawless poem Die Beiden, a symbol of grace and strength, vital harmony, and pent-up passion. Rilke's Herbsttag, with its characteristic run-on lines, conveys, together with the sense of loneliness, another kind of "autumnal" perfection. It is in keeping with a consciousness of decline and end of an era frequently expressed at the turn of the century. Der Panther is one of Rilke's best-known attempts to render the quintessence of a phenomenon by identifying with it and by expressing it from within. In these "Ding-Gedichte" the poetic ego should be absorbed and transformed into the object of perception. In practice, however, Rilke's technique seems to lend itself to sensitive recordings of impressions or else to the projection of a subjective experience into the image, say, of a panther. Das Karussell, though likewise intended as an "objective" poem, is plainly an allegory of the merry-go-round of life as seen under the perspective of childhood and adolescence. George's poem (Du schlank und rein wie eine flamme . . .) communicates through the symbol of light and flame the cult and exclusive ideal of purity and passion that inspired George's art.

The condition of loneliness and alienation in a foreign and incomprehensible world is one of the major themes of twentieth-century literature. It is stated explicitly and simply in a poem by Hesse (Im Nebel), an author significant for his prose rather than for his verse. Heym's Der Krieg is a violently theatrical, if prophetic, vision of doom, an orgy of destruction characteristic of German Expressionism. For in this movement, which flourished from about 1910 to 1920, the "Big No" of nihilistic despair clearly predominated over the faint utopian dream of a humanity restored after the radical overthrow of all existent orders. In Trakl's Verklärter Herbst the end of all things is envisaged as quiet disintegration and peaceful death. Benn, another representative of the Expressionist generation, eventually came to conceive of the confrontation between cosmic emptiness and lonely ego as a challenge to artistic creativity (Nur zwei Dinge). Brecht, *who succeeded Gerhart Hauptmann as the major German dramatist of this century, soon suppressed the "scream" of Expressionism to become an exponent of the "matter of fact." Sustained by his Marxist faith, he envisaged the progress of mankind to be realized if and when true enlightenment would free the oppressed from their oppressors or, to put this in terms of his* Legende, *when the simple man would desire, and turn to good use, the instructions of the true sage.*

Johann Wolfgang von Goethe
(1749–1832)

Heidenröslein*

Sah ein Knab' ein Röslein stehn,
Röslein auf der Heiden,
War so jung und morgenschön,
Lief er schnell, es nah zu sehn,
Sah's mit vielen Freuden.   5
Röslein, Röslein, Röslein rot,
Röslein auf der Heiden.

Knabe sprach: Ich breche Dich,
Röslein auf der Heiden!
Röslein sprach: Ich steche dich,   10
Daß du ewig denkst an mich,
Und ich will's nicht leiden.
Röslein, Röslein, Röslein rot,
Röslein auf der Heiden.

Und der wilde Knabe brach   15
's Röslein auf der Heiden;
Röslein wehrte sich und stach
Half ihm doch kein Weh und Ach,
Mußt' es eben leiden.
Röslein, Röslein, Röslein rot,   20
Röslein auf der Heiden.

* The encounter with the "little rose of the heath" is symbolic of a tragic love affair between a boy and a young girl.

3 **morgenschön** beautiful as the morning
18 **Half ihm doch kein Weh und Ach** **ihm** *refers to* **Röslein**

Gefunden*

Ich ging im Walde
So für mich hin,
Und nichts zu suchen,
Das war mein Sinn.

* Again the event is symbolic, but of a happy encounter leading to permanent union.

2 **So für mich hin** *here:* Without purpose
4 **der Sinn** intent

Johann Wolfgang von Goethe: Gemälde von Joseph Stieler (courtesy of German Information Center).

Im Schatten sah ich 5
Ein Blümchen stehn,
Wie Sterne leuchtend,
Wie Äuglein schön.

Ich wollt' es brechen,
Da sagt' es fein: 10
Soll ich zum Welken
Gebrochen sein?

Ich grub's mit allen
Den Würzlein aus,
Zum Garten trug ich's 15
Am hübschen Haus.

Und pflanzt' es wieder
Am stillen Ort;
Nun zweigt es immer
Und blüht so fort. 20

¹⁷ **pflanzt'** = **pflanzte**

Mailied

Wie herrlich leuchtet
Mir die Natur!
Wie glänzt die Sonne!
Wie lacht die Flur!

Es dringen Blüten 5
Aus jedem Zweig,
Und tausend Stimmen
Aus dem Gesträuch

Und Freud' und Wonne
Aus jeder Brust 10
O Erd', o Sonne!
O Glück, o Lust!

O Lieb' o Liebe!
So golden schön
Wie Morgenwolken 15
Auf jenen Höhn;

Du segnest herrlich
Das frische Feld,
Im Blütendampfe
Die volle Welt.   20

O Mädchen, Mädchen,
Wie lieb' ich dich!
Wie blinkt dein Auge!
Wie liebst du mich!

So liebt die Lerche   25
Gesang und Luft,
Und Morgenblumen
Den Himmelsduft,

Wie ich dich liebe
Mit warmem Blut,   30
Die du mir Jugend
Und Freud und Mut

Zu neuen Liedern
Und Tänzen gibst!
Sei ewig glücklich   35
Wie du mich liebst!

19-20 **Im Blütendampfe die volle Welt**
The entire world in the fragrance of
blossoms
23 **blinken** shine
27-28 **Und Morgenblumen den Himmelsduft** *meaning:* **und so lieben
Morgenblumen den Himmelsduft.**

36 **Wie du mich liebst** *While this may
be translated as "Be everlastingly happy in
loving me!," the meaning of the conclusion
(together with line 29) is:* may you be
as happy in loving me as I am in loving
you.

Willkommen und Abschied

Es schlug mein Herz, geschwind zu Pferde!
Es war getan, fast eh gedacht;
Der Abend wiegte schon die Erde,
Und an den Bergen hing die Nacht;
Schon stand im Nebelkleid die Eiche,
Ein aufgetürmter Riese, da,
Wo Finsternis aus dem Gesträuche
Mit hundert schwarzen Augen sah.

3 **wiegen** rock, cradle
5 **das Nebelkleid** shroud of fog

6 **aufgetürmt** towering

Der Mond von einem Wolkenhügel
Sah kläglich aus dem Duft hervor;   10
Die Winde schwangen leise Flügel,
Umsausten schauerlich mein Ohr;
Die Nacht schuf tausend Ungeheuer,
Doch frisch und fröhlich war mein Mut:
In meinen Adern, welches Feuer!   15
In meinem Herzen, welche Glut!

Dich sah ich, und die milde Freude
Floß von dem süßen Blick auf mich;
Ganz war mein Herz an deiner Seite
Und jeder Atemzug für dich.   20
Ein rosenfarbnes Frühlingswetter
Umgab das liebliche Gesicht
Und Zärtlichkeit für mich — ihr Götter!
Ich hofft' es, ich verdient' es nicht!

Doch ach, schon mit der Morgensonne   25
Verengt der Abschied mir das Herz;
In deinen Küssen, welche Wonne!
In deinem Auge, welcher Schmerz!

Ich ging, du standst und sahst zur Erden
Und sahst mir nach mit nassem Blick;   30
Und doch, welch Glück, geliebt zu werden!
Und lieben, Götter, welch ein Glück!

---

[10] **der Duft** vapor, mist
[12] **umsausten schauerlich** *lit.:* howled
  gruesomely around
[14] **der Mut** *here:* mood, temper

[21] **das Frühlingswetter** *lit.:* atmos-
  phere of spring
[26] **verengen** contract, constrict

An den Mond

Füllest wieder Busch und Tal
Still mit Nebelglanz,
Lösest endlich auch einmal
Meine Seele ganz;

Breitest über mein Gefild   5
Lindernd deinen Blick,

---

[2] **der Nebelglanz** misty splendor
[3] **lösen** loosen, free, relax

[5] **das Gefild** realm, domain

Wie des Freundes Auge mild
Über mein Geschick.

Jeden Nachklang fühlt mein Herz
Froh- und trüber Zeit,   10
Wandle zwischen Freud' und Schmerz
In der Einsamkeit.

Fließe, fließe, lieber Fluß!
Nimmer werd' ich froh,
So verrauschte Scherz und Kuß   15
Und die Treue so.

Ich besaß es doch einmal,
Was so köstlich ist!
Daß man doch zu seiner Qual
Nimmer es vergißt!   20

Rausche, Fluß, das Tal entlang,
Ohne Rast und Ruh,
Rausche, flüstre meinem Sang
Melodieen zu!

Wenn du in der Winternacht   25
Wütend überschwillst,
Oder um die Frühlingspracht
Junger Knospen quillst.

Selig, wer sich vor der Welt
Ohne Haß verschließt,   30
Einen Freund am Busen hält
Und mit dem genießt,

Was, von Menschen nicht gewußt
Oder nicht bedacht,
Durch das Labyrinth der Brust   35
Wandelt in der Nacht.

9 **der Nachklang** echo
11 **wandle = ich wandle**
15 **verrauschen** rush by, die away
23–24 **flüstre . . . zu** *meaning:* accompany my song with soft melodies
26 **überschwellen** overflow
27–28 **Oder um die Frühlingspracht junger Knospen quillst** Or when you rise amidst the vernal splendor of young buds
29 **Selig, wer** happy is he who
29–30 **(sich) verschließen** *meaning:* keep aloof
35–36 **Durch . . . Nacht** Through the mazes of the breast/Softly steals by night (*J. S. Dwight*)

Wandrers Nachtlied II

Über allen Gipfeln
Ist Ruh,
In allen Wipfeln
Spürest du
Kaum einen Hauch;   5
Die Vögelein schweigen im Walde.
Warte nur, balde
Ruhest du auch.

¹ der Gipfel hilltop   **³ der Wipfel** treetop

*Erlkönig**

Wer reitet so spät durch Nacht und Wind?
Es ist der Vater mit seinem Kind;
Er hat den Knaben wohl in dem Arm,
Er faßt ihn sicher, er hält ihn warm.

„Mein Sohn, was birgst du so bang dein Gesicht?" —   5
„Siehst, Vater, du den Erlkönig nicht?
Den Erlenkönig mit Kron' und Schweif?" —
„Mein Sohn, es ist ein Nebelstreif."

„Du liebes Kind, komm, geh mit mir!
Gar schöne Spiele spiel' ich mit dir;   10
Manch bunte Blumen sind an dem Strand,
Meine Mutter hat manch gülden Gewand." —

„Mein Vater, mein Vater, und hörest du nicht,
Was Erlenkönig mir leise verspricht?" —
„Sei ruhig, bleibe ruhig, mein Kind;   15
In dürren Blättern säuselt der Wind." —

„Willst, feiner Knabe, du mit mir gehn?
Meine Töchter sollen dich warten schön;

der Erlkönig Erl-King, *king of the
elves*
* *In this ballad three characters speak, the
sick child who has a vision of the evil king
of the elves, the father who tries to calm
him, and the king of the elves himself.*

⁵ bergen hide
⁷ der Schweif *here:* train
⁸ der Nebelstreif streak of fog
¹¹ an dem Strand on my shores
¹² gülden golden
¹⁸ dich warten wait on you

Meine Töchter führen den nächtlichen Reihn
Und wiegen und tanzen und singen dich ein." —   20

„Mein Vater, mein Vater, und siehst du nicht dort
Erlkönigs Töchter am düstern Ort?" —
„Mein Sohn, mein Sohn, ich seh' es genau:
Es scheinen die alten Weiden so grau." —

„Ich liebe dich, mich reizt deine schöne Gestalt;   25
Und bist du nicht willig, so brauch' ich Gewalt." —
„Mein Vater, mein Vater, jetzt faßt er mich an!
Erlkönig hat mir ein Leids getan!" —

Dem Vater grauset's, er reitet geschwind,
Er hält in Armen das ächzende Kind,   30
Erreicht den Hof mit Müh und Not;
In seinen Armen das Kind war tot.

¹⁹ **der Reihn**   round (*dance*)
²⁴ **die Weide**   willow
²⁵ **reizen**   charm, attract
²⁸ **Erlkönig . . . getan**   Erl-King   has

hurt me
²⁹ **Dem Vater grauset's**   The father
shudders

Der Zauberlehrling

Hat der alte Hexenmeister
Sich doch einmal wegbegeben!
Und nun sollen seine Geister
Auch nach meinem Willen leben.
Seine Wort' und Werke   5
Merkt' ich und den Brauch,
Und mit Geistesstärke
Tu' ich Wunder auch.

Walle! walle
Manche Strecke,   10
Daß, zum Zwecke,
Wasser fließe
Und mit reichem, vollem Schwalle
Zu dem Bade sich ergieße.

¹⁻² **Hat . . . wegbegeben!**   *meaning:*
Endlich hat der alte Hexenmeister
(wizard) **sich wegbegeben**
² **sich wegbegeben**   go away
⁴ **nach**   according to
⁶ **der Brauch**   *lit.:* custom, rite; *re-*
ferring to the sorcerer's customary way of

casting a spell
⁷ **mit Geistesstärke**   *ambiguous:* by
the strength of (*my*) own spirit *or* with
the help of a spirit
¹¹ **zum Zwecke**   for a (good) purpose
¹³ **der Schwall**   *here:* flow

Und nun komm, du alter Besen!   15
Nimm die schlechten Lumpenhüllen;
Bist schon lange Knecht gewesen;
Nun erfülle meinen Willen!
Auf zwei Beinen stehe,
Oben sei ein Kopf!   20
Eile nun und gehe
Mit dem Wassertopf!

Walle! walle
Manche Strecke,
Daß, zum Zwecke,   25
Wasser fließe
Und mit reichem, vollem Schwalle
Zu dem Bade sich ergieße.

Seht, er läuft zum Ufer nieder;
Wahrlich! ist schon an dem Flusse,   30
Und mit Blitzesschnelle wieder
Ist er hier mit raschem Gusse.
Schon zum zweiten Male!
Wie das Becken schwillt!
Wie sich jede Schale   35
Voll mit Wasser füllt!

Stehe! stehe!
Denn wir haben
Deiner Gaben
Vollgemessen! —   40
Ach, ich merk' es! Wehe!
Hab' ich doch das Wort vergessen!

Ach, das Wort, worauf am Ende
Er das wird, was er gewesen.
Ach, er läuft und bringt behende!   45
Wärst du doch der alte Besen!
Immer neue Güsse
Bringt er schnell herein,

¹⁶ **Nimm . . . Lumpenhüllen** cover
yourself with these poor rags
³² **mit raschem Gusse** *meaning:* and
quickly empties the full bucket
³⁴ **Wie . . . schwillt** how the basin
(or tub) is filling
³⁵ **die Schale** *here:* pail

^{38–40} **Denn . . . Vollgemessen!** we have
had the full measure of your gifts!
⁴⁵ **behende** nimbly
⁴⁷ **der Guß** *lit.:* gush
^{47–48} **Immer . . . herein** *meaning:* He
keeps pouring out fresh buckets full of
water

Ach! und hundert Flüsse
Stürzen auf mich ein.   5(

Nein, nicht länger
Kann ich's lassen;
Will ihn fassen.
Das ist Tücke!
Ach, nun wird mir immer bänger!   5!
Welche Miene! welche Blicke!

O, du Ausgeburt der Hölle!
Soll das ganze Haus ersaufen?
Seh' ich über jede Schwelle
Doch schon Wasserströme laufen.   6c
Ein verruchter Besen,
Der nicht hören will!
Stock, der du gewesen,
Steh doch wieder still!

Willst's am Ende   65
Gar nicht lassen?
Will dich fassen,
Will dich halten
Und das alte Holz behende
Mit dem scharfen Beile spalten.   70

Seht, da kommt er schleppend wieder!
Wie ich mich nur auf dich werfe,
Gleich, o Kobold, liegst du nieder;
Krachend trifft die glatte Schärfe.
Wahrlich, brav getroffen!   75
Seht, er ist entzwei!
Und nun kann ich hoffen,
Und ich atme frei!

Wehe! wehe!
Beide Teile   80
Stehn in Eile
Schon als Knechte
Völlig fertig in die Höhe!
Helft mir, ach! ihr hohen Mächte!

⁵⁴ **die Tücke** spite
⁵⁷ **Ausgeburt der Hölle** progeny of hell
⁵⁸ **ersaufen** drown

⁷³ **der Kobold** goblin
⁷⁴ **Krachend . . . Schärfe** The smooth sharp edge hits home with a crash
⁷⁶ **entzwei** in pieces

Und sie laufen! Naß und nässer   85
Wird's im Saal und auf den Stufen.
Welch' entsetzliches Gewässer!
Herr und Meister! hör' mich rufen! —
Ach, da kommt der Meister!
Herr, die Not ist groß!   90
Die ich rief, die Geister,
Werd' ich nun nicht los.

„In die Ecke,
Besen! Besen!
Seid's gewesen,   95
Denn als Geister
Ruft euch nur, zu seinem Zwecke,
Erst hervor der alte Meister."

⁹² **loswerden**   get rid of   ⁹⁵ **Seid's gewesen**   Be what you were

Prometheus*

Bedecke deinen Himmel, Zeus,
Mit Wolkendunst
Und übe, dem Knaben gleich,
Der Disteln köpft,
An Eichen dich und Bergeshöhn —   5
Mußt mir meine Erde
Doch lassen stehn
Und meine Hütte, die du nicht gebaut,
Und meinen Herd,
Um dessen Glut   10
Du mich beneidest.

Ich kenne nichts Ärmeres
Unter der Sonn' als euch, Götter!
Ihr nähret kümmerlich
Von Opfersteuern   15
Und Gebetshauch
Eure Majestät

* **Prometheus** the titan who stole the fire
from the gods and gave it to man. In
Goethe's poem this figure symbolizes
rebellion against the divine power and the
self-reliance of a titanic and creative
human being.
³⁻⁵ **Und . . . Bergeshöhn** meaning:
und übe dich (practice) **an Eichen**
und Bergeshöhn, wie ein Knabe,
der Disteln köpft. (**köpfen** behead)
¹⁰⁻¹¹ **Um . . . beneidest** Whose glow
you envy me
¹⁴⁻¹⁷ **Ihr . . . Majestät** meaning: **Ihr**
nähret kümmerlich Eure Majestät
von Opfersteuern (sacrificial tolls)
und Gebetshauch (breath of prayers).

Und darbtet, wären
Nicht Kinder und Bettler
Hoffnungsvolle Toren.   20

Da ich ein Kind war,
Nicht wußte, wo aus noch ein,
Kehrt' ich mein verirrtes Auge
Zur Sonne, als wenn drüber wär'
Ein Ohr, zu hören meins Klage,   25
Ein Herz wie meins,
Sich des Bedrängten zu erbarmen.

Wer half mir
Wider der Titanen Übermut?
Wer rettete vom Tode mich,   30
Von Sklaverei?
Hast du nicht alles selbst vollendet,
Heilig glühend Herz?
Und glühtest jung und gut,
Betrogen, Rettungsdank   35
Dem Schlafenden da droben?

Ich dich ehren? Wofür?
Hast du die Schmerzen gelindert
Je des Beladenen?
Hast du die Tränen gestillet   40
Je des Geängsteten?
Hat nicht mich zum Manne geschmiedet
Die allmächtige Zeit
Und das ewige Schicksal,
Meine Herrn und deine?   45

Wähntest du etwa,
Ich sollte das Leben hassen,
In Wüsten fliehen,
Weil nicht alle
Blütenträume reiften?   50

18–20 **Und . . . Toren** *meaning:* **Und ihr würdet darben** (*starve*), **wenn Kinder und Bettler nicht hoffnungsvolle Toren wären.**
22 **wo . . . ein** where to turn
23 **mein verirrtes Auge** my wandering gaze
27 **der Bedrängte** the distressed
29 **der Übermut** wanton insolence
34–36 **Und glühtest . . . droben** *meaning:* When you (*my heart*) were young and good and glowed with thanks for your deliverance, you were deceived in paying homage to a god asleep in heaven.
39 **des Beladenen** of the heavy-laden
41 **des Geängsteten** of the anguished
42 **schmieden** *lit.:* forge; *here:* make into
46 **wähnen** imagine, fancy

Hier sitz' ich, forme Menschen
Nach meinem Bilde,
Ein Geschlecht, das mir gleich sei:
Zu leiden, zu weinen,
Zu genießen und zu freuen sich —   55
Und dein nicht zu achten,
Wie ich!

⁵³ **Ein Geschlecht** A race   ⁵⁶ **nicht zu achten** to scorn

Grenzen der Menschheit

Wenn der uralte,
Heilige Vater
Mit gelassener Hand
Aus rollenden Wolken
Segnende Blitze   5
Über die Erde sät,
Küss' ich den letzten
Saum seines Kleides,
Kindliche Schauer
Treu in der Brust.   10

Denn mit Göttern
Soll sich nicht messen
Irgendein Mensch.
Hebt er sich aufwärts
Und berührt   15
Mit dem Scheitel die Sterne,
Nirgends haften dann
Die unsichern Sohlen,
Und mit ihm spielen
Wolken und Winde.   20

Steht er mit festen,
Markigen Knochen,
Auf der wohlgegründeten
Dauernden Erde,
Reicht er nicht auf,   25

^{7–8} **der letzte Saum** nethermost hem
^{9–10} **Kindliche . . . Brust** *meaning:*
With childlike awe in my faithful
heart
¹² **sich messen mit** *meaning:* compete
with
¹⁶ **der Scheitel** crown of the head

¹⁷ **haften** cling
¹⁸ **die Sohlen** soles (*of foot*)
^{21–22} **mit . . . Knochen** *meaning:* with
strong and sturdy limbs
²³ **wohlgegründet** firm (*in its foundations*)

Nur mit der Eiche
Oder der Rebe
Sich zu vergleichen.

Was unterscheidet
Götter von Menschen?   3
Daß viele Wellen
Vor jenen wandeln,
Ein ewiger Strom:
Uns hebt die Welle,
Verschlingt die Welle,   3:
Und wir versinken.

Ein kleiner Ring
Begrenzt unser Leben,
Und viele Geschlechter
Reihen sie dauernd   4(
An ihres Daseins
Unendliche Kette.

[26] **Nur** *here:* Even
[27] **die Rebe** vine
[31-32] **Daß ... wandeln** *lit.:* That many waves roll before the former (*i.e., the Gods*) *meaning:* The waves of time stretch eternally before the Gods

[37-42] **Ein kleiner . . . Kette** *meaning: Our individual life is narrowly circumscribed; a multitude of human generations is linked by the enduring gods to the infinite chain of their existence.*

Gesang der Geister über den Wassern

Des Menschen Seele
Gleicht dem Wasser:
Vom Himmel kommt es,
Zum Himmel steigt es,
Und wieder nieder
Zur Erde muß es,   5
Ewig wechselnd.

Strömt von der hohen,
Steilen Felswand
Der reine Strahl,
Dann stäubt er lieblich   10
In Wolkenwellen
Zum glatten Fels,

[10] **Der Strahl** jet
[11] **stäuben** spray

[12] **die Wolkenwellen** waves of mist

Und leicht empfangen,
Wallt er verschleiernd,   15
Leisrauschend
Zur Tiefe nieder.

Ragen Klippen
Dem Sturz entgegen,
Schäumt er unmutig   20
Stufenweise
Zum Abgrund.

Im flachen Bette
Schleicht er das Wiesental hin,
Und in dem glatten See   25
Weiden ihr Antlitz
Alle Gestirne.

Wind ist der Welle
Lieblicher Buhler;
Wind mischt vom Grund aus   30
Schäumende Wogen.

Seele des Menschen,
Wie gleichst du dem Wasser!
Schicksal des Menschen,
Wie gleichst du dem Wind!   35

---

^{14–15} **leicht . . . er** *lit.:* gently received it (the jet of water) flows
¹⁵ **verschleiernd** (*presumably*) veiling the rock
¹⁶ **Leisrauschend** softly murmuring
^{18–19} **Ragen . . . entgegen** When rocks stand out against its descent
²⁰ **schäumen** foam
²⁰ **unmutig** angrily
²⁴ **hinschleichen** steal through
²⁶ **Weiden** *here:* refresh
²⁹ **der Buhler** lover

Selige Sehnsucht*

Sagt es niemand, nur den Weisen,
Weil die Menge gleich verhöhnet:
Das Lebend'ge will ich preisen,
Das nach Flammentod sich sehnet.

In der Liebesnächte Kühlung,   5
Die dich zeugte, wo du zeugtest,

---

* **Selige Sehnsucht** Blissful Yearning
⁴ **der Flammentod** death in the flames
⁵ **die Kühlung** assuagement
⁶ **zeugen** beget

Überfällt dich fremde Fühlung,
Wenn die stille Kerze leuchtet.

Nicht mehr bleibest du umfangen
In der Finsternis Beschattung,
Und dich reißet neu Verlangen
Auf zu höherer Begattung.

Keine Ferne macht dich schwierig,
Kommst geflogen und gebannt,
Und zuletzt, des Lichts begierig,
Bist du, Schmetterling, verbrannt.

Und so lang du das nicht hast,
Dieses: Stirb und werde!
Bist du nur ein trüber Gast
Auf der dunklen Erde.

10

15

20

7 **Überfällt . . . Fühlung** strange presentiments come upon you
9–10 **Nicht . . . Beschattung** *meaning:* no longer are you held in the embrace of darkness
11 **das Verlangen** desire
12 **die Begattung** mating, union
13 **Keine . . . schwierig** no distance makes you hesitate
14 **gebannt** spellbound, enchanted
15 **des Lichts begierig** eager for the light
16 **der Schmetterling** *here:* moth
17 **Und . . . hast** *meaning:* As long as this is not part of you
18 **Stirb und werde!** *Lit.:* Die and become! Die and be transformed!
19 **trüb** gloomy, sorry

Lied des Türmers*

Zum Sehen geboren,
Zum Schauen bestellt,
Dem Turme geschworen,
Gefällt mir die Welt.
Ich blick’ in die Ferne,
Ich seh’ in der Näh’,
Den Mond und die Sterne,
Den Wald und das Reh.
So seh’ ich in allen
Die ewige Zier,
Und wie mir’s gefallen,
Gefall’ ich auch mir.
Ihr glücklichen Augen,

5

10

* **der Türmer** watchman (*on a tower*), look-out
2 **bestellt** appointed
3 **geschworen** pledged
10 **Die ewige Zier** *meaning:* Perennial beauty and charm

Was je ihr gesehn,
Es sei, wie es wolle,   15
Es war doch so schön!

¹⁵ **Es . . . wolle** Be it as it may

Friedrich von Schiller
(1759–1805)

Der Taucher

„Wer wagt es, Rittersmann oder Knapp,
Zu tauchen in diesen Schlund?
Einen goldnen Becher werf' ich hinab,
Verschlungen schon hat ihn der schwarze Mund.
Wer mir den Becher kann wieder zeigen,   5
Er mag ihn behalten, er ist sein eigen."

Der König spricht es und wirft von der Höh'
Der Klippe, die schroff und steil
Hinaushängt in die unendliche See,
Den Becher in der Charybde Geheul.   10
„Wer ist der Beherzte, ich frage wieder,
Zu tauchen in diese Tiefe nieder?"

Und die Ritter, die Knappen um ihn her,
Vernehmen's und schweigen still,
Sehen hinab in das wilde Meer,   15
Und keiner den Becher gewinnen will.
Und der König zum drittenmal wieder fraget:
„Ist keiner, der sich hinunter waget?"

Doch alles noch stumm bleibt wie zuvor,
Und ein Edelknecht, sanft und keck,   20
Tritt aus der Knappen zagendem Chor,
Und den Gürtel wirft er, den Mantel weg,
Und alle die Männer umher und Frauen
Auf den herrlichen Jüngling verwundert schauen.

¹ **der Knapp(e)** page
² **der Schlund** gorge, gulf, abyss
¹⁰ **die Charybde** *a whirlpool reputed to be formidable (see Homer's Odyssey)*

¹¹ **der Beherzte** courageous man
²⁰ **der Edelknecht** squire
²⁰ **keck** bold
²¹ **der Chor** *here:* group

Friedrich von Schiller: Gemälde von Anton Graff (courtesy of Deutsche Fotothek Dresden).

Und wie er tritt an des Felsen Hang 25
Und blickt in den Schlund hinab,
Die Wasser, die sie hinunterschlang,
Die Charybde jetzt brüllend wiedergab,
Und wie mit des fernen Donners Getose
Entstürzen sie schäumend dem finstern Schoße. 30

Und es wallet und siedet und brauset und zischt,
Wie wenn Wasser mit Feuer sich mengt,
Bis zum Himmel spritzet der dampfende Gischt,
Und Flut auf Flut sich ohn' Ende drängt,
Und will sich nimmer erschöpfen und leeren, 35
Als wollte das Meer noch ein Meer gebären.

Doch endlich, da legt sich die wilde Gewalt,
Und schwarz aus dem weißen Schaum
Klafft hinunter ein gähnender Spalt,
Grundlos, als ging's in den Höllenraum, 40
Und reißend sieht man die brandenden Wogen
Hinab in den strudelnden Trichter gezogen.

Jetzt schnell, eh die Brandung wiederkehrt,
Der Jüngling sich Gott befiehlt,
Und — ein Schrei des Entsetzens wird rings gehört, 45
Und schon hat ihn der Wirbel hinweggespült,
Und geheimnisvoll über dem kühnen Schwimmer
Schließt sich der Rachen, er zeigt sich nimmer.

Und stille wird's über dem Wasserschlund,
In der Tiefe nur brauset es hohl, 50
Und bebend hört man von Mund zu Mund:
„Hochherziger Jüngling, fahre wohl!"
Und hohler und hohler hört man's heulen,
Und es harrt noch mit bangem, mit schrecklichem Weilen.

---

25 **der Hang** incline, edge
27 **hinunterschlingen** devour
29 **das Getose** roar
30 **entstürzen** gush forth
30 **der Schoß** womb
31 **Und es wallet . . . zischt** It boils and seethes and roars and hisses
33 **der Gischt** foam, froth, spray
37 **sich legen** subside
39 **ein gähnender Spalt** a yawning crevasse
41 **reißend** rapidly
41 **brandend** surging
42 **in . . . Trichter** into the turning maelstrom
44 **sich Gott befehlen** commend one's soul to God
46 **der Wirbel** whirlpool
46 **hinweggespült** swept away
48 **der Rachen** maw, yawning abyss
51 **Und . . . Mund** *meaning:* And with quavering voice they all say
52 **hochherzig** high-spirited, courageous
54 **Und . . . Weilen** *meaning:* And the frightening and terrible howling does not cease

Und wärfst du die Krone selber hinein,   55
Und sprächst: Wer mir bringet die Kron,
Er soll sie tragen und König sein —
Mich gelüstete nicht nach dem teuren Lohn.
Was die heulende Tiefe da unten verhehle,
Das erzählt keine lebende glückliche Seele.   60

Wohl manches Fahrzeug, vom Strudel gefaßt,
Schoß gäh in die Tiefe hinab;
Doch zerschmettert nur rangen sich Kiel und Mast
Hervor aus dem alles verschlingenden Grab. —
Und heller und heller, wie Sturmes Sausen,   65
Hört man's näher und immer näher brausen.

Und es wallet und siedet und brauset und zischt,
Wie wenn Wasser mit Feuer sich mengt,
Bis zum Himmel spritzet der dampfende Gischt,
Und Well' auf Well' sich ohn' Ende drängt,   70
Und wie mit des fernen Donners Getose
Entstürzt es brüllend dem finstern Schoße.

Und sieh! aus dem finster flutenden Schoß,
Da hebet sich's schwanenweiß,
Und ein Arm und ein glänzender Nacken wird bloß,   75
Und es rudert mit Kraft und mit emsigem Fleiß,
Und er ist's, und hoch in seiner Linken
Schwingt er den Becher mit freudigem Winken.

Und atmete lang und atmete tief
Und begrüßte das himmlische Licht.   80
Mit Frohlocken es einer dem andern rief:
„Er lebt! er ist da! es behielt ihn nicht!
Aus dem Grab, aus der strudelnden Wasserhöhle
Hat der Brave gerettet die lebende Seele."

Und er kommt, es umringt ihn die jubelnde Schar;   85
Zu des Königs Füßen er sinkt,
Den Becher reicht er ihm kniend dar,
Und der König der lieblichen Tochter winkt,
Die füllt ihn mit funkelndem Wein bis zum Rande,
Und der Jüngling sich also zum König wandte: 90

---

58 **gelüsten** covet
59 **verhehlen** conceal
62 **gäh** suddenly, abruptly
63-64 **sich hervorringen** struggle upward

76 **mit emsigem Fleiß** with assiduous zeal
81 **Mit Frohlocken** With joy
87 **darreichen** offer

„Lang lebe der König! Es freue sich,
Wer da atmet im rosigten Licht!
Da unten aber ist's fürchterlich,
Und der Mensch versuche die Götter nicht
Und begehre nimmer und nimmer zu schauen,　　　　　95
Was sie gnädig bedeckten mit Nacht und Grauen.

Es riß mich hinunter blitzesschnell —
Da stürzt' mir aus felsigtem Schacht
Wildflutend entgegen ein reißender Quell:
Mich packte des Doppelstroms wütende Macht,　　　　　100
Und wie einen Kreisel, mit schwindelndem Drehen,
Trieb mich's um, ich konnte nicht widerstehen.

Da zeigte mir Gott, zu dem ich rief,
In der höchsten schrecklichen Not,
Aus der Tiefe ragend ein Felsenriff,　　　　　105
Das erfaßt' ich behend und entrann dem Tod —
Und da hing auch der Becher an spitzen Korallen,
Sonst wär' er ins Bodenlose gefallen.

Denn unter mir lag's noch, bergetief,
In purpurner Finsternis da,　　　　　110
Und ob's hier dem Ohre gleich ewig schlief,
Das Auge mit Schaudern hinunter sah,
Wie's von Salamandern und Molchen und Drachen
Sich regt' in dem furchtbaren Höllenrachen.

Schwarz wimmelten da, in grausem Gemisch,　　　　　115
Zu scheußlichen Klumpen geballt,
Der stachligte Roche, der Klippenfisch,
Des Hammers greuliche Ungestalt,
Und dräuend wies mir die grimmigen Zähne
Der entsetzliche Hai, des Meeres Hyäne.　　　　　120

Und da hing ich und war's mir mit Grausen bewußt
Von der menschlichen Hilfe so weit,
Unter Larven die einzige fühlende Brust,
Allein in der gräßlichen Einsamkeit,

94 **versuchen** *here:* tempt
99 **der Quell** *here:* current
101 **schwindelnd** dizzy(ing)
111 **Und ... schlief** *meaning:* Although all was silence here
113 **der Molch** newt
116 **Zu scheußlichen Klumpen geballt** clumped in hideous clusters

117 **stachligt = stachelig** stinging
117 **Der Roche** ray
117 **der Klippenfisch** cod
118 **der Hammer** hammerheaded shark
119 **dräuend** threatening(ly)
120 **Der Hai** shark
123 **Larve** specter

Tief unter dem Schall der menschlichen Rede 125
Bei den Ungeheuern der traurigen Öde.

Und schaudernd dacht' ich's; da kroch's heran,
Regte hundert Gelenke zugleich,
Will schnappen nach mir — in des Schreckens Wahn
Lass' ich los der Koralle umklammerten Zweig; 130
Gleich faßt mich der Strudel mit rasendem Toben,
Doch es war mir zum Heil, er riß mich nach oben."

Der König darob sich verwundert schier
Und spricht: „Der Becher ist dein,
Und diesen Ring noch bestimm' ich dir, 135
Geschmückt mit dem köstlichen Edelgestein,
Versuchst du's noch einmal und bringst mir Kunde,
Was du sahst auf des Meeres tiefunterstem Grunde."

Das hörte die Tochter mit weichem Gefühl,
Und mit schmeichelndem Munde sie fleht: 140
„Laßt, Vater, genug sein das grausame Spiel!
Er hat Euch bestanden, was keiner besteht,
Und könnt Ihr des Herzens Gelüsten nicht zähmen,
So mögen die Ritter den Knappen beschämen."

Drauf der König greift nach dem Becher schnell, 145
In den Strudel ihn schleudert hinein:
„Und schaffst du den Becher mir wieder zur Stell',
So sollst du der trefflichste Ritter mir sein
Und sollst sie als Ehgemahl heut noch umarmen,
Die jetzt für dich bittet mit zartem Erbarmen." 150

Da ergreift s ihm die Seele mit Himmelsgewalt,
Und es blitzt aus den Augen ihm kühn,
Und er siehet erröten die schöne Gestalt
Und sieht sie erbleichen und sinken hin —
Da treibt's ihn, den köstlichen Preis zu erwerben, 155
Und stürzt hinunter auf Leben und Sterben.

126 **Öde** wasteland
128 **Gelenk** joint
130 **umklammern** hold on to, seize
131 **Toben** fury
132 **er . . . oben** it pulled me upward
133 **darob = darüber**
133 **sich verwundert schier** was quite surprised
135 **bestimm' ich dir** I promise you

137 **Kunde bringen** relate
142 **bestehen** pass a test
144 **beschämen** put to shame
147 **zur Stell' schaffen** bring back
148 **der trefflichste Ritter** *meaning:* the foremost of knights
156 **auf Leben und Sterben** at the risk of his life

Wohl hört man die Brandung, wohl kehrt sie zurück,
Sie verkündigt der donnernde Schall —
Da bückt sich's hinunter mit liebendem Blick:
Es kommen, es kommen die Wasser all',   160
Sie rauschen herauf, sie rauschen nieder,
Den Jüngling bringt keines wieder.

Friedrich Hölderlin
(1770–1843)

Hyperions Schicksalslied*

Ihr wandelt droben im Licht
Auf weichem Boden, selige Genien!
Glänzende Götterlüfte
Rühren euch leicht,
Wie die Finger der Künstlerin   5
Heilige Saiten.

Schicksallos, wie der schlafende
Säugling, atmen die Himmlischen;
Keusch bewahrt
In bescheidener Knospe,   10
Blühet ewig
Ihnen der Geist,
Und die seligen Augen
Blicken in stiller,
Ewiger Klarheit.   15

Doch uns ist gegeben,
Auf keiner Stätte zu ruhn,
Es schwinden, es fallen
Die leidenden Menschen
Blindlings von einer   20
Stunde zur andern,
Wie Wasser von Klippe
Zu Klippe geworfen,
Jahrlang ins Ungewisse hinab.

* **Hyperion** is the hero of a novel by
Hölderlin
² **die Genien** *here:* divine spirits
³ **Glänzende Götterlüfte** Breezes,
radiant and divine
⁷ **Schicksallos** *lit.:* Fateless; *meaning:*
Not subject to fate
¹⁷ **die Stätte** place

Johann Christian Friedrich Hölderlin (courtesy of Historisches Bildarchiv, Bad Berneck).

230

Novalis
(1772–1801)

Wenn nicht mehr Zahlen und Figuren . . .

Wenn nicht mehr Zahlen und Figuren
Sind Schlüssel aller Kreaturen,
Wenn die, so singen oder küssen
Mehr als die Tiefgelehrten wissen,
Wenn sich die Welt ins freie Leben   5
Und in die Welt wird zurückbegeben,
Wenn dann sich wieder Licht und Schatten
Zu echter Klarheit wieder gatten
Und man in Märchen und Gedichten
Erkennt die wahren Weltgeschichten,   10
Dann fliegt vor einem geheimen Wort
Das ganze verkehrte Wesen fort.

² **Schlüssel aller Kreaturen** keys to all creatures
³ **so** = **die** (*relative pronoun*)
⁵⁻⁶ **wenn . . . zurückbegeben** *meaning:* when our (*distorted, rationalistic*) world will return to a life of freedom and thus become the true world

⁷⁻⁸ **wenn . . . gatten** *meaning:* when light and shadow will join again to produce genuine clarity
¹¹⁻¹² **dann . . . fort** *meaning:* then a single mysterious word will undo the entire preposterous spook (*i.e., the false values that govern our lives*)

Clemens Brentano
(1778–1842)

Wiegenlied*

Singet leise, leise, leise,
Singt ein flüsternd Wiegenlied,
Von dem Monde lernt die Weise,
Der so still am Himmel zieht.

* **das Wiegenlied** lullaby   ³ **die Weise** melody

Singt ein Lied so süß gelinde,   5
Wie die Quellen auf den Kieseln,
Wie die Blumen um die Linde
Summen, murmeln, flüstern, rieseln.

⁵ **gelinde** gentle   ⁸ **rieseln** ripple
⁶ **der Kiesel** pebble

Joseph von Eichendorff
(1788–1857)

Sehnsucht

Es schienen so golden die Sterne,
Am Fenster ich einsam stand
Und hörte aus weiter Ferne
Ein Posthorn im stillen Land.
Das Herz mir im Leib entbrennte,   5
Da hab' ich mir heimlich gedacht:
Ach, wer da mitreisen könnte
In der prächtigen Sommernacht!

Zwei junge Gesellen gingen
Vorüber am Bergeshang,   10
Ich hörte im Wandern sie singen
Die stille Gegend entlang:
Von schwindelnden Felsenschlüften,
Wo die Wälder rauschen so sacht,
Von Quellen, die von den Klüften   15
Sich stürzen in die Waldesnacht.

Sie sangen von Marmorbildern,
Von Gärten, die überm Gestein
In dämmernden Lauben verwildern,
Palästen im Mondenschein,   20
Wo die Mädchen am Fenster lauschen,
Wann der Lauten Klang erwacht
Und die Brunnen verschlafen rauschen
In der prächtigen Sommernacht.

⁵ **Das . . . entbrennte** my heart was set on fire   ¹⁷ **die Marmorbilder** marble images
¹³ **die Felsenschlüfte** rocky gorges   ¹⁸⁻¹⁹ **die . . . verwildern** which grow wildly over the stones in dark bowers

Mondnacht

Es war, als hätt' der Himmel
Die Erde still geküßt,
Daß sie im Blütenschimmer
Von ihm nun träumen müßt'.

Die Luft ging durch die Felder,   5
Die Ähren wogten sacht,
Es rauschten leis die Wälder,
So sternklar war die Nacht.

Und meine Seele spannte
Weit ihre Flügel aus,   10
Flog durch die stillen Lande,
Als flöge sie nach Haus.

³ **der Blütenschimmer** splendor of
blossoms

Eduard Mörike
(1804–1875)

Das verlassene Mägdlein

Früh, wann die Hähne krähn,
Eh' die Sternlein verschwinden,
Muß ich am Herde stehn,
Muß Feuer zünden.

Schön ist der Flammen Schein,   5
Es springen die Funken;
Ich schaue so drein,
In Leid versunken.

Plötzlich, da kommt es mir,
Treuloser Knabe,   10
Daß ich die Nacht von dir
Geträumet habe.

Eduard Mörike: Lithographie nach einer Zeichnung von Bonaventura Weiß (courtesy of Deutsche Schillergesellschaft).

Träne auf Träne dann
Stürzet hernieder;
So kommt der Tag heran —   15
O ging' er wieder!

Um Mitternacht

Gelassen stieg die Nacht ans Land,
Lehnt träumend an der Berge Wand;
Ihr Auge sieht die goldne Waage nun
Der Zeit in gleichen Schalen stille ruhn.
  Und kecker rauschen die Quellen hervor,   5
  Sie singen der Mutter, der Nacht, ins Ohr
    Vom Tage,
  Vom heute gewesenen Tage.

Das uralt alte Schlummerlied,
Sie achtet's nicht, sie ist es müd';   10
Ihr klingt des Himmels Bläue süßer noch,
Der flücht'gen Stunden gleichgeschwungnes Joch.
  Doch immer behalten die Quellen das Wort,
  Es singen die Wasser im Schlafe noch fort
    Vom Tage,   15
  Vom heute gewesenen Tage.

Heinrich Heine
(1797–1856)

Es war ein alter König ...

Es war ein alter König,
Sein Herz war schwer, sein Haupt war grau;
Der arme alte König,
Er nahm eine junge Frau.

Es war ein schöner Page,   5
Blond war sein Haupt, leicht war sein Sinn;
Er trug die seidne Schleppe
Der jungen Königin.

---

⁶ **leicht . . . Sinn** he was light-hearted   ⁷ **die Schleppe** train

Kennst du das alte Liedchen?
Es klingt so süß, es klingt so trüb'!   10
Sie mußten beide sterben,
Sie hatten sich viel zu lieb.

¹⁰ **trüb**   sad

Ein Jüngling liebt ein Mädchen ...

Ein Jüngling liebt ein Mädchen,
Die hat einen andern erwählt;
Der andre liebt eine andre,
Und hat sich mit dieser vermählt.

Das Mädchen heiratet aus Ärger   5
Den ersten besten Mann,
Der ihr in den Weg gelaufen;
Der Jüngling ist übel dran.

Es ist eine alte Geschichte,
Doch bleibt sie immer neu;   10
Und wem sie just passieret,
Dem bricht das Herz entzwei.

⁴ **sich vermählen**   marry
⁵ **aus Ärger**   *lit.:* out of anger; on the rebound

⁶ **der erste beste Mann**   *meaning:* the first man
⁸ **übel dran sein**   be in a bad way

Ich weiß nicht, was soll es bedeuten ...

Ich weiß nicht, was soll es bedeuten,
Daß ich so traurig bin;
Ein Märchen aus alten Zeiten,
Das kommt mir nicht aus dem Sinn.

Die Luft ist kühl und es dunkelt,   5
Und ruhig fließt der Rhein;
Der Gipfel des Berges funkelt
Im Abendsonnenschein.

Die schönste Jungfrau sitzet
Dort oben wunderbar,   10
Ihr goldnes Geschmeide blitzet,
Sie kämmt ihr goldenes Haar.

⁴ **Das . . . Sinn**   I cannot put it out of my mind

⁹ **(Die) Jungfrau**   maiden

Sie kämmt es mit goldenem Kamme,
Und singt ein Lied dabei;
Das hat eine wundersame,   15
Gewaltige Melodei.

Den Schiffer im kleinen Schiffe
Ergreift es mit wildem Weh;
Er schaut nicht die Felsenriffe,
Er schaut nur hinauf in die Höh'.   20

Ich glaube, die Wellen verschlingen
Am Ende Schiffer und Kahn;
Und das hat mit ihrem Singen
Die Lore-Ley getan.

Belsatzar

Die Mitternacht zog näher schon;
In stummer Ruh' lag Babylon.

Nur oben in des Königs Schloß,
Da flackert's, da lärmt des Königs Troß.

Dort oben in dem Königssaal,   5
Belsatzar hielt sein Königsmahl.

Die Knechte saßen in schimmernden Reihn,
Und leerten die Becher mit funkelndem Wein.

Es klirrten die Becher, es jauchzten die Knecht';
So klang es dem störrigen Könige recht.   10

Des Königs Wangen leuchten Glut;
Im Wein erwuchs ihm kecker Mut.

Und blindlings reißt der Mut ihn fort,
Und er lästert die Gottheit mit sündigem Wort.

Und er brüstet sich frech, und lästert wild;   15
Die Knechtenschar ihm Beifall brüllt.

---

3 **des Königs Troß** the king's following
10 **So . . . recht.** That was just what the stubborn king liked to hear.

12 **der Mut** *here:* boldness
14 **lästern** blaspheme
15 **sich brüsten** brag

Der König rief mit stolzem Blick;
Der Diener eilt und kehrt zurück.

Er trug viel gülden Gerät auf dem Haupt;
Das war aus dem Tempel Jehovahs geraubt.   20

Und der König ergriff mit frevler Hand
Einen heiligen Becher, gefüllt bis am Rand.

Und er leert ihn hastig bis auf den Grund,
Und rufet laut mit schäumendem Mund:

„Jehovah! dir künd' ich auf ewig Hohn, —   25
Ich bin der König von Babylon!"

Doch kaum das grause Wort verklang,
Dem König ward's heimlich im Busen bang.

Das gellende Lachen verstummte zumal;
Es wurde leichenstill im Saal.   30

Und sieh! und sieh! an weißer Wand
Da kam's hervor, wie Menschenhand;

Und schrieb, und schrieb an weißer Wand
Buchstaben von Feuer, und schrieb und schwand.

Der König stieren Blicks da saß,   35
Mit schlotternden Knien und totenblaß.

Die Knechtenschar saß kalt durchgraut,
Und saß gar still, gab keinen Laut.

Die Magier kamen, doch keiner verstand
Zu deuten die Flammenschrift an der Wand.   40

Belsatzar ward aber in selbiger Nacht
Von seinen Knechten umgebracht.

[19] **das Gerät** vessels
[21] **frevel** sacrilegious
[25] **dir ... Hohn** I offer you eternal scorn
[27] **verklingen** die away
[35] **stieren Blicks** with a fixed stare
[37] **kalt durchgraut** cold with fear

Wir saßen am Fischerhause ...

Wir saßen am Fischerhause
Und schauten nach der See;
Die Abendnebel kamen
Und stiegen in die Höh'.

Im Leuchtturm wurden die Lichter   5
Allmählich angesteckt,
Und in der weiten Ferne
Ward noch ein Schiff entdeckt.

Wir sprachen von Sturm und Schiffbruch,
Vom Seemann, und wie er lebt,   10
Und zwischen Himmel und Wasser
Und Angst und Freude schwebt.

Wir sprachen von fernen Küsten,
Vom Süden und vom Nord,
Und von den seltsamen Völkern   15
Und seltsamen Sitten dort.

Am Ganges duftet's und leuchtet's,
Und Riesenbäume blühn,
Und schöne stille Menschen
Vor Lotusblumen knien.   20

In Lappland sind schmutzige Leute,
Plattköpfig, breitmäulig und klein;
Sie kauern ums Feuer, und backen
Sich Fische, und quäken und schrein.

Die Mädchen horchten ernsthaft,   25
Und endlich sprach niemand mehr;
Das Schiff war nicht mehr sichtbar,
Es dunkelte gar zu sehr.

August von Platen
(1796–1835)

Es liegt an eines Menschen Schmerz . . .

Es liegt an eines Menschen Schmerz, an eines Menschen Wunde nichts.
Es kehrt an das, was Kranke quält, sich ewig der Gesunde nichts!
Und wäre nicht das Leben kurz, das stets der Mensch vom Menschen erbt,

[1] (**Es liegt an**) **nichts** does not matter   [2] (**Es kehrt an**) **nichts** *meaning:* (*the healthy man*) does not care etc.

239

So gäb's Beklagenswerteres auf diesem weiten Runde nichts.
Einförmig stellt Natur sich her, doch tausendförmig ist ihr Tod,   5
Es fragt die Welt nach meinem Ziel, nach deiner letzten Stunde nichts.
Und wer sich willig nicht ergibt dem ehrnen Lose, das ihm dräut,
Der zürnt ins Grab sich rettungslos und fühlt in dessen Schlunde nichts.
Dies wissen alle, doch vergißt es jeder gerne jeden Tag.
So komme denn, in diesem Sinn, hinfort aus meinem Munde nichts.   10
Vergeßt, daß euch die Welt betrügt, und daß ihr Wunsch nur Wünsche
   zeugt,
Laßt eurer Liebe nichts entgehn, entschlüpfen eurer Kunde nichts!
Es hoffe jeder, daß die Zeit ihm gebe, was sie keinem gab,
Denn jeder sucht, ein All zu sein, und jeder ist im Grunde nichts.

⁴ (nichts) **Beklagenswerteres** nothing more lamentable
⁵ **Einförmig . . . her** monotonously nature recreates itself
⁷ **dem ehrnen Lose** *meaning:* to the iron fate
⁸ **Der . . . rettunglos** *lit.:* hopelessly angers himself to death
¹² **die Kunde** *meaning:* desire for knowledge

Nikolaus Lenau
(1802–1850)

Frage

O Menschenherz, was ist dein Glück?
Ein rätselhaft geborner
Und, kaum gegrüßt, verlorner,
Unwiederholter Augenblick!

Theodor Storm
(1817–1888)

Hyazinthen

Fern hallt Musik; doch hier ist stille Nacht,
Mit Schlummerduft anhauchen mich die Pflanzen;
Ich habe immer, immer dein gedacht;
Ich möchte schlafen, aber du mußt tanzen.

² **der Schlummerduft** *lit.:* slumbrous fragrance

Es hört nicht auf, es rast ohn Unterlaß; 5
Die Kerzen brennen und die Geigen schreien,
Es teilen und es schließen sich die Reihen,
Und alle glühen; aber du bist blaß.

Und du mußt tanzen; fremde Arme schmiegen
Sich an dein Herz; o leide nicht Gewalt! 10
Ich seh dein weißes Kleid vorüberfliegen
Und deine leichte, zärtliche Gestalt. —

Und süßer strömend quillt der Duft der Nacht
Und träumerischer aus dem Kelch der Pflanzen.
Ich habe immer, immer dein gedacht; 15
Ich möchte schlafen, aber du mußt tanzen.

[10] o . . . Gewalt! do not yield to force

Gottfried Keller
(1819–1890)

Abendlied

Augen, meine lieben Fensterlein,
Gebt mir schon so lange holden Schein,
Lasset freundlich Bild um Bild herein:
Einmal werdet ihr verdunkelt sein!

Fallen einst die müden Lider zu, 5
Löscht ihr aus, dann hat die Seele Ruh';
Tastend streift sie ab die Wanderschuh',
Legt sich auch in ihre finstre Truh'.

Noch zwei Fünklein sieht sie glimmend stehn
Wie zwei Sternlein, innerlich zu sehn, 10
Bis sie schwanken und dann auch vergehn,
Wie von eines Falters Flügelwehn.

Doch noch wandl' ich auf dem Abendfeld,
Nur dem sinkenden Gestirn gesellt;
Trinkt, o Augen, was die Wimper hält, 15
Von dem goldnen Überfluß der Welt!

[12] Wie . . . Flügelwehn As if wafted   [14] Nur . . . gesellt With the setting
away by the wingbeat of a moth   star as my only companion

Friedrich Nietzsche: Büste von M. Klinger (courtesy of Kröner-verlagsarchiv, Stuttgart).

Conrad Ferdinand Meyer
(1825–1898)

Der römische Brunnen

Aufsteigt der Strahl und fallend gießt
Er voll der Marmorschale Rund,
Die, sich verschleiernd, überfließt
In einer zweiten Schale Grund;
Die zweite gibt, sie wird zu reich,   5
Der dritten wallend ihre Flut,
Und jede nimmt und gibt zugleich

    Und strömt und ruht.

4 **die Schale** basin
5–6 **Die . . . Flut** The second basin grows   too affluent, welling up it gives its waters to the third

Friedrich Nietzsche
(1844–1900)

Ecce Homo

Ja! Ich weiß, woher ich stamme!
Ungesättigt gleich der Flamme
Glühe und verzehr' ich mich.
Licht wird alles, was ich fasse,
Kohle alles, was ich lasse: 5
Flamme bin ich sicherlich!

Das trunkne Lied

Oh Mensch! Gib acht!
Was spricht die tiefe Mitternacht?
„Ich schlief, ich schlief — ,
Aus tiefem Traum bin ich erwacht: —
Die Welt ist tief,   5
Und tiefer als der Tag gedacht.
Tief ist ihr Weh — ,

243

Lust — tiefer noch als Herzeleid:
Weh spricht: Vergeh!
Doch alle Lust will Ewigkeit — ,   10
Will tiefe, tiefe Ewigkeit!"

Detlev von Liliencron
(1844–1909)

Märztag

Wolkenschatten fliehen über Felder,
Blau umdunstet stehen ferne Wälder.

Kraniche, die hoch die Luft durchpflügen,
Kommen schreiend an in Wanderzügen.

Lerchen steigen schon in lauten Schwärmen,   5
Überall ein erstes Frühlingslärmen.

Lustig flattern, Mädchen, deine Bänder,
Kurzes Glück träumt durch die weiten Länder.

Kurzes Glück schwamm mit den Wolkenmassen,
Wollt' es halten, mußt' es schwimmen lassen.   10

² **Blau umdunstet** In a blue haze   ⁴ **der Wanderzug** migratory flight

Richard Dehmel
(1863–1920)

Der Arbeitsmann

Wir haben ein Bett, wir haben ein Kind,
Mein Weib!
Wir haben auch Arbeit, und gar zu zweit,
Und haben die Sonne und Regen und Wind.
Und uns fehlt nur eine Kleinigkeit,   5
Um so frei zu sein, wie die Vögel sind:
Nur Zeit.

Wenn wir sonntags durch die Felder gehn,
Mein Kind,
Und über den Ähren weit und breit   10
Das blaue Schwalbenvolk blitzen sehn,
O, dann fehlt uns nur das bißchen Kleid,
Um so schön zu sein, wie die Vögel sind:
Nur Zeit.

Nur Zeit! wir wittern Gewitterwind,   15
Wir Volk.
Nur eine kleine Ewigkeit;
Uns fehlt ja nichts, mein Weib, mein Kind,
Als all das, was durch uns gedeiht,
Um so kühn zu sein, wie die Vögel sind.   20
Nur Zeit!

¹² **das Kleid** garb   ¹⁵ **wittern** sense

Christian Morgenstern
(1871–1914)

Das aesthetische Wiesel

Ein Wiesel
saß auf einem Kiesel
inmitten Bachgeriesel.

Wißt ihr
weshalb?   5

Das Mondkalb
verriet es mir
im Stillen:

Das raffinier-
te Tier   10
tat's um des Reimes willen.

³ **das Bachgeriesel** flowing brook   *host of imaginary creatures invented by*
⁶ **Das Mondkalb** Mooncalf *one of a*   *Morgenstern*

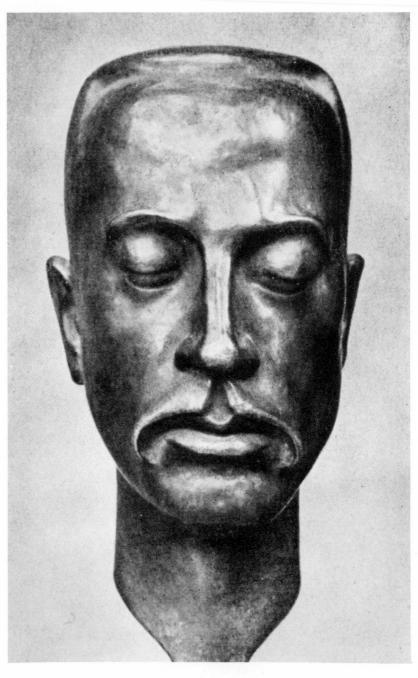

Rainer Maria Rilke: Büste von Friedrich Huf (courtesy of Kunstverein Winterthur).

Hugo von Hofmannsthal
(1874–1929)

Die Beiden

Sie trug den Becher in der Hand,
— Ihr Kinn und Mund glich seinem Rand —,
So leicht und sicher war ihr Gang,
Kein Tropfen aus dem Becher sprang.

So leicht und fest war seine Hand: 5
Er ritt auf einem jungen Pferde,
Und mit nachlässiger Gebärde
Erzwang er, daß es zitternd stand.

Jedoch, wenn er aus ihrer Hand
Den leichten Becher nehmen sollte,   10
So war es beiden allzuschwer:
Denn beide bebten sie so sehr,
Daß keine Hand die andre fand
Und dunkler Wein am Boden rollte.

7 **nachlässig** nonchalant   8 **erzwang er** he compelled (*the horse*)

Rainer Maria Rilke
(1875–1926)

Herbsttag

HERR: es ist Zeit. Der Sommer war sehr groß.
Leg deinen Schatten auf die Sonnenuhren,
Und auf den Fluren laß die Winde los.

Befiehl den letzten Früchten voll zu sein;
Gib ihnen noch zwei südlichere Tage,   5
Dränge sie zur Vollendung hin und jage
Die letzte Süße in den schweren Wein.

6–7 **jage . . . Wein** drive the last
sweetness into the heavy wine

Wer jetzt kein Haus hat, baut sich keines mehr.
Wer jetzt allein ist, wird es lange bleiben,
Wird wachen, lesen, lange Briefe schreiben
Und wird in den Alleen hin und her
Unruhig wandern, wenn die Blätter treiben.

¹¹ **die Alleen** avenues

Der Panther
Im Jardin des Plantes, Paris

Sein Blick ist vom Vorübergehn der Stäbe
So müd geworden, daß er nichts mehr hält.
Ihm ist, als ob es tausend Stäbe gäbe
Und hinter tausend Stäben keine Welt.

Der weiche Gang geschmeidig starker Schritte,
Der sich im allerkleinsten Kreise dreht,
Ist wie ein Tanz von Kraft um eine Mitte,
In der betäubt ein großer Wille steht.

Nur manchmal schiebt der Vorhang der Pupille
Sich lautlos auf—. Dann geht ein Bild hinein,
Geht durch der Glieder angespannte Stille—
Und hört im Herzen auf zu sein.

¹ **der Stab** bar   tension of the limbs (*W. Kaufmann*)
¹¹ **durch . . . Stille** through the silent

Das Karussell
Jardin du Luxembourg

Mit einem Dach und seinem Schatten dreht
Sich eine kleine Weile der Bestand
Von bunten Pferden, alle aus dem Land,
Das lange zögert, eh es untergeht.
Zwar manche sind an Wagen angespannt,
Doch alle haben Mut in ihren Mienen;
Ein böser roter Löwe geht mit ihnen
Und dann und wann ein weißer Elefant.

Sogar ein Hirsch ist da ganz wie im Wald,
Nur daß er einen Sattel trägt und drüber
Ein kleines blaues Mädchen aufgeschnallt.

² **der Bestand** stock   *of childhood fairy-tales and phantasies*
³ **aus dem Land** *presumably: the land*   ¹¹ **aufgeschnallt** strapped on

Und auf dem Löwen reitet weiß ein Junge
Und hält sich mit der kleinen heißen Hand,
Dieweil der Löwe Zähne zeigt und Zunge.

Und dann und wann ein weißer Elefant.   15

Und auf den Pferden kommen sie vorüber,
Auch Mädchen, helle, diesem Pferdesprunge
Fast schon entwachsen; mitten in dem Schwunge
Schauen sie auf, irgendwohin, herüber —

Und dann und wann ein weißer Elefant.   20

Und das geht hin und eilt sich, daß es endet,
Und kreist und dreht sich nur und hat kein Ziel.
Ein Rot, ein Grün, ein Grau vorbeigesendet,
Ein kleines kaum begonnenes Profil.
Und manchesmal ein Lächeln, hergewendet,   25
Ein seliges, das blendet und verschwendet
An dieses atemlose blinde Spiel.

¹⁸ **fast schon entwachsen** *meaning:*   motion
   almost too grown-up   ²⁶ **verschwenden** squander
¹⁸ **in dem Schwunge** in their swinging

Stefan George
(1868–1933)

*Du schlank und rein wie eine flamme**

Du schlank und rein wie eine flamme
Du wie der morgen zart und licht
Du blühend reis vom edlen stamme
Du wie ein quell geheim und schlicht

Begleitest mich auf sonnigen matten   5
Umschauerst mich im abendrauch
Erleuchtest meinen weg im schatten
Du kühler wind du heisser hauch

* *Note: George deliberately avoided the*   ⁵ **die matten** meadows
   customary capitalization of nouns   ⁶ **umschauerst . . . abendrauch** en-
³ **das reis** sprig   compass me in evening haze (*Morwitz*)

Du bist mein wunsch und mein gedanke
Ich atme dich mit jeder luft
Ich schlürfe dich mit jedem tranke
Ich küsse dich mit jedem duft

Du blühend reis vom edlen stamme
Du wie ein quell geheim und schlicht
Du schlank und rein wie eine flamme
Du wie der morgen zart und licht.

11 **schlürfen** *here:* drink

Hermann Hesse
(1877–1962)

Im Nebel

Seltsam, im Nebel zu wandern!
Einsam ist jeder Busch und Stein,
Kein Baum sieht den andern,
Jeder ist allein.

Voll von Freunden war mir die Welt,
Als noch mein Leben licht war;
Nun, da der Nebel fällt,
Ist keiner mehr sichtbar.

Wahrlich, keiner ist weise,
Der nicht das Dunkel kennt,
Das unentrinnbar und leise
Von allen ihn trennt.

Seltsam, im Nebel zu wandern!
Leben ist Einsamsein.
Kein Mensch kennt den andern,
Jeder ist allein.

11 **unentrinnbar** inescapably

Georg Heym
(1887–1912)

Der Krieg

Aufgestanden ist er, welcher lange schlief,
Aufgestanden unten aus Gewölben tief.
In der Dämmrung steht er, groß und unbekannt,
Und den Mond zerdrückt er in der schwarzen Hand.

In den Abendlärm der Städte fällt es weit,   5
Frost und Schatten einer fremden Dunkelheit.
Und der Märkte runder Wirbel stockt zu Eis.
Es wird still. Sie sehn sich um. Und keiner weiß.

In den Gassen faßt es ihre Schulter leicht.
Eine Frage. Keine Antwort. Ein Gesicht erbleicht.   10
In der Ferne zittert ein Geläute dünn,
Und die Bärte zittern um ihr spitzes Kinn.

Auf den Bergen hebt er schon zu tanzen an,
Und er schreit: „Ihr Krieger alle, auf und an!"
Und es schallet, wenn das schwarze Haupt er schwenkt,   15
Drum von tausend Schädeln laute Kette hängt.

Einem Turm gleich tritt er aus die letzte Glut,
Wo der Tag flieht, sind die Ströme schon voll Blut.
Zahllos sind die Leichen schon im Schilf gestreckt,
Von des Todes starken Vögeln weiß bedeckt.   20

In die Nacht er jagt das Feuer querfeldein,
Einen roten Hund mit wilder Mäuler Schrein.
Aus dem Dunkel springt der Nächte schwarze Welt,
Von Vulkanen furchtbar ist ihr Rand erhellt.

---

2 **das Gewölbe** vault
5 **In . . . weit** Something descends
from afar into the evening noise of the
cities
7 **der Wirbel** turmoil
7 **stocken** freeze

11 **das Geläute** ringing of bells
17 **austreten** squelch
22 **Einen . . . Schrein** *The fire is a*
"red dog with the scream of wild
mouths"

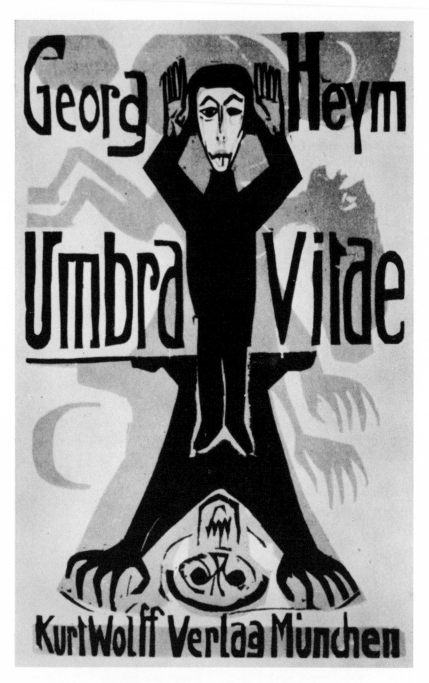

Georg Heym, "Umbra vitae": Holzschnitt von E. L. Kirchner, 1924 (courtesy of Universitätsbibliothek, Heidelberg).

Und mit tausend hohen Zipfelmützen weit   25
Sind die finstren Ebnen flackend überstreut,
Und was unten auf den Straßen wimmelnd flieht,
Stößt er in die Feuerwälder, wo die Flamme brausend zieht.

Und die Flammen fressen brennend Wald um Wald,
Gelbe Fledermäuse, zackig in das Laub gekrallt,   30
Seine Stange haut er wie ein Köhlerknecht
In die Bäume, daß das Feuer brause recht.

Eine große Stadt versank in gelbem Rauch,
Warf sich lautlos in des Abgrunds Bauch.
Aber riesig über glühnden Trümmern steht,   35
Der in wilde Himmel dreimal seine Fackel dreht

Über sturmzerfetzter Wolken Widerschein,
In des toten Dunkels kalten Wüstenein,
Daß er mit dem Brande weit die Nacht verdorr,
Pech und Feuer träufet unten auf Gomorrh.   40

25 **die Zipfelmütze** peaked cap	36 **Der** He who
26 **flackend** = **flackernd**	38 **die Wüstenein** deserts
27 **wimmelnd** teeming	39 **(Daß er) verdorr** in order to scorch
31 **der Köhler** charcoal burner	

Georg Trakl
(1887–1914)

*Verklärter Herbst**

Gewaltig endet so das Jahr
Mit goldnem Wein und Frucht der Gärten.
Rund schweigen Wälder wunderbar
Und sind des Einsamen Gefährten.

Da sagt der Landmann: Es ist gut.   5
Ihr Abendglocken lang und leise
Gebt noch zum Ende frohen Mut.
Ein Vogelzug grüßt auf der Reise.

Es ist der Liebe milde Zeit.
Im Kahn den blauen Fluß hinunter   10
Wie schön sich Bild an Bildchen reiht —
Das geht in Ruh und Schweigen unter.

* **verklärt**   transfigured

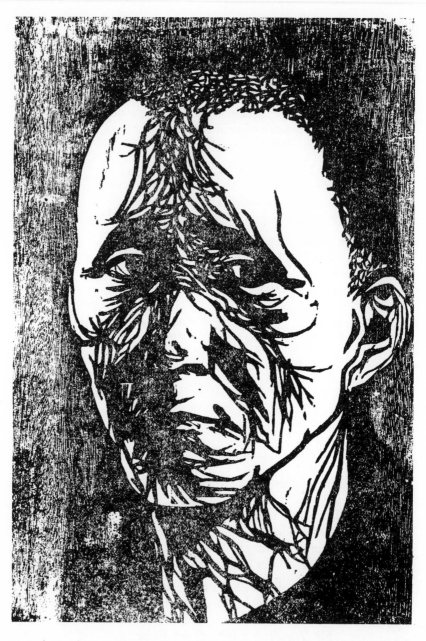

Bertolt Brecht, woodcut by Leonard Baskin, 1952 (courtesy of the artist).

254

Gottfried Benn
(1886–1956)

Nur zwei Dinge

Durch soviel Formen geschritten,
durch Ich und Wir und Du,
doch alles blieb erlitten
durch die ewige Frage: wozu?

Das ist eine Kinderfrage.   5
Dir wurde erst spät bewußt,
es gibt nur eines: ertrage
— ob Sinn, ob Sucht, ob Sage —
dein fernbestimmtes: Du mußt.

Ob Rosen, ob Schnee, ob Meere,   10
was alles erblühte, verblich,
es gibt nur zwei Dinge: die Leere
und das gezeichnete Ich.

Bertolt Brecht
(1898–1956)

Legende von der Entstehung des Buches Taoteking* auf dem Weg des Laotse in die Emigration

[1]

Als er Siebzig war und war gebrechlich,
Drängte es den Lehrer doch nach Ruh.
Denn die Güte war im Lande wieder einmal schwächlich,

Und die Bosheit nahm an Kräften wieder einmal zu.
Und er gürtete den Schuh.   5

[2]

Und er packte ein, was er so brauchte:
Wenig. Doch es wurde dies und das.
So die Pfeife, die er immer abends rauchte,
Und das Büchlein, das er immer las.
Weißbrot nach dem Augenmaß.   10

[3]

Freute sich des Tals noch einmal und vergaß es,
Als er ins Gebirg den Weg einschlug.
Und sein Ochse freute sich des frischen Grases,
Kauend, während er den Alten trug.
Denn dem ging es schnell genug.   15

[4]

Doch am vierten Tag im Felsgesteine
Hat ein Zöllner ihm den Weg verwehrt:
„Kostbarkeiten zu verzollen?" — „Keine."
Und der Knabe, der den Ochsen führte, sprach: „Er hat gelehrt."
Und so war auch das erklärt.   20

[5]

Doch der Mann in einer heitren Regung
Fragte noch: „Hat er was rausgekriegt?"
Sprach der Knabe: „Daß das weiche Wasser in Bewegung
Mit der Zeit den mächtigen Stein besiegt.
Du verstehst, das Harte unterliegt."   25

[6]

Daß er nicht das letzte Tageslicht verlöre,
Trieb der Knabe nun den Ochsen an.
Und die drei verschwanden schon um eine schwarze Föhre,
Da kam plötzlich Fahrt in unsern Mann,
Und er schrie: „He, du! Halt an!   30

---

4 **die Bosheit** malice
5 **Und . . . Schuh** He put on his shoe;
he prepared to leave
10 **nach dem Augenmaß** *meaning:*
what he thought he might need
17 **der Zöllner** toll collector

21 **in . . . Regung** on a cheerful impulse
22 **Hat . . . rausgekriegt?** Did he find out anything?
29 **Da . . . Mann** Then our man suddenly got going

[7]

Was ist das mit diesem Wasser, Alter?"
Hielt der Alte: „Interessiert es dich?"
Sprach der Mann: „Ich bin nur Zollverwalter,
Doch wer wen besiegt, das interessiert auch mich.
Wenn du's weißt, dann sprich!   35

[8]

Schreib mir's auf! Diktier es diesem Kinde!
So was nimmt man doch nicht mit sich fort.
Da gibt's doch Papier bei uns und Tinte.
Und ein Nachtmahl gibt es auch: ich wohne dort.
Nun, ist das ein Wort?"   40

[9]

Über seine Schulter sah der Alte
Auf den Mann: Flickjoppe. Keine Schuh.
Und die Stirne eine einzige Falte.
Ach, kein Sieger trat da auf ihn zu.
Und er murmelte: „Auch du?"   45

[10]

Eine höfliche Bitte abzuschlagen,
War der Alte, wie es schien, zu alt.
Denn er sagte laut: „Die etwas fragen,
Die verdienen Antwort." Sprach der Knabe: „Es wird auch schon
    kalt."
„Gut, ein kleiner Aufenthalt."   50

[11]

Und von seinem Ochsen stieg der Weise.
Sieben Tage schrieben sie zu zweit.
Und der Zöllner brachte Essen (und er fluchte nur noch leise
Mit den Schmugglern in der ganzen Zeit).
Und dann war's soweit.   55

[12]

Und dem Zöllner händigte der Knabe
Eines Morgens einundachtzig Sprüche ein.
Und mit Dank für eine kleine Reisegabe
Bogen sie um jene Föhre ins Gestein.
Sagt jetzt: kann man höflicher sein?   60

40 **Nun ... Wort?** *meaning:* Well, do   45 **Auch du?** *meaning: You, too, are*
    you agree?   *one of the defeated?*
42 **die Flickjoppe**   patched jacket

257

[13]

Aber rühmen wir nicht nur den Weisen,
Dessen Name auf dem Buche prangt!
Denn man muß dem Weisen seine Weisheit erst entreißen.
Darum sei der Zöllner auch bedankt:
Er hat sie ihm abverlangt.   65

---

⁶² **Dessen . . . prangt** Whose name is
splendidly displayed on the book

⁶³ **entreißen** wrest from
⁶⁵ **abverlangen** demand from

Notes and References

I. Fabeln und Märchen

Lessing: „Der Besitzer des Bogens" (1759) in *Fabeln*, III. Buch (1). *Werke*, 25 vols., ed. Petersen, Olshausen, *et al.*, Bong: Berlin, n.d. For Lessing's conception and practice of the (Aesopian) fable *see* the section on "Logau. Fabeln" in the second book of Erich Schmidt, *Lessing* (Berlin, 1899).

Hebel: „Seltsamer Spazierritt" in *Schatzkästlein des rheinischen Hausfreundes* (2nd ed., Stuttgart and Tübingen, 1818). A. Sütterlin's edition of Hebel's works (Berlin: Bong, 1911) includes a biographical sketch and an appreciation of Hebel's "Kalendergeschichten" (I, xxxiii ff.). *See* also Walter Benjamin, *Schriften*, Vol. II (Frankfurt: Suhrkamp, 1955), 279–283.

Grimm: „Die Sterntaler," „Doktor Allwissend," „Märchen, von einem, der auszog, das Fürchten zu lernen" in *Kinder- und Hausmärchen der Brüder Grimm.* Concerning the spirit of these fairy-tales, *see* the authors' "Vorrede"; concerning "Die Sterntaler," *see* Fleissner and Fleissner, *Die Kunst der Prosa* (N.Y.: Appleton-Century-Crofts, 1941), 14–19; concerning "Von einem, der auszog . . .," *see* Goethe's review "The Foreign Quarterly" (1827) in *Sämtliche Werke*, Jubiläums-Ausgabe, Vol. XXXVIII (Stuttgart-Berlin: Cotta, n.d.), 131 f.

Hauff: „Kalif Storch" in *Sämtliche Werke*, Vol. VI (Stuttgart: Cotta-Kröner, 1893). The first volume of this edition includes a biographical sketch and a brief comment (by H. Fischer) on Hauff's fairy-tales (I, 23 ff.).

Hesse: „Märchen" (1913). The title was changed to „Flötentraum" in Hesse's *Gesammelte Dichtungen*, Vol. III (Frankfurt: Suhrkamp, 1958), 249 ff. For a general discussion of Hesse *see* Albert Soergel and Curt Hohoff, *Dichtung und Dichter der Zeit*, 2 vols. (Düsseldorf: A. Bagel, 1961, 1963), I, 792–804.

Kafka: „Poseidon" (1920) in *Die Erzählungen* (Frankfurt: S. Fischer, 1961). For an interpretation *see* W. Emrich, *Franz Kafka* (Frankfurt: Athenäum, 1961), 82, 87, 113 f. For a general discussion of Kafka, *see* Erich Heller, *The Disinherited Mind* (New York: Farrar, Straus and Cudahy, 1957).

II. Erzählungen und Episoden

Hebel: „Unverhofftes Wiedersehen" in *Schatzkästlein*. Interpretation: Johannes Pfeiffer, *Umgang mit Dichtung* (Hamburg: R. Meiner, 1962), 86 ff.

Kleist: „Anekdote . . ." in *Sämtliche Werke und Briefe*, ed. Sembdner, 2 vols. (München: Hanser, 1952). Interpretation: Fleissner and Fleissner, *op. cit.*, 25–31.

„Das Bettelweib von Locarno." Interpretation: Emil Staiger, *Meisterwerke deutscher Sprache aus dem neunzehnten Jahrhundert* (Zürich: Atlantis, 1961).

Heine: „Dr. Saul Ascher" in *Die Harzreise*, ed. R. H. Fife (New York: Holt, 1912), 38–42. Cf. the notes and introduction to this edition.

Schnitzler: „Das Tagebuch der Redegonda" from *Ausgewählte Erzählungen* (Frankfurt: S. Fischer, 1950). For a general discussion of Schnitzler *see* Soergel-Hohoff, I, 439–448.

Ernst: „Der Hecht" from *Komödianten und Spitzbubengeschichten* (Gütersloh:

S. Mohn, 1961). For a general discussion of Ernst *see* Soergel-Hohoff, I, 684 ff.

Hofmannsthal: „*Das Erlebnis des Marschalls von Bassompierre*" (1900) in *Gesammelte Werke in Einzelausgaben*, ed. H. Steiner (Frankfurt: S. Fischer, 1946 ff.), *Die Erzählungen*. Hofmannsthal indicated as his sources M. de Bassompierre, *Journal de ma vie* (Köln, 1663), and the brief version of Bassompierre's tale as related by Goethe in *Unterhaltungen deutscher Ausgewanderten* (1795). Interpretations: R. Alewyn in Hofmannsthal, *Reitergeschichte*, etc. (Stockholm: S. Fischer, 1962), pp. 50-63; W. Kraft, *Wort und Gedanke* (Bern-München: Francke), pp. 132-172; H. Cohn, „Das Erlebnis des Marschalls von Bassompierre," *Germanic Review*, XVIII, 1943, pp. 58-70; J. Pfeiffer, *Wege zur Erzählkunst* (Hamburg, 1953), pp. 63-74. General discussion: R. Alewyn, *Über Hugo von Hofmannsthal*, 2. Aufl. (Göttingen: Vandenhoek und Ruprecht, 1960); K. J. Naef, *Hugo von Hofmannsthals Wesen und Werk* (Zürich, 1938); also Soergel-Hohoff, I, 448-494.

Tucholsky: „*Der Mann, der zu spät kam.*" For a discussion of Tucholsky, *see* Soergel-Hohoff, II, 752-755.

Borchert: „*Nachts schlafen die Ratten doch*" from *An diesem Dienstag* (1947) in *Wolfgang Borcherts Gesamtwerk* (Hamburg: Rowohlt, 1949). For a discussion of Borchert, *see* Soergel-Hohoff, II, 818 f.

Lettau: „*Herr Strich schreitet zum Äußersten*" from *Schwierigkeiten beim Häuserbauen* (München: C. Hanser, 1962).

III. Thomas Mann: Tonio Kröger

From *Stockholmer Gesamtausgabe* [*Erzählungen*] (Frankfurt: S. Fischer, 1958). For a critical appreciation of Mann's works, *see* Erich Heller, *Thomas Mann* (Frankfurt: Suhrkamp, 1959) and, with specific reference to *Tonio Kröger*, *ibid.*, 61 ff.

IV. Gedichte

Goethe: For the text and interpretation of Goethe's poetry *see* the edition and notes of Erich Trunz in the "Hamburger Ausgabe" of *Goethes Werke* (Hamburg: C. Wegner, 1948 ff.), Vols. I and II; also Emil Staiger, *Goethe*, 3 vols. (Zürich: Atlantis, 1953–59) or, for a brief survey, the general treatment of Goethe by the same author in *Die großen Deutschen* (1956), II, 308-321.

Schiller: „*Der Taucher*" in the *Nationalausgabe* ed. by H. Schneider (Weimar, 1943 ff.), Vol. I (ed. J. Petersen and F. Beißner). Concerning „*Der Taucher*" *see*, for example, Eugen Kühnemann, *Schiller* (München: Beck, 1908), 413 ff., Gerhard Storz, *Der Dichter Friedrich Schiller* (Stuttgart: Klett, 1963), 244 ff., W. Silz in: *Germanic Review* XXX (1955), 252-259. Kühnemann and Storz are comprehensive treatments of Schiller. For a general discussion of his poetry *see* also Johannes Klein, *Geschichte der deutschen Lyrik* (Wiesbaden: Steiner, 1957), 361 ff. (372).

Hölderlin: „*Hyperions Schicksalslied*" (1798). The authoritative edition of Hölderlin is F. Beißner's (8 vols., Stuttgart, 1943 ff.). *See* W. Dilthey, *Das Erlebnis und die Dichtung* (1906); M. Kommerell, *Gedanken über Gedichte* (Frankfurt, 1943), 456-480; also Klein, *op. cit*, 380 f.

Novalis (Friedrich von Hardenberg): „*Wenn nicht mehr Zahlen und Figuren…*"
Werke, ed. P. Kluckhohn and R. Samuel, 4 vols., Meyers Klassiker
(Leipzig, 1939). *See* W. Dilthey, *op. cit.*; also Klein, *op. cit.*, 425–432.
Brentano: „*Wiegenlied.*" *See* the one-volume edition by C. Hohoff (München:
Hanser, 1950). Interpretation: Wolfgang Kayser, *Das sprachliche Kunstwerk*
(Bern: Francke, 1962), 255 ff. General study: F. Gundolf in: *Romantiker*,
Vol. I (Berlin, 1930).
Eichendorff: „*Sehnsucht*" in *Werke*, ed. W. Rasch (München: C. Hanser,
1955). General discussion of his poetry: Klein, *op. cit.*, 456 ff. „*Mondnacht.*"
Interpretation: W. Kayser, *op. cit.*, 66–70. *See* also E. Staiger, *Grund-
begriffe der Poetik* (1952).
Mörike: „*Das verlassene Mägdlein*" (1829). *See* critical ed. by H. Maync,
3 vols., Meyers Klassiker (Leipzig, 1909). Interpretation: E. Staiger, *Die
Kunst der Interpretation* (Zürich: Atlantis, 1961), 205–214. Comprehensive
study: Benno von Wiese, *Eduard Mörike* (Tübingen, 1950).
„*Um Mitternacht*" (1827). For a general discussion of Mörike's poetry
including specific references to both of the poems contained in our
selection *see* Klein, *op. cit.*, 534–548 (540 f.).
Heine: For texts cf. the critical ed. of his works by E. Elster, 7 vols. (Leipzig,
1887–90). For a brief sketch of Heine *see* D. Sternberger in *Die großen
Deutschen*, 1956, III, 214–223. For a discussion of Heine's poetry including
specific reference to the poems in our selection, *see* Klein, *op. cit.*, 429–513.
For an interpretation of „*Ich weiß nicht, was soll es bedeuten*" by Ursula
Jaspersen, *see Die deutsche Lyrik*, ed. B. von Wiese, 2 vols. (Düsseldorf:
A. Bagel, 1956), II, 128–133.
Platen: „*Es liegt an eines Menschen Schmerz…*". Critical ed. of works by
M. Koch and E. Petzet, 4 vols. (Leipzig, 1910). Interpretation: J. Pfeiffer,
Wege zur Dichtung (Hamburg: Wittig, 1960), 78. For a discussion of
Platen's poetry *see* also Klein, *op. cit.*, 513–524 (ghasel: 519 f.), for a masterly
essay on Platen: Thomas Mann, *Leiden und Größe der Meister* (Berlin,
1935), 163–180.
Lenau: „*Frage.*" Critical ed. of his works by E. Castle, 6 vols. (Leipzig: Insel,
1910–23). Discussion of his poetry: Klein, *op. cit.*, 524–533.
Storm: „*Hyazinthen.*" Critical ed. by A. Köster, 8 vols. (Leipzig: Insel,
1919–20). Interpretation: S. S. Prawer, *German Lyric Poetry; a critical
analysis of selected poems from Klopstock to Rilke* (London, 1952). Concerning Storm's poetry and with specific reference to „*Hyazinthen,*" *see*
also Klein, *op. cit.*, 588–598 (592); and for a general essay on Storm:
Thomas Mann, *Leiden und Größe…, op. cit.*, 183–207.
Keller: „*Abendlied.*" Critical edition by J. Fränkel and C. Helbing, 24 vols.
(Erlenbach, Bern, 1926 ff.). Discussion of lyrical poetry: Klein, *op. cit.*,
583–588 (specific reference: 587 f.). General appreciation: W. Benjamin,
Schriften, op. cit., II, 284–296.
Meyer: „*Der römische Brunnen.*" *Sämtliche Werke* (Zürich: Rascher, 1943).
Interpretation: Pfeiffer, *Umgang mit Dichtung* (Hamburg: Meiner, 1962),
37; Klein, *op. cit.*, 621 f. H. W. Belmore, "Two Poems on a Fountain in
Rome" (Meyer, Rilke) in: *German Life and Letters*, NS 10 (1956/57), 49–53.
Comprehensive treatment of Meyer's poetry: H. Henel, *The Poetry of
C. F. Meyer* (Madison, 1954).

Nietzsche: „*Ecce Homo,*" „*Das trunkne Lied.*" *Gesammelte Werke,* Musarion Ausgabe, 23 vols. (München, 1920–29). Nietzsche's poetry (incl. specific reference to the two poems in our selection): Klein, *op. cit.,* 643–665 (650 f., 658 f.). General: Soergel-Hohoff, I, 340–370.

Liliencron: Märztag. Gesammelte Werke, ed. R. Dehmel, 8 vols. (Berlin, 1912). Poetry: Klein, *op. cit.,* 669–683. General: Soergel-Hohoff, I, 245–257.

Dehmel: „*Der Arbeitsmann*". *Gesammelte Werke* (10 vols., Berlin, 1906–09). Dehmel's poetry: Klein, *op. cit.,* 683–694 (esp. 690 f.). Also: Soergel-Hohoff, I, 283–294.

Morgenstern: „*Das aesthetische Wiesel*" in *Galgenlieder* (1905); *see Alle Galgenlieder* (Insel, 1947). Discussion: Klein, *op. cit.,* 792–799 (with specific reference to the "grotesque" and to the poem included in our selection: 794 ff.); Soergel-Hohoff, I, 587 ff.

Hofmannsthal: „*Die Beiden.*" *Gesammelte Werke, op. cit. Gedichte und lyrische Dramen.* Interpretation: Andrew O. Jaszi, "Expression and Life in Hugo von Hofmannsthal's ,Die Beiden'" in: *The German Quarterly,* Vol. XXVI, No. 3.

Rilke: „*Herbsttag*" in *Buch der Bilder* (1902). *Sämtliche Werke,* ed. Rilke-Archiv (E. Zinn) (Wiesbaden, 1955 ff.).

„*Der Panther*" in *Neue Gedichte* (1907, 1908). Interpretation: Hans Berendt, *Rainer Maria Rilkes Neue Gedichte* (Bonn: Bouvier, 1957), 112–115.

„*Das Karussell*" in *Neue Gedichte* (1907, 1908). Interpretation: H. Berendt, *op. cit.,* 157 f. General: Soergel-Hohoff, I, 602–629.

George: „*Du schlank und rein wie eine flamme.*" *Werke,* 2 vols., ed. E. Boehringer (Düsseldorf, 1958). Interpretation: J. Pfeiffer, *Über das Dichterische und den Dichter* (Hamburg: R. Meiner, 1956), 110 f. Also: Morwitz, *Die Dichtung Stefan Georges* (Düsseldorf, 1942). General: Soergel-Hohoff, I, 370–417.

Hesse: „*Im Nebel*" in *Diesseits* (1907). *Gesammelte Dichtungen, op. cit.,* Vol. V. See Soergel-Hohoff, I, 795 f. Comprehensive treatment: H. Ball, *H. Hesse. Sein Leben und sein Werk* (Frankfurt: 1947). Essay: E. R. Curtius, *Kritische Essays zur europäischen Literatur* (Bern, 1950), 200 ff.

Heym: „*Der Krieg*" in *Umbra Vitae* (1911). *Gesammelte Gedichte,* ed. C. Seelig (Zürich, 1947). Interpretations: *Die deutsche Lyrik,* II, 425–449 (Martini); *see also* J. Pfeiffer, *Über das Dichterische und den Dichter, op. cit.,* 19 ff. for a negative evaluation of "Der Krieg." For a discussion of Heym, Trakl, and, generally, the lyrical poetry of Expressionism *see* H. Friedmann and O. Mann, ed., *Expressionismus* (Heidelberg: W. Rothe, 1956), 57–83 (Lohner), 96–115 (Uhlig). Cf. also the representative Expressionist anthology *Menschheitsdämmerung,* ed. K. Pinthus (Berlin, 1920).

Trakl: „*Verklärter Herbst.*" *Die Dichtungen,* Gesamtausgabe mit einem Anhang, ed. K. Horwitz (Zürich, 1946). Interpretation etc.: *see* above (under Heym).

Benn: „*Nur zwei Dinge.*" *Gesammelte Werke,* 4 vols., ed. D. Wellershof (Wiesbaden, 1958 f.). *See* Friedemann-Mann, *Expressionismus, op. cit.,* 168–181 (Uhlig).

Brecht: Legende . . . (1939). Interpretation: W. Benjamin, *Schriften, op. cit.,* II, 365 ff. General discussion: Soergel-Hohoff, II, 397–422.

German–English Vocabulary

A

ab away, down, off, from

die **Abbildung, -, -en** illustration

das **Abbröckeln, -s** disintegration

das **Abc-Buch, -s, ⁈er** primer

der **Abdruck, -(e)s** printed version

der **Abend, -s, -e** evening

die **Abendglocke, -, -n** evening bell

der **Abendlärm, -(e)s** evening noise

das **Abendläuten, -s** vesper bells

das **Abendlied, -(e)s, -er** evening song

der **Abendnebel, -s, -** evening fog

der **Abendrauch, -(e)s** evening haze

abends in the evening

der **Abendschein, -s** glow of evening

der **Abendsonnenschein, -(e)s** glow of the setting sun

das **Abenteuer, -s, -** adventure

abenteuerlich adventurous, odd

abenteuernder Artist mountebank

der **Abenteurer, -s, -** adventurer

aber but, however,

abermals again

ab-fahren, (fährt ab), fuhr ab, ist abgefahren to depart, leave

ab-fliegen, flog ab, ist abgeflogen to fly away, fly off

ab-fordern to demand (from)

der **Abgang, -s, ⁈e** exit

sich **ab-geben, gibt sich ab, gab sich ab, hat sich abgegeben** to be occupied

ab-gehen (ging ab), ist abgegangen to depart, leave

abgehärtet hardened

abgehetzt fatigued, exhausted (from rushing)

abgerissen tattered

abgeschlossen secluded, locked

abgeschminkt without make-up

ab-gewinnen, gewann ab, abgewonnen to win from, force from, compel

der **Abgrund, -(e)s, ⁈e** abyss, chasm

ab-halten, hält ab, hielt ab, abgehalten to hold

die **Abhaltung, -, -en** commitment, hindrance

ab-helfen (hilft ab), half ab, abgeholfen to remedy

dem ist abzuhelfen this can be helped

ab-holen come and get, pick up, call for

ab-kratzen to scrape off

ab-lassen, (läßt ab), ließ ab, abgelassen to ease

ab-laufen, (läuft ab), lief ab, ist abgelaufen to proceed

ab-legen to put down, give, file away

ab-lehnen to reject

der **Abmarsch, -es, ⁈e** departure

ab-nehmen, (nimmt ab), nahm ab, abgenommen to diminish, take off, remove

die **Abneigung, -** dislike

ab-reisen to depart, set out, start, embark (*on a journey*)

ab-schätzen to appraise

abscheulich abominable, loathsome, detestable, horrible

der **Abschied, -(e)s, -e** farewell, departure

Abschied nehmen say goodbye

der **Abschiedsblick, -(e)s, -e** farewell glance

der **Abschiedsbrief, -(e)s, -e,** letter of farewell

ab-schlagen (schlägt ab), schlug ab, abgeschlagen to deny

abschlägig negative

abschlägig bescheiden to refuse

ab-schneiden, schnitt ab, abgeschnitten to cut off

der **Abschnitt, -s, -e** section

ab-schwindeln to get something by a ruse

ab-sehen, (sieht ab), sah ab, abgesehen to look away from

abgesehen davon apart from (*beside the fact that*)

ab-setzen to stop, break off, put down, depose

die **Absicht, -, -en** intention, purpose

ab-sinken, sank ab, ist abgesunken to sink, to recede

sich **ab-spannen** to relax
sich **ab-spielen** to take place
**ab-steigen, stieg ab, ist abgestie-
gen** to dismount, alight from, descend, get down
ab-stoßen, (stößt ab), stieß ab, abgestoßen to repel
abstrakt abstract
ab-streifen to slip off, take off
die **Absurdität, -, -en** absurdity
der **Abteilungsleiter, -s, -** department head
ab-trocknen to wipe dry, wipe off, dry
ab-tun, (tut ab), tat ab, abgetan to lay aside, discard, take off (*clothing*), do away with
ab-urteilen (über) to pronounce judgment (on)
ab-verlangen to demand from
abwechselnd alternately, in turn
die **Abwechslung, -, -en** change
ab-wehren to repel, parry, fend off
abwehrend protesting, defensive
ab-weisen, wies ab, abgewiesen to refuse, reject
ab-wenden, wandte ab, abgewandt to turn away, distract
ab-werfen, (wirft ab), warf ab, abgeworfen to throw off, take off quickly, pull off
ab-winken to warn a person, to desist with a glance *or* a significant gesture
ab-ziehen, zog ab, abgezogen to take off (*clothing*); leave, move away
ach! oh! alas!
ach was! oh nonsense!
die **Achsel, -, n** shoulder
das **Achselzucken, -s** shrug of the shoulders
achselzuckend with a shrug of one's shoulder
die **Acht** attention, care, heed
sich in acht nehmen to take care, watch out
in acht behalten to keep in mind
außer acht lassen to disregard, leave out of account
achten to esteem, honor, respect
acht-geben, (gibt acht), gab acht, achtgegeben to be careful, watch out

der **Achtpfunder, -s** eight-pounder
die **Achtung, -** respect
achtungsvoll respectful(ly)
ächzen groan, moan
der **Acker, -s, ⁓** field, (arable) land
die **Ackerleute** (*pl.*) field-workers, ploughmen
der **Adel, -s** nobility, aristocracy
die **Ader, -, -n** blood vessel, vein
Adies! farewell!
adlig=adelig noble
aesthetisch aesthetic
der **Affe, -n, -n** monkey, ape
ahnen to foresee, suspect, surmise, have a presentiment of
mir ahn(e)t dies I suspect this
ähnlich similar
die **Ähnlichkeit, -, -en** similarity, resemblance
ahnungsvoll full of foreboding
die **Ähre, -, -n** stalk of grain, ear of corn
aktuell timely, fashionable
albern silly, foolish
all(e) all
die **Allee, -, -n** avenue (*of trees*)
allein alone; but, however
ganz allein all alone
allenfalls in any event, at most
allemal every time
allerdings to be sure, indeed, it is true that
allerhand all sorts of, diverse, sundry
allerkleinst very smallest
allerlei all kinds of
allerliebst most charming
das **allerschönste** the most beautiful
allertreffendst most appropriate
allerwegen everywhere
alles all, everybody, everything
allgemein general, universal
allmächtig almighty, omnipotent
allmählich gradual(ly)
allwöchentlich once a week
allzeit always
allzuleicht all too easy
allzuschwer all too hard
allzuviel all too much
die **Alpen** (*pl.*) the Alps
als when, than
alsbald immediately, forthwith, directly
alsdann then

also so, thus, therefore
als (ob) as if
alt old
die **Alte, -n, -n** old woman
der **Alte, -n, -n** old man
das **Alter, -s, -** age, old age
 wie von alters her as in olden
  times
 altersblank shiny with age
 altväterlich old-fashioned
der **Amboß, -sses, -sse** anvil
das **Amt, -es, ⸚er** office, position,
 sphere of duty
 an at, by, to
 es ist an dir it is your turn
 an und für sich in and by itself
die **Analyse, -, -n** analysis
der **Anbeginn, -s** (*first*) beginning
 an-beißen, (beißt an), biß an,
  angebissen to take a bite from,
  bite
 anbelangen to concern
 an-beten adore
der **Anbeter, -s, -** devotee
die **Anbetung** devotion, admiration
 anbetungswürdig adorable,
  worthy of veneration
 an-bieten, (bietet an), bot an,
  angeboten to offer
 an-blasen, (bläst an), blies an,
  angeblasen to blow at or
  upon, set ablaze
der **Anblick, -(e)s, -e** sight, appearance, prospect
 an-blinzeln to wink at
 an-brechen, (bricht an), brach an,
  ist angebrochen to enter
  upon, begin, break, dawn
 ander- other, else, different
der (die, das) **andere** the other one
 einer nach dem andern one
  after the other
 ander(er)seits on the other
  hand
 an-deuten to suggest, give to
  understand
sich **aneinander-drücken** to press together, to cling to each other
die **Anekdote, -, -n** anecdote
 an-erkennen, erkannte an, aner-
  kannt to acknowledge
 an-fangen, (fängt an), fing an,
  angefangen to begin, to start
 von vorn anfangen to begin
  again

ich kann damit nichts anfangen
 I don't know what to do with it;
 I don't know what to make of it
wie muß man es anfangen?
 how does one go about it?
was soll ich anfangen? what
 shall I do?
anfangs in the beginning
der **Anfangsbuchstabe, -n, -n** first
 letter
 an-fassen to grab
 an-fertigen to make
 an-feuern to incite, encourage
die **Anfrage, -, -n** inquiry
 an-fragen to inquire
 an-füllen to fill (up)
 an-geben, (gibt an), gab an,
  angegeben to state, claim,
  tell, allege
 angeblich supposed
 an-gehen, gingan, ging an, ist
  angegangen approach, apply
  to; be possible, be practicable;
  start, begin to, concern
 an-gehören belong (*to*)
die **Angehörigen** members, relatives
der **Angeklagte, -n, -n** accused, de-
 fendant
 angelegen interesting; important
 sich angelegen sein lassen, läßt
  sich angelegen sein, ließ
  sich angelegen sein, hat sich
  angelegen sein lassen to take
  pains
die **Angelegenheit, -, -en** affair, concern, matter, business
 angelegentlich urgent, earnest
 angenehm pleasant
die **Angeregtheit, -** stimulation, in-
 citement
das **Angesicht, -s, -e** (also **-er**) face
 angesichts in view of
 angespannt tense (*full of suspense*)
der **Angestellte, -n, -** employee
 angestrengt intense
 angewidert disgusted
 an-greifen, griff an, angegriffen
  to touch; attack
die **Angst, -, ⸚e** fear
 mir ist angst I am afraid
 ängstlich timid, uneasy
 an-haben to have on (*clothes*),
  wear
 an-halten, (hält an), hielt an,
  angehalten to stop, halt

der **Anhauch, -s** breath, breeze

  an-hauchen to breathe upon

    exotisch angehaucht tinged with exoticism

  an-heben, hob an, angehoben to begin, start

  an-hören to listen to

  an-klagen to accuse

sich **an-kleiden** to get dressed

  an-kommen, kam an, ist angekommen to arrive

sich **an-kündigen** to announce one's arrival

die **Ankunft, -, -̈e** arrival

  Ankunft halten to stage an arrival

  an-lächeln to smile at (*someone*)

  an-langen to arrive at, reach

der **Anlaß, -sses, -̈sse** occasion

  Anlaß geben to occasion, bring about, give rise (to)

  anläßlich on the occasion of

der **Anlauf, -s** start, run; onset

  einen Anlauf nehmen make a running start

  an-legen to put on; put against, lay out, bring a boat alongside

  an-lehnen to lean against

  die Türe ist nur angelehnt the door is only slightly ajar

  an-machen to fix, prepare

  ein Feuer anmachen make a fire

  anmaßlich arrogant

die **Anmut, -** grace, gracefulness, charm

  anmutig graceful, charming

die **Annäherung, -, -en** advance, approach

  an-nehmen, (nimmt an), nahm an, angenommen to accept, to agree to, to assume

  an-ordnen to direct, give orders

die **Anordnung** arrangement

  Anordnungen treffen to issue orders

die **Anrede, -, -n** address, harangue

  an-reden to call, address, speak to

  an-regen to animate, exhilarate

  an-richten to prepare (*a meal*), produce; cause

  anrüchig disreputable

  an-rufen, rief an, angerufen to call to; appeal to; call up (*on the telephone*)

  an-schaffen, schaffte an, angeschafft to buy, purchase

der **Anschein, -s** appearance

  anscheinend apparent, seeming

sich **anschicken** to get ready (*to do something*)

  an-schreiben, schrieb an, angeschrieben to write down

  gut angeschrieben sein to be in good standing

  an-schwemmen to wash up (*on beach*)

  angeschwemmtes Holzwerk drift-wood

  an-sagen to announce, notify

  sag an! speak! tell me!

  an-sehen, (sieht an), sah an, angesehen to look at

  man sieht es dir an one can tell by looking at you

das **Ansehen, -s** look, view, reputation

  von Ansehen by sight

die **Anspannung, -, -en** tension, tenseness

  an-spannen to tighten; put to, yoke to

  den Wagen anspannen hitch the horse to the carriage

  er ließ anspannen he ordered the coach to be readied

  an-sprechen, (spricht an), sprach an, angesprochen to address, speak to; accost

der **Anspruch, -s, -̈e** claim

  in Anspruch nehmen to detain, take up (*someone else's time*)

  in Anspruch genommen sein to be occupied with

die **Anstalt, -, -en** preparation; institution

  Anstalten machen to be about to

der **Anstand, -es** decorum, deportment

  anständig respectable, decent

  an-stecken to light, set fire to

der **Anstoß, -es, -̈e** offense; impulse

  Anstoß nehmen to take offense

  an-stoßen, (stößt an), stieß an, angestoßen to push, poke

  anstoßend adjoining

das **Antlitz, -es, -e** face, countenance

der **Antrag, -s, ⸚e** proposal, proposition
an-treffen, (trifft an), traf an, angetroffen to meet, come upon
an-treiben, trieb an, angetrieben to drive forward
antreten, (tritt an), trat an, angetreten to begin, set out on
an-tun, (tut an), tat an, angetan to do (to), inflict
an-weisen, wies an, angewiesen to assign
die **Antwort, -, -en** answer, response
antworten to answer
an-widern to repel
es widert mich an I feel repelled
die **Anzahl, -** number, quantity
an-zeigen to announce, indicate, point out, declare, inform
etwas angezeigt finden to think something appropriate
an-ziehen, zog an, angezogen to draw, attract; to dress (*someone*)
sich an-ziehen to dress, put on
der **Anzug, -s, ⸚e** suit (*of clothes*)
kleinstädtisch geschnittener Anzug suit of provincial cut
an-zünden to light
der **Apfel, -s, ⸚** apple
der **Appetit, -s** appetite
appetitlich tempting, appetizing, attractive
die **Aquavitflasche, -, -n** bottle of (*distilled*) spirits
arabisch Arabic
die **Arbeit, -, -en** work, project
arbeiten to work, fashion, compose
der **Arbeitsmann, -(e)s, ⸚er** working man, laborer
der **Arbeitstisch, -(e)s, -e** work table, desk
arg bad, mischievous, wicked, evil
der **Ärger, -s** anger, annoyance
ärgerlich annoyed, annoying, irritated, irritating
sich **ärgern** to be angry, annoyed
argwöhnen to suspect
der **Arm, -(e)s, -e** arm
einander in den Armen liegen embrace each other

arm poor
der **Arme, -n, -en** poor person, pauper
die **Armee, -, -n** army
der **Ärmel, -s, -** sleeve
ärmlich shabby
armselig miserable, poor, pitiful
das **Aroma, -s, -en** fragrance, scent, smell of cooking
die **Art, -, -en** kind, sort, species; way, mode
Art und Weise manner, way
er ist so geartet such is his nature
artig well-bred, polite; fine, sweet, agreeable
die **Asche, -** ashes
der **Aschenbecher, -s, -** ash-tray
das **Atelier, -s, -s** studio
der **Atem, -s** breath
atemlos breathless
der **Atemzug, -(e)s, ⸚e** breath
der **Äther, -s** ether
die **Atlasschleife, -, n** satin bow
atmen to breathe
kurz und stoßweise atmen to breathe in short gasps
au! oh! ouch!
auch also, even; likewise, too
auf on, onto, upon, at
auf und ab up and down; back and forth
auf und ab gehen to walk back and forth
auf-atmen to draw a long breath
erleichtert aufatmen to give a sigh of relief
auf-blasen, (bläst auf), blies auf, aufgeblasen to puff up
auf-blicken to look up
auf-brechen, bricht auf, brach auf, ist aufgebrochen to break up, disperse, to get ready, get going
auf-drängen to force upon
der **Verdacht drängt sich auf** the irrepressible suspicion arises
der **Aufenthalt, -es, -e** stop, stay, visit, sojourn
auf-erlegen to impose
einem etwas auferlegen to impose something on someone
auf-fallen, (fällt auf), fiel auf, ist aufgefallen to attract attention

267

auffällig conspicuous

auf-finden, (findet auf), fand auf, aufgefunden to discover

auf-fordern to invite, summon, call upon, urge

die **Aufgabe, -, -n** exercise, lesson, task

auf-geben, (gibt auf), gab auf, aufgegeben to give up, abandon; set as a task, assign; order

auf-gehen, ging auf, ist aufgegangen to go up, rise, open up

   in Flammen aufgehen to go up in flames

die **Aufgeklärtheit, -** enlightenment

aufgeregt excited, lively

auf-greifen, griff auf, aufgegriffen to snatch up, take up

auf-halten, (hält auf), hielt auf, aufgehalten to hold up, detain; to stop, dwell on, spend time on

auf-hängen, hing auf, aufgehangen to hang, hang up

auf-heben, hob auf, aufgehoben to pick up, lift up; abolish, dissolve

auf-hören to stop, end, cease

das **Auflachen, -s** sudden laugh

auf-lachen to laugh (aloud)

der **Auflauf, -s, ·e** big crowd, big gathering

auf-leuchten to flare up

auf-lohen to flare up, to blaze

auf-lösen to loosen, to dissolve

sich **auflösen** to break up

   aufgelöst relaxed

   in Tränen aufgelöst melted into tears

sich **auf-machen** to get up and get going

aufmerksam attentive(ly), closely

die **Aufmerksamkeit, -, -en** attention

   Aufmerksamkeit erregen to attract attention

auf-nehmen, (nimmt auf), nahm auf, aufgenommen to take up, receive, shelter

auf-nötigen to force upon

auf-passen to take care, watch; be attentive

auf-rauschen to rise with a rushing noise; resound

aufrecht standing upright

sich **auf-recken** to straighten up

auf-reiben, rieb auf, aufgerieben to wear out, exhaust

auf-reichen to reach up

auf-reißen, riß auf, aufgerissen to tear open, open wide, fling open (door, window)

sich **auf-richten** to sit up, raise oneself, straighten up

aufrichtig sincere

der **Aufruhr, -s** disturbance, tumult

aufs = auf das

der **Aufsatz, -es, ·e** essay

auf-schieben, schob auf, aufgeschoben to push open; delay

auf-schlagen, (schlägt auf), schlug auf, aufgeschlagen to open (a book); to raise

   ... ließ sein Bett aufschlagen had his bed made

auf-schließen, schloß auf, aufgeschlossen to unlock, open

auf-schnallen to strap on

auf-schreiben, schrieb auf, aufgeschrieben to write down

auf-schüren to stir up, poke, rake (a fire)

das **Aufsehen, -s** attention

   Aufsehen machen create a sensation

das **Aufs-Eis-Legen** putting on ice (shelving something)

auf-setzen to set up (nine-pins); put on (on one's head); draft (an essay)

sich **aufsetzen** sit up

auf-sitzen, saß auf, ist aufgesessen to mount (a horse)

auf-sprühen to scatter sparks

auf-stehen, stand auf, ist aufgestanden to rise, get up, stand up

auf-steigen, stieg auf, ist aufgestiegen to rise, arise, ascend

auf-stellen to put up, stand (something) up

der **Aufstieg, -(e)s, -e** ascent, rise

auf-stoßen, (stößt auf), stieß auf, aufgestoßen to push open

auf-suchen to visit, look up

auf-tauchen to emerge, turn up

auf-tragen, (trägt auf), trug auf, aufgetragen to commission; serve

das **Auftreten, -s** appearance

der **Auftritt, -(e)s, -e** scene, incident

auf-tun, tat auf, aufgetan to open up

auf-türmen to heap up, set up, pile

die **Auktion, -, -en** auction

das **Aufwachen, -s** awakening

auf-wachen to wake up

auf-warten to visit; to wait upon, to attend to someone

aufwärts upward

auf-zeichnen to record, write down

es steht aufgezeichnet it is recorded

auf-zucken to wince

der **Aufzug, -es, ̈e** parade, procession, pageantry; elevator

das **Auge, -s, -n** eye

geh mir aus den Augen get out of my sight

große Augen machen open one's eyes wide with surprise

der **Augenblick, -(e)s, -e** moment, instant

augenblicklich immediate(ly), in a moment, instantly

die **Augenblicksphotographie, -, -n** snap-shot

die **Augenbraue, -, -n** eyebrow

das **Augenglas, -es, ̈er** monocle

der **Augenkreis, -es, -e** circle of the eye

das **Augenmaß, -es** rough estimate (*i.e., judging a distance by sight*)

aus out, out of, from, made of

aus und vorbei over and done with

aus-arbeiten to work out

aus-beulen to take out dents

aus-bezahlen to pay (*in full*)

aus-bitten, (bittet aus), bat aus, ausgebeten to beg for, ask for

aus-blasen, (bläst aus), blies aus, ausgeblasen to blow out, empty by blowing

der **Ausblick, -(e)s, -e** view

aus-breiten to spread out, extend

ausbündig intemperate

der **Ausdruck, -(e)s, ̈e** expression

Ausdruck verleihen to express

mit einem wohlhabenden Ausdruck with the air of a well-to-do citizen

sich **aus-drücken** to express oneself

auseinander apart

auseinander-schießen, schoß auseinander, auseinandergeschossen to shoot apart, break, smash

auseinander-zerren to pull apart, tear apart

auserlesen choice

ausfallend insulting, aggressive

der **Ausflügler, -s, -** excursionist

aus-fördern to get up or out of a pit or shaft (*mining*)

aus-führen to carry out, take out, execute

ausführlich at length

ausführlich zeigen to demonstrate at length

die **Ausgabe, -, -n** edition

der **Ausgangspunkt, -es, -e** starting point

aus-geben, (gibt aus), gab aus, ausgegeben to give out, spend (*money*); pass off for

jemanden für tot ausgeben claim falsely that someone is dead

aus-gehen, ging aus, ist ausgegangen to go out, start out

ausgelassen riotous

ausgemacht agreed

ausgeraucht finished (*smoking*)

ausgerauchte Zigarette cigarette butt

ausgesucht exquisite, choice

ausgezeichnet excellent

aus-gießen, goß aus, ausgegossen to pour out, pour over, diffuse, shed

aus-glitschen to slip

aus-graben, (gräbt aus), grub aus, ausgegraben to dig out *or* up

aus-halten, (hält aus), hielt aus, ausgehalten to endure, bear, stand

ausharrend persistent

aus-kratzen to scratch out

die **Auskunft, -, ̈e** information

auskundschaften to explore
die Gelegenheit auskundschaften to explore the situation
aus-lachen to laugh at, deride, laugh to scorn, mock
ausländisch exotic, foreign
aus-löschen to extinguish, dissolve, pass away
aus-lösen to cause, occasion
aus-lüften to air
aus-machen to put out, extinguish (*a fire*)
aus-prägen to stamp, impress, coin
aus-räumen to clear out
der ausgeräumte Salon the drawing-room emptied of its furniture
aus-reißen, riß aus, ist ausgerissen to bolt, abscond
aus-richten to accomplish, deliver a message
aus-rufen, rief aus, ausgerufen to call out, exclaim
sich **aus-ruhen** to rest
aus-schelten, (schilt aus), schalt aus, ausgescholten to reprimand severely, rebuke
aus-schließen, schloß aus, ausgeschlossen to shut out, ostracise
aus-schneiden, (schneidet aus), schnitt aus, ausgeschnitten to cut out *or* away
der **Ausschnitt, -(e)s, -e** cut-out, clipping, opening
ausschweifend eccentric, extravagant, dissolute
das **Aussehen, -s** appearance
aus-sehen (sieht aus), sah aus, ausgesehen to look like, appear (*in a certain way*)
außer out of, outside of, without, beside, except
außer sich sein to be beside oneself
außer acht lassen, läßt außer acht, ließ außer acht to ignore
außerdem besides, moreover
das **Äußere, -n** exterior, appearance
außergewöhnlich extraordinary
außerhalb outside (*of*), beyond
äußern to utter, express
außermenschlich superhuman

außerordentlich extraordinary, unusual
die **Außerordentlichkeit, -** extraordinariness
alle Außerordentlichkeit everything out of the ordinary
äußerst extreme(ly)
das **Äußerste, -n** extreme
zum Äußersten schreiten to go to extremes
die **Aussicht, -, -en** prospect
aussichtslos hopeless
aus-sprechen, (spricht aus), sprach aus, ausgesprochen to say, pronounce, articulate, utter, express
Sprich aus! Speak! Say it!
sich **aussprechen** to unburden one's mind
aus-spucken to spit out
aus-stoßen, (stößt aus), stieß aus, ausgestoßen to push out, expel, utter
Klagen ausstoßen to utter lamentations
aus-strecken to stretch out, extend, reach out
aus-suchen to choose, pick out
aus-tragen, (trägt aus), trug aus, ausgetragen to carry out, settle
einen Handel austragen to settle an affair
das **Australien, -s** Australia
aus-treten, (tritt aus), trat aus, ausgetreten to trample out (fire); wear out (shoes)
aus-üben to exercise, exert
aus-wählen to choose
aus-weichen, wich aus, ist ausgewichen to get out of the way, move aside
sich **aus-wirken** to have an effect upon, to affect
aus-wischen to wipe out
sich **aus-zeichnen** to excel, distinguish oneself
aus-ziehen, zog aus, ausgezogen to move out, move away, set out, set forth
sich **aus-ziehen, zog sich aus, hat sich ausgezogen** to undress (*oneself*)
die **Axt, -, ¨e** axe

B

der **Bach, -(e)s, ⁝e** brook, stream

das **Bachgeriesel, -s** rippling of the brook

die **Backe, -, -n** cheek

der **Backenbartstreifen, -s, -** (strip of) side-whiskers

der **Backenstreich, -(e)s, -e** box on the ear, slap on the face

backen, (bäckt), buk, gebacken to bake, cook

das **Backwerk, -s** pastry, confectionery

das **Bad, -es, ⁝er** bath

das **Badehäuschen, -s, -** bathhouse

der **Bäcker, -s, -** baker

der **Bahnhof, -s, ⁝e** railway station

balancieren to balance, hold one's equilibrium

bald soon

balkengedeckt covered with beams, timbered (ceiling)

der **Ballen, -s, -** bale, package, ball (of the hand)

ballen to form into a ball, clench (one's fist)

sich **ballen** gather into a ball

der **Ballettmeister, -s, -** dancing-master

ballmäßig suitable for a ball

ballmäßig gekleidet dressed suitably for a ball

die **Banalität, -, -en** banality

das **Band, -es, ⁝er** ribbon, band

der **Band, -es, ⁝e** volume

bändigen to restrain, subdue, tame, master

bang(e) afraid, anxious, distressed, frightened

es ist mir bange vor I am afraid of, I am uneasy in the presence of

die **Bank, -, ⁝e** bench

der **Bankier, -s, -s** banker

bannen to conjure up, enchant, captivate, exorcise

bar bare, naked, destitute; in cash

der **Barometerstand, -es** reading of the barometer

der **Baron, -s, -e** baron

der **Bart, -(e)s, ⁝e** beard

bärtig bearded

bastblond straw-colored

der **Bauch, -(e)s, ⁝e** stomach

bauen to build

der **Bauer, -s** or **-n, -n** peasant, farmer

der **Baum, -(e)s, ⁝e** tree

baumlang tall as a tree

der **Baumpfahl, -(e)s, ⁝e** pole

beabsichtigen to intend

der **Beamte, -n, -n** official

beben to sway, shake, quiver, tremble

bebend quivering

der **Becher, -s, -** cup, goblet, beaker

das **Becken, -s, -** basin, tub

bedächtig deliberate

sich **bedanken** to thank

bedauerlich deplorable

bedauern to regret

bedecken to cover

bedenken, bedachte, bedacht to consider

er ist darauf bedacht he is intent on it, eager for it

bedenklich doubtful, suspicious; critical; serious

der **Bediente, -n, -n** servant

die **Bedingung, -, -en** condition, stipulation

eine Bedingung eingehen to agree to a condition

bedeuten to mean, signify, intimate, give to understand

der **Bedrängte, -n, -n** oppressed, tormented, distressed

sich **beeilen** to hurry

die **Beerdigung, -, -en** funeral

befähigen to enable

befangen disconcerted, confused, embarrassed

die **Befangenheit, -** shyness, self-consciousness

der **Befehl, -(e)s, -e** order, command

befehlen, (befiehlt), befahl, befohlen to order, command

sich befehlen to command one's soul (to)

befestigen to fasten

sich **befinden, (befindet sich), befand sich, hat sich befunden** to be (at a certain place or in a certain condition)

die **Beflissenheit, -,** eagerness, assiduity

befragen to question, interrogate

befreien to set free, liberate
befremden to surprise, amaze
  befremdet surprised, uncom-
  prehending(ly), estranged
  befremdend strange
  das **Befremden, -s** astonishment
die **Befriedigung, -, -en** satisfaction,
  pleasure
  befürchten fear, apprehend
die **Begabung, -, -en** aptitude, gift,
  talent
die **Begattung, -, -en** mating, union
sich **begeben, (begibt sich), begab
  sich, hat sich begeben** to go,
  move, happen
  begegnen to meet, come upon,
  encounter, happen, clash
  es begegnet mir I encounter it
die **Begegnung, -, -en** meeting
  begehren to desire, wish, crave,
  covet
  begeistern to inspire
  begeistert enthusiastic
die **Begeisterung, -** inspiration, enthusiasm
  begierig eager, desirous
  beginnen, begann, begonnen to
  begin, start
  begleichen, beglich, beglichen
  to settle, pay (in full)
  begleiten to accompany, escort
der **Begleiter, -s, -** companion, escort,
  attendant
  beglücken to make happy
  begreifen, begriff, begriffen to
  grasp, comprehend, realize
  begrenzen to mark off, bound,
  limit, circumscribe
der **Begriff, -(e)s, -e** idea, notion
  im Begriffe sein to be on the
  point of, in the process of
  begründen to found, give a reason
  for
  begrüßen to salute, welcome, greet
  begünstigen to favor
das **Behagen, -s** comfort, ease
  behaglich comfortable
  **behalten, (behält), behielt, behal-
  ten** to keep, retain, maintain
  recht behalten to be right after
  all
  behandschuht gloved
  behaupten to maintain, assert,
  affirm

  den Platz behaupten to hold
  one's ground
  behende nimble, swift, quick,
  supple
  beherrschen to rule (*over*), govern,
  be master (*of*)
  beherrschend ruling, sovereign
  beherzt intrepid
der **Beherzte, -n, -n** courageous man
  behindern to interfere with
die **Behörde, -, -n** authority, government
  behost trousered, wearing trousers
der **Behuf, -(e)s, -e** purpose
  behutsam wary, cautious
die **Behutsamkeit, -** caution, delib-
  erateness, care
  bei at, near, by, with
  **bei-bringen, brachte bei, beige-
  bracht** to bring forward,
  bring to (*someone*); to teach
  beide both
das **Beieinander, -s** conglomeration,
  array, juxtaposition
  beieinander next to each other,
  together
der **Beifall, -s** approval, applause
das **Beil, -es, -e** axe, hatchet
das **Bein, -es, -e** leg
  beinah(e) almost
  beinern made of bone
das **Beinkleid, -es, -er** trousers
das **Beispiel, -s, -e** example
  zum Beispiel for example
  beißen, biß, gebissen to bite
  **bei-tragen, (trägt bei), trug bei,
  beigetragen** to contribute
  beizeiten in good time, early, soon
  bejahen to answer in the affir-
  mative, affirm
  bejahrt elderly
  ein bejahrtes Mädchen spinster
  bekannt well-known, noted, acquainted, familiar
  der Bekannte acquaintance
  es ist mir bekannt I know it; I
  am acquainted with it
die **Bekanntschaft, -, -en** acquaintance
sich **beklagen** to complain
  beklagenswert lamentable, deplorable
  bekleiden to clothe
  beklommen uneasy, anxious

bekommen, bekam, bekommen
to get, receive, have, obtain
zu etwas Lust bekommen to
have the desire for something;
get the urge for something
bekümmern to distress
der **Beladene, -n, -n** the burdened
(person), the oppressed
belauschen to listen to, eavesdrop,
spy (*on*)
belebt lively, busy, populated
wenig belebte Straße almost
deserted street
die **Beleuchtung, -** light, illumination
der **Beleuchtungszauber, -s** magic
illumination
bellen bark
die **Beliebtheit, -** popularity
die **Belohnung, -, -en** reward
bemerken to notice, observe, perceive, remark
die **Bemerkung, -, -en** observation,
remark
sich **bemühen** to take trouble, be concerned, exert oneself
**die Güte haben, sich mit zu
bemühen** to be so kind as to
come along
sich **benehmen, (benimmt sich), benahm sich, hat sich benom-
men** to behave, conduct oneself
beneiden to envy
benötigen to need, require
benutzen (benützen) to use; to
take advantage of
beobachten to observe, watch
der **Beobachter** observer
die **Bequemlichkeit, -, -en** com-
placency, comfort, ease
berauschen to intoxicate
bereits already
bereichern to enrich, increase
bereiten to prepare
bereits already
bereuen to regret, repent
der **Berg, -es, -e** mountain
sich **bergen, (birgt sich), barg sich,
hat sich geborgen** save (*oneself from*), secure oneself (*from,
against*), flee (*from*)
die **Bergeshöhe, -, -n** mountaintop,
hill
bergetief mountain-deep

der **Bergmann, -es,** *pl.:* **Bergleute**
miner
die **Bergmannskleidung, -** miner's
outfit
das **Bergwerk, -s, -e** mine
der **Bericht, -es, -e** account, report
berichten to relate, tell
der **Beruf, -(e)s, -e** vocation
berufen to appoint
berufen (*p.p.*) called (*upon*)
berufen sein to be called upon,
called to
beruhigen to reassure, quiet
down, to calm
die **Beruhigung, -** reassurance, paci-
fication
zu seiner Beruhigung in order
to reassure him
beruhigend reassuring, satisfac-
tory
berühmt famous
berühren to touch, touch on,
reach
die **Berührung, -, -en** contact, touch
besagt aforesaid, mentioned
above
besänftigen to appease, to calm
beschädigen to damage, harm,
injure
die **Beschäftigung, -, -en** occupation
beschämen to put to shame,
humiliate
die **Beschattung, -** shading, shadow
bescheiden modest, humble, bash-
ful
**bescheiden, (bescheidet), be-
schied, beschieden** to assign,
allot
bescheinen, beschien, beschienen
to shine at *or* upon
beschieden bestowed
**beschlagen, (beschlägt), be-
schlug, beschlagen** to hammer, mount, secure, cover
gut beschlagen sein be well
versed (*in something*)
**beschleichen, beschlich, be-
schlichen** to creep up on,
steal in
Rührung beschleicht ihn he is
moved
**beschließen, beschloß, be-
schlossen** to conclude, end,
decide

beschmutzen to soil
beschreiben, beschrieb, beschrieben to describe
beschreiten, (beschreitet), beschritt, beschritten to walk on, cross, bestride
die **Beschwerde, -, -n** complaint
beschwichtigen to appease, soothe, reassure
beschwingt buoyant
beschwören to implore
der **Besen, -s, -** broom
besessen possessed
    vom Satan besessen possessed by the devil
besetzen put on, lay on, furnish; occupy
besichtigen to inspect, look at
    die Stadt besichtigen to see the sights of the town
besiegen to win over, defeat
sich **besinnen (auf), besann sich, hat sich besonnen** to recollect, call back to one's mind, think of, reflect
    das reuige Besinnen remorse
der **Besitz, -es, -e** possession
besitzen, besaß, besessen to own, possess
der **Besitzer, -s, -** proprietor, owner
besonders special, unusual, distinct
nichts Besonderes nothing special
besorgen to attend to
besorgt anxious, concerned, careful
besser better
best- best
der **Bestand, -(e)s, ̈e** stock
beständig continual, continuous, repeated; constant, steady
die **Bestätigung, -, -en** confirmation
bestaubt dust-covered
bestehen, bestand, bestanden to consist (of); undergo, pass
besteigen, bestieg, bestiegen to climb, get (climb) in
bestellen to arrange, order, ask for
    einen Gruß bestellen deliver greetings
bestellt appointed
    so ist es mit ihm bestellt such is his disposition

mit dem Arbeiten ist es wirklich nicht so gut bestellt im Frühling spring is really not conducive to work
bestimmen to determine, size up, destine, promise, propose
bestimmt definite, fixed, appointed, certain, precise, distinct
    zu etwas bestimmt sein to be destined for something
sich **bestreben** to exert oneself
    mit allen Kräften bestrebt sein to strive with all one's might
bestreuen to sprinkle, to (be)strew
    mit duftendem Haar bestreut covered with fragrant hair
bestürzt dismayed
    mit bestürztem Lächeln with a disconcerted smile
besuchen to visit
der **Besuch, -es, -e** visit, call
    zu Besuch kommen to come for a visit
der **Besucher, -s, -** visitor
betäuben to deafen, numb
die **Betäubung, -, -en** numbness, unconsciousness
    gedämpfte Betäubung lethargy
betäubt stunned
sich **beteiligen** to take part, join
die **Beteuerung, -, -en** solemn declaration, assertion, affirmation
betonen to stress, accent, emphasize, accentuate
die **Betonung, -, -en** tone, accent, emphasis, intonation
betörend deceptive; bedazzling
betrachten to look at, regard; consider, view, contemplate, weigh
in Betracht kommen to enter into consideration
beträchtlich considerable
betrachtsam thoughtful, contemplative
die **Betrachtung, -, -en** opinion, view, reflection
das **Betragen, -s** behavior
betreffen, (betrifft), betraf, betroffen to concern
betreffend with respect to, respective, given

betreten, (betritt), betrat, betreten to tread on, enter

betreten sein to be upset, embarrassed, affected, startled, disconcerted

der Betrieb, -es, e operation, factory

betroffen taken aback, confounded

betrübt sad, desolate, sorrowful, melancholy

zu(m) Tod(e) betrübt grieved unto death, disconsolate

betrügen, betrog, betrogen to deceive, cheat

die Betrügerei, -en deception, fraud

der Betrüger, -s, - impostor, swindler, cheat

das Bett, -es, -en bed

betten to give (one) a bed, put to bed

betteln to beg

das Bettelweib, -(e)s, -er beggarwoman

der Bettler, -s, - beggar

die Bettstatt, -, ∹en bedstead, berth

das Bettstroh, -s bed-straw, mattress-straw

beugen to incline, bend, lean

beunruhigen to annoy, upset

die Beurteilung, -, -en evaluation

der Beutel, -s, - bag, sack

bevor before

bewachen to guard over, watch over

bewaffnet armed

bewahren to keep, preserve, shelter

bewahre! take care, don't mention it

Gott bewahre! God forbid!

die Bewandtnis, -, sse state of affairs

er begreift, was für eine Bewandtnis es mit ihm hat he perceives how things stand with him

bewegen to move, agitate; ponder on

bewegt stormy, restless

beweglich movable, mobile

sich bewegen to move

die Bewegung, -, -en movement, motion, excitement, agitation

in Bewegung geraten, (gerät), geriet in Bewegung, ist in

Bewegung geraten start moving, to become animated

der Beweis, -es, -e proof, evidence

sich bewerben (bewirbt sich), bewarb sich, hat sich, beworben (um) to apply (for), seek to attain

bewirken to effect, have an effect, elicit, bring forth

bewohnen to inhabit

bewundern to admire

die Bewunderung, - admiration

bewunderungsvoll full of admiration

bewußt conscious, known

sich bewußt sein be aware of

das Bewußtsein, -s consciousness

bezahlen to pay

bar bezahlen pay in cash

bezeichnen to indicate, designate, denote, signify, label

bezeugen to testify

die Bezirkshauptmannschaft, -, -en district command

der Bezug, -s, ∹e regard

in Bezug auf with respect to

die Bibliothek, -, -en library

biegen, bog, gebogen to bend, curve

um eine Ecke biegen turn a corner

die Biene, -, -n bee

bieten, bot, geboten to offer, bid, present

das Bild, -es, -er picture, likeness, image

bilden to mould, form, shape

das Bildwerk, -s, -e sculpture

billig fair, by rights; inexpensive

billigen to approve, allow

binden, (bindet), band, gebunden to bind, tie

die Birne, -, -n pear

bis until, to

bisherig until now, hitherto

bislang up to now

bißchen a bit, a little

der Bissen, -s, - mouthful, bite

die Bitte, -, -n request, plea

bitten, (bittet), bat, gebeten to beg, ask (a favor)

bitten um to ask for

bitter bitter

blähen to inflate

blamabel compromising

sich **blamieren** to disgrace oneself, make oneself ridiculous
blank bright, shining, shiny, glittering
blasen, (bläst), blies, geblasen to blow
die **Blasiertheit, -, -en** ennui; arrogance
blaß pale, dim
blaßgrünschaumig covered with pale green foam
das **Blatt, -(e)s, ꞉er** leaf, page
blättern to leaf, turn pages
blau blue
blauäugig blue-eyed
blauen to grow *or* be blue
blaurot bluish-red
das **Blauwerden, -s** blue discoloration
die **Blechschachtel, -, -n** tin box
die **Blechwanne, -, -n** tin basin
bleiben, blieb, ist geblieben to remain, stay, keep
  dabei bleibt es say what you will, this remains
bleich pallid, pale, wan
blenden to blind
der **Blick, -(e)s, -e** gaze, look, sight, glance
  auf den ersten Blick at first sight
blicken to look, glance
blicklos unseeing
blind blind
blindlings blindly
blinken to shine; bat an eye
blinzeln to blink, wink
der **Blitz, -es, -e** lightning, flash
blitzen to flash; strike like lightning, sparkle
blitzesschnell quick as lightning
die **Blitzesschnelle, -** lightning speed
blond blond
bloß bare; apparent
blühen to bloom, flower, blossom
die **Blume, -, -n** flower
blumengeschmückt decorated with flowers
die **Blüte, -, -n** blossom
der **Blütendampf, -es** fragrance of blossoms
der **Blütenschimmer, -s** splendor of blossoms
der **Blütentraum, -es, ꞉e** dream of bliss

das **Blut, -es** blood
blutig bloody
der **Boden, -s, ꞉** floor, ground
das **Bodenlose, -n** bottomless pit
der **Bogen, -s, -** bow, cross-bow
das **Bogengewölbe, -s, -** arched vault
die **Bogenlampe, -, -n** arc-lamp
bombardieren to bombard, bomb
die **Bombe, -, -n** bomb
der **Bord, -es, -e** railing
das **Bord, -es, -e** shelf
böse bad, evil, wicked; angry
der **Böse, -n, -n** the evil one, the devil
die **Bosheit, -, -en** malice
böswillig malevolent, malicious
der **Bote, -n, -n** messenger
die **Botschaft, -, -en** message
branden to surge, break
die **Brandung, -, en** surf, breakers
der **Branntwein, -s** liquor; gin, brandy
der **Brauch, -es, ꞉e** custom, habit, use
brauchen to need, want
die **Braue, -, -n** eyebrow
brauen to brew, bubble up
braun brown
braungefleckt brown-speckled, with brown spots
braungolden brownish-golden
braunseiden of brown silk
brausen to storm, bluster, roar
die **Braut, -, ꞉e** bride
der **Bräutigam, -s, -e** bridegroom
brav honest, good, decent
der **Brave, -n, -n** good fellow, brave fellow
brechen, (bricht), brach, gebrochen to break; pluck
  das Auge bricht the eyes grow dim
breit broad, wide
  sich breit machen to swagger, boast, give oneself airs; take up a lot of room
breitbeinig with legs far apart
breiten to extend, spread
breitmäulig broad lipped, big-mouthed
brennen, brannte, gebrannt to burn

mit gebranntem Haupthaar with crimped hair

das **Brett, -es, -er** board, plank

der **Brief, -(e)s, -e** letter

die **Brieftasche, -, -n** wallet, portfolio

die **Brille, -, -n** (*pair of*) glasses

bringen, brachte, gebracht to bring

die **Broschüre, -, -n** pamphlet

das **Brot, -es, -e** bread

sein Brot verdienen earn one's living

die **Brücke, -, -n** bridge

der **Bruder, -s, ⸚** brother

brüllen to roar, howl

brummen to growl, rumble, snarl

in den Bart brummen mutter to oneself

der **Brunnen, -s, -** fountain, well

die **Brust, -, ⸚e** breast, chest, bosom, heart

sich **brüsten** to brag

der **Brustkorb, -(e)s, ⸚e** chest, rib-cage

die **Brüstung, -, -en** railing

der **Bub, -en, -en** boy

das **Buch, -(e)s, ⸚er** book

die **Buche, -, -n** beech-tree

das **Buchenlaub, -(e)s** foliage of the beech-tree

der **Buchenschatten, -s, e** shadow of the beech-tree

der **Buchenwald, -(e)s, ⸚er** beech woods

das **Bücherpäckchen, -s, -** little stack of books

der **Buchrücken, -s** (*pl.* **Bücherrücken**) back of a book

das **Büchlein, -s, -** booklet

die **Büchse, -, -n** rifle; box; jar

der **Buchstabe, -n, -n** letter (of the alphabet)

buchstabieren to spell

sich **bücken** to bow, bend over, incline

der **Bügel, -s, -** stirrup

der **Buhler, -s, -** lover

die **Buhle, -, -n** mistress, beloved

bunt many-colored, gay; variegated

der **Bürger, -s, -** bourgeois, citizen, burgher

ein verirrter Bürger a bourgeois who has lost his way

bürgerlich bourgeois, civic

die **Bürgerliebe, -** bourgeois love

das **Bürgertum, -s** bourgeois nature, bourgeoisie

der **Bursche, -n, -n** (*young*) fellow

der **Busch, -(e)s, ⸚e** bush

der **Busen, -s, -** breast, bosom, heart

büßen to atone, pay for; suffer for

C

das **Caféhaus, -es, ⸚er** café, coffee-house

Chasseur (*fr.*) cavalry man

der **Chausseeweg, -es, -e** highway, avenue (*usually lined with trees*)

der **Chor, -(e)s, ⸚e** chorus

der **Christ, -en, -en** Christian

das **Christentum, -s** Christianity

D

da there, then, so

da (*conj.*) since, as, when

da unten down there

da hinauf up there

da droben up there

dabei thereat, therewith; at the same time; in doing so; moreover

dabei-sein, (ist dabei), war dabei, ist dabeigewesen to be present, take part

dabei-bleiben, blieb dabei, ist dabeigeblieben to remain, stay there *or* here

das **Dach, -es, ⸚er** roof

dafür for it, for that, in return for it

daheim at home

daher thence, from that place; hence, for that reason, therefore

daher-kommen, kam daher, ist dahergekommen to draw near, walk along (*towards*)

dahin to (*some place*), there, over there

dahin-fahren (fährt dahin), fuhr dahin, ist dahingefahren to travel along

dahinter behind (it)

da-liegen, lag da, dagelegen to lie here

damals at that time, then

die **Dame, -, -n** lady

die **Damenwahl, -** ladies' choice (*at a dance*)

  damit with it, with that; so that, in order that

  dämmerig dim

  dämmernd dim, dusky

die **Dämmerung, -, -en** twilight, dusk, dawn, daybreak

der **Dämon, -s, -en** demon

  dämonisch demonic

  dampfen to steam

  dämpfen to subdue, suppress, extinguish, quell, deaden (*sound*)

  gedämpft subdued, faint

der **Dampfer, -s, -** steamer

das **Dampfschiff, -(e)s, -e** steamer

  danach after it, afterwards; for it, to it

der **Däne, -n, -n** Dane

  daneben next to it, beside it

  daneben-stellen to put next to it, place next to (*in an upright position*)

der **Dank, -es** thanks, gratitude, reward

  schönen Dank! many thanks! thank you kindly!

  keinen Dank dafür nehmen to expect no reward

  danken to thank

  dann then

  dann und wann now and then

  dannen: von dannen gehen to depart

  daran thereon, thereat, in regard to it, of it

  er ist daran it is his turn

  daranstoßend adjoining

  darauf on it; upon it; thereupon

  darauflos on and on, blindly on

  daraus from it

  darben starve, to be in want

  dar-bieten, (bietet dar), bot dar, dargeboten to offer, serve

  darin in it

  darinnen inside

  darob = darüber about it

  dar-reichen to offer, give

  dar-stellen to represent, to reveal, interpret

die **Darstellung, -, -en** presentation, representation

  darüber over it; thereupon

  darüber geht nichts there's nothing like it (*them*)

  darum therefore

  darunter underneath it, below it

  dasjenige that

das **Dasein, -s** existence, life

die **Daseinsart, -, -en** manner of living, disposition, way of life

die **Daseinsform, -, -en** form of existence

  daß that; so that

  dauern to last, continue

  dauernd continuous

der **Daumen, -s, -** thumb

  davon of it, from it

  davon-laufen (läuft davon), lief davon, ist davongelaufen to run away

  davon-stürzen to hasten away, dash off

  davon-tragen, (trägt davon), trug davon, davongetragen to carry away

  dazu to it, in addition to it; for it; with it

  dazu-gehören belong to it

  dazwischen in between

  dazwischen-treten (tritt dazwischen), trat dazwischen, ist dazwischengetreten to intervene

die **Decke, -, -n** blanket, cover

der **Deckel, -s, -** lid

  decken to cover

  den Tisch decken to set the table

  deduzieren to deduce

die **Definition, -, -en** definition

der **Degen, -s, -** sword, rapier

  dehnen to stretch, spread

  demnach accordingly

  demonstrieren to demonstrate

  demütig humble

  demütigen to humiliate

die **Demütigung, -, -en** humiliation, mortification

  denkbar conceivable

  denken, dachte, gedacht to think

  schneller als es sich denken läßt faster than one can imagine

  denk mal an! just imagine!

  denn for, because; after all; well; than

dennoch nevertheless, but
der und der such and such
dergestalt such, in such a manner
dergleichen such (*things*), something of the sort
der- (die-, das-) jenige that (*particular*) one
der- (die-, das-) selbe the same
deswegen because of it; for this reason
deuten to point at *or* to, interpret, explain
deutlich clear, obvious, distinct, legible, visible
deutsch German
der **Deutsche, -n, -n** the German
der **Dialekt, -s, -e** dialect
dicht dense, close, thick, compact
  dicht vor close to, right before
dichten to compose, write
der **Dichter, -s, -** poet
die **Dichterpersönlichkeit, -, -en** poetic personality
das **Dichtwerk, -es, -e** work of imaginative literature
dick thick, fat, heavy
der **Dieb, -es, -e** thief
diebisch thievish
die **Diele, -, -n** hall, entry, floor
dienen to serve
der **Diener, -s, -** servant
der **Dienst, -es, -e** service
  zu Dienst stehen be at someone's disposal
der **Diensteifer, -s** official zeal
das **Dienstmädchen, -s, -** servant girl, maid
diese, -er, -es this
diesmal this time
diktieren to dictate
das **Ding, -es, -e** thing, matter
  guter Dinge sein to be in good spirits, to be cheerful
  auf Dinge bedacht sein to be concerned with things
  dingfest machen to arrest, tighten, secure something
die **Diskretion, -,** discretion
disputieren to dispute, argue
die **Distel, -, -n** thistle
distinguiert distinguished
der **Diwan, -s, -e** couch, sofa
doch yet, after all, but, however, nonetheless

doktern to practice medicine (*colloquial*), to doctor
der **Doktor, -s, -en** doctor, physician
die **Doktorei, -** practice of medicine
der **Dolch, -(e)s, -e** dagger
der **Domherr, -n, -en** canon
der **Donnerstag, -(e)s, -e** Thursday
das **Donnerwetter, -s, -** thunderstorm
  Donnerwetter, ja! Well, I'll be darned!
der **Doppelstrom, -(e)s, ⸚e** double current
dort there
das **Dorf, -(e)s, ⸚er** village
dörren to dry (*e.g., fruit*)
die **Dose, -, -n** small box, snuff box
dösen to doze, slumber
der **Drachen, -s, -** dragon
das **Dragonerregiment, -s, -er** regiment of dragoons
drall buxom
der **Drang, -(e)s** desire, push, ambition, urgency, urge
drängen to urge, hurry, rush, thrust, push
sich **drängen** to press, crowd
die **Drangsal, -, -e** distress, oppression
drauflos- (*prefix expressing unrestrained, violent action*)
draußen outside
die **Drehbank, -, ⸚e** turning-lathe
das **Drehen, -s** whirling, spinning
drehen to whirl, twirl, turn, roll, wind
dreierlei threefold; three things
drein = darein into it
der **Dreitakt, -es, -e** waltz-rhythm
der **Dreizack, -s** trident
drin = darin in it
dringen, drang, ist gedrungen to penetrate, reach, press
dringend urgent
notgedrungen compelled; forced (by circumstances)
dritt- third
  zum drittenmal for the third time
  drittens thirdly, in the third place
droben there up high; there above
drohen threaten
drollig comical

die **Droschke, -, -n** cab (horse and coach for hire)

der **Druck, -es, -e** pressure; print, printing

drucken to print

die **Drucklegung, -** (act of) printing, editing

drüben on the other side

drüber = darüber above it

drücken to press, squeeze

der **Dschungel, -s, -** jungle

sich **ducken** to duck, crouch, stoop

das **Duell, -s, -e** duel

der **Duft, -es, ⸚e** fragrance; vapour

duftend fragrant, perfumed

duftgeschwängert heavy with fragrance

duftig fragrant, balmy

dumm stupid, silly, dumb

der **Dummbart, -s** dolt, silly ass

die **Dummheït, -, -en** ignorance, stupidity

dumpf oppressive, dull

dunkel dark

das **Dunkel, -s** darkness

dunkelbläulich purple

dunkeln to grow dark

dunkeltönend deep, mysterious, low

dünn thin, meager

der **Dunst, -es, ⸚e** vapor, fume

giftige Dünste noxious vapors

durch through; by, with, by means of

das geht einem durch und durch this makes one shiver

durch-arbeiten to work through

die durcharbeitete Stirn furrowed *or* careworn brow

durchaus fully, perfectly, completely, by all means, positively

durchblättern to glance through (*a book*), leaf through

durchbrochen openwork, carved (*lattice-work*)

durchdringen, durchdrang, durchdrungen to penetrate, permeate

durchfahren (durchfährt), durchfuhr, durchfahren to travel through, pass through, traverse

durchfrösteln to shudder

durch-graben, (gräbt durch), grub durch, durchgegraben to dig through

durchgrauen to strike with horror

durchhauen to slash through

durch-lassen (läßt durch), ließ durch, durchgelassen to let through, allow to pass through

durchleben to live through, experience

durchleuchten to fill with light

rot und golden durchleuchtet suffused with red and golden lights

durch-machen to experience

durchmessen, (durchmißt), durchmaß, durchmessen to traverse

den Saal der Länge nach durchmessen to walk the full length of the room

durch-mustern (or) durchmustern to scrutinize carefully

durchpflügen to plough through

durchqueren to cross, traverse

durch-rechnen to re-calculate, calculate thoroughly

durchschauen to see through

durch-schauen to check, revise, examine

durchschütteln to shake

durchschüttert rocked, shaking

durch-sehen, (sieht durch), sah durch, durchgesehen to look through, check over, peruse

die **Durchsicht, -, -en** check, perusal, revision

durchsichtig transparent

durchwandern to ramble through

durch-ziehen, (zieht durch), zog durch, durchgezogen pull through

durchziehen, durchzog, durchzogen to interweave; traverse, pass through

durchzucken to flash through, pierce

dürfen, (darf), durfte, gedurft to be premitted to, may, be allowed to

dürfen (+ nicht) must not

dürftig shabby looking, lean, frail

ein dürftiger Mensch a poor creature

dürr dry; lean, thin, lanky
der **Durst, -es** thirst
    dürsten to be thirsty; to thirst
    mich dürstet I am thirsty
    düster gloomy, somber, dark

E

eben just, precisely, quite, certainly, simply; even, level, plain
    das ist es eben that's just it
die **Ebene, -, -n** plain
    ebenfalls also, likewise
das **Ebenholz, -es** ebony
    ebenso likewise
    echt genuine
die **Ecke, -, -n** corner, edge
    edel noble
der **Edelmann, -(e)s; (pl.) die Edelleute** nobleman
das **Edelgestein, -(e)s, -e** gems, precious stones
der **Edelknecht, -(e)s, -e** squire, page
    effektvoll effective
der **Ehegemahl, -s** spouse
    eh(e) before
    ehelich in marriage; marital, conjugal, matrimonial
    ehemalig former
    ehemals once, once upon a time, formerly
das **Ehepaar, -(e)s, -e** married couple
    eher rather, sooner
    ehern of brass, of bronze, of iron
die **Ehre, -, -n** honor
    in Ehren halten to honor
    ehren to honor
    ehrenfest honorable
das **Ehrenkleid, -es, -er** uniform
der **Ehrenplatz, -es, ⸚e** seat of honor
    ehrenwert honorable
    ehrlich honest, sincere, honorable
    ehrsüchtig ambitious
das **Ei, -s, -er** egg
    ei! indeed! why!
    ei was! oh nonsense!
die **Eiche, -, -n** oak
die **Eidechse, -, -n** lizard
der **Eifer, -s** enthusiasm
die **Eifersucht, -** jealousy
    eifrig diligent, eager, zealous
    eigen own
    eigens expressly
    eigentlich real(ly), actual(ly)

    eigentümlich peculiar, characteristic
die **Eile, -** haste, hurry, rush
    eilen to hurry, rush
    eilfertig hurried, overly hasty
die **Eilfertigkeit, -** hastiness
    mit plumper Eilfertigkeit with clumsy haste
    eilig rapid, busy, hurried, hasty, speedy
der **Eiltakt, -es, -e** double-quick time
der **Eimer, -s, -** bucket
    einander each other, one another
sich **ein-bilden** to imagine
    sich etwas einbilden auf to be conceited about
    eingebildet conceited
die **Einbildung, -, -en** imagination, phantasy, illusion
der **Einblick, -s, -e** insight, glance
    sich Einblick verschaffen to attain insight; examine
der **Einbruch, -es, ⸚e** break, onset
    beim Einbruch der Dämmerung as dusk set in
    ein-büßen suffer loss from, lose
    das Leben einbüßen lose one's life
    ein-dringen, drang ein, ist eingedrungen to intrude; break in
    eindringlich emphatic, persuasive, searching, piercing
die **Eindringlichkeit, -** urgency, intensity
der **Eindruck, -s, ⸚e** impression
    eindrucksvoll impressive
    einerlei of one kind, one and the same
    es ist ihm alles ganz einerlei he does not care about anything
    einerseits on the one hand
    einfach simple, plain
die **Einfachheit, -** simplicity
    der Einfachheit halber for the sake of simplicity
der **Einfall, -s, ⸚e** (*sudden*) idea, notion
    einfallen, (fällt ein), fiel ein, ist eingefallen to occur (to one's mind), to think of; to fall in
sich **ein-finden, (findet sich ein), fand sich ein, hat sich eingefunden** to appear, turn up, arrive, be present

ein-fließen, floß ein, ist einge-
flossen to flow into
einfließen lassen let flow or run
into, insert (a remark)
einförmig uniform, monotonous
sich ein-fügen to adapt oneself
der Eingang, -(e)s, ⸚e entrance
ein-geben, (gibt ein), gab ein,
eingegeben to suggest,
prompt, inspire
ein-gehen, ging ein, ist eingegangen to fail, to fold up
ein-händigen to hand over
einher-schreiten, (schreitet einher), schritt einher, ist ein-
hergeschritten to stalk
along
ein-hüllen to wrap
einige some, few, several
einigemal(e) several times
ein-kaufen to buy, shop
ein-laden, (lädt ein), lud ein,
eingeladen to invite
einladend engagingly, encour-
aging
ein-lassen, (läßt ein), ließ ein,
eingelassen to let in
ein-legen to place, set
die Einleitung, -, -en introduction
einmal once, once upon a time
auf einmal suddenly
noch einmal once more
ein-mummen to wrap, to muffle,
to mummify
ein-packen to pack up, quit
ein-richten to furnish, arrange
die Einrichtung, -, -en arrangement
einsam lonely, alone, solitary,
lonesome
die Einsamkeit, - loneliness, solitude
ein-schärfen to impress upon
ein-schenken to pour a drink
sich ein-schiffen to embark, go
aboard
ein-schlafen, (schläft ein), schlief
ein, ist eingeschlafen to fall
asleep
ein-schlagen, (schlägt ein), schlug
ein, eingeschlagen to drive
in (a pole)
den Weg einschlagen take the
road (towards)
ein-schließen, schloß ein, einge-

schlossen to shut in, lock in,
enclose, surround
ein-schreiten, (schreitet ein),
schritt ein, ist eingeschritten
to walk toward; interfere
ein-schrumpfen to shrink, shrivel
up
ein-sehen, (sieht ein), sah ein,
eingesehen to realize
ein-setzen to set up, commence
mit einem Marsch einsetzen
to strike up a march
die Einsicht, -, -en inspection, view,
consideration; insight
Einsicht nehmen inspect, look
at or into
der Einsiedler, -s, - hermit
die Einsiedlerin, -, -nen female hermit
ein-singen, sang ein, eingesungen
to sing to sleep, lull to sleep
einst once, at one time, once upon
a time
ein-stecken to put in, pocket
ein-stellen to stop, halt; put inside
einstmals once, once upon a time
ein-stürzen to tumble, fall down
die Eintönigkeit, - monotony
die Eintracht, - accord
ein-treten, (tritt ein), trat ein, ist
eingetreten to enter, walk in,
step in
eintreten für to stand up for,
defend
der Eintritt, -(e)s entrance
einverstanden agreed, in agreement
das Einverständnis, -ses, -se agreement
im Einverständnis on good
terms, in agreement
der Einwand, -(e)s, ⸚e objection
ein-wenden, (wendet ein),
wandte ein, eingewandt to
object, rejoin
der Einwohner, -s, - inhabitant
die Einzelheit, -, -en detail
einzeln single, separate, individual;
peculiar
einzig only, unique, single, alone
das Eis, -es ice
der Eisbär, -en, -en polar bear
der Eisbrei, -s slushy ice, slush
das Eisen, -s iron

der **Eisenbahnzug, -es, ⁖e** train (*railway*)

die **Eisenstange, -, -n** iron rod

das **Eisenvitriol, -s** iron vitriol

eisern made of iron

eisgrau hoary

eisig icy, ice-cold

eitel vain

die **Eitelkeit, -** vanity

der **Ekel, -s** loathing, repugnance, nausea, disgust

die **Ekstase, -, -n** ecstasy

der **Elefant, -en, -en** elephant

elegant elegant

das **Elend, -s** misery, distress

elend miserable

der **Elende, -n, -n** the wretch

elendiglich miserably

der **Eleve, -n, -n** pupil, student

die **Elle, -, -n** ell (*old measure of length*)

der **Ell(en)bogen, -s, -** elbow

die **Eloquenz, -** eloquence

elterlich of the parents, parental

die **Eltern** (*pl. only*) parents

die **Emigration, -** emigration

empfangen, (empfängt), empfing, empfangen to receive

sich **empfehlen, (empfiehlt sich), empfahl sich, hat sich empfohlen** to take leave

empfinden, (empfindet), empfand, empfunden to feel, experience

empfindenswert worth experiencing

empfindlich sensitive

die **Empfindung, -, -en** feeling, sensation, sentiment

sich **empören** to revolt, rebel, to be outraged

empörend outrageous

die **Empörung, -** indignation

empor-drängen to surge upward

empor-fahren, (fährt empor), fuhr empor, ist emporgefahren to rise abruptly, to move upward

aus dem Schlafe emporfahren to awake with a start, to wake up suddenly

emporgekrümmt bent upward, flexed

sich **empor-heben, hob sich empor, hat sich emporgehoben** to rise up, raise, lift up

empor-lohen to flare up

sich **empor-ringen, rang sich empor, hat sich emporgerungen** to struggle upward

sich **empor-schnellen** to spring up from the ground

empor-schwärmen to swarm up

empor-spielen to rise playfully

empor-steigen, stieg empor, ist emporgestiegen to rise, climb

empor-streichen, strich empor, emporgestrichen to stroke upward

empor-züngeln to leap up(*flame*)

emsig assiduous

en avant (*Fr.*) forward

das **Ende, -s, -en** end, finish, conclusion, termination; death

aus allen Ecken und Enden from everywhere, from all corners

enden to end, finish, conclude

endlich at last, finally

endlos endless

eng narrow, tight, small

engagieren to take partners; to engage

der **Engel, -s, -** angel

der **Engländer, -s, -** Englishman

die **Engländer** (*pl.*) the English

entarten to degenerate

entartet degenerate

entblößen to uncover, to bare

entbrennen, entbrannte, entbrannt to become inflamed, break out, fly into a passion, be set on fire

entdecken to discover

enteilen to hurry off

entfallen, (entfällt), entfiel, ist entfallen to escape (*from memory*)

es ist mir entfallen it has slipped my mind; I cannot remember it

entfalten to unfold, display, exhibit

frei entfaltet unrestrained

entfernen to remove, get rid (*of*)

sich **entfernen** to leave, retreat, retire

entfremdet alienated

entgegen toward; against

entgegen-biegen, bog entgegen, entgegengebogen to bend towards

entgegen-bringen, brachte entgegen, entgegengebracht to offer, present

entgegen-gehen, ging entgegen, ist entgegengegangen to (*go to*) meet, approach

entgegengesetzt opposite

das Entgegenkommen, -s responsiveness

entgegen-kommen, kam entgegen, ist entgegengekommen to come towards, come to meet, approach

entgegen-nehmen, (nimmt entgegen), nahm entgegen, entgegengenommen to accept, learn

entgegen-sehen, (sieht entgegen), sah entgegen, entgegengesehen to look toward, await, expect; look forward to

entgegen-stoßen, (stößt entgegen), stieß entgegen, entgegengestoßen to encounter

entgegen-strahlen to shine toward

entgehen, entging, ist entgangen to escape, miss

das Entgelt, -es compensation

enthalten, (enthält), enthielt, enthalten to contain

sich enthalten to abstain

entheben, enthob, enthoben to remove, relieve, exempt

einen von seinem Amte entheben to remove someone from office

die Enthebung, -, -en removal, dismissal

sich entkleiden to undress

entlang along

entlang-gehen, ging entlang, ist entlanggegangen to go along

entlassen, (entläßt), entließ, entlassen to dismiss, discharge, permit to leave, release

sich entledigen to get rid of

entlocken to elicit, draw forth; charm away

sich entpuppen to turn out (*to be*)

entreißen, eintriß, entrissen to wrest from

entrinnen, entrann, ist entronnen to escape

entrückt remote, secluded, detached

sich entschieden, (entscheidet sich), entschied sich, hat sich entschieden to decide

entscheidend decisive

sich entschließen, (entschließt sich), entschloß sich, hat sich entschlossen to decide, make up one's mind

entschlossen resolute, determined

entschlüpfen to escape, slip away

das entschlüpft ihm it slips his tongue

entschlüpfen lassen to let slip out

der Entschluß, -sses, ̈sse decision, resolution

mit Entschluß decisively

einen Entschluß fassen to make a decision

entschuldigen to excuse, pardon

entschwinden, (entschwindet), entschwand, ist entschwunden to vanish, fade away

sich entspannen to relax

entsprechen, (entspricht), entsprach, entsprochen to correspond, accord with

das Entsetzen, -s horror, terror

entsetzlich horrible, terrible, dreadful, awful

entstehen, entstand, ist entstanden to appear, originate, start up

entstehen lassen to produce

die Entstehung, - origin

entstürzen to gush forth, rush from

enttäuschen to disappoint

die Enttäuschung, -, -en disappointment, disillusionment

entwerfen, (enwirft), entwarf, entworfen to outline, sketch, design

der Entwurf, -(e)s, ̈e outline, (first) draft

sich entziehen, entzog sich, hat sich entzogen to withdraw (from) entziffern to decipher

das Entzücken, -s rapture, transport, enthusiasm

entzücken to enrapture, transport, delight

entzückend delightful

entzückt charmed, delighted, enraptured

entzünden to inflame, kindle, to affect

sich entzünden to take fire, become inflamed

entzwei in two, to pieces

entzwei-brechen, (bricht entzwei), brach entzwei, entzweigebrochen break (apart)

Er old form of address = you

das Erbarmen, -s pity, compassion

sich erbarmen to have pity, have mercy

erbärmlich wretched, pitiable, miserable

erbauen to construct, erect, build

der Erbe, -n, -n heir

erben to inherit

erbeuten to capture

erbleichen to pale

erblicken to catch sight of, perceive, discover, see, behold, spot

erblinden to become blind

der Erbonkel, -s, - rich uncle

das Erbteil, -(e)s, -e heritage, inheritance

das Erdbeben, -s, - earthquake

die Erde earth, dirt

zu ebener Erde on the ground floor

erdrücken to overwhelm, crush

sich ereignen to come to pass, take place

erfahren, (erfährt), erfuhr, erfahren to find out, discover (information), experience

die Erfahrung, -, en experience, discovery

erfassen to grasp, seize, get hold of

erfinden, (erfindet), erfand, erfunden to invent

die Erfindung invention

der Erfolg, -es, -e success

erfolgen to ensue, occur

erfolgreich successful

erfreuen to please, delight, enjoy

erfreut glad, pleased, joyous

hoch erfreut greatly pleased, overjoyed

die Erfrischung, -, -en refreshment

erfüllen fulfill

einen Wunsch erfüllen fulfill a wish

sich erfüllen be fulfilled

die Erfüllung, - fulfillment

sich ergeben, (ergibt sich), ergab sich, hat sich ergeben to occur, take place, happen; surrender

ergeben devoted

das Ergebnis, -ses, -se result, conclusion

sich ergießen, ergoß sich, hat sich ergossen to pour out, pour forth

erglühen to begin to glow, burst into light; sometimes: to blush

ergraut grey-haired

ergreifen, ergriff, ergriffen to lay hold of, grasp, seize, apprehend

ergriffen sein to be deeply moved

ergreifend touching, affecting

ergründen to fathom, explore, sound; understand

erhaben exalted, eminent, lofty, sublime

die Erhabenheit, - prominence, protuberance, loftiness

erhalten, (erhält), erhielt, erhalten to receive; preserve, maintain

erhalten preserved

gut erhalten (still) in good condition; well preserved

erharren to wait for

erhaschen to snatch

erheben, erhob, erhoben lift, set up, raise up

sich erheben, erhob sich, hat sich erhoben to raise oneself up, rise

erheblich considerable

erhellen to illuminate

die Erhellung, - elucidation

erhitzen to heat

sich erholen to recover

sich erinnern to remember, recall

die Erinnerung, -, -en memory, remembrance, reminiscence

erkalten to grow cold

erkennen, erkannte, erkannt to recognize; realize, perceive

sich zu erkennen geben make oneself known

die Erkenntnis, -, -se insight, knowledge, discernment, realization

der Erkenntnisekel, -s disgust with knowledge

erkenntnisstumm dumb with knowledge

die Erkenntnisträgheit, - mental inertia

erklären to reveal, explain, declare, state

ohne sich bestimmt zu erklären without giving any definite reason

sich bereit erklären to declare oneself ready, express one's willingness

erklingen, erklang, erklungen to resound

sich erkundigen to inquire, make inquiries

erkünstelt feigned, sham, affected, artificial, forced

erlauben to permit, allow

die Erlaubnis, -, -se permission

mit Eurer Erlaubnis by your leave

erleben to experience, witness, live to see

das Erlebnis, -ses, -se experience, adventure

erlebnisvoll rich in experiences

erledigen to finish, settle, dismiss, discharge, correct, conclude, close, dispose of

erledigt finished, done with

die Erledigung discharge, settlement

erleichtern to relieve

erleiden, (erleidet), erlitt, erlitten to suffer

den Tod erleiden to die

erlesen chosen, choice, select, exacting

erleuchten to light, illuminate

die Erleuchtung, - enlightenment

der Erlkönig, -s "Erl-King", king of the elves

erlöschen to be extinguished

erlösen to save, redeem, deliver, rescue, set free

erlöst redeemed, unimpeded

die Erlösung, - redemption, release

ermahnen to admonish, warn, exhort

ermorden to kill, murder

die Ermüdung, - fatigue, lassitude

in wohliger Ermüdung pleasantly fatigued

ermutigen to encourage

ernähren to feed, sustain

ernst earnest, serious

ernsthaft serious, serious-minded

ernstlich seriously

ernüchtern to disillusion

erobern to conquer, overcome

die Eroberung, -, -en conquest

sich eröffnen to open, reveal

der Ausblick eröffnet sich the view presents itself

die Eröffnung, -, -en disclosure, the opening

die Erörterung, -, -en discussion, explication

erproben to test, experience

erprobt experienced

erraten, (errät), erriet, erraten to guess

erregen to excite, incite, provoke, cause, arouse

erreichen to reach, arrive at

erretten to save, deliver, rescue

die Errettung, - rescue, deliverance

errichten to erect

erröten to blush

die Errungenschaft, -, -en achievement, conquest, accomplishment

ersaufen to drown

erschauern to be startled, shudder, quiver, to feel a shiver

das Erscheinen, -s appearance

erscheinen, erschien, ist erschienen to appear, turn up

die Erscheinung, -, -en phenomenon, appearance, vision, aspect

erschießen, erschoß, erschossen to shoot dead, kill

erschliessen, erschloss, erschlossen to disclose

erschöpfen to exhaust

erschöpft exhausted

das Erschrecken, -s terror, alarm, scare

erschrecken, (erschrickt), erschrak, ist erschrocken to
be alarmed, be frightened, be
startled
erschüttern to agitate, stir
erschüttert shaken, moved
die Erschütterung vibration, (earth)-
quake
ersehen (ersieht), ersah, ersehen
to perceive, pick up
ersetzen to replace, take the place
of, substitute
ersichtlich evident, apparent
erspähen to spy, spot
erst first, only, just
erstarken to grow strong(er)
erstarren to become rigid, stiffen
die Erstarrung, - torpor
erstaunen to be astonished,
amazed, surprised
erstaunlich amazing
das Erstaunen, -s surprise,
amazement, astonishment
erstaunt astonished, surprised
erstehen, erstand, erstanden to
buy
erstens first of all
ersterben, (erstirbt), erstarb, ist
erstorben to die away, fade
away
das Wort erstirbt mir im
Munde I cannot utter a word
erstlich first of all
erstrahlen to shine, sparkle
sich erstrecken to stretch, extend
ersuchen to ask (a favor)
ertappen to catch
erteilen to impart, give
sich etwas erteilen lassen to
receive something
ertönen to resound, sound
ertragen (erträgt), ertrug, ertragen to bear, suffer
ertrinken, ertrank, ist ertrunken
to drown
der Ertrunkene drowned person
erwachen to wake up, awaken
erwachsen (erwächst), erwuchs,
ist erwachsen to grow up
die Erwägung, -, -en consideration
erwägen, erwog, erwogen
consider, ponder upon
erwählen choose
erwähnen to mention

erwarten to wait for, expect
die Erwartung, -, -en anticipation,
expectation
erwecken to wake, awaken
erweisen, erwies, erwiesen to
prove, show
sich erweisen turn out
erwerben, (erwirbt), erwarb, er-
worben to acquire, achieve
erwidern to answer, respond, reply
einen Gruß erwidern to return
a greeting
erwünscht desired, requested,
wished for
erwürgen to strangle
das Erz, -es, -e iron ore, brass
erzählen to tell (a story), relate
die Erzählung, -, -en story, narration, account
erzürnen to exasperate, anger
erzwingen, erzwang, erzwungen
to force, compel, enforce
der Esel, -s, - donkey, jackass
die Eskorte, -, -n escort
das Espenlaub, -(e)s aspen leaves
ich zitterte wie Espenlaub I
shook like a leaf
der Eßsaal, -es, (pl.) Eßsäle dining
hall
das Essen, -s food, meal, dinner
essen, (ißt), aß, gegessen to eat
der Esser, -s, - eater
starker Esser heavy eater
die Essenz, -, -en extract, perfume;
essence
der Eßkorb, -(e)s, ¨e food basket
etliche some
etwa by chance; about; perhaps
etwas something, a little, somewhat
so etwas something like that,
anything like that
noch etwas something else
Euch (dat. sing.) old form of polite
address (sing.) corresponding to
Ihnen etc.
Denkt Euch = Denken Sie sich
Euer (possessive adj.) your (in singular forms of address) old form
of Ihr (poss. adj.)
die Eule, -, -n owl
ewig eternal, forever
das Exerzitium, -s, pl. Exerzitien
exercise

die **Exklusivität, -** exclusiveness
das **Extrem, -s, -e** extreme

F

die **Fackel, -, -n** torch
der **Faden, -s, ̈** thread
fahl sallow, pale, colorless
der **Fahrdamm, -s, ̈e** road-way, via-
duct
auf dem Fahrdamm in the
street
fahren, (fährt), fuhr, ist gefahren
to drive, travel, ride (*by means of
a vehicle*)
fahr(e) wohl fare well
**fahren lassen, läßt fahren, ließ
fahren, fahrengelassen** to
let go
fahrlässig careless, thoughtless,
negligent
die **Fahrt, -, -en** trip, excursion,
drive, journey
schwere Fahrt heavy seas
die **Fährte, -, -n** track, trail
auf falscher Fährte on the
wrong track
das **Fahrzeug, -s, -e** vehicle, vessel,
ship, boat
fallen, (fällt), fiel, ist gefallen to
fall
die **Falte, -, -n** fold, wrinkle
der **Falter, -s, -** butterfly, moth
die **Familienvereinigung, -, en**
family reunion
famos splendid, capital
farblos colorless
sich **färben** to color
der **Farbfleck, -s, -e** *or* **-en** spot of
color
farbig colored, colorful
fassen to grasp, seize, clutch, hold,
to take a hold of
ins Auge fassen to observe, fix
one's eyes upon
einen Gedanken fassen to conceive an idea
sich **fassen** to compose or collect
oneself
die **Fassung, -, -en** self-control; composure
aus der Fassung bringen to disconcert
fast almost
fauchen to mew and spit (*as cats do*)

Fauchen und Zischen spitting
and hissing
faul sluggish, lazy
faulig putrid, putrescent
das **Fazit, -s** summary, conclusion
das Fazit ziehen to draw the
conclusion
fechten, (ficht), focht, gefochten
to fence, fight
die **Feder, -, -n** feather
federn to spring
federnd lithely, buoyantly,
springy
feenhaft fairy-like
fehlen to be wanting, lack
die **Fehlinterpretation, -, -en** misinterpretation
feiern to celebrate
feierlich solemn, in splendor
die **Feierlichkeit, -, -en** ceremony
feig cowardly
fein delicate, acute, astute, faint,
fine, exquisite, precious; gently,
with a small voice
der **Feind, -es, -e** enemy
das **Feld, -es, -er** field
die **Feldblume, -, -n** wild flower
das **Feldblumensträußchen, -s, -**
bouquet of wild flowers, bunch
of field flowers
die **Feldfrucht, -, ̈e** produce of the
fields, crops
der **Fels, -en, -en** *or* der **Felsen, -s, -**
rock
das **Felsenriff, -s, -e** ledge of rock,
reef
die **Felsenschluft, -, ̈e** rocky gorge
das **Felsenufer, -s, -** rocky shore
die **Felswand, -, ̈e** rocky wall
das **Fenster, -s, -** window
der **Fensterladen, -s, ̈** shutter
die **Ferien** (*pl.*) vacation
fern(e) far, distant, remote
es liegt mir fern(e) I do not
consider, I am far from
fern davon far from
fernbestimmt determined from
afar, appointed, destined
die **Ferne** distance
ferner further, farther
fertig finished, done, ready, completed
fertig werden to get done, get
finished

288

das **Fest, -es, -e** celebration, holiday, festivity

das **Festkleid, -(e)s, -er** holiday attire

fest strong, firm

fest-binden, (bindet fest), band fest, festgebunden to tie fast

die **Feste** stronghold, security, fort

in seinen Festen in its foundations

das **Festgeräusch, -es, -e** sound of merry-making

fest-halten, (hält fest), hielt fest, festgehalten to hold fast, hold tight, hold on to, maintain

festlich festive

festlich-beschaulich solemnly (or festively) contemplative

der **Festordner, -s, -** master of ceremonies

fest-schrauben to screw tight, screw fast

fest-setzen to appoint, settle

der **Festtag, -es, -e** holiday

fett fat, rich

der **Fetzen, -s, -** rag

feucht moist, damp

feuchtkalt clammy, moist and cold, dank

das **Feuer, -s, -** fire

der **Feuerschein, -(e)s** glow of fire

der **Feuerwald, -(e)s, ∸er** forest of flames

feurig fiery, passionate

das **Fieber, -s** fever

die **Figur, -, en** figure

fleischgewordene Figur a character come to life

finden, (findet), fand, gefunden to find

die **Finesse, -, -en** subtlety

der **Finger, -s, -** finger

jemandem auf die Finger sehen to watch someone closely (with disapproval)

die **Fingerspitze, -, -n** finger-tip

der **Fink, -en, -en** finch

das **Finkenweibchen, -s, -** female finch

finster gloomy, dark, melancholy

finstere Nacht pitch-dark night

die **Finsternis, -, -se** darkness

die **Firma, -, (pl.) die Firmen** firm, business

das **Firmament, -s,** heavens, firmament

der **Firmendruck, -s, -e** trademark

der **Fisch, -es, -e** fish

das **Fischerboot, -(e)s, -e** fishing-boat

das **Fischerhaus, -es, ∸er** fisherman's hut

der **Fischhändler, -s, -** fish-dealer, fish-monger

der **Fischmarkt, -(e)s, ∸e** fish-market

fix quick; bright

flach even, flat, shallow

die **Fläche, -, -n** surface, area, flatlands

flackern to flicker

die **Flamme, -, -n** flame

flammenartig flame-like

die **Flammenschrift, -, -en** flaming characters

der **Flammentod, -(e)s** death by fire

die **Flasche, -, -n** bottle

flaschengrün bottle-green

flattern to flutter, dangle

der **Fleck, -(e)s, -en** spot

fleckig spotted

die **Fledermaus, -, ∸e** bat

flehen to implore

flehentlich imploring

flehentlich bitten to beseech, implore

der **Fleischer, -s, -** butcher

fleischgeworden incarnated

der **Fleiß, -es** diligence, zeal

die **Flickjoppe, -, -n** patched jacket

fliegen, flog, ist geflogen to fly

fliehen, floh, ist geflohen to flee, escape

fließen, floß, ist geflossen to flow, stream, run

flimmern to glisten, flicker

florentinisch Florentine; of Florence

die **Flöte, -, -n** flute

der **Fluch, -es, ∸e** curse

fluchen to curse

die **Flucht, -,** flight, escape

flüchtig fleeting, cursory, slight, in passing; superficial, careless

der **Fluchtplan, -(e)s, ∸e** plan for escape, plan to flee

der **Flügel, -s, -** wing, grand piano

das **Flügelwehn, -s** wingbeat

die **Flur, -en** fields, plains, meadows

der **Fluß, -sses, ¨sse** river, flow
flüstern to whisper
die **Flut, -, -en** flood
    die **Fluten** (*pl.*) waves, waters
die **Föhre, -, -n** fir tree, pine
der **Föhrenwald** forest of firs
die **Folge, -, -n** consequence
das **Folg(e)mädchen, -s, -** maid
folgen to follow, keep pace with, keep up with
folgend following
die **Folgerichtigkeit, -** consistency, logical consequence
folgern to infer
fördern to help, forward; to mine (*coal*)
die **Form, -, -en** shape, outline, silhouette, form
die **Formel, -, n** formula
formen to shape, create, form
die **Formulierung, -, -en** formulation, wording
forschen to search, investigate, research
forschend inquisitive
fort on, away; off; forth; onward; gone
fort und fort continuously
in einem fort constantly
und so fort and so on
fortan henceforth
fort-fahren, (fährt fort), fuhr fort, ist fortgefahren to go away (*by means of a conveyance*); continue
fort-gehen, ging fort, ist fortgegangen to go away, walk away
fort-kommen, kam fort, ist fortgekommen to get away, escape
mache, daß du fortkommst! take yourself off! be gone!
fort-rollen to roll away
fort-setzen to continue
fort-springen, sprang fort, ist fortgesprungen to jump away
fort-tragen, (trägt fort), trug fort, fortgetragen to carry away
fortwährend continually, constant
der **Frack, -s, ¨e** *or* **-s** dress-coat; tails

die **Frackjacke, -, -n** dress-coat
die **Frage, -, -n** question
fragen to ask (*a question*), to wonder
fragend questioning
fragwürdig doubtful, dubious
Franz Francis
der **Franzose, -n, -n** Frenchman
französisch French
die **Frau, -, -en** woman, wife
die **Frauenkirche, -** Church of Our Lady
das **Frauenzimmer, -s, -** female, woman, girl
frech insolent, impudent, shameless
frei free
das **Freie** the open (*countryside*)
    ins Freie to the outside, to the country
die **Freiheit, -, -en** liberty
die **Freiheitsstrafe, -, -n** imprisonment
    eine Freiheitsstrafe verbüßen to serve a sentence in prison
frei-lassen, (läßt frei), ließ frei, freigelassen to leave bare; release
freilich to be sure, really, certainly, indeed
freiliegend widely-set
freimütig liberal, candid
der **Freitag, -(e)s, -e** Friday
freiwillig voluntary
fremd strange, alien, unknown
der **Fremde, -n, -n** stranger
das **Fremdenzimmer, -s, -** guest room
die **Freude, -, -n** joy, pleasure
    Freude haben to enjoy
    eine Freude machen to give joy, please
das **Freudengeschrei, -s** shouts of joy
freudig joyful
sich **freuen** to be glad, rejoice
    die Arbeit freut ihn the work gives him pleasure
    er freut sich darauf he looks forward to it with pleasure
der **Freund, -es, -e** friend
die **Freundin, -, -nen** the girl friend
freundlich friendly
    Seien Sie so freundlich Be so kind (*as to*)

freundschaftlich amiable

fressen, (frißt), fraß, gefressen to devour, eat (*stuff oneself*)

frevel sacrilegious

der **Friede(n), -ns** peace

frieren, fror, gefroren to freeze, be cold

  es friert mich I am very cold; I am freezing

frisch fresh, anew; lively

  von frischem anew

frisieren to dress the hair

  fest frisiert done up securely

die **Frist, -, -en** space of time

froh cheerful, glad, happy

fröhlich cheerful, joyful, gay, merry

die **Fröhlichkeit, -** joyfulness, gladness, merriment

das **Frohlocken, -s** joy, jubilation, triumph

fromm artless, innocent, pious, devout

der **Frosch, -es, ̈e** frog

der **Froschschenkel, -s, -** frog's leg

das **Froschschenkelein, -s, -** little frog's leg

der **Frost, -es** frost, chill

frostig icy, frosty

die **Frucht, -, ̈e** fruit

fruchtbar fruitful

das (der) **Fruchtbonbon, -s, -s** fruit lozenge

früh(e) early (in the morning)

  morgen früh tomorrow morning

der **Frühling, -s, -e** spring

das **Frühlingslärmen, -s** spring noises, sounds of spring

die **Frühlingspracht, -** splendor of spring

der **Frühlingstag, -es, -e** spring day

das **Frühstück, -s, -e** breakfast

frühstücken eat breakfast

das **Frühlingswetter, -s** spring weather

frühzeitig early

das **Fuder, -s, -** load, cart load (*of hay*)

sich **fügen** to resign oneself, submit

fühlen to feel, touch, perceive, experience

fühlbar perceptible

die **Fühlung, -** presentiment, feeling, sensation

führen to lead, conduct

der **Fuhrmann, -(e)s, ̈er or Fuhrleute** driver, wagoner

die **Fülle, -** abundance, plenitude, fulness; exuberance

füllen to fill

fünfzehnjährig lasting for fifteen years, fifteen years old

fünfzig fifty

  tief in den Fünfzigern deep into his fifties

der **Funke, -n, -n** spark

funkeln to sparkle, glisten

funkelnd sparkling

das **Funkhaus, -(e)s, ̈er** radio station

das **Fünklein, -s, -** tiny spark

für for

die **Furcht, -** fear

furchtbar fearful, frightful, terrible, horrible

fürchten to fear

sich **fürchten** to be afraid

fürchterlich awful, dreadful, fearful, frightful

der **Fürst, -en, -en** sovereign

der **Fuß, -es, ̈e** foot

der **Fußboden, -s, ̈** floor

die **Fußnote, -, -n** footnote

die **Fußsohle, -, n** sole of foot

füttern to feed (*animals*)

G

die **Gabe, -, -n** gift

gähnen to yawn

der **Galgen, -s, -** gallows

der **Galgenstrick, -(e)s, -e** scoundrel; one who ought to be hanged, a gallows-bird

gallisch Gallic, French

die **Gamasche, -, -n** legging

der **Gang, -es, ̈e** passage, corridor; gait, walk

der **Ganges, -** Ganges (*river in India*)

ganz whole, entire

  ganz anders quite different

gänzlich completely

gar quite, entirely; very, even

  gar nicht not at all

  gar nichts nothing at all

  gar kein none at all

  gar zu much too, far too

  gar gut especially well

die **Garbe, -, -en** sheaf, ray

garnisonieren to be garrisoned, be quartered

der **Garten, -s, ⸚** garden

die **Gartenpforte, -, -n** garden gate

der **Gartenzaun, -(e)s, ⸚e** garden fence

die **Gaslaterne, -, -n** gas lamp

die **Gasse, -, -n** the alley, narrow street, lane

nach der Gasse zu liegen facing the alley

der **Gast, -es, ⸚e** guest, sojourner

der **Gasthof, -es, ⸚e** inn, public house

der **Gastwirt, -s, -e** innkeeper

der **Gatte, -n, -n** husband

die **Gattin, -, -nen** wife

sich **gatten** to pair, copulate

die **Gatterpforte, -, -n** wrought-iron gate

der **Gaukler, -s, -** juggler, conjurer

der **Gaul, -s, ⸚e** nag, horse

der **Gauner, -s, -** crook

die **Gaunerei, -, -en** trickery, piece of roguery

der **Gaunerstreich, -(e)s, -e** rascally trick

der **Gazeärmel, -s, -** gauze sleeve

der **Gazevorhang, -s, ⸚e** gauze curtain

der **Geängstete, -n, -n** anguished person

das **Geäst, -es, -e** branches

gebannt spellbound, enchanted

die **Gebärde, -, -n** gesture

gebären, (gebiert), gebar, geboren to bring forth, bear

das **Gebein, -(e)s, -e** bones

geben, (gibt), gab, gegeben to give

was gibt's? what goes?

es gibt there is, there are

von sich geben to utter, give forth, produce

der **Gebetshauch, -es** breath of prayer

das **Gebiet, -es, -e** territory

der **Gebieter, -s, -** master, lord, commander

Herr und Gebieter Lord and Master

das **Gebilde, -s, -** product, creation, form

das **Gebirge, -s, -e** mountains, mountain chain *or* range

das **Geblinzel, -s** blink, fluttering of the eyelids

geblümt flowered

geboren born

der **Gebrauch, -(e)s, ⸚e** use

gebrauchen to use

gebrechlich frail, infirm, weak, feeble, fragile

gebrochen broken; intermittent

das **Gebrumme, -s** buzzing (*of bees*); grumbling, growling

die **Geburt, -, -en** birth

das **Gebüsch, -es, -e** bushes, underbrush, thicket

das **Gedächtnis, -ses** memory

gedämpft softly, in a low voice

der **Gedanke, -ns, -n** thought

in Gedanken sein to be thoughtful, be absorbed in thought

das **Gedankengut, -(e)s, ⸚er** body of ideas, complex of ideas

die **Gedankenlosigkeit, -** thoughtlessness

gedeihen, gedieh, ist gediehen to prosper, thrive

gedenken, gedachte, gedacht to intend; recall

das **Gedicht, -es, -e** poem

gediegen sound, correct, solid

das **Gedränge, -s** throng, crowd

geeignet suitable, fitted

die **Gefahr, -, -en** risk, danger, peril

auf die Gefahr hin at the risk of

gefährlich perilous, dangerous

das **Gefährt, -es, -e** vehicle, carriage

der **Gefährte, -n, -n** comrade, companion, mate

gefallen, (gefällt), gefiel, gefallen to please

es gefällt ihm he likes it

das lasse ich mir nicht gefallen I will not put up with this; I will not stand for this

gefällig pleasing, agreeable

ist es Euch gefällig? would it please you? Would you like it?

ist Ihnen ein Katalog gefällig? would you like a catalogue?

die **Gefälligkeit, -, -en** favor, courtesy

gefangen-nehmen, (nimmt gefangen), nahm gefangen, gefangengenommen to take prisoner der **Gefangene, -n, -n** prisoner

das **Gefängnis, -ses, -se** jail

das **Gefecht, -(e)s, -e** battle, skirmish

gefleckt spotted

geflügelt winged

das **Gefolge, -s, -e** retinue, train, attendants, a following

das **Gefühl, -(e)s, -e** feeling

gegen against, towards

die **Gegend, -, -en** region, neighborhood, countryside

dieser Gegend zu towards these parts, in this general direction

gegeneinander against each other, towards each other

die **Gegenrede, -, -n** objection

eine Gegenrede wegweisen to dismiss an objection

der **Gegensatz, -es, ⁚e** contrast, contradiction, antagonism

gegenseitig each other; mutual; opposite

der **Gegenstand, -es, ⁚e** subject, object

das **Gegenteil, -s, -e** opposite

im Gegenteil on the contrary

gegenüber across(*from*), opposite; face to face; on the other side

von gegenüber from the other side

gegenüber-stehen, stand gegenüber, gegenübergestanden to face

die **Gegenwart, -** present, presence

geheim secret

das **Geheimnis, -ses, -se** secret, mystery

geheimnisvoll mysterious, secretive

gehen, ging, ist gegangen to go

wie geht es Ihnen? how are you?

wie ist's Dir gegangen? how did you do? how did you fare?

es will nicht gehen it simply doesn't work

vor sich gehen, ging vor sich, ist vor sich gegangen to go on, happen

auf- und ab-gehen, ging auf und ab, ist auf- und abgegangen to walk back and forth

das **Geheul, -s** howling, wailing

die **Gehobenheit, -** exaltation

das **Gehör, -(e)s** hearing

Gehör geben to give a hearing to; grant

gehören (zu) (*dat.*) belong (to)

sich **gehören** to be proper

es gehört sich it is right

gehörig belonging

gehorsam obedient, dutiful

Danke gehorsamst thank you most humbly

der **Gehrock, -s, ⁚e** frock-coat

die **Geige, -, -n** violin

der **Geist, -es, -er** ghost; mind, intellect; spirit, apparition

die **Geisterstunde, -, -n** midnight, witching hour

geistesgegenwärtig with presence of mind; quick thinking; with composure

die **Geistesstärke, -** strength of spirit, fortitude

geistig spiritual

ins Geistige übertragen to transpose to an intellectual plane

die **Geistigkeit, -** spirituality

geistreich clever

das **Geklapper, -s** clattering, rattling, clicking

gekleidet dressed

gediegen gekleidet dressed conservatively

gekraust ruffled

das **Gelächter, -s, -** laughter, laugh

das **Geländer, -s, -** railing

gelangen to reach, arrive at; to come *or* get to

gelassen calm, quiet, steady; cool

die **Gelassenheit, -** composure

geläufig voluble

das **Geläute, -s** ringing of bells

gelb yellow

gelblich yellowish

das **Geld, -es, -er** money

der **Geldbeutel, -s, -** money bag, purse

der **Geldschein, -s, -e** banknote

das **Gelee, -s, -s** jelly, gelatin

gelegen (*p.p. of liegen*) situated; convenient

es ist mir viel daran gelegen it matters much to me, it is important for me

die **Gelegenheit, -, -en** opportunity, occasion
gelegentlich occasional
gelehrt learned
der **Gelehrte, -n, -n** man of learning; scholar
geleiten to conduct; channel
das **Gelenk, -es, -e** joint
geliebt beloved
die **Geliebte, -n, -n** the beloved; lover; mistress
gelind mild, gentle
gelingen, gelang, ist gelungen to succeed, manage
es gelingt mir I succeed (*in*)
gell shrill
gellend shrill
gelten, (gilt), galt, gegolten to be worth, to be valid, to mean something, to count for something
das **Gelüst, -es, -e** desire
gelüsten to covet; hanker for
das **Gemach, -(e)s, ̈er** chamber, room
der **Gemahl, -s** husband
die **Gemahlin, -, -nen** wife, spouse
gemäßigt moderate, restrained
das **Gemäuer, -s, -** (*old*) walls, ruins
gemein ordinary, common, vulgar
die **Gemeinde, -, -n** community, congregation
gemeinsam mutual, congenial, common, jointly
die **Gemeinschaft, -, -en** community, fellowship
geistige Gemeinschaft community of mind
gemessen measured, dignified, grave
das **Gemisch, -es, -e** mixture
das **Gemüt, -(e)s, -er** (*also:* -e) mind; heart, feeling
Bewegung des Gemüts emotion, affection, excitement
gen = gegen toward
genau exact; plainly, clearly
aufs genaueste in great detail
geneigt sein to be inclined
der **General, -s, ̈e** general
der **Genius, -, -ien** genius, divine spirit
das **Genie, -s, -s** genius
sich **genieren** to be embarrassed

genießen, genoß, genossen to enjoy; take food or drink
der **Genosse, -n, -n** comrade, companion, colleague, partner, accomplice
genug enough; sufficient(ly)
genügen to be sufficient, suffice
die **Genugtuung, -** satisfaction, compensation
der **Genuß, -sses, ̈sse** enjoyment, pleasure
genußfroh pleasure-loving
die **Geometrie, -** geometry
das **Gepäck, -s** baggage
gepflastert paved, cobbled
das **Geplänkel, -s, -** skirmish
das **Gepolter, -s** rumbling, din
gerade just; just then, just now; precisely; straight, even
geradeaus straight (*ahead*)
geradewegs straightway, directly
geradezu actually
das **Gerät, -es, -e** vessels, implement(s); apparatus
geraten, (gerät), geriet, ist geraten to get, fall, come (into *or* upon)
in Unordnung geraten to become disordered, disorganized
das **Geräusch, -es, -e** commotion, roaring; noise, sound
geräuschlos noiseless
geräuschvoll noisy
gerecht just, fair
die **Gerechtigkeit, -** justice
gereizt antagonized; vexed, irritated
die **Gereiztheit, -** irritation, exasperation
das **Gericht, -es, -e** court, judgment
das Jüngste Gericht the Last Judgment
der **Gerichtssaal, -(e)s, -säle** courtroom
gering small, little, trifling, slight
um geringen Preis for a trifling sum
nicht das geringste not a bit
gering-schätzen to despise, think little of
gern(e), lieber, am liebsten with pleasure, willingly, gladly
das **Geröchel, -s** gasping, rasping
gerötet flushed

der **Geruch, -es, ⸚e** smell, odor
das **Gerücht, -es, -e** rumor
geruhen to condescend
gerührt touched, moved (by feeling), affected
das **Gerüst, -es, -e** scaffolding
gesamt entire
der **Gesang, -es, ⸚e** song
das **Geschäft, -(e)s, -e** business; task; business deal
der **Geschäftsmann, -(e)s, ⸚er or . . . -leute** businessman
die **Geschäftsmiene, -** business-like expression
geschehen, (geschieht), geschah, ist geschehen to happen, occur
gescheit sensible, clever
das **Geschenk, -s, -e** present, gift
geschenkt bekommen to receive as a gift
die **Geschichte, -, -n** story; history
das **Geschick, -(e)s, -e** fate, fortune; skill
geschickt skilful
das **Geschlecht, -es, -er** family, race; generation
der **Geschmack, -(e)s** taste
das **Geschmeide, -s, -e** jewels
geschmeidig supple, smooth, lithe
das **Geschöpf, -es, -e** creature
das **Geschoß, -es, -e** floor; storey
das **Geschrei, -s** outcry, shouting, yelling, screaming
das **Geschwätz, -es** talk, jabbering, gossip
das feine Geschwätz sophisticated chit-chat
geschwind hasty, speedy, quick, fast
geschwungen arched, curved
der **Gesell(e), -n, -n** fellow, companion, lad
ein frischer Gesell a regular guy
gesellen to join, associate
sich **gesellen** to join, ally, associate oneself (with)
gesellig social, sociable
die **Gesellschaft, -, -en** society; company, social gathering, dinner party
gesellschaftlich social

das **Gesellschaftszimmer, -s, -** lounge
gesellt joined to, consorting with
gesetzt granted, provided
gesetzt, daß assuming that
das **Gesicht, -s, -er** face
der **Gesichtszug, -(e)s, ⸚e** feature; facial line
das **Gesindel, -s** rabble, mob
gespannt tense, anxious
das **Gespenst, -es, -er** ghost, apparition, spectre
gespensterartig ghost-like
die **Gespenstererzählung, -, -en** ghost story
das **Gespräch, -(e)s, -e** conversation, talk, discourse
ein Gespräch führen to converse, carry on a conversation
die **Gestalt, -, -en** form, figure, shape, body
gestalten to shape, to create
sich **gestalten** to take shape, turn out to be, become
gestaltende Leidenschaft creative fervor
das **Geständnis, -ses, -se** confession
die **Gestärktheit, -** invigoration
gestehen, gestand, gestanden to confess
das **Gestein, -(e)s** stones
das **Gestell, -s, -e** stand; bookcase
das **Gestenspiel, -s** gesticulation, gestures
gestern nacht last night
gestickt embroidered
das **Gestirn, -(e)s, -e** star, constellation
gestrafft tight
das **Gesträuch, -es** bushes, shrubs; thicket
gesund healthy
der **Gesunde, -n, -n** healthy person
die **Gesundheit, -** health
getäfelt panelled
das **Getöse, -s** roar, uproar
der **Getreidesack, -s, ⸚e** bag of grain
getreu faithful
getrost assured; in peace; of good hope
das **Getümmel, -s** stir, tumult; whirl
die **Gevatterin, -, -nen** godmother; sometimes: neighbor, friend
gewahren to catch sight of; become aware of; notice

295

gewähren to grant, accord,
vouchsafe, allow, permit

die **Gewalt, -, -en** power, might,
force, violence
in der Gewalt under control
gewaltig powerful, tremendous,
exceedingly, vast, mighty, amazing
gewaltsam forcibly

das **Gewand, -(e)s, ̈er** garment, rai-
ment, dress

die **Gewandtheit, -** skill
gewärtigen to expect, fancy

die **Gewässer** (*pl.*) waters, bodies of
water; flood

das **Gewerbe, -s, -** trade, profession

das **Gewicht, -es, -e** weight, impor-
tance

das **Gewimmel, -s** throng
gewinnen, gewann, gewonnen
to win over, gain; get
gewiß certain, sure

das **Gewissen, -s** conscience
gewissenhaft conscientious

die **Gewissensnot, -, ̈e** anguish *or*
qualm of conscience
unter Gewissensnöten afflicted
with pangs of conscience
gewissermaßen so to speak, in a
certain manner

die **Gewohnheit, -, -en** custom,
habit, wont
gewöhnlich ordinary, commonplace; usually

die **Gewöhnlichkeit, -** mediocrity
in seliger Gewöhnlichkeit in
blissful mediocrity

das **Gewölbe, -s, -e** vault

das **Gewühl, -(e)s** throng, crowd

das **Gewürm, -s** worms

sich **geziemen** to befit, become

der **Giebel, -s, -** gable
**geschwungener, durchbro-
chener Giebel** curved, openwork gable

die **Giebelgasse, -, -n** gable-lined
street
giebelig gabled, with gables
gießen, goß, gegossen to pour
giftig poisonous

der **Gipfel, -s, -** hilltop, mountaintop

der **Gischt, -es** spray, froth, foam

das **Gitter, -s, -** fence, grid, railing,
lattice

das **Gitterfenster, -s, -** lattice window; barred window

der **Glanz, -es** the splendor
glänzen to shine, glitter, gleam,
sparkle, glisten
glänzend brilliant, splendid

das **Glas, -es, ̈er** glass

das **Glasdach, -(e)s, ̈er** glass roof

das **Gläsergeklirr, -s** tinkling of glasses
glasklar clear as glass
glatt smooth; slippery

die **Glätte, -** smoothness

der **Glaube, -ns** belief, faith
glauben to believe, think

das **Glaubensbekenntnis, -ses, -se**
creed, confession of faith
gleich right away; equal, same;
alike; immediately, soon; iden-
tical, similar
es war mir gleich it did not
make any difference to me
gleichen, glich, geglichen to
resemble; to be like
gleichfalls also, likewise
gleichförmig uniform
gleichgeschwungen equal,
harmonious
gleichgesinnt congenial, of the
same opinion; sharing the same
views
gleichgültig indifferent, unimportant, unconcerned, disinterested

die **Gleichgültigkeit, -** indifference

die **Gleichheit, -** identity
gleichmäßig symmetric, even,
steady
gleichsam as it were; so to speak
gleichzeitig at the same time;
simultaneous
**gleiten, (gleitet), glitt, ist geglit-
ten** to glide

das **Glied, -(e)s, -er** link, limb
glimmen to glow faintly, glim-
mer
glimpflich fair, moderate
glimpflich davonkommen to
get off unscathed *or* with a
trifling loss
glitzern to glitter, sparkle

die **Glocke, -, -n** bell

der **Glockenschlag, -(e)s, ̈e** tolling
of the bell

das **Glockenseil, -(e)s, -e** bell-rope
das **Glück, -(e)s** happiness; luck, fortune
    glücklich happy
der **Glückwunsch, -(e)s, ̈e** congratulation
    glühen to glow
      glühend vor feverish with
      ein mildes, rotes Glühen a mild red glow
die **Glut, -, -en** glow, embers
die **Gnade, -, -n** mercy, grace
    gnädig gracious, merciful, indulgent, kind
      die gnädige Frau mistress of the house, madam
der **Gockelhahn, -(e)s, ̈e** rooster
das **Gold, -(e)s** gold
    golden golden
    goldgestickt embroidered with gold
    Gomorrha Gomorrha (*city of the Bible*)
der **Gott, -es, ̈er** God
    der liebe Gott the Good Lord
die **Götterluft, -, ̈e** divine breeze
die **Götterstatue, -, -n** statue *or* image of a god
die **Gottheit, -, -en** deity
    göttlich divine, godlike
    gottlob thank God
    gottlos godless
der **Gouverneur, -s, -e** master or tutor
das **Grab, -es, ̈er** grave
    graben, (gräbt), grub, gegraben to dig; mine
der **Grad, -(e)s, -e** degree (*centigrade when referring to temperature*)
der **Graf, -en, -en** count
der **Gram, -(e)s** sorrow
sich **grämen** to grieve
das **Gras, -es, ̈er** grass
    gräßlich atrocious, horrible, dreadful
das **Grau, -s** grey
    grau grey
das **Gräuel, -s, -** horror, abomination
das **Grauen, -s** dread, horror, terror
    graus horrifying
    grausam cruel
    gravitätisch serious, dignified
    graziös graceful

    greifen, griff, gegriffen to grasp, seize
    in etwas greifen reach into something; put one's hand into something
die **Grenze, -, -n** limit, boundary, border, restriction
    grenzenlos boundless, infinite
das **Greuel, -s, -** horror, abomination
    greulich horrible, dreadful
    griechisch Greek
der **Griffel, -s, -** (slate) pencil; stylus
die **Grimasse, -, -n** grimace, wry face
    grimmig grim, fierce, ferocious
    grinsen to grin
    gröblich outrageous
das **Grönland, -s** Greenland
    groß big, large, great; grown-up
die **Größe, -, -n** greatness, grandeur, size
der **Großhändler, -s, -** wholesale merchant
der **Großwesir, -s, -e** grand vizier
die **Grube, -, -n** cavity, hole; (*mining*) pit, shaft
    auf die Grube gehen go to work in the mine
    grübeln to brood, to ponder
das **Grün, -s** green
    grün green
der **Grund, -es, ̈e** ground, bottom, base; reason, cause
    der Sache auf den Grund kommen get to the bottom of the matter
    im Grunde in reality, basically
    aus triftigen Gründen on anything but trifling grounds, for good reasons
    grundeinerlei absolutely all the same; a matter of complete indifference
    das ist ihm grundeinerlei he is utterly indifferent to it
    gründen to found, establish
    gründlich thorough, profound, fundamental, essential
die **Gründlichkeit, -** profundity, thoroughness
der **Gründling, -s, -e** gudgeon (*fish*)
    grundlos bottomless; without reason

das **Grundmotiv, -s, -e** main theme
grünwollen green-woolen
gruppieren to arrange
gruseln make shudder, be afraid
(*of something uncanny*)
  es gruselt mir I shudder; I'm
  scared
der **Gruß, -es, ⸚e** greeting, salutation
die **Grüße** greetings, regards
grüßen to greet, speak to, welcome
  Grüß Gott! good day! hello!
gucken to look, peep
  guck einmal why don't you
  look; just look
gülden golden
die **Gunst, -** favor
  auf seine Gunst bedacht sein
  to be eager to gain someone's
  favor
der **Gürtel, -s, -** belt, waistband, sash
gürten to gird, get ready
der **Gurtpaletot, -s, -s** belted topcoat
der **Guß, -sses, ⸚sse** gush, splash
(*sudden downpour*)
gut, besser, best - good *or* well,
better, best
die **Güte, -** goodness, kindness, excellence, benevolence
guteingerichtet well-furnished
gutgläubig guileless, credulous
gutmütig good-natured
der **Gymnastiklehrer, -s, -** gymnastics teacher
die **Gymnasialbildung, -** classical
education; college preparatory
training

H

das **Haar, -(e)s, -e** hair
das **Haargestrüpp, -s** tangle of hair
haben (hat), hatte, gehabt to
have
der **Hafen, -s, ⸚** harbor
die **Haft, -** imprisonment
haften to cling to
  dafür haften to be responsible
  for
der **Hagel, -s** hail
der **Hahn, -(e)s, ⸚e** cock, rooster
der **Hai, -(e)s, -e** shark
der **Haken, -s, -** hook, clasp, clamp
  das **Häkchen, -s, -** little hook

„**was ein Häkchen werden will,
muß sich beizeiten krüm-
men**" as the twig is bent, the
tree is inclined
halb half
der **Halbhandschuh, -s, -e** (*lace*) mitt
der **Halbkreis, -es, -e** semicircle
halbverfallen half deteriorated,
half ruined
halbverwischt half obliterated
die **Hälfte, -, -n** half
die **Halle, -, -n** station (*-shed*); hall
hallen to echo, resound
der **Hals, -es, ⸚e** throat, neck
das **Halstuch, -(e)s, ⸚er** scarf
halten, (hält), hielt, gehalten to
hold, keep, retain; stop, halt
  halten (für) think, deem, consider
  halten mit to go along with
  ich halte es mit ihm I stand
  by him
  sich halten können to be able
  to contain oneself
haltlos unsteady, wavering, uncertain; without anything to
hold on to
die **Haltlosigkeit, -** lack of stability
die **Haltung, -, -en** posture, position,
bearing, attitude
hämisch spiteful
der **Hammer, -s, -** hammer; hammerheaded shark
hämmern to hammer
die **Hand, -, ⸚e** hand
  von fremder Hand from
  strangers
  **einem etwas in die Hände
  spielen** to get something into
  someone's hands
  jemandem die Hand geben
  to shake hands with someone
die **Handbewegung, -, -en** motion,
gesture
der **Handel, -s** transaction, business,
affair, bargain
das **Handeln, -s** action
handeln to act, do
  es handelt sich um it is a question of
die **Handlungsweise, -, -n** manner
of action, procedure
die **Handschrift, -, -en** manuscript;
handwriting

der **Handschuh, -s, -e** glove
die **Handvoll, -** handful
das **Handwerk, -s** trade; handicraft, craft
der **Handwerker, -s, -** craftsman, artisan
der **Hang, -es, ⁻e** incline, edge
hängen, hing, gehangen to hang
hängen-bleiben, blieb hängen, ist hängengeblieben to become attached to; be caught on
die **Hantierung, -, -en** manipulation
hart hard
hart an close by, close to
der **Harfenschlag, -s, ⁻e** harp cadence
harmlos harmless; innocuous, innocent
harren to linger on, stay, remain
der **Haselbusch, -(e)s, ⁻e** hazel bush
der **Haß, -sses** hatred
hassen to hate, despise
häßlich ugly
hauen to strike, beat, hit
hastig hasty, quickly
der **Hauch, -(e)s** breeze, breath of air
das **Haupt, -es, ⁻er** head
gebranntes Haupthaar crimped hair
der **Hauptplatz, -es, ⁻e** main square
das **Hauptportal, -(e)s, -e** main entrance
hauptsächlich in the main, principally, essential, primary; especially
der **Hauptspaß, -es, ⁻e** main joke, capital joke
die **Hauptstadt, -, ⁻e** capital
das **Hauptstück, -(e)s, -e** main chapter
das **Haus, -(e)s, ⁻er** house
von Hause aus by nature, originally
nach Haus(e) home (*to go home*)
die **Hausfrau, -, -en** housewife, mistress of the house
das **Hausgesinde, -s** servants
der **Haushund, -(e)s, -e** house-dog
der **Hauslehrer, -s, -** tutor
die **Haustür, -, -en** front door, street door
die **Haut, -, ⁻e** skin
der **Hebelgriff, -(e)s, -e** handle of a lever

heben, hob, gehoben to lift, raise
sich **heben, hob sich, hat sich gehoben** rise
der **Hecht, -(e)s, -e** pike
Heda! Hey there!
das **Heft, -es, -e** notebook, book(let)
heften to pin, to fasten, attach, cling, be fixed to something
sich **heften (auf)** to attach itself, to be fixed
heftete sich auf mich seized me
heftig violent, intense, vehement, powerful
hegen to care for, cherish
heida! hey! hurrah
die **Heide, -, -n** heath
das **Heidenröslein, -s, -** little rose of the heath
heil! hail!
das **Heil, -s** good fortune
heilig holy, sacred
der **Heilige, -n, -n** saint
heiligen to hallow
die **Heiligkeit, -** holiness, saintliness
das **Heim, -(e)s, -e** home
heim home, homeward
die **Heimat, -** home, native country, birthplace
die **Heimatstadt, -, ⁻e** native city
heim-kehren to return (*home*)
heimlich secret, furtive, secretly
heim-tragen, (trägt heim), trug heim, heimgetragen to carry home
der **Heimweg, -(e)s, -e** way home
das **Heimweh, -s** homesickness, nostalgia
heiraten to marry
heiser hoarse
heiß hot
heißen, hieß, geheißen to be named, be called; bid, enjoin, direct; mean, signify, command, order
jemanden etwas tun heißen to bid someone do something
heiter cheerful, glad; bright, gay
die **Heiterkeit, -** cheerfulness, gaiety, humor
heizen to heat
der **Held, -en, -en** hero
die **Heldentat, -, -en** heroic deed

die **Heldin, -, -nen** heroine
helfen, (hilft), half, geholfen to help
hell light, bright
die **Helle, -** the illumination, brightness, light
der **Heller, -s, -** *small German copper coin, no longer current*
   ein paar Heller a few cents
hellsehend clairvoyant
die **Hellsicht, -** clear-sightedness
der **Helm, -(e)s, -e** helmet
das **Hemd, -es, -en** shirt, chemise
der **Henkel, -s, -** handle
henken to hang (*on the gallows*)
   der **Gehenkte, -n, -n** person hung on the gallows
der **Henker, -s, -** hangman
her hither, here, this way
   wo ist er her? where is he from?
herab down
herab-fallen (fällt herab), fiel herab, ist herabgefallen to fall down (*from a height*)
herab-gleiten (gleitet herab), glitt herab, ist herabgeglitten to slide down
herab-hängen, hing herab, ist herabgehangen to hang down
   herabhängend pendulous, drooping
herab-holen to fetch down, get down
sich **herab-lassen, (läßt sich herab), ließ sich herab, hat sich herabgelassen** to condescend, deign; stoop
herab-steigen, stieg herab, ist herabgestiegen to climb down
herab-tragen, (trägt herab), trug herab, herabgetragen to carry down
heran hither, toward
heran-kommen, kam heran, ist herangekommen to come close, approach
herauf up; hither, upwards, upstairs
herauf-bringen, brachte herauf, heraufgebracht to bring up; bring upstairs

sich **herauf-drängen** to well up, to force itself up
herauf-kommen, kam herauf, ist heraufgekommen to approach, come up
herauf-steigen, stieg herauf, ist heraufgestiegen to climb up, rise
heraus forth, out of, out
   aus . . . heraus out of
heraus-arbeiten to work out, evolve
   scharf herausgearbeitet sharply outstanding, very prominent
heraus-bringen, brachte heraus, herausgebracht to bring forth, produce, extract, elicit
   kein Wort herausbringen not to get a word out
heraus-fordern to challenge
heraus-geben, (gibt heraus), gab heraus, herausgegeben to return (*change*), give back; edit, publish
heraus-graben, (gräbt heraus), grub heraus, herausgegraben to dig out
heraus-holen to get out, bring forth
heraus-kommen, kam heraus, ist herausgekommen to come out
heraus-können, (kann heraus), konnte heraus, herausgekonnt to be able to get out
heraus-müssen, mußte heraus, herausgemußt to have to come out
sich **heraus-nehmen, (nimmt sich heraus), nahm sich heraus, hat sich herausgenommen** to presume (too much)
   sich Freiheiten herausnehmen to take liberties
heraus-rasseln to rattle out of
heraus-schlagen, (schlägt heraus), schlug heraus, herausgeschlagen to burst forth: to come through fighting
heraus-schneiden, (schneidet heraus), schnitt heraus, herausgeschnitten to cut out, to extricate

heraus-springen, sprang heraus, ist herausgesprungen to jump out

heraus-steigen, stieg heraus, ist herausgestiegen to climb out

sich **herausstellen** to turn out, to reveal itself

heraus-ziehen, zog heraus, herausgezogen to pull out, pull forth

herb bitter, sharp, pungent, stern, austere

herbei hither

herbei-holen to bring hither, fetch

herbei-locken to entice (to come)

herbei-kommen, kam herbei, ist herbeigekommen to come near, come close, approach

herbei-laufen, (läuft herbei), lief herbei, ist herbeigelaufen to run hither, run, near

herbei-schaffen to procure, bring (*to a certain place*)

herbei-schleichen, schlich herbei, ist herbeigeschlichen to sneak *or* creep close

herbei-schleppen to bring hither, to drag along, carry

der **Herbst, -es, -e** autumn

der **Herbstmorgen, -s, -** autumn morning

der **Herbsttag, -(e)s, -e** autumn day

der **Herbstvormittag, -(e)s, -e** autumn morning

der **Herd, -(e)s, -e** hearth, fire-side, stove

die **Herde, -, -n** flock

herein in here, inward, in

herein-kommen, kam herein, ist hereingekommen to come in, come inside

herein-tragen (trägt herein), trug herein, hereingetragen to carry in, carry inside

herein-treten, (tritt herein), trat herein, ist hereingetreten to step in, walk in, enter, come in

herein-ziehen, zog herein, hereingezogen (*also refl.*) to move in, pull in

die **Herkunft, -** origin, (*previous*) residence

her-kommen, kam her, ist hergekommen to come from

der **Herr, -n, -en** gentleman, lord, master, man, Mr.

Mein Herr Sir

herrlich grand, magnificent, splendid, marvelous

die **Herrschaft, -** power, domination

die **Herrschaften** (*pl.*) ladies and gentlemen, people

herrschaftlich manorial, magnificent

herrschen to reign, prevail, rule

der **Herrscher, -s, -** ruler, sovereign

her-schreiten, (schreitet her), schritt her, ist hergeschritten to walk along, walk towards

her-schütten to pour out (*in a certain direction*)

etwas über jemanden her-schütten pour something (*out*) over someone

her-stellen to establish, produce

herüber over, across

herüber-neigen (*also refl.*) to bend (*towards*), incline

herum around

um . . . herum round about, all around

herum-fahren, (fährt herum), fuhr herum, ist herumgefahren to travel around, ride around

herum-gehen, ging herum, ist herumgegangen to pass; go around

herum-laufen, (läuft herum), lief herum, ist herumgelaufen to run around

herum-sein (ist herum), war herum, ist herumgewesen to be over; be past

herumspielen to manipulate, to play around

sich **herum-treiben, trieb sich herum, hat sich herumgetrieben** to be tossed about, knock about, hang around

sich **herum-werfen (wirft sich herum), warf sich herum, hat sich herumgeworfen** to turn quickly

herunter down, downwards

herunter-kommen, kam herunter, ist heruntergekommen to come down

herunter-nehmen, (nimmt herunter), nahm herunter, heruntergenommen to take down, doff

herunter-reißen, riß herunter, heruntergerissen to snatch off

hervor forth, out

aus ... hervor out of

hervor-blicken to look forth

hervor-brechen, (bricht hervor), brach hervor, ist hervorgebrochen to burst forth, to appear

hervor-bringen, brachte hervor, hervorgebracht to produce

hervor-holen bring forth, produce

hervor-quellen, (quillt hervor), quoll hervor, ist hervorgequollen to spring forth, protrude

hervor-ragen to stand out, project (*above*), rise (*above*)

hervorragend notable

hervor-rufen, rief hervor, hervorgerufen to call forth, produce, evoke, conjure up

hervor-schießen, schoß hervor, ist hervorgeschossen to shoot forth

hervor-springen, sprang hervor, ist hervorgesprungen to project

her-wenden, (wendet her), wandte her, hat hergewandt to turn towards, face

das **Herz, -ens, -en** heart

sich ein Herz fassen to pluck up courage, take heart

her-zeigen to show

das **Herzeleid, -s** heartache

das **Herzklopfen, -s** heartbeat

mit Herzklopfen with a beating *or* palpitating heart

die **Herzlichkeit, -** cordiality

der **Herzog, -s, ⸚e** duke

das **Heu, -s** hay

heulen to howl, yell

heut(e) today

heutig of today

wir Heutigen we moderns

heutzutage nowadays

der **Hexenmeister, -s, -** wizard

hie und da ever so often, occasionally, now and then, here and there

der **Hieb, -es, -e** blow

auf einen Hieb at one blow

hier here, there

hier-bleiben, blieb hier, ist hiergeblieben to stay here

hierher thither, over here

hierneben=hier daneben right next (*to*)

die **Hilfe, -** help, aid, assistance

Hilfe schaffen to render assistance, procure help

die **Hilflosigkeit, -** helplessness

die **Hilfskraft, -, ⸚e** helper, assistant

der **Himmel, -s, -** heaven, sky

der **Himmelsduft, -es, ⸚e** heavenly air or fragrance

die **Himmelsgewalt, -, -en** heavenly power, supernatural force

um Himmels willen for heaven's sake

himmlisch heavenly

der **Himmlische, -n, -n** divine being

hin that way, towards

wo gehst du hin? where are you going?

hin und her back and forth, to and fro

hinab down, downwards

hinab-jagen to chase down or off

hinab-klimmen, klomm hinab, ist hinabgeklommen to climb down

hinab-schielen to cast furtive glances, to look out of the corner of one's eyes

hinab-sehen, (sieht hinab), sah hinab, hinabgesehen to look down (upon)

hinab-taumeln to stagger downstairs, tumble down

hinab-werfen, (wirft hinab), warf hinab, hinabgeworfen to throw down

hinan up

den Berg hinan up the mountain

hinauf up, upstairs

hinauf-hängen, hing hinauf,
hinaufgehangen to hang up
hinauf-steigen, stieg hinauf, ist
hinaufgestiegen to climb up
hinaus to the outside, out
hinaus-gehen, ging hinaus, ist
hinausgegangen to go out,
go outside
hinaus-hängen, hing hinaus, ist
hinausgehangen to extend,
jut out
hinaus-kommen, kam hinaus, ist
hinausgekommen to come
out, get out
hinaus-sehen, (sieht hinaus), sah
hinaus, hinausgesehen to
look outside
hinaus-werfen, (wirft hinaus),
warf hinaus, hinausgeworfen
to throw outside, throw out
sich hin-bewegen to move in a certain
direction, move about
der Hinblick, -s, -e regard
hindern to impede, hinder, prevent
das Hindernis, -ses, -se obstacle,
hindrance, impediment
ohne Hindernis unobstructed
hindurch-scheinen to shine
through
hindurch-sehen, (sieht hindurch),
sah hindurch, hindurchge-
sehen to see through, look
through
hinein into, in, inside
hinein-beißen, biß hinein, hinein-
gebissen to bite into
hinein-blasen, (bläst hinein),
blies hinein, hineingeblasen
to blow into
hinein-fahren, (fährt hinein),
fuhr hinein, ist hineinge-
fahren to ride into, drive into
hinein-gehen, ging hinein, ist
hineingegangen to go in, go
inside
hinein-klemmen squeeze in,
clamp inside
sich hinein-legen lie down (in something)
hinein-reden to lecture (some-
body), talk (to someone) per-
suasively
hinein-sammeln to collect into

hinein-sehen, (sieht hinein),
sah hinein, hineingesehen
to look in
hinein-tragen, (trägt hinein),
trug hinein, hineingetragen
to carry in, carry inside
hinein-werfen, (wirft hinein),
warf hinein, hineingeworfen
to throw in, throw inside
hin-fallen, (fällt hin), fiel hin,
ist hingefallen to fall down
hin-führen to lead (there, to a
certain place)
hin-geben, (gibt hin), gab hin,
hingegeben to give away,
give to
hingegeben abandoned (to
grief); indulging in
die Hingebung, - devotion, surrender
hingebungsvoll devoted
hingegen on the contrary, on the
other hand
hin-gehen, ging hin, ist hinge-
gangen to go there, go (to
some place)
hin-gehören to belong (some
place)
hingestreckt stretched out
hin-klappern to clatter
vor sich hinklappern to rattle
to oneself
hin-kommen, kam hin, ist hingekommen to get, arrive
(some place); disappear
wo ist es hingekommen?
where did it disappear to?
sich hinreißen lassen to be carried
away; let oneself be carried
away or overwhelmed
hin-richten to execute (someone)
hin-schlagen (schlägt hin),
schlug hin, hingeschlagen
to strike down on
schlug über uns hin fell upon
us
hin-schleichen, schlich hin, ist
hingeschlichen to sneak
along, steal along
hin-schreiten, (schreitet hin),
schritt hin, ist hingeschritten
to march, stalk, strut along
hin-sehen, (sieht hin), sah hin,
hingesehen to look at over
there, watch

in dieser **Hinsicht** in this respect

hintan-halten, (hält hintan), hielt hintan, hintangehalten to thwart, discourage

hinten in back

hinter behind

hinter- posterior

der **Hintergrund, -es, ̈e** background, rear

die **hinteren Beine** hind-legs

hinüber across, over there

hinüber-steigen, stieg hinüber, ist hinübergestiegen to climb over (*into*), climb across

hinunter down, downstairs

hinunter-schicken to send down, send downstairs

hinunter-schlingen, schlang hinunter, hinunterge-schlungen to devour

hinunter-schlucken to gulp

hinunter-stoßen, (stößt hinunter), stieß hinunter, hinunter-gestoßen to push down, push downstairs

hinunter-werfen, (wirft hinunter), warf hinunter, hinuntergeworfen to throw down, throw downstairs

hinweg-spülen to sweep away

hin-welken to fade away, wither, waste

hin-werfen, (wirft hin), warf hin, hingeworfen to throw, toss off, remark casually

hinzu to, toward, near, to it, in addition

hinzu-gehen, ging hinzu, ist hinzugegangen to go close

hinzu-setzen to add

der **Hirsch, -es, -e** stag

hitzig hotheaded, passionate, fiery

hoch hoh, - high

in **hoher Freude** in great joy

hoch und teuer versprechen *oder* **versichern** solemnly promise *or* assure

hocherfreut greatly pleased

hoch-halten, (hält hoch), hielt hoch, hochgehalten to hold up

hoch-heben, hob hoch, hochgehoben to lift up, hold up

hochherzig high-spirited, courageous

der **Hochmut, -(e)s** pride

hoch-nehmen, (nimmt hoch), nahm hoch, hochgenommen to lift up

höchst extremely

der **Hochstapler, -s, -** fashionable swindler

die **Hochzeit, -, -en** wedding, marriage

Hochzeit halten get married, celebrate one's wedding

das **Hochzeit(s)bett, -(e)s, -en** bridal bed, nuptial bed

der **Hochzeit(s)tag, -(e)s, -e** wedding day

der **Hof, -es, ̈e** court, yard, courtyard, residence

hoffen to hope

die **Hoffnung, -, -en** hope

die **Hoffnung aufgeben** to give up hope

hoffnungslos hopeless

hoffnungsvoll full of hope

höflich polite

die **Höflichkeit, -** civility, courtesy

der **Hofmann,-(e)s, ̈er** (*also:* **Hofleute**) courtier

die **Hofmühle, -, -n** royal mill; grist mill

die **Höhe, -, -n** height, altitude, summit, top

in die **Höhe** aloft, upward; rising up

die **Hoheit, -, -en** Highness

Eure Hoheit Your Highness

Hoheit und Ehren dignity and honors

die **Höhle, -, -n** cave

hohl hollow

der **Hohn, -(e)s** scorn

hold gentle, pleasing, kind, friendly, lovely, sweet, charming, gracious

holen to get, fetch, bring

holen lassen to have brought

die **Hölle, -** hell

holpern jolt, jog along

das **Holz, -es, ̈er** wood

hölzern wooden

holzgedeckt shingled

das **Holzgeländer, -s, -** wooden banister

das **Holzgelaß, -sses, -sse** wooden compartment; structure

der **Holzlagerplatz, -es, ⸚e** lumber yard

der **Hopfen, -s** hops

  an Dir ist Hopfen und Malz verloren all effort is wasted on you; you are a hopeless case

hopp! hop!

horchen to listen

hören to hear, listen

das **Horn, -(es), ⸚er** horn

  die Hörner zum Stoße einlegen lower the horns to charge

das **Hosenbein, -(e)s, -e** trouser leg

der **Hosenboden, -s, ⸚** seat of the pants

hübsch pretty, attractive, nice, neat

die **Hüfte, -, -n** hip

hügelig hilly

hüllen to wrap

die **Hummer-Omelette, -, -n** lobster omelette

der **Hund, -(e)s, -e** dog

  mit allen Hunden gehetzt jaded with sophistication

hungrig hungry

hüpfen to hop, bound, skip

  hüpfend staccato, skipping

hurtig brisk

husch shoo

huschen to flit

der **Hut, -(e)s, ⸚e** hat

sich **hüten** to beware, be on one's guard, take care

die **Hütte, -, -n** hut, cottage

die **Hyäne, -, -n** hyena

I

Ihr (*as singular form of address*) *old form for* **Sie** = you

ihresgleichen like them (her)

  als ihresgleichen as one of them

ihretwegen for their (her) sake

immer always, continually, more and more

  auf immer for ever

  immer wieder again and again

immerfort always, constant(ly)

immerhin always; nevertheless

immerwährend continuous(ly)

immerzu always, all the time

imstande (sein) (to be) capable

in in, into

indem (*adv.*) at this moment, just now, just then, during the time that, since, whilst (*conj.*) while, as, in that, because, when

indes while, in the meantime, meanwhile

indessen however

Indien, -s India

ineinander in each other, into one another

infam base, infamous

inmitten amidst, in the middle of

inne-haben, (hat inne), hatte inne, innegehabt to own

innen (*on the*) inside

inner – inner, inward

das **Innere, -n** inner life, heart, inside, interior

innerlich inward(ly)

inne-werden, (wird inne), ward inne, ist innegeworden to become aware of

innig ardent, intimate, deeply felt, devout, tender

die **Insel, -, -n** island

interessieren to interest

inzwischen in the meantime

irgend any

irgendein some, any

irgendwie in some way or other

irgendwoher from somewhere

irgendwohin anywhere

irre confused, demented, astray

der **Irrgang, -(e)s, ⸚e** labyrinth, aberration

das **Irrsal, -s, -e** confused existence, going astray

der **Irrtum, -s, ⸚er** error, erroneous notion, mistaken notion

der **Irrweg, -(e)s, -e** false path

Italien, -s Italy

  das obere Italien Northern Italy

J

ja yes; indeed, surely

die **Jagd, -, -en** hunt, hunting scene, chase

jagen to hunt, chase, drive, force

jäh abrupt, sudden

das **Jahr, -(e)s, -e** year
jahrelang for years
die **Jahresfrist, -, -en** year's time
die **Jahreszeit, -, -en** season
die **Jalousie, -, -n** venetian blind
der **Jammer, -s** lamentation, misery, distress
Oh Jammer! Oh misery!
jämmerlich miserable, woeful
jammern to cry, lament
das **Jauchzen, -s** jubilation
jauchzen to shout (with joy), exult, jubilate
je ever
je früher, desto besser the sooner, the better
jeder, -e, -es each, every
jedesmal every time, each time
jedoch however
jemand someone
jemals ever
jener, -e, -es that one; the former
der **Jesuiten-Orden, -s** Society of Jesus, Jesuits
jetzt now
das **Joch, -(e)s** yoke
jubeln to exult, jubilate
die **Jugend, -** youth
die **Jungfer, -, -n** maiden
die **Jungfrau, -, -en** maiden, virgin
jugendlich youthful
jung young
der **Junge, -n, -n** young boy, young fellow, youngster, youth
die **Junge, -n** the young woman
das **Junge, -n, -n** little one, newborn
der **Jüngling, -s, -e** youth, young man
just just, exactly

K

das **Kabinett, -s, -e** private chamber
der **Kaffee, -s** coffee
der **Käfig, -s, -e** cage
kahl bare
die **Kahlheit, -** bareness, emptiness
der **Kahn, -(e)s, ⸚e** boat, skiff
der **Kaiser, -s, -** emperor
die **Kaiserin, -, -nen** empress
die **Kajüte, -, -n** cabin, state room, ship's dining room
das **Kajütenhäuschen, -s, -** pilot-house, cabin
der **Kalif, -en, -en** caliph

kalt cold
kaltblütig coldblooded, objective
das **Kaltstellen, -s** cooling process, putting on ice
der **Kamerad, -en, -en** companion, comrade
der **Kamin, -s, -e** fireplace, mantelpiece
der **Kamm, -(e)s, ⸚e** comb
kämmen to comb
die **Kammer, -, -n** room, chamber
das **Kammermädchen, -s, -** chambermaid
der **Kampf, -(e)s, ⸚e** combat, struggle battle, fight
Kanada, -s Canada
der **Kanonikus, -,** *pl.* **Kanoniker** canon
das **Kaninchen, -s, -** rabbit
das **Kaninchenfutter, -s** rabbit food
der **Kaninchenstall, -s, ⸚e** rabbit, hutch
das **Kapotthütchen, -s, -** bonnet
die **Kapuze, -, -n** hood
das **Karree, -s, -s** carré, set (*of dancers*)
der **Karren, -s, -** cart
die **Karte, -, -n** card; ticket
das **Kartenspiel, -s, -e** card game
das **Karussell, -s** merry-go-round
die **Kastagnetten** (*pl.*) castagnets
der **Kasten, -s, -** chest, box
der **Katalog, -(e)s, -e** catalogue
die **Katze, -, -n** cat
die Katze im Sack kaufen to buy something sight unseen; buy a pig in a poke
kauen to chew
kauern to cower, squat
kaufen to buy
der **Käufer, -s, -** buyer
der **Kaufmann, -s, -er** *or* **Kaufleute** merchant, tradesman, shopkeeper
kaum hardly, scarcely, barely
der **Kavalier, -s, -e** gentleman
keck bold, self-assured
die **Keckheit, -** boldness
der **Kegel, -s, -** cone, nine-pin
Kegel spielen to play skittles, nine-pins; bowl
kegeln to bowl

die **Kehle, -, -en** throat
   **es schnürt ihm die Kehle
   zusammen** he feels a lump in
   his throat
der **Kehllaut, -(e)s, -e** guttural sound
   kehren to turn
   in sich gekehrt absorbed, in
   thought
sich **kehren** to care about
   keifen to scold, nag
   keimen to germinate
   kein not any, no
   keinerlei not any
   keinesfalls in no case, under no
   circumstances
   keineswegs not at all, by no
   means
der **Keller, -s, -** cellar
der **Kellner, -s, -** waiter
   kennen, kannte, gekannt to
   know, be acquainted with
   kennen-lernen to become acquainted, get to know,
   meet
   näher kennenlernen to become
   acquainted more closely
   kenntlich distinguished (by), rec-
   ognizable
die **Kenntnis, -, -se** knowledge
der **Kerl, -s, -e** fellow
die **Kerze, -, -n** candle
die **Kette, -, -n** chain
   keusch innocent, chaste, pure
   kichern to giggle
der **Kiel, -(e)s, -e** keel
das **Kielwasser, -s, -** wake
die **Kiemen** (*pl.*) gills
der **Kiesel, -s, -** pebble
das **Kind, -(e)s, -er** child
die **Kinderfrage, -, -n** a child's
   question
die **Kinderstube, -, -n** nursery
   die gute Kinderstube good upbringing
   kindlich childlike
   kindisch childish
das **Kinn, -(e)s, -e** chin
die **Kirche, -, -n** church
der **Kirchhof, -(e)s, ⁀e** church yard,
   cemetery
der **Kirchturm, -s, ⁀e** church tower,
   steeple, belfry
das **Kissen, -s, -** pillow, cushion
die **Kiste, -, -n** chest, crate

das **Kistenbrett, -s, -er** board from a
   crate
   klaffen to yawn, gape
die **Klage, -, -n** lament, wailing,
   complaint; law suit
   klagen to complain, bewail,
   lament; sue
   jemandem seine Not klagen
   to tell someone one's troubles
   Gott sei's geklagt may the
   Lord help us
der **Klageton, -s, ⁀e** sound of lamentation
   kläglich pitiful, miserable, contemptible, sorrowful, sad, dismal
die **Klammer, -, -n** tie, clamp
der **Klang, -(e)s, ⁀e** sound, strain
die **Klappe, -, -n** transom, flap
   klappern to clatter (*storks*), rattle,
   click
der **Klapperschnabel, -s, ⁀** clatter-
   beak
   klar clear(ly), sure
   klären to enlighten, clarify
die **Klarheit, -** clearness, brightness,
   clarity
die **Klarinette, -, -n** clarinet
das **Klassengewölbe, -s, -** vaulted
   classroom
die **Klassentür, -, -en** classroom door
   klatschen to lap, clap
das **Klavier, -s, -e** piano
der **Klavierspieler, -s, -** pianist
das **Kleid, -es, -er** dress, garment
   die Kleider (*pl.*) clothes, clothing
die **Kleidung, -** dress, clothing
   klein small, little
   kleinbürgerlich petit bourgeois;
   typical of the lower middle
   class
   kleinbürgerlich gekleidet
   dressed in the manner of the
   lower middle-class
die **Kleinigkeit, -, -en** trifle
   kleinlich petty, trivial
   kleinstädtisch provincial
   klemmen to squeeze, pinch,
   clamp
die **Klingel, -, -n** bell
   klingeln to ring the bell
   klingen, klang, geklungen to
   sound, ring
das **Klingen, -s** resonance, ring

die **Klinke, -, -n** doorknob
die **Klippe, -, -n** cliff
der **Klippenfisch, -es, -e** cod
klirren to clatter
klopfen to knock, pat, beat
der **Klostergarten, -s, ⸚** convent-garden
die **Kluft, -, ⸚e** chasm, abyss, cleft
klug clever, smart, intelligent, wise
der **Klumpen, -s, -** lump, clump, cluster, mass
der **Knabe, -n, -n** boy, youth
das **Knabenspiel, -s, -e** boys' game
knallen to explode
knapp scarce, scanty, tight, insufficient
knapp vor shortly before
der **Knappe, -n, -n** page
knarren to creak, groan
der **Knecht, -es, -e** servant, slave
kneifen, kniff, gekniffen to pinch
mit gekniffenen Augen squinting
die **Kneipe, -, -n** bar, pub
das **Knie, -s, -** knee
knien to kneel down
knirschen to gnash, grate, grind, creak, crunch
knistern to rustle, crackle
der **Knöchel, -s, -** ankle
der **Knochen, -s, -** bone
knochig bony
der **Knopf, -(e)s, ⸚e** button
das **Knopfloch, -s, ⸚er** buttonhole
die **Knospe, -, -n** bud
knüpfen to make or tie a knot
knurren to growl
der **Kobold, -(e)s, -e** goblin
kochen to boil, cook
der **Koffer, -s, -** trunk, suitcase
die **Kohle, -, -n** coal
der **Köhlerknecht, -(e)s, -e** charcoal burner's helper, woodsman
der **Kohleentwurf, -s, ⸚e** charcoal outline or sketch
die **Koje, -, -n** cabin
das **Kolleg, -s, -ien** lecture
der **Kollege, -n, -n** colleague
kollern to roll
die **Kolonie, -, -n** colony
die **Komik, -** comedy
Komik und Elend farce and misery

komisch comic
der **Kommandeur, -s, -e** director; commander
kommen, kam, ist gekommen to come
kommen Sie zu sich! compose yourself!
kompliziert complicated
der **König, -s, -e** king
das **Königsmahl, -(e)s, ⸚er** royal banquet
der **Königssaal, -es, -säle** royal hall
der **Königstiger, -s, -** Bengal tiger
die **Konkurrenz, -, -en** competition
können, (kann), konnte, gekonnt to be able to
nichts dafür können not to be able to help it
ich konnte nicht umhin I could not help but
konservieren to preserve
konstruieren to construct
der **Kontorrock, -(e)s, ⸚e** office coat
das **Konzept, -es, -e** conception, purpose
aus dem Konzept bringen to distract from one's purpose
der **Konzeptspraktikant** law student training in government office
der **Kopf, -(e)s, ⸚e** head
köpfen to behead
kopfschüttelnd shaking one's head
die **Koralle, -, -n** coral
der **Korb, -es, ⸚e** basket
der **Korbhenkel, -s, -** basket handle
das **Korn, -(e)s** grain
die **Kornähre, -, -n** ear of corn or grain
der **Körper, -s, -** body
die **Körperlichkeit, -** physique
die **Korrektheit, -** correctness
die **Korrektur, -, -en** correction; revision
der **Korridor, -s, -e** corridor
das **Korsett, -(e)s, -s** corset, girdle
kosten to cost
koste es, was es wolle no matter what the price
kostbar valuable, precious
die **Kostbarkeit, -, -en** valuable object, jewel; preciousness
köstlich delightful, delicious, precious

krachen to crash

die **Kraft, -, ∵e** power, vigor,
   strength, might
   Kräfte sparen preserve one's
   strength
   kraft (*with gen.*) by virtue of
   kraftlos powerless, weak

der **Kragen, -s, -** collar; neck
   krähen to crow; caw

das **Krähengeschrei, -s** cawing of
   crows

die **Kralle, -, -n** claw
   krallen to claw, clutch

der **Krämer, -s, -** merchant, shopkeeper, grocer

der **Krampf, -(e)s, ∵e** convulsion,
   muscle spasm

der **Kranich, -s, -e** crane
   krank ill, sick

der **Kranke, -n, -n** sick person,
   invalid
   kränken to hurt a person's feelings; to aggrieve, mortify
   er ist gekränkt his feelings are
   hurt
   krankhaft morbid

die **Krankheit, -, -en** disease
   kraß violent, crass
   kratzen to scratch
   krausen to ruffle
   das **gekrauste Wasser** rippling
   water

die **Krawatte, -, -n** necktie

die **Kreatur, -, -en** creature

der **Krebs, -es, -e** crawfish, crayfish

der **Kreidefels, -en(s), -en** white cliff

der **Kreis, -es, -e** circle, group
   kreischen to shriek, creak

der **Kreisel, -s, -** (*spinning*) top
   kreisen to circle, whirl

das **Kreuz, -es, -e** cross; small of back
   kreuzen to cross
   kreuzweise crosswise
   kribbeln to tingle
   kriechen, kroch, ist gekrochen
   to crawl, creep

der **Krieg, -es, -e** war
   der Siebenjährige Krieg Seven
   Years' War
   kriegen to receive, get

der **Krieger, -s, -** warrior

die **Kritik, -, -en** critique, criticism

die **Krone, -, -n** crown

der **Kronleuchter, -s, -** chandelier

die **Krücke, -, -n** crutch

das **Krümel, -s, -** crumb
   krumm crooked, bent, curved
   krummbeinig bowlegged

sich **krümmen** to grow crooked,
   curve; writhe

die **Küche, -, -n** kitchen; fare, food
   die kalte Küche cold dishes,
   smorgasbord

die **Küchenschürze, -, -n** kitchen
   apron

der **Kuckuck, -(e)s, -e** cuckoo

der **Kuckuckvogel, -s, ∵** cuckoo

die **Kugel, -, -n** ball; globe; sphere;
   bullet
   kühl cool, cold

die **Kühlung, -, -en** cooling; assuage-
   ment
   kühn daring, audacious

die **Kühnheit, -** boldness, audacity

die **Kulisse, -, -n** coulisse, (*theatre*)
   scenery
   hinter den Kulissen behind the
   scenes

der **Kummer, -s** sorrow
   kümmerlich miserable, wretched,
   poor, scanty

die **Kunde, -, -n** news, information
   künden to declare
   **kund-geben, (gibt kund), gab
   kund, kundgegeben** to make
   known

die **Kunst, -, ∵e** art

der **Künstler, -s, -** artist

die **Künstlerin, -, -nen** female artist
   künstlerisch artistic

die **Künstlerschaft, -** artistic sense

das **Künstlertum, -s** art, artistry
   künstlich forced

das **Kunststück, -(e)s, -e** trick; work
   of art
   kunstvoll artistic

die **Kupfertafel, -, -n** copper plate;
   engraving, diagram

die **Kupplerin, -, -nen** procuress

der **Kurgast, -es, ∵e** hotel guest

das **Kurhaus, -es, ∵er** hotel (*at a seaside resort or spa*)
   kurios odd, curious
   kurz brief, terse, short, in short
   kurz vor shortly before
   kurz nach shortly after
   kurzhalsig short-necked
   kürzlich recently

kurzum in short
der **Kuß, -sses, ¨sse,** kiss
   küssen to kiss
die **Küste, -, -n** coast
der **Küster, -s, -** sexton
   kutschieren to drive, ride (*in a carriage*)

L

das **Labyrinth, -(e)s, -e** labyrinth
das **Lächeln, -s** smile
   lächeln to smile
   lachen to laugh
   lächerlich ridiculous
der **Lachs, -es, -e** salmon
   lackieren to varnish
der **Lackschuh, -s, -e** patent leather shoe
   laden, (lädt), lud, geladen to load
   geladen brimful
der **Laden, -s, ¨** shop, store; shutter
der **Ladentisch, -es, -e** counter
die **Ladentür, -, -en** shop entrance; shop door
die **Ladung, -, -en** cargo
die **Lage, -, -n** situation
das **Lager, -s, -** couch, bed
   lähmen to paralyze
die **Lampe, -, -n** lamp
das **Land, -es, ¨er** country, land
   am Land(e) in the country
die **Landstraße, -, -n** country road, highway, main road
   landeinwärts inland
die **Landkarte, -, -n** map
die **Landleute** (*pl.*) farmers, country-folk
   ländlich rural
der **Landmann, -es, (pl.) Landleute** villager, husbandman
die **Landpartie, -, -n** excursion (*into the country*), picnic
die **Landstadt, -, ¨e** provincial town
   lang long
   so lang(e) as long
   lange for a long time
   schon lange for a long time (*already*)
   noch lange for quite a while
   (Frau) Langbein (Mrs.) Long-legs
   langbeinig long-legged
   langen (nach) to reach (for)
der **Langfüßler, -s, -** the long-legged one, i.e., stork

   länglich longish
   länglich geschnitten oblong; slanted
   langsam slow
die **Langsamkeit, -** slowness
   längst long ago; long since
die **Längswand, -, ¨e** side wall
   langweilig tedious, boring
der **Lappen, -, -** rag
   Lappland, -s Lapland
der **Lärm, -(e)s** noise, uproar
   lärmen to make a noise, clang, clamour
die **Larve, -, -n** specter, mask
   lassen, (läßt), ließ, gelassen to let
   jemanden (*acc.*) **etwas** (*acc.*) **tun lassen** to have someone do something, to let, to cause *or* have something done
   sich zur Erde lassen to alight on the ground
   lässest = läßt
die **Lässigkeit, -, -en** nonchalance
   lässigplump clumsy and easy-going
die **Last, -, -en** burden, weight, cargo
   lästern to blaspheme
   lateinisch Latin
die **Laterne, -, -n** lantern, street-lamp
   lau balmy
das **Laub, -(e)s** foliage, leaves
die **Laube, -, -n** bower, pergola
die **Laubsäge, -, -n** fret saw
der **Laubwald, -(e)s, ¨er** deciduous forest
der **Lauf, -es, ¨e** course (*of events*)
   laufen, (läuft), lief, ist gelaufen to run, walk, hurry
die **Laune, -, -en** mood
   lauschen to listen to, watch
der **Laut, -(e)s, -e** sound, noise
   einen Laut von sich geben to produce a sound
   laut loud
die **Laute, -, -n** lute
   lauten to run, be worded
   läuten to ring
   lauter clear, pure; mere, sheer, nothing but, all
   lautlos noiseless, soundless, mute
das **Leben, -s, -** life
   am Leben hängen to cling to life

leben to live
  lebend vivid, alive
  lebendig full of life, living, alive, buoyant
  es wird lebendig people are beginning to stir
die **Lebensführung, -** conduct, manner of living
der **Lebensplan, -(e)s, ⸚e** a plan for one's life
  lebenhauchend breathing life
  lebhaft vivacious, lively, vivid
  leblos lifeless, inanimate
der **Lebtag, -(e)s, -e** lifetime
das **Lechzen, -s** thirst
  lechzen to yearn
  lecken to lick
der **Leckerbissen, -s, -** tidbit, dainty
das **Leder, -s** leather
  vom Leder ziehen to draw one's sword
  ledern leathern
das **Lederzeug, -s** riding accoutrements
  leer empty
  leerstehend standing empty
die **Leere** emptiness
  leeren to empty
sich **legen** to lie down, subside, calm down
  legen to lay, place
die **Legende, -, -n** legend
die **Legion, -, -en** legion
sich **legitimieren** to prove one's identity
die **Lehne, -, -n** back (*of a chair*)
  lehnen to repose, lean
der **Lehnstuhl, -s, ⸚e** armchair
das **Lehrbuch, -s, ⸚er** textbook
die **Lehre, -, -n** lesson, information, apprenticeship
  lehren to teach
der **Lehrer, -s, -** teacher
der **Leib, -(e)s, -er** the body, carcass
  vom Leibe halten to keep away from oneself
das **Leibchen, -s, -** undershirt, bodice
  leibhaftig bodily, in person
der **Leibrock, -(e)s, ⸚e** dress coat
die **Leiche, -, -n** corpse, body
  leichenstill deadly quiet
der **Leichnam, -(e)s, -e** corpse, body
  leicht light, easy(ly), slight, gentle, simple

das **Leid, -(e)s, -en** injury, sorrow, pain
  es tut mir leid I am sorry
das **Leiden, -s, -** suffering, affliction, misery, distress
  leiden, (leidet), litt, gelitten to suffer, bear
  es leidet ihn nicht he can't hold out
  ihn mag ich leiden he's not a bad sort, I like him
die **Leidenschaft, -, -en** passion
die **Leidenschaftlichkeit, -** passionateness, fervor, vehemence
der **Leidensgefährte, -n, -n; die Leidensgefährtin, -, -nen** fellow sufferer, companion in misfortune
  leider unfortunately
  leidvoll full of suffering
  leihen, lieh, geliehen to lend
das **Leintuch, -(e)s, ⸚er** bed sheet
die **Leinwand, -** canvas
  leise soft, gentle; quiet, silent, faint, scarcely audible
  leisten to accomplish, achieve, perform, do
die **Leistung, -, -en** achievement
die **Leiter, -, -n** ladder
die **Lektüre, -, -n** reading
die **Lerche, -, -n** lark
  lernen to learn
  lesen, (liest), las, gelesen to read
der **Leser, -s, -** reader
das **Letzte, -n** end, conclusion, the ultimate, the last
  alles Letzte the ultimate
das **Letztere** the latter
  leuchten to shine, to be bright
der **Leuchtturm, -(e)s, ⸚e** lighthouse
das **Leugnen, -s** denial, disavowal
  leugnen to disavow, deny
die **Leute** (*pl.*) people
  leutselig affable, pleasant
das **Licht, -(e)s, -er** light
  licht light, clear, bright
der **Lichtkreis, -es, -e** luminous circle, halo
der **Lichtreflex, -es, -e** reflection of light
der **Lichtschimmer, -s, -** gleam of light
der **Lichtstreif, -(e)s, -en** ray of light, strip of light

das **Lid,** -(e)s, -er lid
lieb dear
lieb haben to hold dear, be fond of, love
die **Liebe,** - love
die **Liebenden** lovers
liebenswürdig kind, amiable, lovely, charming, sweet, lovable
lieber rather, sooner, more willingly
der **Liebeskampf,** -(e)s, ¨e amorous combat; love-struggle
die **Liebeslust,** -, ¨e pleasure, joy of love
die **Liebesnacht,** -, ¨e night of love, night of passion
liebevoll fond, affectionate
die **Liebkosung,** -, -en caress
lieblich sweet, charming, lovely, fair, comely
das **Lied,** -(e)s, -er song
liederlich dissolute, loose
die **Liederlichkeit,** - negligence, nonchalance
liefern to produce
die **Lieferung,** -, -en delivery
liegen, lag, gelegen to lie
mir liegt daran I am concerned about, I would like (to)
es liegt ihm viel daran it is of great consequence to him
liegen-bleiben, blieb liegen, ist liegengeblieben to remain lying (down)
die **Linde,** -, -n linden tree
die **Linie,** -, -n line
in erster Linie first and foremost, primarily
das **Liniennetz,** -es, -e network of lines, squares
die **Linke,** -n left hand
links left; to the left, on the left
das **Linnen,** -s, - linen
die **Lippe,** -, -en lip
Lissabon Lisbon
literarisch literary
der **Literat,** -en, -en literary man, writer
das **Loch,** -(e)s, ¨er hole
die **Locke,** -, -en curl
locken to lure, entice
lodern to flame
das **Löffelchen,** -s, - teaspoon

die **Loge,** -, -n (theatre) box
logisch logical
der **Lohn,** -(e)s, ¨e reward, prize; salary, pay
lohnen to reward
der **Lorbeerbaum,** -s, ¨e laurel-tree
die **Lorgnette,** -, -n lorgnette; eyeglass
das **Los,** -es, -e prize (in a lottery)
los loose
löschen to extinguish
lösen to loosen, untie, undo; solve, answer (a riddle); to sever, free, relax
los-hauen to start beating
auf jemanden loshauen to beat someone without restraint
los-knüpfen untie (from something)
los-lassen, (läßt los), ließ los, losgelassen to let loose, get free, let go, release
sich **los-reißen, riß sich los, hat sich losgerissen** to tear oneself away
los-schlagen to start hitting
auf etwas oder **jemanden losschlagen** to hit something or someone without restraint
die **Lösung,** -, -en solution
los-werden, (wird los), wurde los, ist losgeworden to get rid of
der **Lotteriezettel,** -s, - lottery ticket
Lothringen, -s Lorraine
die **Lotusblume,** -, -n Egyptian lotus
der **Löwe,** -n, -n lion
die **Lücke,** -, -n gap, break, breach, hole
die **Luft,** -, ¨e air, breeze, sky
in alle Lüfte in all directions
lüften to raise; to air
der **Lufthauch,** -(e)s breath of air
der **Lumpen,** -s, - rag
die **Lumpenhülle,** -, -n rags
die **Lust,** -, ¨e desire, pleasure, joy, delight
mir vergeht die Lust I lose all desire, I don't feel like (it) any more
Lust bekommen feel inclined (to), get the urge
lüsten to desire, long for

es lüstet mich danach I desire it greatly

lustig gay, merry, cheerful, amusing

der **Luxus, -** luxury

M

machen to make, do

es jemandem recht machen to please *or* satisfy someone

etwas zu Geld machen convert something into money

er macht sich daran he sets out to

die **Macht, -, ⁓e** power, might, force, strength

des Deutschen mächtig sein to know German thoroughly, to have a command of German

das **Mädchen, -s, -** girl

das **Mägdlein, -s, -** maiden

der **Magen, -s, -** stomach

sich den Magen verderben get an upset stomach

mager lean, thin, slender, spare, meager

mahlen to grind (*in a mill*)

die **Mahlzeit, -, -en** meal

die **Mahnung, -, -en** reminder

das **Mailied, -(e)s, -er** Maysong

die **Majestät, -, -en** majesty

makellos faultless, pure

das **Mal, -es, -e** time, turn, instance; mark

zum dritten Male for the third time

alle Mal every time

malen to paint

malerisch picturesque

die **Malice** (*Fr.*) malice

das **Malz, -es** malt

man (*indef. pron.*) one, you, we, they, people

mancher, -e, -es many a

manche (*pl.*) many a, some

manchmal sometimes

der **Mangel, -s, ⁓** lack, want

Mangel an lack of

die **Manier, -, -en** manner

der **Mann, -es, ⁓er** man; husband

die **Männerstimme, -, -n** male voice

die **Manschette, -, -n** cuff

der **Mantel, -s, ⁓** coat, mantle, cloak

das **Manuskript, -(e)s, -e** manuscript

das **Märchen, -s, -** fairy-tale

der **Marchese** (*Ital.*), **-** marquis

der **Marineanzug, -s, ⁓e** sailor suit

das **Mark, -es** marrow

durch Mark und Bein right through the body

markig robust, vigorous

der **Markt, -(e)s, ⁓e** market, market place, market square

das **Marmorbild, -(e)s, -er** marble image

die **Marmorschale, -, -n** marble basin

die **Marquise, -, -n** marchioness

marschieren to march

das **Marschtempo, -s, -s** march tempo

das **Maß, -es, -e** measure, moderation, proportion

über die Maße extremely

die **Masse, -, -n** mass

der **Mast, -es, -e** *or* **-en** mast

die **Matratze, -, -en** mattress

der **Matrosenanzug, -(e)s, ⁓e** sailor suit

die **Matrosenmütze, -, -n** sailor cap

der **Matrosenschritt, -(e)s, -e** sailor's stride *or* gait

matt dim, dull, pale

die **Matte, -, -n** meadow, pasture

die **Mauer, -, -n** wall

die **Mauerlücke, -, -n** gap in the wall

der **Mauerrest, -es, -e** remains of a wall

das **Maul, -(e)s, ⁓er** mouth (of animals, vulgarly of persons), muzzle

Mekka und Medina *two cities holy to Islam*

medizinisch medical

das **Meer, -(e)s, -e** sea, ocean

mehr more (*see:* **viel**)

mehrere several

mehrmals several times

meiden, (meidet), mied, gemieden to avoid

die **Meile, -, -n** mile

meinen to mean; say, think

die **Meinung, -, -en** opinion

die **Meinungsenthaltsamkeit, -** reticence; refraining from expressing any opinion

meist most (*see:* **viel**); usually

meistens most of the time, mostly

der **Meister, -s, -** master
meistern to master
sich **melden** to come forward, announce oneself
der **Meldezettel, -s, -** registration form
die **Melodie, -, -n** melody
die **Menge, -, -u** great number, lot; multitude, host, crowd; quantity, abundance
  eine ganze Menge a large number
der **Mensch, -en, -en** human being; man; person
das **Menschenalter, -s, -** generation
die **Menschheit, -** humanity
das **Menschenkind, -es, -er** human being (*pl. also: children of men*)
menschlich human, humane
die **Menschenmasse, -, -n** crowd of people
merken to notice, sense, become aware
sich **merken** to remember, note down, observe
das **Merkmal, -s, -e** mark, characteristic
merkwürdig remarkable, strange, noteworthy
sich **messen, (mißt sich), maß sich, hat sich gemessen** to vie (with), compare oneself (with), match oneself (against)
messen, (mißt), maß, gemessen to time, measure
das **Messer, -s, -** knife
der **Messertanz, -es, ¨e** sword dance
das **Metall, -s, -e** metal
die **Metallader, -, -n** metallic vein
die **Methode, -, -n** method
miau! meow!
das **Mieder, -s, -** bodice
die **Miene, -, -n** expression, mien, air, feature, look
  sich die Miene geben als ob to look as if
das **Mienenspiel, -s, -e** expression, play of features
das **Mikrophon, -s, -e** microphone
milchig milky, thin (*as a film*)
mild mild, gentle, calm, kind
mildern to mitigate
die **Militärstiefelette, -, -n** military half-boot

mimen to act, represent
die **Minderwertigkeit, -** inferiority, triteness
die **Minute, -, -n** minute
der **Mischausdruck, -(e)s** mixed expression
mischen to mix, mingle
die **Mischung, -, -en** mixture
das **Mißbehagen, -s** discomfiture
mißfallen (mißfällt), mißfiel, mißfallen to displease
  es mißfiel ihm, daß it displeased him that
mißmutig discontent(ed), despondent
das **Mißtrauen, -s** distrust, suspicion
  mit kindisch gespieltem Mißtrauen with a childish show *or* display of distrust
der **Mißwachs, -es** crop failure
mit with; along, along with; in company with
  mit einmal suddenly
der **Mitarbeiter, -s, -** collaborator, assistant
mit-bringen, brachte mit, mitgebracht to bring along
mit sich bringen, brachte mit sich, hat mit sich gebracht to bring about
miteinander in common, together
mit-erleben to experience (*with*); share an experience
die **Miterscheinung, -, -en** the accompanying circumstance *or* phenomenon
mit-essen (ißt mit), aß mit, mitgegessen to eat with (*someone*)
mit-fechten (ficht mit), focht mit, mitgefochten to fight along with, fight together with; fence with
mitfühlend compassionate
mit-geh(e)n, ging mit, ist mitgegangen to go along, come along, accompany
mit-laufen, (läuft mit), lief mit, ist mitgelaufen to run along, run with
das **Mitleid(en), -s** pity, compassion, sympathy
mitleidig compassionate, sympathetic, pitying

mit-nehmen, (nimmt mit), nahm mit, mitgenommen to take along

mit-reisen to travel along (with)

mit-reißen, riß mit, mitgerissen to carry along

mitsamt together with

mitschuldig implicated (*in a crime*); partly to blame

der Mitschüler, -s, - fellow student

mit-singen, sang mit, mitgesungen to sing along with, sing with

mit-spielen to play with, play along with (*someone*), join in a game

die Mitwelt, - (*our*) contemporaries, the present generation

der Mittag, -s, -e noon

der Mittagstisch, -es, -e dinner table

wo ich meinen Mittagstisch hatte where I ate dinner regularly

die Mitte, -, -n center, middle

mit-teilen to communicate, impart (*information*), let or make known, convey, inform, tell

das Mittel, -s, - means

sich ins Mittel legen to intercede

mittelalterlich medieval

die Mittelmäßigkeit, - mediocrity

mitten in the middle of, in the midst of, amidst

die Mitternacht, -, ¨e midnight

die Mitternachtsstunde, -, -n hour of midnight; witching hour

mit-tun, tat mit, mitgetan to join in

die Möbel (*pl.*) furniture

möblieren to furnish

möbliert furnished

modern modern

mögen, (mag), mochte, gemocht to like, be allowed to, be permitted to, may

möglich possible

die Möglichkeit, -, -en possibility

die Mohnblume, -, -n poppy

der Molch, -(e)s, -e lizard

die Momentaufnahme, -, -n snapshot

der Monat, -s, -e month

alle Monate every month

der Mond, -(e)s, -e moon

der Mondenschein, -s moonlight

das Mondkalb, -s, ¨er mooncalf

die Mondnacht, -, ¨e moonlit night

der Montag, -s, -e Monday

das Moos, -es, -e moss

die Moral, -, -en moral

der Mord, -(e)s, -e murder

der Mordskerl, -s, -e stout *or* brave fellow; devil of a fellow

morgen tomorrow

der Morgen, -s, - morning

am Morgen in the morning

am andern Morgen the next morning

die Morgenblume, -, -n morning flower

der Morgengruß, -es, ¨e goodmorning

morgenschön fair as the morning

die Morgensonne, -, -n morningsun

die Morgenwolke, -, -n morningcloud

die Moschee, -, -n mosque

müde weary, tired

müdgeflogen tired from flying

die Müdigkeit, -, en weariness, fatigue, exhaustion

die Mühe, -, -n trouble, pains, (*painful*) effort

sich Mühe geben to take pains, try hard

sich mühen to take trouble, exert oneself

die Mühle, -, -n mill

der Mühlenwall, -s *name of a street*

mühsam laborious, with difficulty

der Müller, -s, - miller

der Mund, -es, ¨er mouth, lips; opening

der Mundbecher, -s, - favorite cup

mundfaul drawling; loath to speak

mündlich oral, by word of mouth

der Mundwinkel, -s, - corner of the mouth

munter brisk, cheerful, lively, blithe, on the alert, merry, gay

murmeln to murmur

die Muschel, -, -n mussel, shell

die Musik, - music

der **Musikant, -en, -en** musician; bandsman

der **Musiker, -s, -** musician

müssen (muß), mußte, gemußt to have to, must

die **Mußestunde, -, -n** leisure hour

der **Mußewinkel, -s, -** lounge, cosy corner

müßiggängerisch lazy; lackadaisical

das **Muster, -s, -** paragon; pattern, example, model

mustern to examine (*critically*), inspect, appraise, scan

der **Mut, -(e)s** courage; boldness; state of mind

mir ist unheimlich zu Mute I feel scared

Mutabor! (*lat.*) I shall be changed!

mutig brave, courageous

mutlos lacking in courage

die **Mutter, -, ⸚** mother

die **Mütze, -, -n** cap

die **Mystik, -** mysticism

N

na = nun why, well

nach after; to; toward

nach und nach gradually

je nach in accordance with

nach-ahmen to imitate

der **Nachbar, -s (or -n), -n** neighbor

nachdem after

das **Nachdenken, -s** thought, meditation, reflection

nach-denken, dachte nach, nachgedacht to think, reflect on

nachdenklich thoughtful, grave

der **Nachdruck, -(e)s** emphasis

mit Nachdruck emphatically

die **Nachforschung, -, -en** investigation

nach geben (gibt nach), gab nach, nach-gegeben to give in, yield

nachher afterwards

der **Nachklang, -(e)s, ⸚e** echo

nachlässig careless, indolent, nonchalant

der **Nachmittag, -(e)s, -e** afternoon

nachmittags in the afternoon

der **Nachname, -ns, -n** last name

die **Nachricht, -, -en** (*piece of*) news

nach-schauen to look after

nach-schreiben, schrieb nach, nachgeschrieben to take notes

nach-sehen (sieht nach), sah nach, nachgesehen to look after

nachsichtig forbearing, indulgent

nach-springen, sprang nach, ist nachgesprungen to jump after *or* behind, run after

nächst- next

nächstens pretty soon

die **Nacht, -, ⸚e** night

die **Nachteule, -, -n** night owl

die **Nachthaube, -, -en** bonnet, woman's nightcap

das **Nachtlied, -(e)s, -er** night song

die **Nachtluft, -, -e** night air

das **Nachtmahl, -(e)s, -er** supper

nachts at night

des Nachts at night

die **Nachtsendung, -, -en** night program

nächtlich nocturnal; dark, dismal, nightly

nächtlicherweise at nighttime

nach-ziehen, zog nach, nachgezogen to trace

der **Nacken, -s, -** (*back of the*) neck, shoulders, nape (*of the neck*)

nackt naked

der **Nagel, -s, ⸚** nail, finger-nail

nageln to nail

die **Nähe, -** nearness, proximity, vicinity

nah(e), näher, am nächsten near, close

nahe daran close to

das **Nahen, -s** approach

sich **nähern** to approach

nähren to feed, nurse, nourish

der **Name, -ns, -n** name

namens called, named, by the name of

das **Namensschild, -es, -er** nameplate

namentlich particularly, especially

nämlich namely, to wit, that is to say, you know, of course, after all, the very same, because, for

der **Narr, -en, -en** fool

närrisch foolish

der **Nasallaut, -(e)s, -e** nasal sound

die **Nase, -, -n** nose
   das Entlassen der Luft durch die Nase contemptuous snort
   vor der Nase in front of one's eyes
der **Nasenflügel, -s, -** nostril
das **Nasenloch, -s, ̈er** nostril
die **Nasenlöcher öffnen** dilate one's nostrils
   näselnd pronounce with a nasal sound
   naß wet, tearful, moist, damp
   naßglänzend glistening with moisture
die **Natur, -** nature; disposition
   von Natur by nature
   natürlich natural(ly), of course
die **Natürlichkeit, -** naturalness
das **Nebelgespinst, -es, -e** web of mist
der **Nebelglanz, -es** misty splendor
   nebelig hazy, foggy
das **Nebelkleid, -(e)s, -er** shroud of fog
der **Nebelstreif, -(en)s, -en** streak of fog
   neben next to, near
die **Nebengasse, -, -n** side-street, side alley
   nebenher-laufen (läuft nebenher), lief nebenher, ist nebenhergelaufen to run next to, run alongside
   nebenhin next to (*it*)
   nebensächlich negligent(ly), secondary, unimportant
der **Nebensitzer, -s, -** person sitting next to oneself, neighbor at table
die **Nebentreppe, -, -n** back stairs
   nebst along with, besides
die **Neckerei, -, -en** taunting, gibe, teasing remark, banter
   sich Neckereien zurufen to exchange banter
   nehmen, (nimmt), nahm, genommen to take, receive
   etwas zu sich nehmen to partake of food *or* drink, consume, eat *or* drink
   nehmen für to take for, assume to be
   nehmet=nehmt
der **Neid, -(e)s** envy

   neidisch envious
   neigen to incline, bend, bow, curtsy
die **Neigung, -, -en** leaning, bias, inclination, desire
   nein no
   nennen, nannte, genannt to name, call
das **Nervensystem, -s, -e** nervous system
das **Nest, -es, -er** nest
   nett neat, nice, fine
   neu new
   neugierig curious, inquisitive
   neulich recent(ly)
der **Neumarkt -(e)s** New Market (*name of square*)
die **Neuheit, -, -en** newness, novelty
   die Neuzeit modern times
   nicht not
   nichts nothing
   nichtsdestoweniger nevertheless
   nicken to nod one's head
   nie never
   nieder down
   nieder-drücken press down
   mit niedergedrückter Spitze with toes turned down
   niedergeschlagen depressed, dejected
sich **nieder-lassen, (läßt sich nieder), ließ sich nieder, hat sich niedergelassen** to settle down, alight, sit down
sich **nieder-legen** to lie down, go to bed
das **Niederösterreich, -s** Lower Austria
   die niederösterreichische Landstadt provincial town in Lower Austria
   nieder-schlagen (schlägt nieder), schlug nieder, niedergeschlagen to squash, strike down
   nieder-schreiben, schrieb nieder, niedergeschrieben to write down
   nieder-sinken, sank nieder, ist niedergesunken to sink down
   niederträchtig vile
   niedrig low, low-class, obscure
   niemals never
   niemand nobody, no one

niesen sneeze
nimmer never
nirgends nowhere
noch still, in addition, further, yet
  noch einmal once more
  noch nicht not yet
  noch nie never yet, never before
der Norden, -s north
nördlich northern
die Not, -, ⸚e strain, difficulty, distress, urgency, trouble, necessity
notfalls in case of necessity
nötig necessary
notwendig necessary
die Notwendigkeit, -, -en necessity
das Noumenon, -s, -a noumenon, a thing in itself
die Novelle, -, -n short story, novella
der Novellist, -en, -en short-story writer
der Nu, -s instant, passing moment
  im Nu in an instant, in no time
die Nummer, -, -n number
nun now; well
nur only; just
  nur zu! go on! at it!
  nicht nur ... sondern auch not only ... but also
der Nutzen, -s advantage, benefit
nützen to be of use, profit
nutzlos useless

O

ob if, whether
das Obdach, -(e)s shelter
oben on top, overhead, above
obendrein besides, furthermore
obenerwähnt above-mentioned
ober over, above, beyond
oberflächlich superficial
der Oberlehrer, -s, - master (title given in Germany to masters at a high school who hold a permanent position)
der Oberst, -s, -en colonel
der Oberste, -n, -n head, chief
obgleich although, even though
obwohl although
obzwar (al)though
der Ochse, -n, -n ox
die Öde, -, -n wasteland, desolation
öde desolate
oder or

der Ofen, -s, ⸚ stove, oven
offen open
offenbar apparent, obvious
der Offizier, -s, -e officer
die Offiziersdame, -e, -n officer's lady, officer's wife
öffnen to open
die Öffnung, -, -en opening
oft often
öfter(s) frequently
ohne without
ohnmächtig unconscious, faint; powerless
das Ohr, -es, -en ear
der Okkultist, -en, -en occultist
die Ölfarbe, -, -n oilpaint, oils
der Olymp, -s Mount Olympus, seat of the gods
omnibusartig. resembling an omnibus
der Onkel, -s, - uncle
der Operateur, -s, -e engineer; operator
das Opfer, -s, - victim, sacrifice
  zum Opfer fallen to fall victim
der Opferaltar, -s, ⸚e sacrificial altar
opfern to sacrifice
die Opfersteuer, -, -n sacrificial toll, due
der Orden, -s, - religious order; medal
die Ordenausteilung, -, -en distribution of medals
ordentlich orderly, decent, regular, proper; a lot
ordinär trite
ordnen to arrange, put in order
die Ordnung, -, -en order
  in Ordnung bringen to fix, repair
ordnungsgemäß regular
sich orientieren to find one's way about
der Ort, -(e)s, -e place, location, spot, point
  an Ort und Stelle on the very spot; in their native environment
der Osten, -s east
das Osterei, -s, -er easter-egg
die Ostern Easter
österreichisch Austrian
östlich eastern
die Ostsee, - Baltic Sea

P

paar=ein paar a few, several

ein **Paar** a pair

packen to grab, grasp, take hold of, seize; pack

sich **packen** to be off, go away

der **Page, -n, -n** page

pah! pshaw!

der **Palast, (e)s, ¨e** palace

der **Panther, -s, -** panther

der **Pantoffel, -s, -n** slipper

das **Papier, -(e)s, -e** paper, document

    seine Papiere ordnen to put one's affairs in order

    päpstlich papal

der **Park, -(e)s, -e** or **s** park

    parkartig like a park, well-kept

das **Parkett, -(e)s** orchestra, pit

der **Paß, -sses, ¨sse** passport

    passen to suit, fit

    passieren to happen

    pathetisch full of pathos

das **Patriziergewand, -(e)s, ¨er** patrician garment

der **Patron, -s, -e** fellow; patron

    pausieren to pause

das **Pech, -(e)s** pitch, bad luck

    peinlich embarrassing

der **Pelz, -es, -e** fur, fur coat

die **Pelzmütze, -, -n** fur cap

    pelzverhüllt wrapped in furs

die **Perle, -, -n** pearl

die **Person, -, -en** person

    personifizieren to personify

    persönlich personalized, original, personal

die **Pest, -** plague

die **Petroleumlampe, -, -n** oil lamp

der **Pfad, -(e)s, -e** path

der **Pfarrer, -s, -** minister, priest, parson

die **Pfeife, -, -n** pipe; fife

    pfeifen, pfiff, gepfiffen to whistle

    vor sich hinpfeifen to whistle to oneself

der **Pfeifenstummel, -s, -** short pipe

das **Pferd, -(e)s, -e** horse

    zu Pferde on horseback

der **Pferdesprung, -(e)s, ¨e** jump of a horse

die **Pfingsten, -** Pentecost

die **Pflanze, -, -n** plant

    pflanzen to plant

    pflastern to pave

pflegen to be used to, be accustomed to; tend, take care of, nurse; cherish, cultivate

    er pflegte zu . . . he used to . . ., he was in the habit of . . .

    er pflegte nach seiner Uhr zu sehen he used to look at his watch

die **Pforte, -, -n** entrance

die **Pfote, -, -n** paw

der **Pfui-Ruf, -(e)s, -e** booh

das **Pfund, -(e)s, -e** pound

    pfuschen to blunder

    einem ins Handwerk pfuschen to poach upon one's preserves, compete with

der **Pfuscher-Irrtum, -(e)s, ¨er** bungler's illusion

das **Phänomenon, -s, (pl.) Phänomena** or **Phänomene** phenomenon

die **Phantasie, -, -n** phantasy, imagination

    philologisch philological

    philosophieren to philosophize

    heraus-philosophieren to eliminate by way of philosophizing

der **Philosophiestudent, -en, -en** student of philosophy

das **Phosphorauge, -s, -n** phosphorescent eye

der **Pinsel, -s, -** brush

die **Pistole, -, -n** pistol

    plagen to torture, obsess

    plätschern to splash, murmur

das **Plattdeutsche, -n** Low German

    plattköpfig flatheaded

der **Platz, -es, ¨e** place; square of a town or a village

    Platz nehmen to sit down, take a seat

    am Platze appropriate

    plaudern to chat

    plötzlich sudden(ly)

    plump clumsy, crude

der **Plumps, -es, -** thud

der **Plüschstuhl, -(e)s, ¨e** plush-covered chair

    pochen to beat

    pochend throbbing

das **Podium, -s, die Podien** platform

die **Poesie, -, -n** poetry

die **Pointe, -, -n** (fine) point

    Pointe und Wirkung telling effect

das **Polen, -s** Poland
politisch political
die **Polizei, -** police
der **Polizeibeamte, -n, -n** police officer
der **Polizist, -en, -en** policeman
die **Polonaise, -, -n** polonaise (*a stately march-like Polish dance in 3/4 time*)
Pont Neuf (*French*) New Bridge
der **Portier, -s, -s** doorman, janitor
die **Portière, -, -n** drape (*separating two rooms*)
das **Porzellan, -s** china, porcelain
Poseidon, -s Poseidon, *Greek god of the sea*
positiv positive
possierlich quaint
der **Postadjunkt, -en, -en** post-office clerk
das **Posthorn, -(e)s, ̈er** bugle
der **Postillion, -s, -e** mail-coach driver, postillion
Potz! (*in combination*) Good gracious! I say!
Potz Mekka und Medina! For heavens sake!
die **Pracht, -** splendor, magnificence
prächtig splendid, fine, magnificent, gorgeous
prachtvoll magnificent, splendid, gorgeous
prangen to shine, to be displayed
prasseln to rattle, crackle, rustle
der **Preis, -es, -e** prize, reward; price
preisen, pries, gepriesen to praise
pressen to press
das **Preußen, -s** Prussia
preußisch Prussian
prickeln to tingle
der **Priester, -s, -** priest
der **Primus, -** head (*of the class*), best student
der **Prinz, -en, -en** prince
die **Prinzessin, -, -nen** princess
das **Prinzip, -s, -ien** principle
die **Prise, -, -n** pinch (*of tobacco, salt etc.*)
der **Privatkursus, -, die Privatkurse** private class
probieren to try, attempt
das **Problem, -s, -e** problem
problematisch problematic

das **Profil, -s, -e** profile
profund profound
der **Prophet, -en, -en** prophet; *in Islamic countries: Mohammed*
beim Barte des Propheten! by Jove!
prophezeien to prophesy
der **Provinzlöwe, -n, -n** provincial social lion
provozieren to provoke
prüfen to examine
prüfend searching
die **Prüfung, -, -en** examination
psychologisch psychological
das **Publikum, -s** audience
die **Publizierung, -, -en** publication
das **Pultbrett, -(e)s, -er** writing-shelf
die **Pultplatte, -, -n** desk-top
das **Pulver, -s, -** powder
die **Pupille, -, -n** pupil (of the eye)
sich **putzen** to clean oneself; preen
purpur purple
putzig droll

Q

die **Qual, -, -en** torment, torture, agony, pain
quälen to torture, torment
die **Qualle, -, -n** jellyfish
der **Qualm, -(e)s** (dense) smoke
der **Quark, -(e)s** rubbish, trash
der **Quell, -s** current, spring
quellen, (quillt), quoll, ist gequollen to rise, swell (up), flow, well
quer cross, across, diagonally
querfeldein across the fields, cross-country
die **Rache, -** revenge
sich **rächen** to revenge oneself
der **Rachen, -s, -** maw
das **Rad, -(e)s, ̈er** wheel, bicycle
der **Radius, -, die Radien** radius
raffiniert crafty, artful, subtle, overly refined, sophisticated
ragen to stand out, tower, rise up
der **Rahmen, -s, -** frame
der **Rand, -(e)s, ̈er** rim, edge, margin, border
die **Rarität, -, -en** curiosity
rasch quick, fast, hurried, rapid
rasen to rave, rage

rasend raging, wild, made furious, desperate
gleich einem Rasenden like a madman
sich **rasieren** to shave
die **Rasse, -, -n** race
die **Rast, -** rest, repose
rasten to stop, pause
raten, (rät), riet, geraten to guess; advise
das **Rathaus, -es, ∵er** town hall
ratlos perplexed
das **Rätsel, -s, -** riddle, puzzle, enigma
rätselhaft mysterious, enigmatic, obscure, problematical, puzzling
die **Ratte, -, -n** rat
rauben to plunder, rob
der **Rauch, -(e)s** smoke
rauchen to smoke
räuchern to smoke
rauh harsh, rough
der **Raum, -(e)s, ∵e** space, room
räumen to clear away
'raus = heraus
'raus-kriegen to find out
'raus-ziehen to pull out
rauschen to rustle, whistle, murmur, rush, ripple
die **Rebe, -, -n** vine
der **Rebell, -en, -en** rebel
rechnen to count, calculate
damit rechnen to count on it
die **Rechnung, -, -en** bill, calculation
das **Recht, -(e)s, -e** right, justice, just claim, privilege
recht right; quite, rather, very
einem recht geben to agree with one, acknowledge that one is right
recht haben to be right
erst recht even more
es ist mir recht I agree to it
die **Rechte, -n** right hand
recht-geben, (gibt recht), gab recht, rechtgegeben to agree
rechts to the right, on the right hand side
der **Rechtsanwalt, -(e)s, ∵e** attorney
rechtschaffen righteous, upright, decent
der **Redakteur, -s, -e** editor
die **Redaktion, -, -en** editing job; editorial staff

die **Rede, -, -n** conversation, discourse, speech, talk
Rede stehen to give an account
zur Rede stellen to take to task
im Eifer der Rede talking eagerly
zur Rede bringen discuss
reden to speak, talk
redend expressive; speaking
zum Reden bringen to make someone talk
die **Redeweise, -, -n** manner of speaking, idiom, speech
redlich upright
die **Redseligkeit, -** loquacity
die **Reflexion, -, -en** reflection
der **Reflektor, -s, -en** reflector
regelmäßig regular
regeln to adjust
regelrecht regular, normal
der **Regen, -s, -** rain
sich **regen** to move, stir
das **Regiment, -(e)s, -er** regiment
regnerisch rainy
die **Regung, -, -en** impulse
regungslos motionless
das **Reh, -(e)s, -e** deer
reiben, rieb, gerieben to rub
reich rich
reichbeschlagen richly decorated
reichen to reach; give, present, pass, hand over
jemandem seine Hand reichen to give someone one's hand (*also in marriage*)
reichlich ample, sufficient
der **Reichtum, (e)s, ∵er** riches, wealth, opulence
reifen to ripen, mature
die **Reihe, -, -n** row, series, rank, line
nach der Reihe in file, in rows, in turn
sich **reihen** to form a row, link
der **Reihen, -s, -** round dance
reihum turn about, by turns
der **Reim, -(e)s, -e** rhyme
rein pure, clean
die **Reinheit, -** purity
reinigen to purify
reinlich neat, clean
das **Reis, -es, -er** sprig
die **Reise, -, -n** trip, journey, voyage
das **Reisebüchlein, -s, -** guidebook

reisefertig ready to depart *or* leave (*on a journey*)

die **Reisegabe, -, -n** gift (for the journey)

der **Reisegefährte, -n, -n** traveling companion

reisen to travel

das **Reiseziel, -(e)s, -e** destination

reißen, riß, gerissen to seize, grab, pull, draw, grasp; tear

an sich reißen to pull (*violently*) towards oneself

reiten (reitet), ritt, ist geritten to ride (*on horseback*)

der **Reiter, -s, -** rider, horseman, trooper

die **Reitstunde, -, -n** riding lesson

der **Reiz, -es, -e** charm

reizbar irritable

reizbar gegen irritated by

die **Reizbarkeit, -** sensitiveness

reizen to charm, attract; irritate

reizend charming

renommieren to brag

reserviert conservative, reserved

retten to save

sich **retten** to save oneself, escape

der **Retter, -s, -** savior, rescuer, deliverer

die **Retterin, -, -nen** female rescuer, savior, deliverer

die **Rettung, -, -en** rescue, salvation

der **Rettungsdank, -(e)s** thanks for help, gratitude for rescue

rettungslos irretrievable; beyond hope

die **Reue, -** remorse, regret

reuevoll remorseful

reuig remorseful

die **Revolution, -, -en** revolution

der **Revolver, -s, -** revolver

der **Rhein, -s** Rhine (*river*)

richten to direct

sich richten nach to accommodate oneself to, act in accordance with

ein Scherzwort an jemand richten to address a witticism to someone

der **Richter, -s, -** judge

der **Richterstuhl, -(e)s, -e** judge's seat

richtig right, correct, proper

die **Richtigkeit, -** correctness

es hat seine Richtigkeit it is correct, it is actually so

die **Richtung, -, -en** direction

nach allen Richtungen in all directions

riechen, roch, gerochen to smell

der **Riese, -n, -n** giant

rieseln to ripple, run

der **Riesenbaum, -(e)s, -e** gigantic tree

die **Riesenzunge, -, -n** huge tongue

riesig huge, towering

der **Ring, -(e)s, -e** ring

sich **ringeln** to curl

rings all around

ringsherum round about, all around

ringsum on all sides, all around, round about

riskieren to risk

rissig torn

der **Ritter, -s, -** knight

ritterlich chivalrous

der **Rittersmann, -(e)s, (***pl.***) die Rittersleute** knight

der **Rittmeister, -s, -** cavalry captain

die **Ritze, -, -n** slit

die blanke Ritze shiny slit

der **Roche, -n, -n** ray (*fish*)

der **Rock, -(e)s, -e** coat, jacket; skirt

schwalbenschwanzförmiges Röckchen a coat with little swallow-tails

der **Rockschoß, -es, -e** coat-tail

roh crude

das **Rohr, -(e)s, -e** cane; tube

die **Rolle, -, -n** role

rollen to roll

der **Romane, -n, -n** a Latin

romantisch romantic, fantastic

römisch Roman

die **Rose, -, -n** rose

rosenfarben rose-colored

das **Rosenholz, -es, -er** rosewood

der **Rosenschein, (e)s, -e** rosy glow

das **Röstbrot, -(e)s, -e** toast

rostig rust-covered

rot red

rotbäckig red-cheeked

die **Röte, -** red, flush

röten to redden

gerötet inflamed, flushed

rotgelb reddish-yellow

rötlich reddish

die **Rübe, -, -n** turnip
der **Ruck, -(e)s, -e** start
der **Rücken, -s, -** back
 rücken to move, shift
 an der Brille rücken to adjust
 one's glasses
das **Rückgebäude, -s, -** rear building
die **Rückkehr, -** return
die **Rückkunft, -** return
 rückwärts backwards
 rudern to row, steer
der **Ruf, -(e)s, -e** cry
 rufen, rief, gerufen to call, call
 out, shout
der **Rufname, -n, -n** first name
die **Ruhe, -** leisure, rest, quiet, peace
 (*of mind*), tranquillity
 jemandem keine Ruhe lassen
 not to leave someone in peace
 zur Ruhe bringen to quiet
 down
 ruhen to rest
 ruhig quiet, silent
 ruhig mal easily
 rühmen to praise
 rühren to stir, move
die **Rührung, -** emotion
 Rührung beschlich ihn he was
 touched
die **Ruine, -, -n** ruin (*of a castle,*
 old monastery, etc.); ruins
der **Rumpf, -(e)s, ⁻e** body, trunk,
 torso
das **Rund, -es** round, circle, wide
 world
 rund round, curved
die **Rundfahrt, -, -en** round trip
der **Rundfunk, -(e)s** radio
 russisch Russian
 rüsten to prepare, make ready
 rüstig vigorous, healthy, robust,
 stout
 rutschen to slip

S

der **Saal, -(e)s, die Säle** hall, large
 room
 sabotieren to sabotage
die **Sache, -, -n** thing, fact, point,
 matter, business, affair
 die Sachen (*pl.*) goods, things,
 belongings
 mit ganzer Seele bei der Sache
 utterly absorbed *or* engaged

 sacht(e) soft, gentle, light
 säen to sow
die **Sage, -, -n** legend, myth
die **Sägemaschine, -, -n** sawing-
 machine
 sagen to say, tell
die **Saite, -, -n** string (*of an instru-*
 ment)
der **Salamander, -s, -** salamander
 salzen to salt
die **Salzluft, -, ⁻e** salt air
 sammeln to collect
 sammetblau velvety blue
der **Sammetglanz, -es** velvety sheen
die **Sammetjacke, -, -n** velvet jacket
das **Sammetmützchen, -s, -** velvet
 cap
die **Sammlung, -, -en** collection
 samt together with
die **Sandtorte, -, -n** Madeira Cake (*a*
 cake similar to pound cake)
 sanft soft, gentle, sweet
 sanftmütig meek
der **Sang, -(e)s, ⁻e** singing, song
der **Sänger, -s, -** singer
der **Sarg, -(e)s, ⁻e** coffin
der **Satan, -s,** *also* **Satanas** satan
der **Sattel, -s, ⁻** saddle
der **Satz, -es, ⁻e** sentence
die **Satzgruppe, -, -n** group of sentences
 sauber clean
 schön sauber nice and clean
 saugen, sog, gesogen to suck,
 absorb
der **Säugling, -s, -e** infant
die **Säule, -, -n** column, pillar
die **Säulenhalle, -, -n** gallery
der **Saum, -(e)s, ⁻e** edge, border, hem
 säumen to hem
 säuseln to whisper, murmur
 sausen to howl, swish, rush
der **Schacht, -es, ⁻e** shaft, pit
 schade! what a pity! too bad!
 schade um too bad about
der **Schädel, -s, -** head, skull
 schaden to hurt, do harm to
 das schadet nichts it doesn't
 matter; there is no harm in
 that
 schadhaft worn
 schaffen to convey, take; create,
 produce, perform (*work*); provide, get, procure

du hast hier nichts zu schaffen
you have no business here
aus dem Hause schaffen to
remove from the house
zur Stelle schaffen to bring
der **Schaffende, -n, -n** creator
die **Schale, -, -n** cup, bowl, receptacle
der **Schall, -(e)s, -e** sound; ring, peal;
noise
das **Schalloch, -(e)s, -er** louvre window (*in a belfry*)
schallen to sound, resound
die **Scham, -** modesty, shame
sich **schämen** to be ashamed
schamhaft modest
schändlich shameful, infamous,
despicable, disreputable
die **Schar, -, -en** group, horde, troop,
crowd
scharf, schärfst, - sharp, keen,
austere, strong
scharf herausgearbeitet
strongly accentuated
der **Scharfblick, -(e)s, -e** acuteness of
vision
die **Schärfe, -, -n** sharpness; fineness
schärfen to sharpen
die **Scharfsinnigkeit, -** ingenuity,
sagacity
scharfzügig sharp-featured,
drawn, pinched
scharlach scarlet
der **Scharlachmantel, -s, ͂** scarlet
cloak
schassieren to chassé, chase
der **Schatten, -s, -** shade, shadow
das **Schattenbild, -(e)s, -er** shadow,
phantom
schattig shady, shadowy
der **Schatz, -(e)s, ͂e** treasure; sweetheart
schätzen to esteem, value, estimate
der **Schauder, -s, -** shudder, horror,
dread
schaudern to shudder, shiver, feel
cread or awe
schauen to look
der **Schauer, -s, -** sense of awe
schauerlich horrifying
schaurig horrible, gruesome
schaukeln to toss, rock, swing
der **Schaum, -(e)s, ͂e** spray, foam
schäumen to foam, froth

schaumerfüllt foam-filled
schaumig foamy
der **Schauspieler, -s, -** actor
die **Scheide, -, -n** sheath, scabbard (*of a sword*)
der **Schein, -(e)s, -e** splendor, light,
glow, shine; appearance
scheinen, schien, geschienen to
shine; seem, appear
scheinbar apparent, fictitious, ostensible, seeming
das **Scheit, -(e)s, -e** log (*firewood*)
der **Scheitel, -s, -** crown (*top*) of the
head
scheiteln to part (*hair*)
die **Scheitelwelle, -, -n** wave
(*on, or from the crown of the
head*)
die **Schelle, -, -n** bell
klingende Schelle tinkling
cymbal
schelten, (schilt), schalt, gescholten to scold, blame, reprimand, find fault with, reproach
der **Schemel, -s, -** footstool
schemenhaft shadowy, schematic
der **Schenkel, -s, -** thigh
schenken to give (*as a gift*),
bestow
etwas geschenkt bekommen
to receive something as a gift
scheren, schor, geschoren shear,
trim
sich **scheren** go away, clear out
der **Scherz, -es, -e** gaiety, humor,
joke, jest
scherzen to joke
das **Scherzwort, -(e)s, -e** witticism
scheu shy
scheußlich hideous, ghastly,
frightful
die **Schicht, -, -en** shift; layer, bed,
stratum
schicken to send
sich **schicken** to be proper, suitable,
appropriate, fitting
sich in etwas schicken to
accommodate oneself to something, resign oneself to something
das **Schicksal, -s, -e** fate, destiny
schicksallos fateless
das **Schicksalslied, -(e)s, -er** song of
destiny

die **Schicksalschwere, -** fatality

schieben, schob, geschoben to shove, slide, push, thrust

schief sidelong, wry

schier quite; almost

schießen, schoß, geschossen to shoot

der **Schießunterricht, -(e)s** shooting instruction

das **Schiff, -(e)s, -e** ship, boat

der **Schiffbruch, -s, ⸚e** shipwreck

der **Schiffer, -s, -** boatman, skipper

der **Schild, -(e)s, -e** shield

das **Schild, -(e)s, -er** (name) plate; sign, signboard

schildern to describe

das **Schilf, -(e)s, -e** reed (-grass)

schimmern to gleam

der **Schinken, -s, -** ham

die **Schlacht, -, -en** battle

der **Schlaf, -(e)s** sleep

das **Schläfchen, -s, -** little nap

die **Schläfe, -, -n** temple

schlafen, (schläft), schlief, geschlafen to sleep

schläfrig sleepy

schlaftrunken heavy with sleep

schlafwandeln to walk in one's sleep, somnambulate

wie schlafwandelnd like a somnambulist

das **Schlafzimmer, -s, -** bedroom

der **Schlag, -(e)s, ⸚e** strike, blow; door (of a vehicle)

mit dem Schlage der Geisterstunde at the stroke of midnight

schlagen, (schlägt), schlug, geschlagen to beat, hit, strike

es schlägt zwölf(e) the clock (bell) strikes twelve

in Papier schlagen to wrap in paper

die Arme kreuzweise über die Brust schlagen to cross one's arms over one's chest

der **Schlagfluß, -sses** apoplexy

zum Schlagfluß geneigt apoplectic

schlank slender

schlappen to shuffle

schlecht bad, wicked; poor

schlecht angeschrieben stehen to have a bad reputation

schleichen, schlich, ist geschlichen to creep, sneak, skulk, steal, slip

der **Schleier, -s, -** veil

die **Schleife, -, -n** bow, scarf

schleifen to drag, slide

der **Schlemihl, -s** awkward and unlucky person

schlendern to saunter, stroll, fling

schlenkern to lurch, dangle, swing

die **Schleppe, -, -n** train

schleppen to drag, haul, lug

schleudern to toss, throw, dash

schlicht simple, unadorned, plain, artless

schließen, schloß, geschlossen to close, shut, lock; conclude

sich **schließen** to close, shut

schließlich finally, after all, to conclude

schlimm bad, evil

schlingen, schlang, geschlungen to wind, twist, twine, cross (one's arms)

der **Schlitten, -s, -n** sleigh

das **Schlitzauge, -s, -n** Mongolian eye, slanted eye

das **Schloß, -sses, ⸚sser** castle, manor, palace

schlottern to slouch, tremble, shake

das **Schluchzen, -s** sobbing

schluchzen to sob

der **Schlummer, -s** slumber, sleep

der **Schlummerduft, -(e)s, ⸚e** slumbrous fragrance

das **Schlummerlied, -(e)s, -er** lullaby

schlummern to slumber, doze

der **Schlund, -(e)s, ⸚e** gorge, gulf, abyss

schlürfen to lurch, sip, drink; shuffle

der **Schluß, -sses, ⸚sse** conclusion, end

der **Schlüssel, -s, -** key

schmal slender, strait, cramped, narrow

schmalgeschnitten narrow

die **Schmiede, -, n** smithy, forge

das **Schmiedefeuer, -s, -** forge-fire

schmieden to form, forge

sich **schmiegen** to fit close, cling (to), press; to be close (to)

der **Schmuck, -(e)s** adornment

schmuck spruce, pleasing
schmücken to decorate, attire, dress, adorn, embellish
der Schmuggler, -s, - smuggler
schmutzig dirty, filthy, grubby
der Schnabel, -s, - beak
schnallen to buckle, strap
schnappen to snap, snatch, bite
der Schnaps, -es, -e liquor, brandy, gin
der Schnee, -s snow
die Schneeflocke, -, -n snowflake
die Schneewolke, -, -n snow cloud
schneiden, (schneidet), schnitt, geschnitten to cut; mow
  ein Gesicht schneiden to make a face
schnell fast, quick
die Schnelligkeit, - speed
sich schneuzen to blow's one's nose
der Schnitt, -(e)s, -e cut
der Schnitter, -s, - mower
schnitzen to carve
die Schnitzbank, -, -e carving bench, chopping bench
das Schnitzmesser, -s, - knife for carving
schnupfen to take snuff, sniff
schnuppern to sniff, smell
der Schnurrbart, -(e)s, -e moustache
schon already; certainly; no doubt; after all
schön nice, beautiful
die Schöne, -n, -n beauty
schonen to take care of; spare
die Schönheit, -, -en beauty
der Schopf, -(e)s, -e tuft, shock, head of hair
schöpferisch creative
der Schornstein, -(e)s, -e smoke-stack, chimney
die Schornsteinreste (pl.) remains or ruins of chimneys
der Schoß, -es, -e womb, lap
schräg slanting, sloping, steep
der Schrank, -(e)s, -e cupboard, closet
die Schranke, -, -n barrier
die Schraube, -, -n screw
schrauben to screw
der Schreck(en), -ens, -en fright, fear, terror
  ab-schrecken to scare away, frighten off

schrecklich fearful, horrible, dreadful, frightful
der Schrei, -(e)s, -e scream
schreiben, schrieb, geschrieben to write
der Schreiber, -s, - clerk
der Schreibtisch, -(e)s, -e desk
die Schreibtischplatte, -, -n desk-top
schreien, schrie, geschrie(e)n to shout, scream, cry out, yell
schreiten (schreitet), schritt, ist geschritten to walk (with dignity), progress, advance, stride
die Schrift, -, -en manuscript; hand-writing
der Schriftsteller, -s, - writer
schrill shrill, piercing
der Schritt, -(e)s, -e step
schroff severe, abrupt, rough
schrumpfen to shrink
die Schublade, -, -n drawer
schüchtern timid, shy
der Schuh, -(e)s, -e shoe
die Schuld, -, -en guilt; debt
schuldig guilty
  was bin ich schuldig? what do I owe?
die Schuldigkeit, - duty
die Schule, -, -n school
die Schulmappe, -, -n school-bag
die Schulter, -, -n shoulder
schüppeln (Low German dial.) to push, shove
schüren to stir, poke, rake (a fire), fan, tend
die Schürze, -, -n apron
das Schürzenkleid, -(e)s, -er smock, apron
der Schuß, -sses, -sse shot
  ein Schuß fiel a shot was fired
schußbereit loaded
die Schüssel, -, -n bowl, dish, platter
der Schutt, -(e)s rubbish, rubble, debris
schütteln to shake
sich schütteln to shake oneself
schütten to pour out
die Schuttwüste, -, -n rubble desert
der Schutz, -es protection
  in Schutz nehmen to defend
schwach weak, feeble
die Schwäche, -, -n weakness
schwächen to weaken

schwächlich weak, feeble
schwalbenschwanzförmig
  swallow-tailed
das **Schwalbenvolk, -(e)s, ⸚er** flock
  of swallows
der **Schwall, -es** swell, flow
schwanenweiß swan-white
schwanken to rock, tremble,
  shake; oscillate, hesitate; sway,
  reel, to move to and fro
schwankend fluctuating
schwänzeln to waddle
der **Schwarm, -(e)s, ⸚e** swarm, flight
  (*of birds*)
die **Schwärmerei, -, -en** ecstasy,
  revery, enthusiasm
schwarz black
schwarzbraun blackish-brown
schwärzlich blackish
schwarzseiden made of black
  silk
schwätzen to chat, babble, tattle
schweben to soar, hover, float in
  the air, hang, be suspended
das **Schweben, -s** soaring
das **Schweden, -s** Sweden
schweigen, schwieg, geschwie-
  gen to be silent, cease (*to*
  speak), pause
  schweig stille! be quiet!
schweigend silent(ly)
der **Schweif, -(e)s, -e** tail; train
der **Schweiß, -es** sweat, perspira-
  tion
die **Schwelle, -, -n** threshold
schwenken to swing, wave,
  toss
schwer heavy; difficult, severe;
  serious
  schweres Geld a great deal of
  money
die **Schwerenot, -** sickness; epilepsy
schwerfällig clumsy, heavy, laborious, ponderous
die **Schwerfälligkeit, -** clumsiness,
  awkwardness
schwermütig gloomy, melancholy
das **Schwert, -(e)s, -er** sword
schwierig difficult
die **Schwierigkeit, -, -en** difficulty
schwimmen, schwamm, ist
  geschwommen to swim
der **Schwimmer, -s, -** swimmer

der **Schwindel, -s** dizziness, vertigo
  ein gelinder Schwindel a
  slight dizziness
schwindeln to feel dizzy; cheat,
  swindle
schwindelnd dizzy; causing
  dizziness
der **Schwindler, -s, -** swindler
schwinden,(schwindet), schwand,
  ist geschwunden to disappear,
  vanish
schwingen, schwang, geschwun-
  gen to swing, brandish, wave,
  wield
  geschwungen curved
schwören, schwor, geschworen
  to swear, take an oath
der **Schwung, -(e)s, ⸚e** swinging motion
sechswöchig six weeks long, lasting six weeks
der **See, -s, -n** lake
die **See, -, -n** sea, ocean
das **Seebad, -es, ⸚er** seaside resort
der **Seegang, -s** motion of the sea,
  heavy seas
das **Seehundsränzel, -s, -** sealskin
  knapsack
die **Seele, -, -n** soul
die **Seelenangst, -, ⸚e** mortal fear,
  anguish of soul
seelisch psychic
der **Seemann, -(e)s, ⸚er** *or* **-leute** sea-
  man, mariner, sailor
  die **Seemanns-Überjacke, -, -n**
  sailor's overcoat
die **Seespinne, -, -n** crab
segeln to sail
segnen to bless, consecrate
sehen, (sieht), sah, gesehen to
  see
  siehe da lo and behold
sich **sehnen** to yearn, long for
sehnlich ardent(ly), longing(ly),
  anxious(ly)
die **Sehnsucht, -, ⸚e** longing, yearning
sehnsüchtig wistful; anxious
sehr very
die **Seide, -, -n** silk
seiden silken
seidig silky
das **Seil, -(e)s, -e** rope
der **Seiler, -s, -** rope-maker

sein (ist), war, ist gewesen to be
es ist mir . . . als I feel as if
seins = seines
seit since
seitdem since, since then
die Seite, -, -n side; page
jemand auf seine Seite ziehen
to win someone over to one's
side
der Seitenzugang, -(e)s, ˸e side
entrance
seitwärts sideways, laterally
selb- same, self
selber self
ich selber I myself
selbig same
selbst self; even
selbstbewußt self-assured, con-
ceited
das Selbstbewußtsein, -s self-
consciousness, self-appercep-
tion, self-estimate, self-
esteem
selbstdritt the three of them
das Selbstgefühl, -(e)s, -e self-
esteem
die Selbstverachtung, - self-
contempt
selbstvergessen unconscious,
absent-minded
die Selbstverleugnung, - self-denial
selbstverständlich of course, certainly, naturally
selig blissful, blessed, happy
die Seligkeit, -, en happiness
selten seldom, rarely
nicht selten frequently
seltsam singular, unusual, strange
die Seltsamkeit, -, -en peculiarity
der Senderaum, -(e)s, ˸e broadcasting studio
der Sendeturm, -(e)s, ˸e transmitter
senken to lower or lowered
gesenkten Kopfes with bowed
or lowered head
senkrecht vertical, perpendicular
der Sessel, -s, - chair, armchair
setzen to set, place
sich setzen to sit down
seufzen to sigh
das Geseufze, -s sighing
der Seufzer, -s, - sigh, groan
den letzten Seufzer tun to
draw one's last breath

sicher safe, secure; certain(ly),
accurately, sure, assured
die Sicherheit, -, -en assurance, selfassurance; security
die Sicht, - sight
sichtklar visible, in sight
sichtlich visible
die Siebensachen (pl.) odds and ends
die Siebensachen der Wissenschaft paraphernalia of learning
siebzig seventy
sieden to seethe, boil
die Siedlung, -, -en settlement, colony
siegen to triumph
der Sieger, -s, - victor
das Silber, -s silver
der Silberglanz, -es silvery sheen
silbern made of silver
der Silberschmied, -(e)s, -e silversmith
silbrig silvery
singen, sang, gesungen to sing
sinken, sank, gesunken to sink
der Sinn, -(e)s, -e sense; mind; meaning; intention
etwas im Sinne haben to intend something, plan something
Wie wird einem zu Sinne?
How does one feel?
sinnen, sann, gesonnen to think
sinnend thoughtful, contemplative, pensive
die Sinnenglut, - sensuality
sinnlich sensuous, emotional
die Sinnlichkeit, - sensuality
die Sitte, -, -n custom
sittlich moral, ethical
der Sitz, -es, -e seat, residence
sitzen, saß, gesessen to sit, occupy
die Skepsis, - skepticism
die Skizze, -, -n sketch
der Sklave, -n, -n slave
die Sklaverei, - slavery
slawisch Slavic
so so; thus; then
sobald (als, wie) as soon (as)
soeben just now, just then, just at
that moment
so eben just about
das Sofa, -s, -s sofa
der Sofawinkel, -s, - sofa-corner

sofern so far as

sofort immediately, at once

so fort on and on

sogleich right away, at once, forthwith, immediately

die **Sohle, -, -n** sole (*of a foot, etc.*)
    auf leisen Sohlen noiselessly

der **Sohn, -(e)s, ̈e** son

solch such, such a

der **Soldat, -en, -en** soldier

soldatisch military

solid(e) firm

sollen to be supposed to, be obliged to
    sollte should

somit thus

die **Sommernacht, -, ̈e** summer night

die **Sommersprosse, -, -n** freckle

sonderbar strange, odd, peculiar, extraordinary

sonderlich peculiar, extraordinary, especial

sondern but (on the contrary)

der **Sonnabend, -s, -e** Saturday

die **Sonne, -, -n** sun

die **Sonnenscheibe, -, -n** disc of the sun

der **Sonnenstrahl, -(e)s, -en** ray of sunlight, sunbeam

die **Sonnenuhr, -, -en** sun-dial

sonnig sunny

der **Sonntag, -(e)s, -e** Sunday

das **Sonntagsgewand, -(e)s, ̈er** Sunday dress, outfit

sonst otherwise, else
    wie sonst as usual

sorgen (für etwas) to take care of, attend to, make certain, see to it

die **Sorgfalt, -** care

sorgfältig careful, attentive

sorglos careless, carefree

spähen to watch, observe attentively, peer, look out (*for*), gaze

der **Spalt, -(e)s, -e** crack, gap, crevasse

spalten to split, crack open, cleave

spanisch Spanish
    spanisches Röhrchen thin cane

die **Spanne, -, -n** short space of time, margin

spannen to stretch, tense, tighten, draw (*a bow*), span

sich **spannen** to stretch, extend

die **Spannung, -, -en** suspense, tension

sparen to save, preserve

spärlich scanty, bare, meager, frugal

der **Spaß, -es, ̈e** jest, joke, fun, amusement

spät late

der **Spätwinter, -s, -** later part of winter

spazieren to (*take a*) walk, stroll

spazieren-gehen, ging spazieren, ist spazieren gegangen to go for a walk

der **Spaziergang, -(e)s, ̈e** walk (*for pleasure*); stroll

der **Spazierritt, -(e)s, -e** ride

die **Speise, -, -n** meal, dish, food

speisen to dine

sperren to lock up, lock in

speziell special

der **Spiegel, -s, -** mirror

spiegeln to mirror, reflect

spielen to play

das **Spiel, -(e)s, -e** game, play(ing)

das (der) **Spind, -(e)s, -e** (*North. Ger.*) wardrobe, closet

der **Spiritismus, -** spiritualism

spitz pointed, sharp, angular

die **Spitze, -, -n** tip, point

spitzen to sharpen
    die Lippen spitzen to purse one's lips
    die Ohren spitzen to prick up one's ears

spitzig pointed

der **Spitzbube, -n, -n** rogue, knave, petty criminal, rascal, scoundrel

die **Sporen** (*pl.*) spurs

der **Spott, -(e)s** mockery, scorn

spöttisch scornful

der **Spottvers, -es, -e** satirical verse

die **Sprache, -, -n** language

sprachlos speechless

sprechen (spricht), sprach, gesprochen to speak, say, talk
    vor sich hinsprechen to speak to oneself

spreizen to extend, spread

sprengen to gallop, dash, ride full speed

der **Springbrunnen, -s, -** fountain

springen, sprang, ist gesprungen to jump, spring

der **Springstrahl, -s, -en** jet of water,
    fountain
spritzen to spurt, splash, shoot
die **Sprödigkeit, -** reserve, aloof-
    ness
der **Spruch, -(e)s, ⁝e** maxim, motto,
    saying
der **Sprühschauer, -s, -** shower of
    spray
der **Sprung, -(e)s, ⁝e** vault, jump,
    leap; crack
spucken to spit
der **Spuk, -(e)s** ghost
spuken to haunt
    spukend ghostly, spectral;
        haunting
    es spukt in dem Zimmer the
        room is haunted
die **Spur, -, -en** trace
spurlos without a trace
spüren to notice, feel
das **Staatsexamen, -s, -** civil service
    examination, government
    examination
der **Staatshecht, -(e)s, -e** capital pike
der **Stab, -(e)s, ⁝e** bar, staff
stachelig stinging, pointed
die **Stadt, -, ⁝e** town, city
der **Stadtpark, -(e)s** *a park in the center*
    of Vienna
die **Stadtparkbank, -, ⁝e** city park
    bench
der **Stadtrichter, -s, -** municipal
    judge, city magistrate
das **Stadttor, -s, -e** city gate
die **Staffelei, -, -en** easel
stahlblau steel-blue
der **Stamm, -(e)s, ⁝e** trunk, stem;
    origin
    stammen aus *or* **von** (*with dat.*)
        to be derived from, be de-
        scended from
stampfen to pound
der **Stand, -(e)s, ⁝e** profession, social
    status; market stall; condition
die **Stange, -, -n** bar, rod, pole
stark strong, vigorous
die **Stärke, -, -n** vigor, power
starr rigid, fixed, staring
starren to gaze, stare
statt instead
die **Stätte, -, -n** place, abode
    an heiliger Stätte on hallowed
        ground

**statt-finden, (findet statt), fand
    statt, stattgefunden** to take
    place, happen
die **Statthalterei, -, -en** government
der **Staub, -(e)s** dust
stäuben to spray
das **Staubgewölk, -(e)s** cloud of dust
das **Staunen, -s** astonishment
stechen, (sticht), stach, gestochen
    to pierce, sting, prick
stecken to be (*somewhere*), be hid-
    den; stick; put, place
    Wo steckt er? Where could
        he be (*hidden*)?
stehen, stand, gestanden to stand
    Wie steht es um ihn? What
        is the matter with him?
**stehen-bleiben, blieb stehen, ist
    stehengeblieben** to stand
    still, stop, remain standing
**stehlen, (stiehlt), stahl, gestoh-
    len** to steal
steif stiff, rigid
steigen, stieg, ist gestiegen to
    rise, ascend, climb up, prance
steigern to increase, heighten, in-
    tensify, uplift
steil steep
    putzig steil drolly and steeply
steilgereckt towering, reaching
    upwards
der **Stein, -(e)s, -e** stone
die **Steinfliese, -, -n** flag-stone
die **Stelle, -, -n** passage, spot; place;
    location
    auf der Stelle on the spot
stellen to put, place (*in an upright*
    position)
sich **stellen** to place *or* post oneself
die **Stellung, -, -en** position; atti-
    tude; posture
stemmen to prop, support
das **Sterben, -s** dying; death
    zum Sterben angewidert sick
        to death
**sterben, (stirbt), starb, ist gestor-
    ben** to die
der **Stern, -(e)s, -e** star
sternklar starry; star-bright
stets always
das **Steuer, -s, -** rudder, helm
    das Steuer führen to steer
steuern to steer
der **Steuersitz, -es, -e** helmsman's seat

sticken to embroider
der **Stiefel, -s, -** boot
die **Stiege, -, -n** flight of stairs, stairway
der **Stier, -(e)s, -e** bull, steer
stier staring, fixed
der **Stil, -(e)s, -e** style
stilisiert forced, assumed
die **Stille, -** silence
still(e) quiet, silent, still
im Stillen quietly, in secret
stillen to soothe
das **Stillschweigen, -s** silence
still(e)-stehen, stand still(e), ist stillgestanden to stand still
stilvoll tasteful
die **Stimme, -, -n** voice
stimmen to attune, tune; be correct
stimmt! that's right!
weich gestimmt kindly disposed
die **Stimmung, -, -en** mood
der **Stint, -(e)s, -e** smelt
die **Stirn(e), -, -en** forehead, brow
der **Stock, -(e)s, ⸚e** stick, cane; floor
stocken freeze; stop
das **Stockwerk, -s, -e** floor
der **Stoff, -(e)s, -e** fabric, material
das **Stöhnen, -s** groaning
stöhnen to groan, moan
stolpern to stumble, tumble
der **Stolz, -es** pride
stolz proud
stopfen to fill, stuff
der **Storch, -(e)s, ⸚e** stork
die **Störchin, -, -nen** female stork
das **Storchenabenteuer, -s, -** stork adventure
der **Storchenflügel, -s, -** stork's wing
die **Storchenhaut, -, ⸚e** stork's skin
der **Storchfuß, -es, ⸚e** stork's foot
storchisch stork language
stören to disturb
störrig stubborn
die **Störung, -, -en** inconvenience, intrusion
der **Stoß, -es, ⸚e** thrust, attack; bundle; stack
stoßen, (stößt), stieß, gestoßen to thrust at, push, bump, knock
stoßen auf to meet with, encounter
auf Bekannte stoßen to come across acquaintances

stoßweise jerky
kurz und stoßweise atmen to breathe by starts or jerks
die **Strafanstalt, -, -en** penitentiary
die **Strafe, -, -n** punishment
strafen to punish
straff taut
straffen to tauten, tighten
der **Sträfling, -s, -e** convict
der **Strahl, -(e)s, -en** ray, beam; gush, jet
strahlen to radiate, shine
strahlend radiant
stramm well-grown, upright
der **Strand, -(e)s, -e** shore, beach
die **Straße, -, -n** street, road
die **Straßendirne, -, -en** streetwalker
die **Straßenecke, -, -n** street corner
sich **sträuben** to resist, bristle up
mit sträubenden Haaren with hair on end
streben to strive
das **Streben, -s** striving
die **Strecke, -, -n** stretch; (part of the) way, distance
der **Streich, -(e)s, -e** prank, joke, trick
streichen, strich, gestrichen to stroke, sweep, be wafted
mit der Hand streichen to pass one's hand (over something)
der **Streifen, -s, -** strip, stripe
streifen to graze, brush, pass lightly
mit den Augen streifen cast a glance at
streng strict, heavy, severe
die **Strenge, -** severity
das **Stroh, -s** straw
das **Strohfeuer, -s, -** fire of straw
der **Strohhut, -(e)s, ⸚e** strawhat
der **Strom, -(e)s, ⸚e** stream, current, river
strömen to stream, flow, swarm
strudeln to whirl, swirl, turn
der **Strumpf, -(e)s, ⸚e** stocking
die **Stube, -, -n** room, parlor
die gute Stube parlor
das **Stück, -(e)s, -e** piece, bit
in allen Stücken in every respect
der **Student, -en, -en** student
die **Studie, -, -n** study
die **Stufe, -, -n** step

stufenweise step by step
der Stuhl, -(e)s, ¨e chair
stumm silent, mute, dumb, inarticulate
der Stummel, -s, - stump, end
der Stümper, -s, - bungler, botcher
die Stumpfnase, -, -n turned-up nose, snub nose
die Stunde, -, -n hour
  um diese Stunde around this time
der Sturm, -(e)s, ¨e storm
sturmzerfetzt torn by the storm
der Sturz, -es, ¨e fall, descent
stürzen to throw, hurl, plunge, rush, fall (heavily)
  jemanden ins Unglück stürzen to plunge someone into misfortune; ruin someone
sich stürzen to throw oneself, plunge
stutzen to cut short, curtail; stop short; hesitate, be startled
stützen to support, rest
sich stützen to lean
die Subskription, -, -en subscription
suchen to seek, search, look for
die Sucht, -, ¨e desire, addiction
der Süden, -s south
südlich southern
die Summe, -, -n sum, amount of money
  eine schwere Summe a great deal of money
summen to buzz, hum
der Sund, -(e)s, -e strait, sound
die Sünde, -, -n sin
sündig sinful
sündigen to sin
süß sweet
die Süße, - sweetness
sympathisch likeable, congenial

T

der Tabak, -s tobacco
tadellos faultless
tadelnswert reprehensible, objectionable
das Tafeltuch, -(e)s, ¨er tablecloth
der Tag, -(e)s, -e day
  am Tag(e) during the day
  bei Tag(e) during the day
  alle Tage every day, daily
  den andern Tag next day
das Tagebuch, -(e)s, ¨er diary

das Tageslicht, -(e)s daylight
täglich daily
tagsüber during the day
taktfest steady; rhythmical
das Tal, -(e)s, ¨er valley
der Taler, -s, - old German coin (origin of "dollar")
der Tang, -(e)s seaweed
die Tante, -, -n aunt
der Tanz, -es, ¨e dance
  zum Tanze auffordern to ask for a dance
die Tanzbelustigung, -, -en merry dance; (public) ball
tänzeln to frisk, dance
tänzelnd sportively
tanzen to dance
die Tanzstunde, -, -n dancing lesson
die Tapete, -, -n wall-paper, tapestry
tapezieren to paper
tapfer brave, courageous
täppisch clumsy, awkward
täppisch-ernst clumsily serious
die Tasche, -, -n pocket
das Taschentuch, -(e)s, ¨er handkerchief
die Tasse, -, -n cup
die Taste, -, -n key (i.e., of a piano)
tasten to grope
sich tasten to feel one's way
die Tat, -, -en deed, act, action
  in der Tat indeed, in fact
der Täter, -s, - culprit
tätig active
die Tätigkeit, -, -en activity
die Tatsache, -, -n fact
tatsächlich actually
das Tau, -(e)s, -e rope
tauchen to dip, dive
  getaucht in flooded with, bathed in; dipped in
der Taucher, -s, - diver
taufen to name, christen
der Taugenichts, -es, -e good-for-nothing, ne'er-do-well
taumeln to reel, stagger, tumble
täuschen to deceive, delude
  wenn mich nicht alles täuscht if I am not completely mistaken
die Täuschung, -, -en deception, illusion
tausendförmig thousandfold
das Taxi, -s, -s taxi
der Tee, -s, -s tea

das **Teebrett, (e)s, -er** serving tray
der **Teer, -(e)s, -e** tar
der **Teich, -(e)s, -e** pond
der **Teil, -(e)s, -e** piece, part
    teilen to divide, separate
sich **teilen** to scatter; part
    teilhaben an to participate in
die **Teilnahme, -** interest
    **teil-nehmen, (nimmt teil), nahm
        teil, teilgenommen** to take
        part
der **Tempel, -s, -** temple
das **Terrain, -s, -s** real estate
    teuer dear, expensive
der **Teufel, -s, -** devil
das **Theater, -s, -** theater
    thronen to reign
    tief deep, profound, low
    im tiefsten deeply
die **Tiefe, -, -n** depth, bottom
    tiefernst very serious
    tiefgelehrt deeply learned
    tiefunterst nethermost, lowest
das **Tier, -(e)s, -e** animal
der **Tierblick, -(e)s, -e** animal glance
die **Tinte, -, -n** ink
der **Tisch, -es, -e** table
    zu Tisch sitzen to have a meal,
        dine
die **Tischgesellschaft, -, -en** dinner
    companions; dinner party
die **Tischplatte, -, -n** table-top
der **Titan, -en, -en** Titan
das **Toben, -s** fury
    toben to rage, rave, storm
die **Tochter, -, ⸚** daughter
der **Tod, -(e)s** death
der **Todesplan, -(e)s, ⸚e** plan to die
der **Todfeind, -(e)s, -e** deadly enemy
    tödlich deathly, fatal
    toll mad
der **Ton, -(e)s, ⸚e** tone, sound
    tönen to sound
die **Tonne, -, -n** barrel
das **Tor, -(e)s, -e** gate, gateway
    vor dem or **vorm Tore** out-
        side the gate, beyond the city
        gate
der **Tor, -en, -en** fool, simpleton
die **Torheit, -, -en** folly
    töricht foolish, absurd
    tot dead
der **Tote, -n, -n** dead person, corpse
    töten to kill

das **Totenbein, -(e)s, -e** skeleton
    leg
    totenblaß deadly pale
der **Totengräber, -s, -** grave digger
das **Totenkleid, -(e)s, -er** shroud
der **Totenkopf, -(e)s, ⸚e** death's
    head, skull
die **Totenlade, -, -n** coffin
die **Totenstille, -** deathly silence
das **Totenzimmer, -s, -** room where
    death occurred
    **tot-schlagen, (schlägt tot),
        schlug tot, totgeschlagen** to
        kill, beat to death
die **Tour, -, -en** tour; trip; excursion
der **Trab, -(e)s** trot
    sich in Trab setzen to fall into
        a trot; to trot off
    trachten to strive
    träge lazy, listless, inert
    tragen (trägt), trug, getragen to
        carry, wear
    der Tisch trägt sich schwer an
        ... the table is heavily laden
        with ...
    tragisch tragic
die **Träne, -, -n** tear
der **Tränenschleier, -s, -** tearful veil
der **Trank, -(e)s, ⸚e** drink, draught,
    potion
    transpirieren to perspire
    transzendentalgrau transcenden-
    tal grey
die **Trauer, -** mourning, grief, sorrow
    trauern to mourn
    träufen to drip, drop
der **Traum, -(e)s, ⸚e** dream
    traumblöde dreamy, dim with
        dreaming
    träumen to dream
der **Träumende, -n, -n** dreamer
    träumerisch dreamy, entrancing
das **Traumgespinst, -es, -e** dream
    phantom, dream fabrication
    traumhaft dreamy
    traurig sad
die **Traurigkeit, -** sadness, misery
    treffen, (trifft), traf, getroffen
        to hit, strike; fall upon; meet
    es trifft ihn it is his turn
    einen ins Innerste treffen to
        touch one to the quick
    Vorbereitungen treffen to
        make preparations

trefflich superior, exquisite, excellent

treffend appropriate

treiben, trieb, getrieben to sweep or carry away; drive, urge; drift

trennen to separate, divide, part

sich **trennen** to separate, part (*from*)

die **Treppe, -, -n** staircase, flight of stairs

der **Treppenabsatz, -es, ¨e** landing

der **Treppenkopf, -(e)s, ¨e** head of the stairs

treten, (tritt), trat, ist getreten to step, tread, walk

treu faithful, sincere, true

die **Treue, -** fidelity, loyalty, trust, faithfulness

treuherzig ingenuous, true-hearted, artless

treulos unfaithful, false

der **Trichter, -s, -** maelstrom; funnel

triftig valid

trillern to trill

der **Trinkbecher, -s, -** goblet, drinking-cup

trinken, trank, getrunken to drink

das **Trinkgeld, -(e)s, -er** tip, gratuity

trippeln to walk with short steps

trocken dry

die **Trommel, -, -n** drum

die **Trompete, -, -n** trumpet

der **Tropfen, -s, -** drop

der **Troß, -sses, -sse** followers; crowd

der **Trost, -es** comfort, consolation

trösten to console, comfort

das **Trottoir, -s, -e** (*also:*) **-s** pavement, sidewalk

der **Trotz, -es** spite

aller Welt zum Trotz in defiance of everyone

trotz (+*gen.*) in spite of, despite

trotzdem nevertheless

trotzig stubborn, obstinate

trüb sad, troubled, unhappy, cloudy, gloomy, sorry

trüb und traumblöde dim and heavy with dreams

trüben to dull, dim, obscure

sich **trüben** to grow dim, become clouded

trübsinnig melancholy

der **Trug, -s** delusion

trügerisch illusory

die **Truhe, -, -n** chest

die **Trümmer** (*pl.*) fragments, wreckage, ruins

trunken drunken, intoxicated

die **Trunkenheit, -** ecstasy

das **Tuch, -(e)s, ¨er** cloth, shawl

tüchtig fit, able, qualified, sound, thorough, hearty, proper

die **Tücke, -, -n** malice, treachery, perfidy

tun, tat, getan do, carry out

wir täten wohl we would do well

der **Tüllbesatz, -es, ¨e** tulle trimming; flounce

Tüllbesatz mit einem spitzen Ausschnitt V-shaped flounce

der **Tumult, -(e)s, -e** turmoil

die **Tumultszene, -, -n** tumultuous scene; mob scene

die **Tür(e), -e, -en** door

der **Türke, -n, -n** Turk

der **Turm, (e)s, ¨e** tower

der **Türmer, -s, -** watchman (*on a tower*)

das **Turmgemach, -(e)s, ¨er** tower-chamber

die **Turmuhr, -en** tower clock; church clock

turnen to do gymnastics

der **Türpfosten, -s, -** doorpost

die **Tüte, -, -n** paper bag

der **Typus, -, die Typen** type

U

übel bad, evil, poorly

es wird mir übel I feel ill

die **Übelkeit, -, -en** sickness, nausea

üben to practice

über over, above, across, about

überall everywhere

überaus extremely, exceedingly

der **Überblick, -(e)s, -e** general view, general impression

überblicken to survey

überdies furthermore, in addition

überein-stimmen to agree

überfallen, (überfällt), überfiel, überfallen to overcome, attack suddenly, surprise, come upon, assail

es überfällt mich I am overcome

das **Überfallkommando, -s, -s** riot squad

der **Überfluß, -sses** abundance, plenty
überflüssig superfluous
überfüllen to flood
die **Übergabe, -** surrender
übergeben, (übergibt), übergab, übergeben to hand over, give
übergehen, überging, übergangen to omit, skip
über-gehen, ging über, ist übergegangen to overflow; change sides
übergeschäftig officious
übergleiten to flood
überhaupt in general, on the whole, at all, moreover
überholen to overtake
überholt passé, outmoded
sich **überlassen, (überläßt sich), überließ sich, hat sich überlassen** to surrender oneself
überlastet overloaded
überlaufen, (überläuft), überlief, überlaufen to spread over, run over
es überlief mich kalt I was seized with a cold shudder
die **Überlegenheit, -** superiority
die **Überlegung, -, -en** reflection, consideration
übermannen to overcome
das **Übermaß, -es** excess, extravagance
übermäßig excessive, inordinate
übermitteln to transmit
der **Übermut, -(e)s** wanton insolence, wantonness, exultation
übermütig gay, impertinent, saucy
übernachten to spend the night
überragen to overtower, surpass
überraschen to surprise, startle, take unawares
überrascht sein be surprised
überraschend surprising
überreichen to hand over
überreizt supersensitive, unnerved
über-schlagen, (schlägt über), schlug über, ist übergeschlagen to tumble over; break (*of voice*)
die Stimme bricht und schlägt über the voice cracks and breaks

überschütten to deluge
über-schwellen, (schwillt über), schwoll über, ist übergeschwollen to overflow
überschwemmen to flood, overflow
übersehen, (übersieht), übersah, übersehen to survey, look out over, overlook
übersetzen to translate
überspannen to span, cover
überspielen to inundate
überspielt inundated, soaked
von Lichtreflexen überspielt with reflections of light playing upon it
überstreuen to strew (over), sprinkle over
überströmen to overflow
ihr von Tränen überströmtes Gesicht her face covered with tears
übertönen to drown out, rise above
übertragen, (überträgt), übertrug, übertragen to transfer
überzeugen to convince
die **Überzeugung, -, -en** conviction
überziehen, überzog, überzogen to cover
der **Überzieher, -s, -** overcoat
üblich usual, customary
übrig left over, other, remaining
im übrigen as to the rest
übrig-bleiben, blieb übrig, ist übriggeblieben to remain
Es bleibt mir nicht übrig, als I have no choice but . . .
übrigens besides, anyway, to begin with, moreover, by the way
die **Übung, -, -en** exercise
der **Übungslauf, -(e)s, ⁈e** trial run, scale
das **Ufer, -s, -** shore, coast, bank
uferlos unlimited
die **Uhr, -, -en** clock, watch
zehn Uhr ten o'clock
es schlägt zwölf Uhr the bells strike twelve
die **Uhrtasche, -, -n** watch pocket
um at (*a certain time*); around, in order to; for
um so mehr all the more

um sich greifen to spread, progress

um . . . willen for the sake of

umarmen to embrace

um-bringen, brachte um, umgebracht to murder

um-drehen to turn (*something*) around

sich **um-drehen** to turn (*oneself*) around

umdunstet surrounded by a haze

um-fallen, (fällt um), fiel um, ist umgefallen to fall over, topple over

umfangen, (umfängt), umfing, umfangen to embrace

umfangreich comprehensive

umfassen to embrace

umfassend extensive, comprehensive, all-embracing

umgeben, (umgibt), umgab, umgeben to surround

umgehen, umging, umgangen to walk about, go around, be passed around

um-gehen, ging um, ist umgegangen to handle, to stalk

es geht um a ghost is stalking

umher about, up and down, all around

umher-gehen, ging umher, ist umhergegangen to walk around, walk back and forth

umher-schleichen, schlich umher ist umhergeschlichen to creep around, sneak around, skulk around

umher-spähen to peer about

umher-spritzen to splash about

umher-stieben, stob umher, ist umhergestoben to scatter about

umhüllen to envelop

umjubeln to acclaim, celebrate

um-kehren to turn around, turn back

umklammern to hold on to, seize

um-kommen, kam um, ist umgekommen to die, perish

umkreisen to circle, hover about

um-legen to surround; garnish

jemandem etwas umlegen to put clothing around someone

umreißen, umriß, umrissen to sketch, delineate

umringen to encircle, surround

umsausen to howl around

umschatten to shadow

die **Umschau, -** survey

um sich schauen to look around, look back

umschauern to shower, "thrill"

umschlingen, umschlang, umschlungen to clasp, embrace

umschwärmen to admire, adore, lionize

sich **um-sehen, (sieht sich um), sah sich um, hat sich umgesehen** to look around, look back

umsonst in vain, for no purpose

der **Umstand, -(e)s, ¨e** circumstance, case

die **Umstehenden** (*pl.*) bystanders

umstellen to surround

sich **umstellen mit** to surround oneself with

sich **um-tun, tat sich um, hat sich umgetan** to cast about (in search of something), explore

umwandeln to walk about

der **Umweg, -(e)s, -e** roundabout way

umwehen to fan, blow around

unablässig incessant

unangenehm unpleasant, disagreeable

unanständig indecent

unauffällig inconspicuous

unaufhaltsam irresistible; unstoppable

unausgesetzt constant, continuous, continual, incessant

unausgezogen without having undressed

unbändig unruly, boundless

unbedacht rash

unbedeutend insignificant

unbedingt absolute, unconditional, without question

unbegreiflich inconceivable, incredible, incomprehensible

unbehelligt undisturbed, unmolested

unbeherrscht uncontrolled

unbeholfen helpless, inarticulate, awkward

unbeirrt unfaltering, calm
unbekannt unknown
unbekömmlich unwholesome, indigestible
unbemerkt unnoticed
unberechenbar incalculable
unberufen unbidden; uncalled for
unberührbar intangible, distant
unberührt untouched
unbescholten irreproachable; possessing a good name
unbeschreiblich indescribable, inexpressible, defying all description
unbesprochen undiscussed
unbestimmt indefinite, uncertain, indeterminate
unbeteiligt disinterested
unbeweglich immovable, immobile
unbewegt listless; motionless
unbewußt unconscious
unbrauchbar useless
unendlich endless, infinite, unending
unentrinnbar inescapable
die **Unentschlossenheit, -** irresolution, indecision
unentwegt steadfast
unerbittlich inexorable, relentless, without pity
unerklärlich inexplicable
unerschöpflich inexhaustible, unfathomable
unerträglich unbearable, intolerable
unerwartet unexpected
unfehlbar inevitable
unfern near
unförmlich shapeless
das **Ungarn, -s** Hungary
ungeboren unborn
die **Ungeduld, -** impatience
ungefähr approximate(ly), about
das **Ungeheuer, -s, -** monster
ungeheuer colossal
ungehindert unimpeded
ungehörig improper
ungeliebt unpopular; not loved
ungenial commonplace
ungemein uncommonly
ungerahmt unframed
ungesättigt unsatisfied

ungeschickt clumsy, awkward, ungainly
die **Ungestalt, -** misshape, deformity
die **Ungetrübtheit, -** serenity
ungewiß uncertain
ungewöhnlich uncommon, unusual
ungewürzt unseasoned, insipid
der **Unglaube, -ns** disbelief
ungleichmäßig irregular
das **Unglück, -(e)s** misfortune, unhappiness
unglücklich unhappy, unlucky
ungütig unfriendly, unkind
nehmt es nicht ungütig do not take it amiss
die **Unhaltbarkeit, -** indefensibility, untenability
unheimlich uncanny, sinister, gloomy, strange
der **Unhold, -(e)s, -e** monster, demon
tiefe Unholde abysmal monsters
unirdisch supernatural, unearthly
unmäßig excessive
unmenschlich inhuman
unmerklich imperceptible
unmittelbar immediate
unmöglich impossible
unmutig angry, ill-humored
die **Unordnung, -** disorder, confusion
das **Unrecht, -s** injustice
Es widerfährt ihm Unrecht He is not dealt with justly
unregelmäßig irregular
die **Unruhe, -, -n** agitation, anxiety, disturbance, restlessness, unrest, uneasiness
unruhig restless, turbulent
unsäglich unspeakable, unutterable, indescribable
unsägliche Mühe infinite trouble
die **Unschuld, -** innocence
unschuldig innocent, guiltless
unsicher unsteady, uncertain, unsure
unsichtbar invisible
untadelhaft faultless, correct
untapeziert bare, unpapered
unten down below, downstairs, at the bottom
unter under, below, beneath; among

das **Unterste zuoberst** the very bottom uppermost

unter-brechen, (unterbricht), unterbrach, unterbrochen to interrupt

die **Unterbrechung, -, -en** interruption

unter-bringen, brachte unter, untergebracht to dispose of, accommodate, house, shelter, place

unterdessen in the meantime

unterdrücken to suppress

unter-fassen to take by the arm

der **Untergang, -(e)s, ⁻e** setting, going down, destruction, fall, ruin

unter-gehen, ging unter, ist untergegangen to go down, set, sink and disappear

sich **unterhalten (unterhält sich), unterhielt sich, hat sich unterhalten** to converse; entertain one another

die **Unterhaltung, -, -en** discourse, conversation

unterirdisch subterranean

das **Unterkommen, -s** shelter, lodging

ohne Unterlaß incessantly, continuously

unterlassen, (unterläßt), unterließ, unterlassen to refrain from, leave

die **Unterlassung, -, -en** omission

der **Unterlegene, -n, -n** vanquished, victim

unterliegen, unterlag, ist unterlegen to succumb, yield, be overcome

unternehmen, (unternimmt), unternahm, unternommen to undertake

die **Unterredung, -, -en** interview

die **Unterrichtsstunde, -, -n** hour of instruction, class hour

der **Unterrock, -(e)s, ⁻e** petticoat, slip, under-skirt

unterscheiden, (unterscheidet), unterschied, unterschieden to distinguish

das unterscheidet sich durch nichts this is not at all different

die **Unterscheidung, -, -en** differentiation, distinction

unter-schieben, schob unter, untergeschoben or **unterschieben, unterschob, unterschoben** to substitute, assign

unterschlagen, (unterschlägt), unterschlug, unterschlagen to suppress

unter-schütten to pour under, place under

untersetzt squat, square-built

untersuchen to examine

die **Untersuchung, -, -en** investigation

untertänig humble, submissive

danke untertänigst thank you most humbly

ununterbrochen without interruption, continuous

unverändert unchanged

unvergleichlich incomparable

unverheiratet unmarried, single

unverhofft unexpected, unhoped for

das **Unvermeidliche, -n** the unavoidable

unvermutet unexpected

unvernünftig unreasonable

die **Unvernünftigkeit, -, -en** irrationality

der **Unverstand, -(e)s** nonsense

unverwest not decayed, uncorrupted

unwiederholt not repeated, unique

unwidersprechlich without contradiction, incontrovertible

unverwirrbar imperturbable

unverzüglich prompt

unwahrscheinlich improbable, unreal

unterwegs on the way, on the road

unterwerfen, (unterwirft), unterwarf, unterworfen to subject

unwiderstehlich irresistible

unwillig annoyed, indignant, reluctant, unwilling

unwillkürlich instinctive, involuntary

unwillkürliche Absicht unconscious wish, instinctive intent

unwirksam ineffectual

unwürdig unworthy

unterzeichnen to sign
unzerreißbar untearable, indestructible
unziemlich unseemly; unjustifiable
die Unzufriedenheit, - dissatisfaction
die Unzugänglichkeit, - inaccessibility
unzugehörig irrelevant, inappropriate
  die Unzugehörigkeit, - aloofness, inadaptability
unzweideutig unmistakable; plain
üppig luxurious
uralt ancient, aged
der Urbeginn, -(e)s first beginning, the very beginning
das Urbild, -(e)s, -er original
der Urgrund, -(e)s, ̈e origin, fundamentals, wellsprings
der Urlaub, -(e)s, -e furlough, vacation
die Ursache, -, -n cause
der Ursprung, -(e)s, ̈e source, origin
ursprünglich original
das Urteil, -(e)s, -e judgment
der Urteilsspruch, -(e)s, ̈e judgment, sentence
urvertraut very familiar, long-familiar

V

der Vater, -s, ̈ father
verabfolgen to hand over
die Verabredung, -, -en agreement, appointment
verabscheuen to abominate, despise, detest
sich verabschieden to say good-bye
verachten to despise, look down upon, scorn
verächtlich scornful, contemptuous
die Verachtung, - disdain
verachtungsvoll scornful
sich verändern to change
die Veränderung, -, -en transformation, alteration
die Veranlagung, -, -en talent
veranlassen to induce, cause
die Veranlassung, - occasion, cause
verantwortlich responsible

verarbeiten to treat, work over, deal with
verarmen to become impoverished
verbergen, (verbirgt), verbarg, verborgen to conceal, hide
sich verbeugen to bow
die Verbeugung, -, -en bow
verbieten, (verbietet), verbot, verboten to prohibit, forbid
verbinden, (verbindet), verband, verbunden to unite
verbunden sein to be obliged
die Verbindungstür, -, -en communicating door
der Verbleib, -(e)s whereabouts
verbleichen, verblich, ist verblichen to fade, pale
verblüffen to dumbfound, startle
das Verbrechen, -s, - crime
verbreiten to spread, circulate
weithin verbreitet widespread
verbrennen, verbrannte, verbrannt to burn (completely), consume by fire
verbringen, verbrachte, verbracht to spend (one's time)
der Verdacht, -(e)s suspicion
Verdacht hegen harbor suspicion
verdächtig suspicious
verdammen to damn, condemn
das Verdeck, -(e)s, -e deck
verderben, (verdirbt), verdarb, verdorben to spoil, ruin, upset
  sich den Magen verderben to upset's one's stomach
verdienen to earn; deserve, merit
verdorben corrupt; spoiled
verdorren to wither, dry up
verdrängen to displace
verdrießen, verdroß, verdrossen to annoy, vex, trouble
verdrießlich annoyed, cross, vexed
verdunkeln to darken, dim
verdunsten to evaporate
verdutzt nonplussed, sheepish, taken aback
verehren to honor, admire
vereinen to unite
vereinigen to unite
sich vereinigen to unite, gather

die **Vereinigung, -, -en** union
vereinsamt desolate
verengen to contract, constrict, oppress
das **Verfahren, -s, -** act, action, procedure
verfallen, (verfällt), verfiel, ist verfallen to fall away, decay, deteriorate, become dilapidated
er verfällt darauf the idea occurs to him
verfertigen to make, compose
verfließen, verfloß, ist verflossen to elapse (*time*), pass
verfluchen to damn, curse
verflucht damned
verfolgen to follow, pursue
von der Polizei verfolgt wanted by the police
sich **verfügen** to betake oneself (*somewhere*)
die **Verfügung, -, -en** disposal disposition
zur Verfügung stellen place at (*someone's*) disposal *or* command
verführen to lead on, lead astray, seduce
verführerisch seductive
vergeben, (vergibt), vergab, vergeben to forgive
vergebens in vain
vergeblich futile, in vain
die **Vergebung, -** pardon
um Vergebung=ich bitte um Vergebung
vergehen, verging, ist vergangen to pass, vanish, disappear, diminish, perish
das **Vergehen, -s, -** misdemeanor
vergessen, (vergißt), vergaß, vergessen to forget
das **Vergessen, -s** oblivion
die **Vergeßlichkeit, -** forgetfulness
vergittert barred, latticed
vergleichen, verglich, verglichen to compare with *or* to
das **Vergnügen, -s, -** pleasure, joy
sich **vergnügen** to enjoy oneself
vergnügt joyous, glad, cheerful, pleasant
die **Vergnügungsfahrt, -, -en** pleasure trip
vergolden to gild
verhaften to arrest

sich **verhalten, (verhält sich), verhielt sich, hat sich verhalten** to conduct oneself, comport oneself
sich ruhig verhalten to keep quiet
das **Verhältnis, -ses, -se** attitude, relation, relationship
verhandeln to discuss, debate, deliberate upon
verhängnisvoll disastrous
verhängt overcast
verharren to remain, stop
verhehlen to conceal
verheiratet married
verheißungsvoll full of promise
verhindern to prevent, hinder
verhöhnen to ridicule, jeer, sneer
das **Verhör, -(e)s, -e** (*cross-*)examination; hearing
verhüllen to cover, veil
sich **verirren** to lose one's way, stray, go astray
ein verirrter Bürger a bourgeois gone astray
der **Verkauf, -(e)s, ⁔e** sale
verkaufen to sell
der **Verkehr, -s** social *or* friendly intercourse; traffic
Verkehr pflegen to associate (*with*)
verkehren to associate, deal
der **Verkehrspolizist, -en, -en** traffic policeman
verkehrt upside down; perverse
verkennen, verkannte, verkannt to misunderstand, misinterpret
die **Verkennung, -** misjudgment, misinterpretation
verklären to transfigure, glorify
verklärt transfigured
die **Verklärung, -** transfiguration, glory
sich **verkleiden** to dress up, disguise oneself
verkleidet disguised
verklingen, verklang, verklungen to die away, fade away
die **Verknüpfung, -, -en** connection
die Verknüpfungen der Vorstellungen association of ideas
verkündigen to announce, make known

verlachen to laugh at
das **Verladen, -s** loading
das **Verlangen, -s, -** desire, longing
verlangen to demand, desire
verlangsamen to slacken down, delay, slow down
verlangsamt delayed; deliberate
verlassen (verläßt), verließ, verlassen to abandon, leave, forsake, desert
verlauten to utter
eine **Sache verlauten lassen** to let a matter be known
verlegen embarrassed
sich **verlegen** to devote oneself
er **verlegt sich aufs Warten** he awaits the outcome, he decides to wait
verleihen, verlieh, verliehen to grant, confer, bestow
verlesen (verliest), verlas, verlesen to read out
verletzen to injure, hurt
verletzlich vulnerable
leicht verletzlich very sensitive
die **Verletztheit, -** annoyance, vexation
sich **verlieben** to fall in love
verliebt fond, infatuated
verlieren, verlor, verloren to lose
der **(die) Verlobte, -n, -n** betrothed
der **Verlust, -es, -e** loss
sich **vermählen** to get married
vermerken to note
sich **vermischen** to mingle
vermögen, (vermag), vermochte vermocht to be capable of *or* enabled to
der **Wunsch vermochte sie . . .** the wish enabled her . . .
vermöge (+ *gen.*) by reason of, by virtue of
das **Vermögen, -s, -** fortune, property, wealth, assets
vermögend capable of doing; well-to-do
der **Vermögensumstand, -(e)s, ⁝e** circumstances, means, financial position
vermummen to mask, muffle up

vermuten to suspect, suppose
die **Vermutung, -, -en** suspicion, conjecture
vernehmen, (vernimmt), vernahm, vernommen to hear, distinguish, perceive, understand
sich **vernehmen lassen** to let oneself be heard, announce
vernehmlich audible, distinct, clear
sich **verneigen** to bow
die **Vernunft, -** reason
jemanden zur Vernunft bringen to bring a person to his senses
der **Vernunftdoktor, -s, -en** doctor of reason
vernünftig reasonable, rational
der **Vernunftschluß, -sses, ⁝sse** rational conclusion
veröden to devastate; become deserted
verödet laid waste
die **Verödung, -** desolation, sterility
veröffentlichen to publish
verpassen to miss
verraten, (verrät), verriet, verraten to betray, reveal, disclose, give away, compromise
sich **verraten, (verrät sich), verriet sich, hat sich verraten** to give oneself away, betray oneself, reveal oneself
verräterisch compromising
verräuchert smoky
verrauschen to rush past, die away, pass away
verreisen to go on a journey, take a trip
verriegeln to bolt (a door)
verrucht dammed, wicked, infamous, villainous
der **Vers, -es, -e** verse
versagen to deny, refuse
sich **versammeln** to congregate, assemble, gather
versäumen to neglect
verschaffen to procure, get
sich **verschärfen** to sharpen, increase
das **Verscharren, -s** quick unceremonious burial, shallow interment

verscheiden, (verscheidet), verschied, ist verschieden to die, expire, pass away

verscheuchen to chase away, scare away

die Verschiebung, -, -en change, shifting, rearrangement, postponement

verschieden different, various

verschlafen (p.p.) sleepy

verschlagen (verschlägt), verschlug, verschlagen take to; matter

verschlagen (p.p.) cast adrift, stranded; cunning

verschleiern to veil

verschleiert veiled

verschließen, verschloß, verschlossen to close, lock

sich verschließen to keep aloof, withdraw, lock

verschlingen, verschlang, verschlungen to swallow up; entwine, twist

verschlungen twisted, entangled

ineinander verschlungen intertwined, interlaced

verschlucken to swallow

das Verschulden, -s fault

verschwenden to squander, waste

verschwinden, (verschwindet), verschwand, ist verschwunden to disappear

verschwunden gone, disappeared

der Verschwörer, -s, - conspirator

versehen, (versieht), versah, versehen to provide (with), equip

mit Möbeln versehen to furnish

versenden, (versendet), versandte, versandt to send out

versetzen to answer, reply, rejoin; transfer, place

den Vorhang in ein rotes Glühen versetzen to impart a red glow to the curtain

versichern to assure, insure

versinken, versank, ist versunken to be absorbed, plunge down, sink, be swallowed up, become lost, drown

in Nachdenken versunken to be absorbed in thought

versöhnen to placate, conciliate

versöhnlich placable, conciliatory

versöhnlich gestimmt sein to be in a conciliatory mood

die Versöhnung, - reconciliation

versorgen to attend to

verspeisen to eat up, consume (food)

versperren to lock, bar

versprechen, (verspricht), versprach, versprochen to promise, predict

verspüren to trace, feel

der Verstand, -(e)s reason, intellect

die Verständigung, - understanding, compatibility

verständnisvoll understanding

verstecken to hide

verstehen, verstand, verstanden to understand

verstohlen furtive, stealthy, secretive

verstopfen to clog up, choke

verstopft congested

verstorben deceased

verstören to disturb

verstört agitated, disturbed, troubled, upset

die Verstörung, - disturbance, commotion

verstummen to become silent, grow speechless

der Versuch, -(e)s, -e attempt, experiment

versuchen to try, tempt

die Versunkenheit, - absorption

sich versüßen to become sweet

die Verszeile, -, -n line of poetry

vertäfelt panelled

verteilen to distribute

vertragen, (verträgt), vertrug, vertragen to stand, bear, endure

das Vertrauen, -s confidence, trust

die Vertraulichkeit, -, -en intimacy

vertraut familiar

traumhaft vertraut dreamily familiar

der Vertraute, -n, -n confidant

die Vertrauten (pl.) intimate friends

die Vertrautheit, - familiarity, intimacy

vertun, vertat, vertan to squander, waste

verursachen to cause, produce

verurteilen to condemn, sentence

verwachsen (verwächst), verwuchs, ist verwachsen to grow together

    verwachsen sein to be deformed, misshapen *or* grown together

    verwachsen sein mit to be bound up with

verwahren to keep (*safe*)

die **Verwaltung, -, -en** administration, management, government

verwandeln to change, transform

die **Verwandlung, -, -en** transformation, change

die **Verwandtschaft, -, -en** relationship; affinity; relations

verwechseln (mit) to mistake (for), confuse (with)

verwehren to deny

verwenden, (verwendet), verwandte (*or* verwendete), verwandt (*or* verwendet) to use, employ

verwesen to decay

verwettert blasted, confounded, damned

verwildern to grow wild, become wild

verwirren to bewilder, confuse

verwöhnen to pamper

verworren indistinct, confused

verwunderlich surprising

sich **verwundern** to marvel, be surprised

    verwundert surprised, amazed, astonished

die **Verwunderung, -** astonishment, surprise

verwünschen to curse, bewitch, enchant, cast a spell (on)

verwüsten to lay waste, devastate

verzaubern to charm, bewitch, enchant

    der **Verzauberte, -n, -n** bewitched person

die **Verzauberung, -** transformation, enchantment

verzehren to consume, absorb

sich **verzehren** to consume oneself

verzeihen, verzieh, verziehen to pardon, excuse, forgive

die **Verzeihung, -** pardon, forgiveness

    Ich bitte um Verzeihung I am sorry, forgive me

verzichten to renounce

verzieren to decorate, adorn, embellish, ornament

verzollen to pay *or* declare duty

der **Verzug, -(e)s** delay

die **Verzweiflung, -** despair

verzwickt intricate

das **Vestibül, -s, -e** vestibule, lobby

der **Vetter, -s, -n** cousin

viel, mehr, meist- much

    nicht mehr not any more

vielfach diverse, ornate, varied

vielleicht perhaps

viereckig square, quadrangular

das **Viertel, -s, -** quarter

die **Viertelstunde, -, -n** quarter of an hour

die **Villa, -, die Villen** villa

violett violet

das **Vitriol, -s** vitriol

das **Vitriolwasser, -s** vitriolic water

der **Vogel, -s, ∷** bird

    das **Vogelgezwitscher, -s** twittering of birds

    der **Vogelzug, -(e)s, ∷e** flight of birds

der **Vokal, -s, -e** vowel

das **Volk, -(e)s, ∷er** people, nation

die **Volksbibliothek, -, -en** public library

voll entire, full, full of, whole

vollbesetzt fully occupied

vollbringen, vollbrachte, vollbracht to execute, produce

vollenden to accomplish, achieve, complete

vollends completely

voller full of, filled with

vollführen to execute

das **Vollgefühl, -(e)s** consciousness

völlig entire, complete, full

vollkommen perfect, entire, complete, consummate

voll-messen (mißt voll), maß voll, vollgemessen give full measure

vollständig complete, entire

vor before, ahead of; because of

    vor allem especially, above all

343

voraus   ahead, in front

voraus-gehen, ging voraus, ist vorausgegangen   to go ahead

vorausgesetzt   provided

voraus-schicken   to send ahead

voraus-sehen, (sieht voraus), sah voraus, vorausgesehen   to anticipate

voraus-setzen   to presume, presuppose, postulate

vorbehalten (p.p.)   reserved

vorbei   past, over

vorbei-gehen, ging vorbei, ist vorbeigegangen   to walk past

vorbei-jagen   to race past

vorbei-laufen, (laüft vorbei), lief vorbei, ist vorbeigelaufen   to run past

vorbei-reiten, (reitet vorbei), ritt vorbei, ist vorbeigeritten   to ride past

vorbei-senden, (sendet vorbei), sandte vorbei, vorbeigesandt   to send past

vorbei-sprengen   to dash by (on horse-back), gallop past

vorbei-streichen, strich vorbei, ist vorbeigestrichen   to pass by slowly

die Vorbereitung, -, -en   preparation

Vorbereitungen treffen   to make preparations

vor-bestimmen   to predestine

vor-beugen   to bend forward

vor-blasen, (bläst vor), blies vor, vorgeblasen   to perform (on a woodwind or brass instrument), to blow

vor-bringen, brachte vor, vorgebracht   to submit, suggest

vorder-   anterior, front

die vorderen Beine   front legs

der Vordergrund, -(e)s, ⸚e   foreground

vor-dringen, drang vor, ist vorgedrungen   to push on, intrude

der Vorfahr, -en, -en   forefather, ancestor

der Vorfall, -(e)s, ⸚e   occurrence, incident

vor-fallen, (fällt vor), fiel vor, ist vorgefallen   to fall forward

das vorgefallene Haar   the hair which had fallen into her face

vor-führen   to present, bring before (the judge)

der Vorgarten, -s, ⸚   front yard

vor-gehen, ging vor, ist vorgegangen   to go ahead; happen

Was geht hier vor?   What is going on here?

das Vorhaben, -s, -   design, intention

vor-haben, hatte vor, vorgehabt   to plan

Was hat er vor?   What does he mean to do?

vor-halten, (hält vor), hielt vor, vorgehalten   to point, hold up before

vorhanden   at hand, nearby

der Vorhang, -(e)s, ⸚e   curtain

vorher   before, beforehand

vor-kommen, kam vor, ist vorgekommen   to happen, occur

sich vor-lehnen   to lean forward

vor-lesen, (liest vor), las vor, vorgelesen   to read (aloud)

vorletzt   next to last

vorn(e)   in front

der Vorname, -ns, -n   first name

vornehm   distinguished, exalted, elegant, genteel

die Vornehmheit, -   distinction

vor-neigen   to bend forward

vor-quellen (quillt vor), quoll vor, ist vorgequollen   to escape from, gush forth, slip out

vor-rücken   to advance

vor-schieben, schob vor, vorgeschoben   to push forward

der Vorschlag, -(e)s, ⸚e   suggestion

vor-schlagen, (schlägt vor), schlug vor, vorgeschlagen   to suggest, propose

vor-schreiben, schrieb vor, vorgeschrieben   to prescribe, direct, order, command

vorsichtig   careful

der Vorsitz, -es   chairmanship

den Vorsitz führen   to preside

den Vorsitz (bei Tisch) haben   to sit at the head (of the table)

vor-sorgen   to take precautions, provide for

vor-spannen   to put horses to a carriage

344

vor-spiegeln to deceive, delude, give the illusion

vor-stellen to introduce

sich vorstellen to imagine, fancy

die Vorstellung, -, -en performance; idea, notion, conception, suggestion

vorteilhaft advantageous

vor-tragen, (trägt vor), trug vor, vorgetragen to explain, expound, utter, tell (a story), perform

der Vortrag, -(e)s, ⁓e narration, presentation

vortrefflich excellent, admirable

die Vortrefflichkeit, - excellence

vor-treten, (tritt vor), trat vor, ist vorgetreten to step forward

vorüber past

vorüber-fliegen, flog vorüber, ist vorübergeflogen to fly past

vorüber-gehen, ging vorüber, ist vorübergegangen to pass, walk by

vorüber-kommen, kam vorüber ist vorübergekommen to pass by

vorüber-puffen to puff by

sich vor-wagen to venture forth

vorwärts forward

vorwärts-gehen, ging vorwärts, ist vorwärtsgegangen to go forward, go on, proceed, progress

vor-weisen, wies vor, vorgewiesen to show, produce

vor-werfen, (wirft vor), warf vor, vorgeworfen to reproach (with)

vorwitzig inquisitive, prying, impertinent

das Vorwort, -(e)s, -e preface

der Vorwurf, -(e)s, ⁓e reproach

vor-ziehen, zog vor, vorgezogen to prefer

das Vorzimmer, -s, - ante-chamber

der Vorzug, -(e)s, ⁓e advantage

vorzüglich superior, above all

der Vulkan, -(e)s, -e volcano

W

die Waage, -, -n scale

wach awake

wach sein to be awake

wachen to be alert, sit up, stay awake; watch, guard

wachsen, (wächst), wuchs, ist gewachsen to grow, increase

das Wachslicht, -(e)s, -er wax candle

der Wachstuchmantel, -s, ⁓ oilskin coat

die Waffengewalt, - force of weapons

der Wagen, -s, - car, carriage, vehicle, wagon

wagen to dare, venture, risk

wägen to weigh

wägend critical; weighing (fig.)

die Wahl, -, -en choice, election, selection

jemandem die Wahl lassen to let someone choose

wählen to choose, elect, select

wählerisch fastidious

der Wahn, -(e)s delusion, madness, fancy, folly, illusion

wähnen to imagine, fancy

wahr true

während while; during

wahrhaft true, actual

die Wahrheit, -, -en truth

wahrlich in truth, indeed

wahr-nehmen, (nimmt wahr), nahm wahr, wahrgenommen to perceive

wahrscheinlich likely, presumable, probable

der Wald, -(e)s, ⁓er forest, wood

das Wäldchen, -s, - grove

die Waldesnacht, -, ⁓e forest-night

der Waldrand, -(e)s, ⁓er edge of the forest

der Wall, -(e)s, ⁓e wall, dike

die Wallanlage, -, -n (embankment) garden

wallen to walk, stride, go; boil

der Walnußbaum, -(e)s, ⁓e walnut tree

der Walzertakt, -(e)s, -e waltz time or rhythm

die Wand, -, ⁓e wall

wandeln to walk, wander, travel

der Wanderer, -s, - wanderer, traveler

wandern to wander, travel (on foot), walk, roam, rove

der **Wandersmann, -(e)s,** wanderer

der **Wanderschuh, -s, -e** wanderer's shoe

der **Wandertag, -(e)s, -e** day of wandering, day of travel

die **Wanderung, -, -en** migration; trip, tour

der **Wanderzug, -(e)s, ⸚e** migratory flight

der **Wandschirm, -(e)s, -e** folding-screen

die **Wange, -, -n** cheek

der **Wangenknochen, -s, -** cheek-bone

wanken to quaver, shake, waver

wankende Stimme faltering voice

wann? when?

ward *old form of* **wurde**

die **Ware, -, -n** cargo, goods, wares, merchandise

warm warm

wärmen to heat, warm

die **Wärme, -** warmth

warnen to warn

warten to wait, attend to

sich aufs Warten verlegen to decide to wait

was what; why; *coll.:* how

was für ein what kind of

das **Waschbecken, -s, -** wash-basin

das **Wasser, -s, -** water

die **Wasserhöhle, -, -n** watery cave

die **Wasserkugel, -, -n** glass bowl, glass sphere (*filled with water*)

die **Wasserpflanze, -, -n** water plant, aquatic plant

der **Wasserschlund, -(e)s, ⸚e** watery gulf

der **Wasserspiegel, -s, -** surface of the water

der **Wasserstrom, -(e)s, ⸚e** gush or flow of water

der **Wassertopf, -(e)s, ⸚e** water-bucket

der **Wechsel, -s, -** change

wechseln to change, exchange, vary

wecken to awaken

wedeln to wag

weder ... noch neither ... nor

der **Weg, -(e)s, -e** path, road, way

den Weg beschreiben to give directions

seines Weges gehen to go one's way, to proceed on one's way

sich auf den Weg machen to start out, set out

weg away; off, gone

sich **weg-begeben (begibt sich weg) begab sich weg, hat sich wegbegeben** to go away

weg-drängen to force away, push away

weg-fliegen, flog weg, ist weggeflogen to fly away

wegen because of

weg-geben, (gibt weg), gab weg, weggegeben to give away

weg-gehen, ging weg, ist weggegangen to go away, leave

im Weggehen during the departure

weg-schieben, schob weg, weggeschoben to push away

weg-kommen, kam weg, ist weggekommen to get away

weg-legen to lay aside, put away

weg-springen, sprang weg, ist weggesprungen to jump away

weg-stoßen, (stößt weg), stieß weg, weggestoßen to push away

weg-weisen, wies weg, weggewiesen to dismiss

weg-werfen, (wirft weg), warf weg, weggeworfen to throw away, discard

weg-zehren to consume

weg-ziehen, zog weg, ist weggezogen to pull away, pull off; move away

das **Weh, -(e)s** woe, pain, pang, grief, ache

Weh und Ach lamentation, *cry of woe*

weh painful

wehe! alas! woe to me!

die **Wehmut, -** melancholy, sadness

wehmütig melancholy

wehren to restrain, stop

sich **wehren** to defend oneself, resist

weh-tun, tat weh, wehgetan to hurt, ache

das **Weib, -(e)s, -er** woman, wife

weich tender, soft

weichen, wich, ist gewichen to yield, give way

die **Weide, -, -n** willow

weiden to feast one's eyes upon something, (*poet.*) mirror, bathe

die **Weihnachten, -** Christmas

weil because

die **Weile, -** while

über ein Weilchen after a little while

das **Weilen, -s** lingering, loitering

der **Wein, (e)s, -e** wine

weinen to cry, weep

der **Weise, -n, -n** sage, wise man

die **Weise, -, -n** manner of fashion, mode; way, melody

weise wise

weisen, wies, gewiesen to show

die **Weisheit, -, -en** wisdom

weiß white

das **Weißbrot, -(e)s, -e** white bread

weißlackiert white-enamelled

weit far, extensive, wide

weiter further, else, farther, more distant

so weit to such an extent

von weitem from a distance

weit und breit far and wide

ins Weite (to go) afar; into space

weiter-gehen, ging weiter, ist weitergegangen to walk on, go further, go on

weiter-marschieren to march on

weiter-reiten, (reitet weiter), ritt weiter, ist weitergeritten to continue to ride (*on horseback*), ride on

weiter-spielen to continue to play

weither from afar

weithin widely

weitläufig extensive, wide

weitschweifig spacious; long-winded

welken to wilt, wither, fade, decay

die **Welle, -, -n** wave, billow

der **Wellenhügel, -s, -** crest of a wave

der **Wellenleib, -(e)s, -er** surfing mass

die **Wellenverbindung, -, -en** radio connection

die **Welt, -, -en** world

die **Weltanschauung, -, -en** view of life, philosophy

die **Weltdame, -, -en** lady of fashion, woman of the world

die **Weltgeschichte, -, -n** world-history

das **Weltmeer, -(e)s, -e** ocean

der **Weltuntergang, -(e)s** end of the world

sich **wenden, (wendet sich), wandte sich, hat sich gewandt** to address; turn (to), turn around

wenig little, small

ein wenig a few, a little

etwas weniges a little

wenigstens at least

wenn if, when

wenn auch even if; even though

wenn ... so if ... then

wer who

werben, (wirbt), warb, geworben to woo, strive

werden, (wird), wurde, ist geworden become, grow, get; shall, will be

werden + zu to become, turn into

werfen, (wirft), warf, geworfen to fling, cast, throw, toss

das **Werk, -(e)s, -e** work, act, deed, creation, doing

die **Werkstatt, -, ̈en** or die **Werkstätte, -, -n** workshop

wert dear, esteemed, valued, worthy

wert halten to esteem

wertvoll precious

das **Wesen, -s, -** manner, nature; being, essence; creature; state of affairs

das Sein und Wesen existence and character

wesenlos shadowy

weshalb why

wetten to bet

so haben wir nicht gewettet that's not what we agreed upon

der **Wicht, -(e)s, -e** wretch, creature

wichtig important

wickeln wrap

wider against

347

wider-fahren, (widerfährt), widerfuhr, ist widerfahren to happen to, meet with, occur

Gerechtigkeit widerfahren lassen to do justice (to)

widerhallen to resound, echo

der Widerschein, -(e)s, -e reflection; irradiation

der Widersinn, -(e)s contradiction, absurdity, paradox

widersinnig preposterous, irrational

widerspenstig refractory, unruly

das Widerspiel, -(e)s, -e counterpart

widersprechen, (widerspricht), widersprach, widersprochen to contradict

widerstehen, widerstand, widerstanden to resist, withstand

der Widerstreit, -(e)s antagonism

in (im) Widerstreit sein to be at odds

widerwärtig unpleasant, tiresome, vexatious, disgusting, repulsive

wie as; when, how, like

wieder again

wieder-bringen, brachte wieder, wiedergebracht to bring back, return

wieder-erkennen, erkannte wieder, wiedererkannt to recognize

wieder-geben, (gibt wieder), gab wider, wiedergegeben to return, give back

wieder-herstellen to recover

wiederholen to repeat

wieder-kehren to return, come back

wieder-kommen, kam wieder, ist wiedergekommen to come again, come back, return

wieder-schaffen to get back, produce again

das Wiedersehen, -s reunion

Auf Wiedersehen! Till we meet again! Goodbye!

wieder-sehen, (sieht wieder), sah wieder, wiedergesehen to see or meet again

wiegen, wog, gewogen to weigh

wiegen (weak verb) rock (to sleep), sway

das Wiegenlied, -(e)s, -er lullaby

das Wien, -s Vienna

die Wiener Statthalterei, - government office of Vienna

die Wiese, -, -n meadow

das Wiesel, -s, - weasel

die Wiesenblume, -, -n meadow flower

das Wiesental, -(e)s, -er green valley

der Wiesenweg, -(e)s, -e meadow path

wieso why

wieviel how much, how many

wild wild

der Wille, -ns will, wish, inclination

Dein Wille geschehe! Your will be done!

nach meinem Willen according to my will

willig willing

das Willkommen, -s, - welcome

willkommen to welcome

wimmeln to swarm

wimmelnd teeming

wimmern to whimper, moan

die Wimper, -, -n eyelash

ihre Wimpern schlugen auf und zu her eyelashes fluttered

der Wind, -(e)s, -e wind

der Wind geht the wind blows

die Winde, -, -n bindweed

die Windfangtür, -, -en storm door

der Winkel, -s, - corner; angle

winken to wink, beckon, wave

winklig angular, winding

der Winter, -s, - winter

die Winternacht, -, -e winter-night

winzig tiny

der Wipfel, -s, - treetop

wirbeln to whirl, spin

wirklich real(ly)

die Wirklichkeit, -, -en reality

wirksam effective

die Wirkung, -, -en effect, influence

der Wirt, -(e)s, -e innkeeper

die Wirtin, -, -nen proprietress, hostess, innkeeper's wife

die Wirtsfrau innkeeper's wife

das Wirtshaus, -es, -er inn, public house

348

wischen to wipe, rub

wissen, (weiß), wußte, gewußt
  to know

die Wissenschaft, -, -en science,
  knowledge

wittern to sense, smell

wo where

  wo aus noch ein where to turn

wobei whereat, in connection
  with which

die Woche, -, -n week

wöchentlich weekly

wofür what for

wogen to float, surge, sway, un-
  dulate

der Wogenberg, -(e)s, -e hill of
  waves, breaker

woher from where, whence

wohl well; indeed, to be sure;
  perhaps, probably, very likely,
  safely

  wohl bekomms! may it do
  you good!

  es gefällt mir sehr wohl I like
  it very much

  sich (dat.) wohl sein lassen to
  enjoy oneself

wohlanständig respectable

die Wohlanständigkeit, - propriety

wohlgegründet well-founded

wohlgestaltet well-shaped

wohlig comfortable, pleasant

wohlmeinend well-meaning

wohlriechend scented, fragrant

  wohlriechende Essenz perfume

das Wohlsein, -s well-being

das Wohlwollen, -s benevolence

  mitleidiges Wohlwollen
  benevolence tinged with pity

wohnen to dwell, live

die Wohnung, -, -en living quarters,
  apartment, domicile, residence

die Wohnungstüre, -, -n entrance
  door (to an apartment) front
  door

die Wolke, -, -n cloud

  rot und golden durchleuchtete
  Wolken clouds suffused with
  red and gold

  aus allen Wolken fallen to be
  thunderstruck, be taken aback
  completely

der Wolkendunst, -es, ⸚e cloudy
  mist

der Wolkenhügel, -s, - pile or
  mountain of clouds

die Wolkenschicht, -, -en bank of
  clouds

die Wolkenwelle, -, -n wave of mist

wollen, (will), wollte, gewollt
  to want to, intend, "will"

die Wollust, -, ⸚e sensuality, lust,
  debauchery

womit with which, with what

die Wonne, -, -n bliss, delight,
  ecstasy, rapture

  Wonnen der Gewöhnlichkeit
  bliss of commonplace

die Wonnestunde, -, -n hour of bliss

worauf whereupon

woraus out of which, out of
  what

das Wort, -es, ⸚er or -e word

wortlos silent, without saying a
  word, speechless

wozu for what purpose, what for

wund wounded, sore, grieved

die Wunde, -, -n wound

das Wunder, -s, - miracle

wunderartig unusual, baffling

wunderbar wonderful

wunderlich strange, odd, singular,
  curious

sich wundern to wonder, be surprised
  (at), be astonished

wundersam wondrous, strangely
  wonderful

der Wunsch, -es, ⸚e wish, desire

wünschen to wish

die Würde, -, -n dignity, post of
  honor

würdig dignified, venerable

der Wurm, -(e)s, ⸚er worm

die Wurst, -, ⸚e sausage

die Wurzel, -, -n root

würzen to spice, season

der Wust, -es chaos

wüst waste, uncultivated, dissolute,
  desolate

die Wüste, -, -n desert

die Wüstenei, -, -(e)n desert, waste

wütend furious, raging

Z

zackig jagged

zag timid

zagen to hesitate, quail
zaghaft timid
zäh stubborn
die Zahl, -, -en number
zählen to count
zahllos countless
zahlreich numerous
zähmen to tame
der Zahn, -(e)s, ⸚e tooth
zappeln to fidget, kick, writhe
zart delicate, tender, sheer
die Zärtlichkeit, -, -en tenderness, affection
zartrosig pink
der Zauber, -s, - magic, enchantment
der Zauberer, -s, - magician
der Zauberlehrling, -s, -e magician's apprentice, sorcerer's apprentice
das Zauberpulver, -s, - magic powder
der Zauberwort, -(e)s, -e magic word
der Zaun, -(e)s, ⸚e fence
zehnfach tenfold
die Zehenspitze, -, -n tip or point of a toe
zehren to consume
das Zeichen, -s, - sign, mark, token
zum Zeichen (+gen.) as a sign of
zeichnen to mark
der Zeigefinger, -s, - forefinger, index finger
zeigen to show, demonstrate
sich zeigen to show oneself or itself, appear, manifest itself, occur, display itself
es zeigt sich it becomes evident
die Zeile, -, -n line
die Zeit, -, -en time
Zeit gewinnen to gain time
von Zeit zu Zeit from time to time
vor Zeiten long ago
zeitig early
eine Zeitlang for some time
zeitlos timeless
die Zeitschrift, -, -en magazine, journal
die Zeitung, -, -en newspaper
der Zeitvertreib, -s, -e diversion, pastime
die Zensur, -, -en report, mark, grade

zerbrechen, (zerbricht), zerbrach, zerbrochen to break (to pieces), smash (up)
zerdrücken to crush
zerfallen, (zerfällt), zerfiel, ist zerfallen to collapse, fall out
zerfallen mit in conflict with
zerfressen (zerfrißt), zerfraß, zerfressen to corrode
zerknirschen to crush, overwhelm with regret or sorrow
zerknirscht contrite, abjectly
zerlegen to dissect, cut to pieces
zerlumpt ragged, tattered and torn
zermartern to torture
zerpeitschen to whip to pieces, lash
ziemlich tolerably, pretty, rather, somewhat
die Zier, - ornament
die Zierat, -, -en decoration, ornament
die Zierde, -, -n ornament
zierlich elegant, pretty, dainty
die Zigarette, -, -n cigarette
der Zigeuner, -s, - gypsy
das Zimmer, -s, - room
der Zimmerwinkel, -s, - corner of the room
die Zipfelmütze, -, -n peaked cap
zischen to hiss, whir
zitieren to cite
zittern to tremble, quiver
ins Zittern geraten, (gerät ins Zittern), geriet ins Zittern, ist ins Zittern geraten to start to tremble
das Zivil, -s civilian dress
in Zivil in civilian clothes
die Zivilbevölkerung, - civilian population
zögern to hesitate
der Zöllner, -s, - toll collector
der Zollverwalter, -s, - administrator of customs, customs official
der Zopf, -(e)s, ⸚e plait (of hair), braid
der Zorn, -(e)s anger
zornig angry
zu to; on, further; at; too
zu Haus(e) at home
zu Fuß on foot
zu Fuß gehen to walk

350

zu-bereiten to prepare

zu-bringen, brachte zu, zuge-
 bracht to pass, spend (time)

das Zuchthaus, -es, ¨er house of
 correction

das Zucken, -s twitch

zucken to twitch, shrug, move
 convulsively, quiver, tremble

zu-decken to cover (up)

zudem furthermore, in addition

zu-drücken to press shut

zuerst first, first of all

zu-fallen (fällt zu), fiel zu, ist
 zugefallen to close, shut

zufällig by coincidence, acci-
 dental

zu-flüstern to whisper something
 to someone, breathe something
 into a person's ear

zufrieden satisfied, content

die Zufriedenheit, - contentment,
 satisfaction

der Zug, -(e)s, ¨e feature; train;
 draught

die Züge (pl.) outlines, strokes
 (of the pen), writing; features

zugegen present

der Zügel, -s, - rein, bridle

zu-gehen, ging zu, ist zuge-
 gangen to go towards,
 approach

zugetan attached, devoted

zugig drafty, bleak

zugleich simultaneous, at the
 same time, at once

zugrunde-richten to destroy

zu-hören to listen

der Zuhörer, -s, - listener

zu-klappen to snap shut

zuletzt at last, after all

zuliebe (with dat.) on account
 of

zu-machen to shut, close

zumal especially

zumeist for the most part

zumindest at least

zumute sein to feel like

zunächst first of all

zünden to light, kindle

zu-nehmen, (nimmt zu), nahm
 zu, zugenommen to in-
 crease, gain

die Zunge, -, -n tongue

zuoberst at the very top, uppermost

zurecht-legen to put in order

zu-reden to urge, exhort, persuade, try to convince, encourage

zürnen to be angry

zurück back, backwards

sich zurück-begeben, (begibt sich
 zurück), begab sich zurück,
 hat sich zurückbegeben to
 return

sich zurück-biegen, bog sich zurück,
 hat sich zurückgebogen to
 bend back

zurück-bleiben, blieb zurück,
 ist zurückgeblieben to remain behind

zurück-denken, dachte zurück,
 zurückgedacht to think
 back, to recall

zurück-führen to lead back

zurück-gleiten, (gleitet zurück),
 glitt zurück, ist zurück-
 geglitten to slip back

die Zurückhaltung, - reserve

zurück-kehren to return

zurück-kommen, kam zurück,
 ist zurückgekommen to
 return, come back

zurück-scheuchen to frighten or
 shoo back

zurück-scheuen to shrink from,
 hesitate before

zurück-schicken to send back

zurück-senden, (sendet zurück),
 sandte zurück, zurück-
 gesandt to send back

zurück-stoßen, (stößt zurück),
 stieß zurück, zurückgestoßen
 to push back

zurück-weichen, wich zurück,
 ist zurückgewichen to retreat, fall back, recede, withdraw

zurück-werfen, (wirft zurück),
 warf zurück, zurückgewor-
 fen to throw back, toss back

zu-sagen to suit (a person's) wishes

es sagt mir zu I like it, it is to
 my taste

zusammen together

sich zusammen-ballen to gather,
 pack

zusammen-beißen, biß zusammen, zusammengebissen to
clench

zusammen-binden, (bindet
zusammen), band zusam-
men, zusammengebunden
to tie together

zusammen-fahren, (fährt zusammen), fuhr zusammen, ist
zusammengefahren to join
together; come into collision

zusammengekauert curled up

zusammengekniffen tightly
closed, pinched

der Zusammenhang, -(e)s, ⸚e connection, association, context

zusammen-klingen, klang zusammen, zusammengeklun-
gen to sound together, har-
monize

zusammen-kommen, kam zu-
sammen, ist zusammenge-
kommen to come together,
meet

zusammen-knüpfen to knot, tie
together

die Zusammenkunft, -, ⸚e meeting,
get-together

sich zusammen-nehmen, (nimmt
sich zusammen), nahm sich
zusammen, hat sich zusam-
mengenommen to pull
oneself together, pluck up
courage

zusammen-raffen to collect,
gather up

zusammen-rauschen to rustle
together, murmur together
(from all sides)

zusammen-sacken to cave in,
crumble

zusammen-schnüren to con-
strict

zusammen-schrumpfen to
shrivel

zusammen-setzen to compound,
put together, compose

zusammen-sinken, sank zusammen, ist zusammengesunken
to collapse

zusammensinkende Glut dy-
ing embers

zusammen-treffen, (trifft zusammen), traf zusammen, ist

zusammengetroffen to en-
counter, meet

zusammen-treiben, trieb
zusammen, zusammenge-
trieben to drive together, bring
together

zusammen-ziehen, zog zusammen, zusammengezogen to
contract

der Zuschauer, -s, - onlooker

die Zuschrift, -, -en communication,
letter

zu-sehen, (sieht zu), sah zu,
zugesehen to watch, look on,
witness

zu-sprechen, (spricht zu), sprach
zu, zugesprochen to speak
to; partake freely

der Flasche beständig zu-
sprechen partake freely or
continually of the bottle

der Zustand, -(e)s, ⸚e condition, state

die Zuständigkeit, - status, residence

zu-stimmen to agree

die Zustimmung, - assent, consent,
agreement

zu-stutzen to put into shape,
train, drill

sich zu-tragen, (trägt sich zu), trug
sich zu, hat sich zugetragen
to happen, come about, occur,
take place

jemandem etwas zu-trauen to
credit a person with doing
something, to believe a person
capable of doing something

das hätte ich ihm nicht zugetraut I would never have
considered him capable of
that

zu-treffen, (trifft zu), traf zu, ist
zugetroffen to come true,
prove correct

zu-tun, tat zu, zugetan to close,
shut

zutunlich engaging, complacent

zuvor before

zuweilen now and then, at times,
once in a while, occasionally

zu-weisen, wies zu, zugewiesen
to assign, allot

zu-wenden, (wendet zu), wandte
zu, zugewandt to turn to

zu-winken to wave to

zwar certainly, it is true, indeed, to be sure

der **Zweck, (e)s, -e** purpose

zweideutig ambiguous

der **Zweifel, -s, -** doubt

zweifelhaft doubtful, dubious, questionable

zweifeln to doubt, question

der **Zweig, -(e)s, -e** twig, branch

zweigen to branch (*out*)

der **Zweihänder, -s, -** two-handed sword

zweispännig drawn by two horses

zweitens in the second place, secondly

zum zweitenmal for the second time

das **Zwielicht, -(e)s** twilight

zwingen, zwang, gezwungen to force, coerce, compel

herbeigezwungen forced to come

zwinkern to blink

eifrig zwinkernd eagerly blinking

zwischen between, among

der **Zwischenakt, -(e)s, -e** intermission

der **Zwischenfall, -(e)s, ⁀e** incident

das **Zwischengeschoß, -es, -e** mezzanine

die **Zwitscherstimme, -, -n** chirping voice